CBAC

Astudiaethau Crefyddol UG

Athroniaeth Crefydd / Crefydd a Moeseg

Richard Gray

Karl Lawson

Golygwyd gan Richard Gray

CBAC Astudiaethau Crefyddol UG: Athroniaeth Crefydd a Crefydd a Moeseg

Addasiad Cymraeg o *WJEC/Eduqas Religious Studies for A Level Year 1 & AS: Philosophy of Religion and Religion and Ethics* a gyhoeddwyd yn 2016 gan Illuminate Publishing Ltd, P.O. Box 1160, Cheltenham, Swydd Gaerloyw GL50 9RW.

Archebion: Ewch i www.illuminatepublishing.com neu anfonwch e-bost at sales@illuminatepublishing.com

Cyhoeddwyd dan nawdd Cynllun Adnoddau Addysgu a Dysgu CBAC

Data Catalogio Cyhoeddiadau y Llyfrgell Brydeinig

Mae cofnod catalog ar gyfer y llyfr hwn ar gael gan y Llyfrgell Brydeinig.

ISBN 978-1-911208-30-3

Argraffwyd gan: Printondemand-Worldwide.com, Peterborough

09.17

Polisi'r cyhoeddwr yw defnyddio papurau sy'n gynhyrchion naturiol, adnewyddadwy ac ailgylchadwy o goed a dyfwyd mewn coedwigoedd cynaliadwy. Disgwylir i'r prosesau torri coed a gweithgynhyrchu gydymffurfio â rheoliadau amgylcheddol y wlad y mae'r cynnyrch yn tarddu ohoni.

Gwnaed pob ymdrech i gysylltu â deiliaid hawlfraint y deunydd a atgynhyrchwyd yn y llyfr hwn. Os cânt eu hysbysu, bydd y cyhoeddwyr yn falch o gywiro unrhyw wallau neu hepgoriadau ar y cyfle cyntaf.

Mae'r deunydd hwn wedi'i gymeradwyo gan CBAC, ac mae'n cynnig cefnogaeth o ansawdd uchel ar gyfer cymwysterau CBAC. Er bod y deunydd wedi bod trwy broses sicrhau ansawdd CBAC, mae'r cyhoeddwr yn dal yn llwyr gyfrifol am y cynnwys.

Atgynhyrchir cwestiynau arholiad CBAC drwy ganiatâd CBAC.

Gosodiad y llyfr Cymraeg: Neil Sutton, Cambridge Design Consultants
Dyluniad a gosodiad gwreiddiol: EMC Design Ltd, Bedford

Cydnabyddiaeth

Delwedd y clawr: © Skarie20/iStock

Delweddau:

t. 1 Skarie20/iStock; **tt. 4 a 6** Rod Savely; **t. 7** (chwith) Ssavotije; (canol a de) Olaf Speier; **t. 9** Oliver Hoffmann; **t. 11** dslaven; **t. 16** Joe Gough; **t. 17** MikeCardUK; **tt.18 a 19** MSSA; **t. 27** (chwith) Yeti Crab; (de) Steve Allen; **t. 32** Vladimir Wrangel; **t. 33** Anhysbys, Lloegr [Ar gael i'r cyhoedd], drwy Wikimedia Commons; **t. 34** SunnySideUp; **t. 35** GongTo; **t. 40** Everett – Art; **t. 41** Pearl Bucknall; **t. 42** GongTo; **t. 50** Patryk Kosmider; **t. 51** Nicku; **t. 56** (chwith brig) mTaira; (chwith canol brig) Lucky Team Studio; (canol de brig) AC Rider; (de brig) Zoran Ras; (chwith gwaelod) Peter Schulzek; (canol gwaelod chwith) Roland IJdema; (canol gwaelod de) Jim Valee; (canol de) Niran Phonruang; **t. 59** Africa Studio; **t. 65** npine; **t. 66** VladisChern; **t. 73** Morphart Creation; **t. 75** Everett Historical; **t. 81** UMB-O; **t. 83** jcpgraphic; **t. 84** David Carillet; **t. 85** mehmetcan; **t. 86** Baciu; **t. 87** Zvonimir Alletic; **t. 93** Ar gael i'r cyhoedd; **t. 94** CHOATphotographer; **t. 100** Graphics RF; **t. 101** Everett – Art; **t. 104** Gan Shane Pope o Austin, UDA (Richard Dawkins, cydraniad gwreiddiol) [CC BY 2.0 http://creativecommons.org/licenses/by/2.0)], drwy Wikimedia Commons; **t. 106** Ziel (Gwaith ei hun) [CC BY-SA 3.0 (http://creativecommons.org/licenses/by-sa/3.0) neu GFDL (http://www.gnu.org/copyleft/fdl.html)], drwy Wikimedia Commons; **t. 110** Sting [CC BY-SA 2.5 (http://creativecommons.org/licenses/by-sa/2.5)], drwy Wikimedia Commons; **t. 111** Gan Kaihsu Tai (gwaith ei hun, Kaihsu Tai) [GFDL http://www.gnu.org/copyleft/fdl.html), CC-BY-SA-3.0 (http://creativecommons.org/licenses/by-sa/3.0/), drwy Wikimedia Commons; **t. 119** Yn null Lysippos [Ar gael i'r cyhoedd], drwy Wikimedia Commons; **t. 120** Phonlamai Photo; **t. 121** Y lanlwythwr gwreiddiol oedd Galilea yn German Wikipedia [GFDL http://www.gnu.org/copyleft/fdl.html) neu CC-BYSA-3.0 (http://creativecommons.org/licenses/by-sa/3.0/)], drwy Wikimedia Commons; **t. 123** O Carl Heinrich Bloch [Ar gael i'r cyhoedd], drwy Wikimedia Commons; **t. 124** Pavel L Photo and Video; **t. 130** SpeedKingz; **t. 131** Gan Friedrich Engels [Ar gael i'r cyhoedd], drwy Wikimedia Commons; **t. 140** Panos Karas; **t. 141** Nheyob (Gwaith ei hun) [CC BY-SA 4.0 (http://creativecommons.org/licenses/by-sa/4.0)], drwy Wikimedia Commons; **t. 142** Creative Commons Attribution-Share Alike 2.0 Trwydded gyffredinol; **t. 148** Bartolomeo Montagna [Ar gael i'r cyhoedd], drwy Wikimedia Commons; **t. 151** Ema Woo; **t. 158** Aris Suwanmalee; **t. 159** Gagliarilmages; **t. 160** Gan ddefnyddiwr Flickr Steve Punter (You don't want me on Flickr) [CC BY 2.0 (http://creativecommons.org/licenses/by/2.0)], drwy Wikimedia Commons; **t. 162** Ar gael i'r cyhoedd; **t. 163** Ar gael i'r cyhoedd; **t. 166** Umit Erdem; **t. 176** Renata Sedmakova; **t. 177** Renata Sedmakova; **t. 192** Ar gael i'r cyhoedd; **t. 193** Bikeworldtravel; **t. 201** Georgios Kollidas; **t. 203** kulyk; **t. 207** skyearth; **t. 209** Ar gael i'r cyhoedd; **t. 210** bikeriderlondon; **t. 216** (brig) Bernard Gagnon (Gwaith ei hun) [GFDL http://www.gnu.org/copyleft/fdl.html) neu CC BY-SA 3.0 (http://creativecommons.org/licenses/by-sa/3.0)], drwy Wikimedia Commons; (gwaelod) Daniel Mytens [Ar gael i'r cyhoedd], drwy Wikimedia Commons; **t. 219** anyaivanova; **t. 222** Michael Warwick

Cynnwys

Ynglŷn â'r llyfr hwn

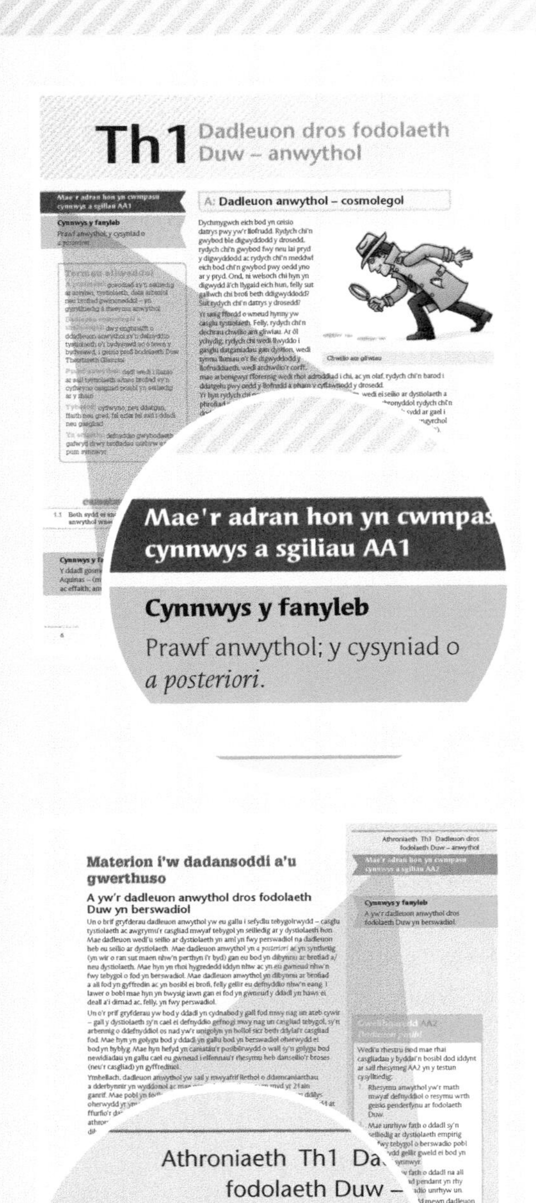

Yn y Safon Uwch newydd mewn Astudiaethau Crefyddol, mae llawer o waith i'w drafod a'i wneud i baratoi ar gyfer yr arholiadau ar ddiwedd yr UG neu'r Safon Uwch llawn. Nod y llyfrau hyn yw rhoi cefnogaeth i chi a fydd yn arwain at lwyddiant.

Mae'r gyfres hon o lyfrau yn canolbwyntio ar sgiliau wrth ddysgu. Mae hyn yn golygu bod y llyfrau yn trafod cynnwys y fanyleb a pharatoi ar gyfer yr arholiadau o'r dechrau. Mewn geiriau eraill, y nod yw eich helpu i weithio drwy'r cwrs, gan ddatblygu rhai sgiliau pwysig sydd eu hangen ar gyfer yr arholiadau ar yr un pryd.

Er mwyn eich helpu i astudio, mae adrannau sydd wedi'u diffinio'n glir ar gyfer meysydd AA1 ac AA2 y fanyleb. Mae'r rhain wedi eu trefnu yn ôl themâu'r fanyleb ac maen nhw'n defnyddio penawdau'r fanyleb, pan fydd hynny'n bosibl, er mwyn eich helpu i weld bod y cynnwys wedi'i drafod, ar gyfer UG a Safon Uwch.

Mae'r cynnwys AA1 yn fanwl ac yn benodol, gan roi cyfeiriadau defnyddiol at weithiau crefyddol/athronyddol a barn ysgolheigion. Mae'r cynnwys AA2 yn ymateb i'r materion sy'n cael eu codi yn y fanyleb ac yn cynnig syniadau i chi ar gyfer trafodaeth bellach, i'ch helpu i ddatblygu eich sgiliau gwerthuso eich hun.

Sut i ddefnyddio'r llyfr hwn

Wrth ystyried ffyrdd gwahanol o addysgu a dysgu, penderfynwyd bod angen hyblygrwydd yn y llyfrau er mwyn eu haddasu at bwrpasau gwahanol. O ganlyniad, mae'n bosibl eu defnyddio ar gyfer dysgu yn yr ystafell ddosbarth, gwaith annibynnol unigol, gwaith cartref, a 'dysgu fflip' hyd yn oed (os yw eich ysgol neu eich coleg yn defnyddio'r dull hwn).

Fel y byddwch yn gwybod, mae amser dysgu yn werthfawr iawn adeg Safon Uwch. Rydyn ni wedi ystyried hyn drwy greu nodweddion a gweithgareddau hyblyg, er mwyn arbed amser ymchwilio a pharatoi manwl i athrawon a dysgwyr fel ei gilydd.

Nodweddion y llyfrau

Mae pob un o'r llyfrau'n cynnwys y nodweddion canlynol sy'n ymddangos ar ymyl y tudalennau, neu sydd wedi'u hamlygu yn y prif destun, er mwyn cefnogi'r dysgu ac addysgu.

Termau allweddol – yn esbonio geiriau neu ymadroddion technegol, crefyddol ac athronyddol

Termau allweddol

Potensialedd: y gallu i fedru dod yn rhywbeth arall

Cwestiynau cyflym – cwestiynau syml, uniongyrchol i helpu i gadarnhau ffeithiau allweddol am yr hyn sy'n cael ei ystyried wrth ddarllen drwy'r wybodaeth

cwestiwn cyflym

1.2 Pwy oedd yr Ysgogydd Disymud yn ôl Aquinas?

Dyfyniadau allweddol – dyfyniadau o weithiau crefyddol ac athronyddol a/neu weithiau ysgolheigion

Dyfyniad allweddol

Beth am ymwroli nawr i sicrhau mai chi eich hunain yw'r pwynt canolog a'r prif beth yn llwyr? (Stirner)

Awgrymiadau astudio – cyngor ar sut i astudio, paratoi ar gyfer yr arholiad ac ateb cwestiynau

Awgrym astudio

Er nad oes angen i chi fynd i lawer o fanylder am syniadau Craig am anfeidredd, dylech chi allu dangos eich bod chi'n deall sut mae ei ddadl Kalam yn gweithio, ynghyd â'r gwahaniaethau sylfaenol rhwng anfeidreddau potensial a gweithredol (fel sy'n cael eu hesbonio yn y termau allweddol).

Gweithgareddau AA1 – pwrpas y rhain yw canolbwyntio ar adnabod, cyflwyno ac esbonio, a datblygu'r wybodaeth a'r ddealltwriaeth sydd eu hangen ar gyfer yr arholiad

Gweithgaredd AA1

Pam rydych chi'n meddwl bod y syniad o 'achos effeithiol' mor bwysig i ddadleuon Aristotle ac Aquinas? Esboniwch eich ateb gan ddefnyddio tystiolaeth ac enghreifftiau o'r hyn rydych chi wedi ei ddarllen.

Gweithgareddau AA2 – pwrpas y rhain yw canolbwyntio ar gasgliadau, fel sail ar gyfer meddwl am y materion, gan ddatblygu'r sgiliau gwerthuso sydd eu hangen ar gyfer yr arholiad

Gweithgaredd AA2 ***Dadleuon posibl***

Wedi'u rhestru isod mae rhai casgliadau y byddai'n bosibl dod iddynt ar sail rhesymeg AA2 yn y testun cysylltiedig:

Geirfa o'r holl dermau allweddol er mwyn cyfeirio atyn nhw'n gyflym.

Nodwedd benodol: Datblygu sgiliau

Mae'r adran hon yn canolbwyntio'n fawr ar 'beth i'w wneud' â'r cynnwys a'r materion sy'n cael eu codi. Maen nhw'n digwydd ar ddiwedd pob adran, gan roi 12 enghraifft AA1 a 12 gweithgaredd AA2 sy'n canolbwyntio ar yr arholiad.

Mae'r adrannau Datblygu sgiliau wedi'u trefnu fel eu bod yn cynnig cymorth i chi ar y dechrau, ac yna'n raddol yn eich annog i fod yn fwy annibynnol.

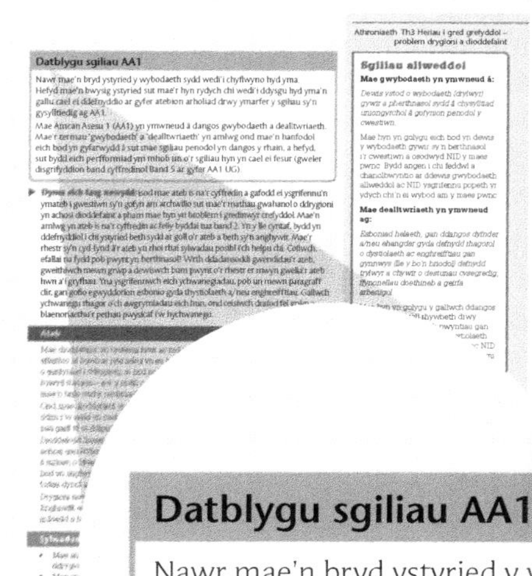

Atebion a sylwadau AA1 ac AA2

Yn yr adran olaf mae detholiad o atebion a sylwadau yn fframwaith ar gyfer barnu beth yw ymateb effeithiol ac aneffeithiol. Mae'r sylwadau yn tynnu sylw at rai camgymeriadau cyffredin a hefyd at enghreifftiau o arfer da fel bod pawb sy'n ymwneud ag addysgu a dysgu yn gallu ystyried sut mae mynd i'r afael ag atebion arholiad.

Richard Gray
Golygydd y Gyfres
2016

Th1 Dadleuon dros fodolaeth Duw – anwythol

Mae'r adran hon yn cwmpasu cynnwys a sgiliau AA1

Cynnwys y fanyleb

Prawf anwythol; y cysyniad o *a posteriori*.

Termau allweddol

A posteriori: gosodiad sy'n seiliedig ar arsylwi, tystiolaeth, data arbrofol neu brofiad gwirioneddol – yn gysylltiedig â rhesymu anwythol

Dadleuon cosmolegol a theleolegol: dwy enghraifft o ddadleuon anwythol sy'n defnyddio tystiolaeth o'r bydysawd, ac o fewn y bydysawd, i geisio profi bodolaeth Duw Theistiaeth Glasurol

Prawf anwythol: dadl wedi'i llunio ar sail tystiolaeth a/neu brofiad sy'n cyflwyno casgliad posibl yn seiliedig ar y rhain

Tybosod: cyflwyno, neu ddatgan, ffaith neu gred, fel arfer fel sail i ddadl neu gasgliad

Yn empirig: defnyddio gwybodaeth a gafwyd drwy brofiadau unrhyw un o'r pum synnwyr

cwestiwn cyflym

1.1 Beth sydd ei angen er mwyn i ddadl anwythol wneud synnwyr?

A: Dadleuon anwythol – cosmolegol

Dychmygwch eich bod yn ceisio datrys pwy yw'r llofrudd. Rydych chi'n gwybod ble digwyddodd y drosedd, rydych chi'n gwybod fwy neu lai pryd y digwyddodd ac rydych chi'n meddwl eich bod chi'n gwybod pwy oedd yno ar y pryd. Ond, ni welsoch chi hyn yn digwydd â'ch llygaid eich hun, felly sut gallwch chi brofi beth ddigwyddodd? Sut rydych chi'n datrys y drosedd?

Chwilio am gliwiau

Yr unig ffordd o wneud hynny yw casglu tystiolaeth. Felly, rydych chi'n dechrau chwilio am gliwiau. Ar ôl ychydig, rydych chi wedi llwyddo i gasglu datganiadau gan dystion, wedi tynnu lluniau o'r lle digwyddodd y llofruddiaeth, wedi archwilio'r corff, mae arbenigwyr fforensig wedi rhoi adroddiad i chi, ac yn olaf, rydych chi'n barod i ddatgelu pwy oedd y llofrudd a pham y cyflawnodd y drosedd.

Yr hyn rydych chi newydd ei wneud yw anwytho barn, wedi ei seilio ar dystiolaeth a phrofiad sydd wedi arwain at gasgliad posibl. Mewn termau athronyddol rydych chi'n dod i'ch casgliad drwy **brawf anwythol**. Prawf fel hyn yw'r unig fath sydd ar gael i ni yn aml iawn – yn enwedig pan nad oedd yn bosibl i ni gasglu prawf uniongyrchol (h.y. doedden ni ddim yn bresennol adeg y digwyddiad i dystio iddo **yn empirig**). Yn yr un modd ni allwn ni ddefnyddio rhesymu rhesymegol pur i ddod i gasgliad oherwydd nid yw'r amgylchiadau na'r digwyddiadau yn caniatáu i hyn ddigwydd.

Mae profion anwythol yn rhai ***a posteriori*** oherwydd bod angen tystiolaeth a/neu brofiad iddyn nhw wneud synnwyr. Yn athroniaeth crefydd, mae unrhyw ddadl sydd wedi'i llunio ar sail tystiolaeth a/neu brofiad yn ddadl *a posteriori*, anwythol. Wrth i chi astudio mae hyn yn wir am y **dadleuon cosmolegol a theleolegol** dros fodolaeth Duw. Mae'r ddadl gyntaf yn defnyddio tystiolaeth y bydysawd sy'n bodoli'n barod ac yn gofyn y cwestiwn 'O ble y daeth?' fel sail iddi. Mae'r ail ddadl yn edrych ar strwythur a swyddogaeth y bydysawd a'r pethau oddi mewn iddo i awgrymu trefn a phwrpas na allai fod wedi digwydd ar hap fel sail iddi. Yn y ddau achos mae tystiolaeth yn cael ei chasglu ac mae casgliadau yn cael eu **tybosod**.

Cynnwys y fanyleb

Y ddadl gosmolegol; Tri Dull cyntaf Aquinas – (mudiant neu newid; achos ac effaith; amodoldeb a rheidrwydd).

Aquinas – Y Dull Cyntaf

Cyfeirir yn aml at Ddull Cyntaf Aquinas fel 'mudiant' neu 'newid'. Yn y bôn, dywedodd Aquinas, wrth i ni arsylwi'r bydysawd, rydyn ni'n sylwi bod pethau'n tueddu i fod mewn cyflwr o newid neu fudiant. O'r arsylwad hwn, nododd Aquinas nad yw pethau'n gwneud hyn o'u rhan eu hunain ond yn hytrach maen nhw'n cael eu 'symud' (neu eu 'newid') gan rywbeth arall (yma, mae Aquinas yn ategu'r hyn a ddywedodd Aristotle).

Dyfyniad allweddol

Mae'n sicr, ac yn amlwg i'n synhwyrau, fod rhai pethau yn y byd yn symud. Mae beth bynnag sy'n symud yn cael ei wneud i symud gan rywbeth arall, gan na all unrhyw beth fod yn symud heblaw mewn potensialedd â'r peth y mae'n symud tuag ato; ond mae peth yn symud oherwydd ei fod mewn gweithred. Oherwydd nid yw mudiant yn ddim mwy na lleihau rhywbeth o botensialedd i weithredoledd. Ond ni all dim gael ei leihau o botensialedd i weithredoledd, ac eithrio gan rywbeth sydd mewn cyflwr o weithredoledd. **(Aquinas, *Summa Theologica*)**

Dywedodd Aquinas, os ydyn ni'n edrych yn ôl i lawr y dilyniant hwn o symudiadau/newidiadau, byddai'n rhaid i ni yn y pen draw gyrraedd rhywbeth a roddodd gychwyn ar y dilyniant cyfan. Nawr, gan fod popeth yn y bydysawd (y gallwn ei weld) naill ai'n symud neu'n ysgogwyr, mae angen i ni ddod o hyd i bwynt a gychwynnodd y pethau hyn. Mae hynny'n golygu, o reidrwydd, edrych y tu allan i'r bydysawd – h.y. tuag at rywbeth nad yw wedi cael ei symud gan rywbeth arall, ac yn wir nad yw'n gallu cael ei symud/newid gan ddim arall, ond sy'n gyfrifol am roi cychwyn ar y dilyniant cyfan o symud/newid.

Galwodd Aristotle hwn yr Ysgogydd Cyntaf, a datblygodd Aquinas hyn i'r 'Ysgogydd Disymud' – '*sef yr hyn y mae pob dyn yn ei alw'n Dduw*'.

I egluro'r pwynt hwn ymhellach, mae Aquinas yn adeiladu ar enghreifftiau ac esboniadau Aristotle. Mae Aristotle yn sôn am bethau'n symud o gyflwr o '**botensialedd**' (h.y. rhywbeth y mae ganddo bosibilrwydd o symud/newid i mewn iddo) tuag at gyflwr o '**weithredoledd**' (lle mae'n gwireddu neu'n cyrraedd ei botensial).

Ond, nododd Aristotle ac Aquinas ni allai'r newid hwn ddigwydd heblaw bod rhywbeth oedd eisoes yn meddu ar gyflwr o weithredoledd yn gweithredu ar yr hyn oedd mewn cyflwr o botensialedd. Yr '**achos effeithiol**' yw'r enw ar y trydydd parti hwn.

Defnyddiodd Aristotle yr enghraifft o ddarn o farmor (potensial) yn dod yn gerflun (gweithredol) ond dim ond wrth i'r cerflunydd (achos effeithiol) weithredu arno.

cwestiwn cyflym

1.2 Pwy oedd yr Ysgogydd Disymud yn ôl Aquinas?

Termau allweddol

Achos effeithiol: y 'trydydd parti' sy'n achosi symud o botensialedd i weithredoledd

Gweithredoledd: pan mae rhywbeth yn y cyflwr o fod wedi'i wireddu'n llawn

Potensialedd: y gallu i fedru dod yn rhywbeth arall

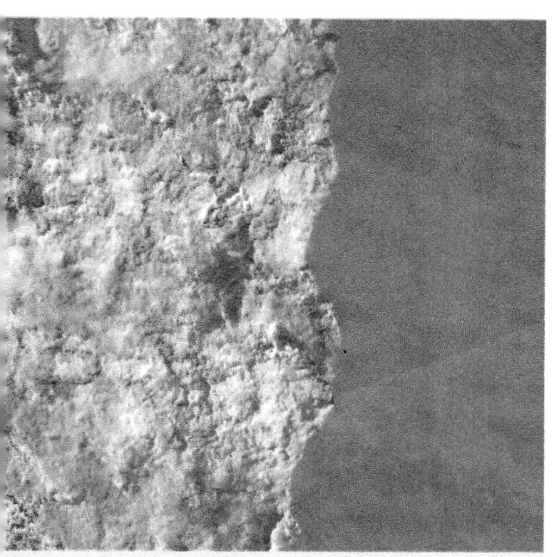

Potensial

Achos effeithiol

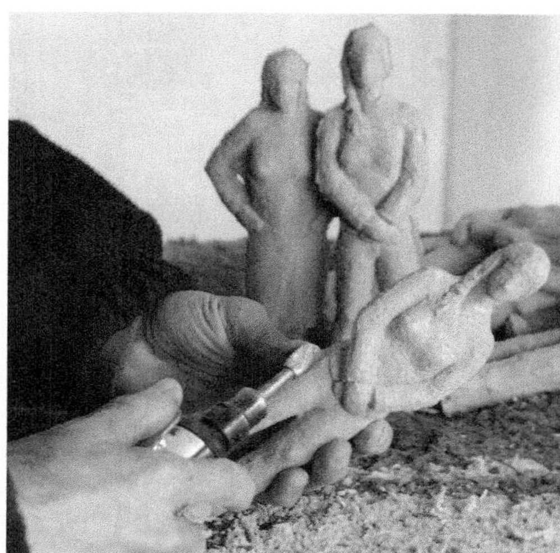

Gweithredol

Mae Aquinas yn defnyddio'r enghraifft o bren yn mynd yn boeth er mwyn egluro'r pwynt hwn:

Dyfyniad allweddol

Felly mae'r hyn sy'n weithredol boeth, fel tân, yn gwneud pren, sy'n botensial boeth, yn weithredol boeth, ac felly yn ei symud ac yn ei newid. Nid yw'n bosibl y gallai'r un peth fod mewn gweithredoledd ac mewn potensialedd yn yr un modd, ond dim ond mewn moddau gwahanol. Oherwydd ni all rhywbeth sy'n weithredol boeth fod yn botensial boeth yr un pryd; ond mae'n botensial oer ar yr un pryd. Mae'n amhosibl felly y byddai rhywbeth yn yr un modd ac yn yr un ffordd yn ysgogydd ac yn cael ei symud, h.y. y gallai ei symud ei hun. (Aquinas)

Yma, mae Aquinas yn dweud bod yn rhaid i'r tân sy'n gwneud y pren yn boeth feddu ar briodwedd poethder ynddo'i hun eisoes er mwyn, yn ei dro, gwneud y pren yn boeth. Pe bai mewn unrhyw gyflwr arall (e.e. oerni) ynddo'i hun yna byddai'n amhosibl iddo wneud y pren yn boeth.

cwestiwn cyflym

1.3 Pa enghraifft a roddodd:
i. Aristotle
ii. Aquinas
i esbonio sut mae pethau sydd â photensial yn dod yn weithredol?

cwestiwn cyflym

1.4 Ble rydyn ni'n gweld trefn o achosion effeithiol?

Dyfyniad allweddol

Daw'r ail ddull o natur yr achos effeithiol. Yn y byd o synnwyr gwelwn ni fod trefn o achosion effeithiol. Nid ydym yn gwybod am unrhyw achos (ac, yn wir, nid yw'n bosibl) lle y ceir bod rhywbeth yn achos effeithiol iddo'i hun; oherwydd byddai'n gynharach na'i hun, sy'n amhosibl. (Aquinas)

Gweithgaredd AA1

Pam rydych chi'n meddwl bod y syniad o 'achos effeithiol' mor bwysig i ddadleuon Aristotle ac Aquinas? Esboniwch eich ateb gan ddefnyddio tystiolaeth ac enghreifftiau o'r hyn rydych chi wedi ei ddarllen.

Awgrym astudio

Wrth esbonio'r syniad o fudiant mewn traethawd, mae'n werth cofio nad yw'r syniad o fudiant o reidrwydd yn golygu symud o ran cyflymder neu gyfeiriad; gall olygu hefyd y mudiant sydd gan wrthrych wrth iddo newid ei gyflwr (e.e. mae moleciwlau H_2O yn symud wrth iddyn nhw gael eu gwresogi a newid o ddŵr i ager).

Aquinas – Yr Ail Ddull

Dyfyniad allweddol

Mewn achosion effeithiol, nid yw'n bosibl mynd ymlaen i anfeidredd oherwydd ym mhob achos effeithiol sy'n dilyn yn eu trefn, y cyntaf yw achos yr achos rhyngol, a'r achos rhyngol yw achos yr achos eithaf, p'un ai bod yr achos rhyngol yn fwy nag un, neu'n un yn unig. Mae cymryd yr achos i ffwrdd yn cymryd yr effaith i ffwrdd. Felly, os nad oes achos cyntaf ymhlith achosion effeithiol, ni fydd achos eithaf, nac unrhyw achos rhyngol. (Aquinas)

Mae ail ddull Aquinas yn ymwneud â chysyniad achos ac effaith. Mae popeth y gellir ei weld mewn natur yn dod o dan y ddeddf hon yn ôl Aquinas, er iddo gredu ei bod yn amhosibl i'r gadwyn hon o achos ac effaith gael ei holrhain yn ôl yn ddiddiwedd. Mae hyn felly'n arwain at y cwestiwn: 'Beth oedd yr achos cyntaf?' ac, i Aquinas, yr ateb yw 'Duw'.

Mae Aquinas yn datgan yma, nid yn unig y syniad fod achos ac effaith yn ddeddf syml, ddiamheuol o'r bydysawd, ond hefyd ei bod yn amhosibl i unrhyw beth yn y bydysawd ei achosi ei hun. (Byddai hyn fel bod yn rhiant i chi'ch hun – ni allwch fodoli cyn i chi fodoli – mae angen rhywbeth arall arnoch i ddod â chi i fodolaeth.)

Dyfyniad allweddol

Ond os, mewn achosion effeithiol, ei bod yn bosibl mynd ymlaen i anfeidredd, ni fydd achos effeithiol cyntaf, na chwaith effaith eithaf, nag unrhyw achosion effeithiol rhyngol; mae hyn oll yn amlwg yn anghywir. Felly mae angen cyfaddef achos effeithiol cyntaf, y mae pob un yn rhoi'r enw Duw iddo. (Aquinas)

Dychmygwch res o ddominos, y cyntaf (yr achos effeithiol) yw'r un sy'n achosi i'r ail (yr **achos rhyngol**) syrthio, sydd yn ei dro yn achosi i'r trydydd (yr **achos eithaf**) syrthio. Fodd bynnag, ni fyddai'r trydydd un wedi syrthio, pe na bai'r un cyntaf wedi taro'r ail un. Mae syniad Aquinas o achos effeithiol yn cael ei ddilyn gan achos rhyngol ac yn gorffen gydag achos eithaf yn gallu ymddangos yn ddryslyd i ddechrau ond, drwy ddefnyddio cymhariaeth y dominos (gweler y diagram) ceir esboniad gweledol addas o'r syniad athronyddol.

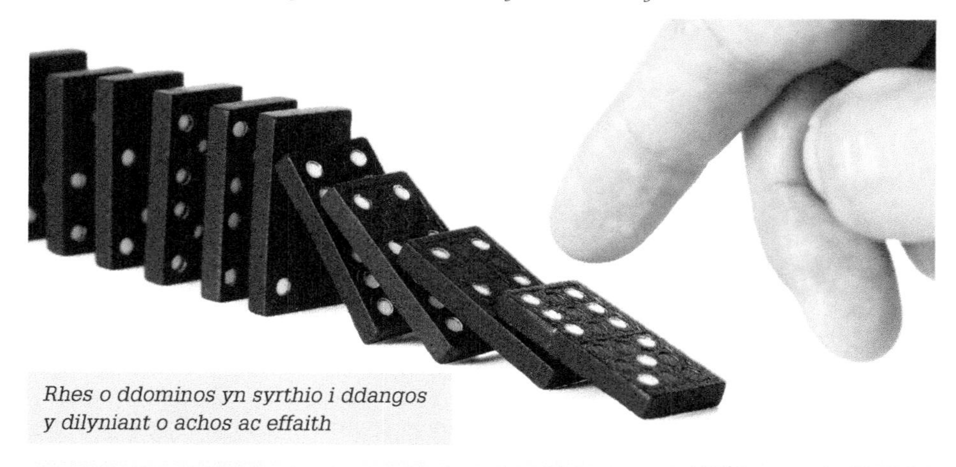

Rhes o ddominos yn syrthio i ddangos y dilyniant o achos ac effaith

Awgrym astudio

Mae'n werth cofio, fel dangosodd Ed Miller yn ei lyfr *Questions that Matter*, pan mae Aquinas yn dadlau yn erbyn cyfres anfeidraidd o achosion ac effeithiau, nid yw'n meddwl am gyfres amseryddol, neu un sy'n ymestyn yn ôl yn ddiddiwedd mewn amser, ond yn hytrach am gyfres hierarchaidd, neu un sy'n ymestyn i fyny yn ddiddiwedd mewn bod. Byddai hyn felly'n seiliedig ar dybiaeth fod gan bob peth ei darddiad mewn achos eithaf (neu, yng ngeiriau Aquinas: 'Duw'). Mae'r syniad hwn yn agos iawn hefyd at syniadau Platon ac Aristotle.

Aquinas – Y Trydydd Dull

Mae trydydd dull Aquinas yn ymwneud â'r cysyniad o amodoldeb a rheidrwydd. Eto, mae Aquinas yn nodi bod gan bopeth sy'n bodoli y posibilrwydd o beidio â bodoli (h.y. mae'n **amodol**) ac mae'n dod i'r casgliad pe bai hyn yn wir am bopeth sy'n bodoli, yna ni fyddai dim erioed wedi dod i fodolaeth. Mae hyn oherwydd er mwyn i fodau amodol fodoli, mae'n rhaid cael bod anamodol (h.y. **bod angenrheidiol**) a ddaeth â phopeth arall i fodolaeth. I Aquinas, y bod angenrheidiol hwn yw 'Duw'.

Dyfyniad allweddol

Daw'r trydydd dull o bosibilrwydd a rheidrwydd, ac mae'n mynd fel hyn. Mewn natur rydyn ni'n dod o hyd i bethau y mae'n bosibl iddyn nhw fod a pheidio â bod, gan y gwelwn iddyn nhw gael eu cynhyrchu, a llygru, ac felly mae modd iddyn nhw fod a pheidio â bod. Ond mae'n amhosibl i'r rhain fodoli bob amser, oherwydd os oes modd i rywbeth beidio â bod, rywbryd ni fydd yn bod. Felly, os oes modd i bob peth beidio â bod, yna ar un adeg gallai fod nad oedd dim byd yn bodoli … byddai wedi bod yn amhosibl i unrhyw beth ddechrau bodoli; ac felly hyd yn oed yn awr ni fyddai dim yn bodoli … sy'n afresymol. (Aquinas)

Mae Aquinas yn datgan bod pob peth mewn natur yn gyfyngedig ei fodolaeth. Mae gan bob peth ddechrau a diwedd. Gan ddilyn y syniad hwn i'w gasgliad rhesymegol mae Aquinas yn nodi bod hyn yn golygu, ar ryw bwynt mewn hanes, nad oedd dim byd yn bodoli ac felly, hyd yn oed nawr, ni fyddai dim byd yn bodoli – ac mae'n amlwg nad felly y mae hi.

cwestiwn cyflym

1.5 Pam mae Aquinas yn honni mai'r achos effeithiol cyntaf yw Duw?

Termau allweddol

Achos eithaf: yn ystyr yr hyn a ysgrifennodd Aquinas, hwn yw'r achos olaf yn y dilyniant na fyddai wedi digwydd heb gael yn gyntaf achosion effeithiol ac achosion rhyngol (meddyliwch am hwn fel y domino olaf ond un i syrthio yn y rhes)

Achos rhyngol: mae hwn yn cyfeirio at achos sy'n dibynnu ar rywbeth arall i'w sbarduno (cofiwch yr ail ddomino yn y rhes!)

Amodol: unrhyw beth sy'n dibynnu ar rywbeth arall (yn achos bod amodol – mae'n amodol ar fod arall am ei fodolaeth, e.e. mae plentyn yn amodol ar ei riant)

Bod angenrheidiol: honiad Aquinas fod bod anamodol yn angenrheidiol er mwyn i fodau amodol fodoli. Y bod angenrheidiol hwn yw ffynhonnell pob bodolaeth i bob bod amodol arall.

cwestiwn cyflym

1.6 Beth sydd â'r posibilrwydd o beidio â bodoli?

Un ffordd o feddwl am y syniad hwn yw ystyried perthynas y rhiant a'r plentyn. Heb fodolaeth y rhiant, ni all y plentyn ddod i fodolaeth. Neu, i'w roi mewn ffordd arall, mae'r plentyn yn amodol ar y rhiant am ei fodolaeth.

Dyfyniad allweddol

Felly, nid yn unig y mae pob bod yn bosibl, ond mae'n rhaid bod rhywbeth yn bodoli y mae ei fodolaeth yn angenrheidiol. Ond mae rheidrwydd pob peth angenrheidiol naill ai wedi cael ei achosi gan un arall, neu beidio. Mae'n amhosibl mynd ymlaen i anfeidredd o ran pethau angenrheidiol yr achoswyd eu rheidrwydd gan un arall, fel sydd wedi'i brofi'n barod gydag achosion effeithiol. Felly ni allwn ond rhagdybio bodolaeth rhyw fod sy'n meddu ar ei reidrwydd ei hun, a heb ei dderbyn gan rywun arall, ond yn hytrach yn achosi eu rheidrwydd mewn eraill. Yr hwn y mae pob dyn yn siarad amdano fel Duw. (Aquinas)

cwestiwn cyflym

1.7 Beth yw ystyr bodolaeth angenrheidiol?

Mae Aquinas yn datgan mai'r unig ateb posibl i'r penbleth hwn yw bod yn rhaid i rywbeth fodoli sy'n hollol wahanol i bopeth arall sy'n bod yn yr ystyr nad oes ganddo ddechrau na diwedd – mewn geiriau eraill, mae ganddo fodolaeth angenrheidiol. Mae angen y fodolaeth angenrheidiol hon i ddod â phopeth arall i fodolaeth. I Aquinas y bod hwn oedd 'Duw'.

Gweithgaredd AA1

Ar ôl darllen yr adran am Dri Dull Aquinas, caewch y llyfr ac ysgrifennwch beth oedd prif bwynt pob dull yn eich barn chi.

Cynnwys y fanyleb

Y ddadl gosmolegol Kalam gan gyfeirio at William Lane Craig (gwrthod anfeidreddau gweithredol, a'r cysyniad o greawdwr personol).

Y ddadl gosmolegol Kalam

Daw Kalam o'r gair Arabeg sy'n golygu 'dadlau neu drafod', a gall y ddadl gosmolegol Kalam olrhain ei gwreiddiau i waith ysgolheigion Islamaidd yn 9fed ganrif ac 11eg ganrif OCC. Cafodd ei moderneiddio a'i hyrwyddo gan yr **apolegydd** Cristnogol William Lane Craig.

Yn 1993 gosododd Craig ei ddadl fel hyn:

1. Mae gan bopeth sy'n dechrau bodoli achos i'w fodolaeth.
2. Dechreuodd y bydysawd fodoli.
3. Felly, mae gan y bydysawd achos i'w fodolaeth.
4. Gan na all unrhyw esboniad gwyddonol (o ran deddfau ffisegol) roi cyfrif achosol am darddiad y bydysawd, rhaid i'r achos fod yn bersonol (esboniad yn cael ei roi yn nhermau asiant personol).

cwestiwn cyflym

1.8 Yn ôl Craig beth sy'n wir am bopeth sy'n dechrau bodoli?

Termau allweddol

Amseryddol: pethau sy'n gysylltiedig ag amser

Anfeidredd gweithredol: rhywbeth sydd wir yn anfeidraidd yn ei hyd a'i led neu yn hyd a lled y gweithredoedd a berfformir – yn llythrennol does ganddo ddim dechrau na diwedd

Apolegydd: unigolyn sy'n ysgrifennu neu'n siarad i amddiffyn achos neu gred arbennig

Mae hon yn ddadl (gymharol) syml a hawdd ei dilyn. Fodd bynnag, er mwyn ateb heriau i'r syniad y gallai'r bydysawd gael ei ystyried yn anfeidraidd, datblygodd Craig yr amddiffyniad canlynol i'w ail bwynt:

i. Ni all **anfeidredd gweithredol** fodoli.
ii. Mae cyfres o ddigwyddiadau **amseryddol** heb ddechreuad yn anfeidredd gweithredol.
iii. Felly, ni all cyfres o ddigwyddiadau amseryddol heb ddechreuad fodoli.

Er mwyn esbonio hyn, mae enghraifft o lyfrgell yn cael ei defnyddio yn aml: dychmygwch lyfrgell gyda nifer anfeidraidd gweithredol o lyfrau. Tybiwch fod y llyfrgell hefyd yn cynnwys nifer anfeidraidd o lyfrau coch a nifer anfeidraidd o lyfrau du, ac felly am bob llyfr coch, mae yna lyfr du, ac fel arall. Mae'n dilyn bod y llyfrgell yn cynnwys cynifer o lyfrau coch â chyfanswm y llyfrau yn ei chasgliad, a chynifer o lyfrau coch â llyfrau coch a du gyda'i gilydd. Ond mae hyn yn afresymol: mewn gwirionedd ni all yr is-set (h.y. coch neu ddu) gyfateb i'r set gyfan (h.y. coch a du). Felly, ni all anfeidreddau gweithredol fodoli mewn realiti.

Ond, mae beirniaid yn dweud bod hyn yn anwybyddu'r ffaith fod dau fath o anfeidredd yn cael eu cydnabod mewn mathemateg safonol – 'gweithredol' a 'potensial'. Mae Craig yn cyfeirio dim ond at y ffaith fod y cyntaf yn amhosibl, nid yr ail, yn ei ddadl gychwynnol. Ymatebodd Craig drwy gydnabod, os oedd anfeidredd gweithredol yn amhosibl, fod **anfeidredd potensial** yn cadarnhau'r ffaith fod yna ddechreuad i'r bydysawd. Mae hyn yn ffurfio ail ran ei ddadl.

Mae llawer yn ystyried bod y ddadl Kalam gan Craig yn ddryslyd iawn, oherwydd am un peth ei bod yn dibynnu ar ddeall cysyniadau anfeidredd, sy'n anodd iawn eu dirnad ynddynt eu hunain. Serch hynny, ar ei ffurf symlaf mae'n rhwydd ac yn ddeniadol – i'r fath raddau ei bod wedi cael dylanwad sylweddol yn yr amddiffyniad theistig rhesymol yn erbyn dadleuon atheistig – yn enwedig yn eglwysi Cristnogol ffwndamentalaidd America.

A oes modd cael nifer anfeidraidd o lyfrau du a choch?

Gweithgaredd AA1

Diagram crynhoi i'w gwblhau: dewiswch y pum syniad pwysicaf wedi'u cyflwyno gan Aquinas a Craig ac esboniwch pam maen nhw'n bwysig i'n dealltwriaeth o'r ddadl gosmolegol.

cwestiwn cyflym

1.9 Beth yw ystyr anfeidredd?

cwestiwn cyflym

1.10 Pa fudiad mewn Cristnogaeth sydd wedi bod yn arbennig o gefnogol i ddadl Craig?

Crynodeb

Mae'r ddadl gosmolegol Kalam yn ei seilio ei hun ar yr amhosibilrwydd bod y bydysawd yn anfeidraidd. Ar ôl cytuno ar hyn, yna mae'n rhesymol gofyn 'Sut y dechreuodd?' Mae fersiwn Craig yn tybosod yr angen am greawdwr personol.

Term allweddol

Anfeidredd potensial: mae'r anfeidredd potensial yn rhywbeth a allai barhau, pe bai ymdrech yn cael ei gweithredu. E.e. byddai'n bosibl parhau â llinell rifau pe bydden ni'n dymuno hynny, neu gallen ni bob amser feddwl am rif mwy.

Dyfyniad allweddol

Credaf y gellir dadlau yn argyhoeddiadol mai achos y bydysawd yw Creawdwr personol. Sut arall gallai effaith amseryddol ddeillio o achos tragwyddol? Pe bai'r achos yn ddim mwy na set o amodau angenrheidiol a digonol sy'n bodoli ers tragwyddoldeb ac yn gweithredu'n fecanyddol, yna pam na fyddai'r effaith hefyd yn bodoli ers tragwyddoldeb? Er enghraifft, os achos dŵr yn rhewi yw bod y tymheredd o dan radd sero, yna pe bai'r tymheredd o dan radd sero ers tragwyddoldeb, yna byddai unrhyw ddŵr sy'n bresennol wedi'i rewi ers tragwyddoldeb. Mae'n ymddangos mai'r unig ffordd i gael achos tragwyddol ond effaith amseryddol fyddai os yw'r achos yn asiant personol sy'n rhydd i ddewis creu effaith mewn amser. Er enghraifft, gall dyn sy'n eistedd ers tragwyddoldeb ewyllysio sefyll; felly, gall effaith amseryddol ddeillio o asiant sy'n bodoli'n dragwyddol. Yn wir, gall yr asiant ewyllysio creu effaith amseryddol ers tragwyddoldeb, fel nad oes angen dychmygu unrhyw newid yn yr asiant. Felly, mae hyn yn dod â ni nid yn unig at achos cyntaf y bydysawd, ond at ei Greawdwr personol. (Craig)

Awgrym astudio

Er nad oes angen i chi fynd i lawer o fanylder am syniadau Craig am anfeidredd, dylech chi allu dangos eich bod chi'n deall sut mae ei ddadl Kalam yn gweithio, ynghyd â'r gwahaniaethau sylfaenol rhwng anfeidreddau potensial a gweithredol (fel sy'n cael eu hesbonio yn y termau allweddol).

Sgiliau allweddol

Mae gwybodaeth yn ymwneud â:

Dewis ystod o wybodaeth (drylwyr) gywir a pherthnasol sydd â chysylltiad uniongyrchol â gofynion penodol y cwestiwn.

Mae hyn yn golygu eich bod yn dewis y wybodaeth gywir sy'n berthnasol i'r cwestiwn a osodwyd NID y maes pwnc. Bydd angen i chi feddwl a chanolbwyntio ar ddewis gwybodaeth allweddol ac NID ysgrifennu popeth yr ydych chi'n ei wybod am y maes pwnc.

Mae dealltwriaeth yn ymwneud ag:

Esboniad helaeth, gan ddangos dyfnder a/neu ehangder gyda defnydd rhagorol o dystiolaeth ac enghreifftiau gan gynnwys (lle y bo'n briodol) defnydd trylwyr a chywir o destunau cysegredig, ffynonellau doethineb a geirfa arbenigol.

Mae hyn yn golygu y gallwch ddangos eich bod yn deall rhywbeth drwy egluro ac ehangu eich pwyntiau gan ddefnyddio enghreifftiau/tystiolaeth gefnogol mewn ffordd bersonol ac NID ailadrodd darnau o werslyfr (sef dysgu ar y cof).

Cymhwyso sgiliau ymhellach:

Ewch drwy'r meysydd pwnc yn yr adran hon a lluniwch rai rhestri bwled o bwyntiau allweddol o feysydd allweddol. Ar gyfer pob un, rhowch fwy o fanylion ac esboniwch fwy drwy ddefnyddio tystiolaeth ac enghreifftiau.

Awgrym astudio

Un o'r gwallau mwyaf cyffredin mae ymgeiswyr yn ei wneud mewn arholiadau yw gweld gair allweddol yn nheitl traethawd ac ysgrifennu popeth maen nhw'n ei wybod am y gair hwn. Mae ymgeiswyr llwyddiannus yn osgoi hyn ac yn defnyddio dim ond y wybodaeth sy'n uniongyrchol berthnasol i'r cwestiwn.

Datblygu sgiliau AA1

Nawr mae'n bryd ystyried y wybodaeth sydd wedi'i chyflwyno hyd yma. Hefyd mae'n bwysig ystyried sut mae'r hyn rydych chi wedi'i ddysgu hyd yma'n gallu cael ei ddefnyddio ar gyfer atebion arholiad drwy ymarfer y sgiliau sy'n gysylltiedig ag AA1.

Mae Amcan Asesu 1 (AA1) yn ymwneud â dangos gwybodaeth a dealltwriaeth. Mae'r termau 'gwybodaeth' a 'dealltwriaeth' yn amlwg ond mae'n hanfodol eich bod yn gyfarwydd â sut mae sgiliau penodol yn dangos y rhain, a hefyd, sut bydd eich perfformiad ym mhob un o'r sgiliau hyn yn cael ei fesur (gweler disgrifyddion band cyffredinol Band 5 ar gyfer AA1 UG).

Yn amlwg mae ateb yn cael ei osod mewn disgrifydd band priodol, yn ôl pa mor dda yw'r ateb, gan amrywio o ragorol, da, boddhaol, sylfaenol/cyfyngedig i gyfyngedig iawn.

I ddechrau, ceisiwch ddefnyddio'r fframwaith / ffrâm ysgrifennu sydd wedi'i roi i'ch helpu i ymarfer y sgiliau hyn er mwyn ateb y cwestiwn isod.

Wrth i'r unedau ym mhob adran o'r llyfr ddatblygu, bydd faint o gymorth a gewch yn cael ei leihau'n raddol er mwyn eich annog i ddod yn fwy annibynnol a pherffeithio eich sgiliau AA1.

YMARFER ARHOLIAD: FFRÂM YSGRIFENNU

Ffocws ar sut mae Aquinas yn dangos yr angen am achos cyntaf y bydysawd.

Mae'r tri cyntaf o Bum Dull Aquinas yn ffurfio rhan o'r ddadl gosmolegol dros fodolaeth Duw.
Y cyntaf o'r dulliau hyn oedd 'mudiant' neu 'newid' ac mae'n seiliedig ar …

Datblygodd Aquinas syniadau Aristotle a oedd yn sôn am …

Enghraifft Aristotle i egluro ei syniadau o'r potensial yn symud i'r gweithredol oedd …

Defnyddiodd Aquinas ei enghraifft ei hun, sef …

Mae'r syniadau hyn yn dangos yn glir bod y bydysawd …

Mae'r Ail Ddull yn ymdrin â'r gadwyn o achos ac effaith y gallwch chi ei gweld …

Datganodd Aquinas fod atchwel anfeidraidd yn amhosibl oherwydd …

Enghraifft i esbonio hyn ymhellach efallai fyddai …

Roedd Trydydd Dull Aquinas yn ymdrin â …

Roedd hyn yn bwysig gan ei fod yn dangos …

Enghraifft i egluro hyn yw …

I grynhoi …

Materion i'w dadansoddi a'u gwerthuso

A yw'r dadleuon anwythol dros fodolaeth Duw yn berswadiol

Un o brif gryfderau dadleuon anwythol yw eu gallu i sefydlu tebygolrwydd – casglu tystiolaeth ac awgrymu'r casgliad mwyaf tebygol yn seiliedig ar y dystiolaeth hon. Mae dadleuon wedi'u seilio ar dystiolaeth yn aml yn fwy perswadiol na dadleuon heb eu seilio ar dystiolaeth. Mae dadleuon anwythol yn *a posteriori* ac yn synthetig (yn wir o ran sut maen nhw'n perthyn i'r byd) gan eu bod yn dibynnu ar brofiad a/neu dystiolaeth. Mae hyn yn rhoi hygrededd iddyn nhw ac yn eu gwneud nhw'n fwy tebygol o fod yn berswadiol. Mae dadleuon anwythol yn dibynnu ar brofiad a all fod yn gyffredin ac yn bosibl ei brofi, felly gellir eu defnyddio nhw'n eang. I lawer o bobl mae hyn yn bwysig iawn gan ei fod yn gwneud y ddadl yn haws ei deall a'i dirnad ac, felly, yn fwy perswadiol.

Un o'r prif gryfderau yw bod y ddadl yn cydnabod y gall fod mwy nag un ateb cywir – gall y dystiolaeth sy'n cael ei defnyddio gefnogi mwy nag un casgliad tebygol, sy'n arbennig o ddefnyddiol os nad yw'r unigolyn yn hollol sicr beth ddylai'r casgliad fod. Mae hyn yn golygu bod y ddadl yn gallu bod yn berswadiol oherwydd ei bod yn hyblyg. Mae hyn hefyd yn caniatáu'r posibilrwydd o wall sy'n golygu bod newidiadau yn gallu cael eu gwneud i elfennau'r rhesymu heb danseilio'r broses (neu'r casgliad) yn gyffredinol.

Ymhellach, dadleuon anwythol yw sail y mwyafrif llethol o ddamcaniaethau a dderbynnir yn wyddonol ac mae gan y rhain apêl eang ym myd yr 21ain ganrif. Mae pobl yn fodlon iawn derbyn bod damcaniaethau o'r fath yn ddilys oherwydd yr ymagweddau anwythol, wedi'u seilio ar dystiolaeth, a arweiniodd at ffurfio'r damcaniaethau hyn. Mae hyn yn golygu bod yn rhaid i unrhyw resymu athronyddol neu ddiwinyddol sy'n adlewyrchu gwaith gwyddoniaeth hefyd hawlio dilysrwydd a'r gallu i berswadio – yn wahanol i unrhyw resymu sydd heb gael ei seilio ar sylfeini o'r fath.

Ond, gall rhai ddadlau nad ydyn nhw'n berswadiol – yn aml am yr un rhesymau ag y byddai eraill yn honni eu bod nhw. Er enghraifft, un o wendidau mwyaf dadleuon anwythol yw ei bod yn bosibl dweud bod ganddyn nhw effeithiolrwydd cyfyngedig fel 'prawf diamheuol'. Mae'r ffaith eu bod nhw mor hyblyg yn golygu y gallech chi eu hystyried yn ddadleuon gwan ac, oherwydd hyn, ddim yn berswadiol.

Mae'n wir dweud hefyd y gallwch chi herio dadleuon anwythol yn hawdd os oes tystiolaeth wahanol, sydd yr un mor debygol o fod yn wir, yn cael ei chyflwyno – sydd felly'n tanseilio gallu'r ddadl i berswadio. Estyniad o hyn yw ei bod yr un mor bosibl derbyn y dystiolaeth i gyd ond gwadu'r casgliad heb ei wrth-ddweud. Os derbynnir hyn, yna mae'n awgrymu nad yw'n bosibl fod unrhyw allu i berswadio yn y ddadl gan fod hyn yn cyfyngu ar ei heffeithiolrwydd, yn arbennig o ran ceisio sefydlu bodolaeth bod duwiol â nodweddion penodol (e.e. Duw Theistiaeth Glasurol fel dylunydd y bydysawd).

Efallai mai'r peth pwysicaf i'w ystyried yw dydy'r rhagosodiadau, er eu bod nhw'n cefnogi'r casgliad, ddim yn ei wneud yn bendant – i lawer, mae hyn yn golygu nad yw dadleuon anwythol yn ddigon perswadiol i gefnogi sail i gred grefyddol.

Mae'r adran hon yn cwmpasu cynnwys a sgiliau AA2

Cynnwys y fanyleb

A yw'r dadleuon anwythol dros fodolaeth Duw yn berswadiol.

Gweithgaredd AA2
Dadleuon posibl

Wedi'u rhestru isod mae rhai casgliadau y byddai'n bosibl dod iddynt ar sail rhesymeg AA2 yn y testun cysylltiedig:

1. Rhesymu anwythol yw'r math mwyaf defnyddiol o resymu wrth geisio penderfynu ar fodolaeth Duw.
2. Mae unrhyw fath o ddadl sy'n seiliedig ar dystiolaeth empirig yn fwy tebygol o berswadio pobl oherwydd gellir gweld ei bod yn gwneud synnwyr.
3. Mae unrhyw fath o ddadl na all gynnig casgliad pendant yn rhy simsan i berswadio unrhyw un.
4. Mae hyblygrwydd mewn dadleuon yn dangos eu bod yn gallu ymateb i feirniadaeth ac felly eu bod yn ddadleuon cryf; sy'n eu gwneud yn fwy perswadiol.

Ystyriwch bob un o'r casgliadau sy'n cael eu gwneud uchod a chasglwch dystiolaeth ac enghreifftiau i gefnogi pob dadl o'r deunydd AA1 ac AA2 a astudiwyd yn yr adran hon. Dewiswch un casgliad sy'n argyhoeddi fwyaf yn eich barn chi ac esboniwch pam mae hyn yn wir. Nawr cyferbynnwch hyn â'r casgliad gwannaf ar y rhestr, gan gyfiawnhau eich dadl gyda rhesymu clir a thystiolaeth.

Cynnwys y fanyleb

I ba raddau y mae'r ddadl gosmolegol Kalam yn argyhoeddiadol.

I ba raddau y mae'r ddadl gosmolegol Kalam yn argyhoeddiadol

Byddai'n ymddangos bod y ddadl gosmolegol Kalam fel mae William Lane Craig yn ei darlunio, yn elwa o gael ei hysgrifennu yn yr oes wyddonol fodern. Mae gan Craig fantais dros Aquinas a'r lleill, oherwydd mae ganddo ef wybodaeth wyddonol gyfoes am y bydysawd: damcaniaeth y glec fawr, pelydriad cefndir cosmolegol, ac ati. Mae'r rhain i gyd yn cynnig tystiolaeth syml, sy'n wyddonol ddilys, fod y bydysawd yn feidraidd ac felly y bu ganddo ddechrau. Yn wir, mae'r safbwyntiau cyfoes am y bydysawd i gyd yn gytûn fod yna ddechreubwynt – mae cynnydd mewn cefnogaeth i'r farn hon yn ddefnyddiol iawn i unrhyw ddadl sy'n ceisio dangos bod angen dechrau i'r bydysawd.

Mewn ffordd, mae hyn yn golygu nad oes angen i Craig brofi bod y bydysawd yn feidraidd. Pam dadlau dros rywbeth sy'n cael ei gefnogi gan y mwyafrif helaeth o'r byd rhesymegol a gwyddonol? Mae'n ymddangos nad oes dadl am y ffaith fod gan y bydysawd bwynt lle dechreuodd y cyfan. Yn wir, nid yn unig does dim dadl i bob golwg, ond mae'n cael ei dderbyn â pharodrwydd, bron fel ffaith wyddonol yn hytrach na damcaniaeth. Mae'r cysyniad fod gan bob peth sydd yn ein profiad – yn cynnwys y bydysawd ei hun – ddechrau, yn ei gynnig ei hun yn hawdd i ran gyntaf dadl Craig. Byddai'n ymddangos bod gwaith Craig yma wedi'i wneud – mae'n ymddangos bod y ddadl gosmolegol Kalam dros fodolaeth Duw yn hollol argyhoeddiadol. Fodd bynnag, nid yw pethau mor syml ag y maen nhw'n ymddangos ar yr olwg gyntaf!

Mae dadl Craig yn symud o ddangos bod gan y bydysawd ddechrau i'r awgrym fod achos i'r dechrau hwn, y tu allan i'r bydysawd – sef Duw, fel mae Craig yn ei honni yn y pen draw. Yn y rhan hon o'r ddadl, mae'r gefnogaeth empirig oedd yno hyd yn hyn yn dod i ben. Mae'r cwestiwn o ba mor argyhoeddiadol yw'r ddadl yn dibynnu nawr ar i ba raddau mae'r unigolyn yn fodlon derbyn y camau nesaf yn nadl Craig.

Mewn gwirionedd, mae Craig yn awgrymu bod achos y bydysawd yn gorfod bod drwy ddewis bwriadol bod personol gan nad oedd deddfau ffisegol y bydysawd, sy'n achosi popeth yn y bydysawd, yn bodoli nes bod y bydysawd yn bodoli. Yn rhesymegol mae hyn yn golygu na ellid esbonio achos y bydysawd yn nhermau deddfau ffisegol. Yr unig esboniad ymarferol arall i Craig yw bod yr achos yn bersonol. I Craig, yr unig asiant personol ymarferol sydd â'r gallu i fodoli y tu allan i'r bydysawd ac sydd â'r ewyllys, y grym a'r gallu i greu'r bydysawd yw Duw.

I'r theistiad, mae yna lawer sy'n ddeniadol am y ddadl hon. Mae'n cynnwys cosmoleg fodern, mae'n ymddangos yn hollol resymol ac mae'n cyd-fynd â'r dehongliadau theistig traddodiadol am y greadigaeth. Yn hynny o beth mae'n ddadl argyhoeddiadol.

I'r rheini nad ydyn nhw'n tueddu at safbwynt y theistiad, fodd bynnag, nid oes gan y ddadl yr un grym i argyhoeddi. Un o brif elfennau'r ddadl sy'n cael ei dyfynnu'n aml yw bod Craig yn datgan, yn hollol bendant, fod anfeidredd yn amhosibl. Yn nes ymlaen yn y ddadl mae'n cyfeirio at greawdwr personol sy'n anfeidraidd. Fel dadl, mae hyn yn gwrth-ddweud ei hun a dyma un o'r prif resymau pam mae antheistiaid yn gwrthod y ddadl gosmolegol Kalam dros fodolaeth Duw fel un anargyhoeddiadol.

Gweithgaredd AA2

Dadleuon posibl

Wedi'u rhestru isod mae rhai casgliadau y byddai'n bosibl dod iddynt ar sail rhesymeg AA2 yn y testun cysylltiedig:

1. Mae safbwyntiau gwyddonol yn cefnogi'r ddadl Kalam ac yn ei chryfhau.
2. Mae pa mor berswadiol yw'r ddadl Kalam yn dibynnu ar gred (neu ddiffyg cred) flaenorol yr unigolyn yn Nuw.
3. Mae gwadu anfeidredd, os yw'n cael ei wrthod, yn tanseilio'r ddadl Kalam yn llwyr.
4. Mae'r casgliad fod creawdwr personol wedi'i seilio ar ddeuoliaeth ffug.

Ystyriwch bob un o'r casgliadau sy'n cael eu gwneud uchod a chasglwch dystiolaeth ac enghreifftiau i gefnogi pob dadl o'r deunydd AA1 ac AA2 a astudiwyd yn yr adran hon. Dewiswch un casgliad sy'n argyhoeddi fwyaf yn eich barn chi ac esboniwch pam mae hyn yn wir. Nawr cyferbynnwch hyn â'r casgliad gwannaf ar y rhestr, gan gyfiawnhau eich dadl gyda rhesymu clir a thystiolaeth.

Datblygu sgiliau AA2

Nawr mae'n bryd ystyried y wybodaeth sydd wedi'i chyflwyno hyd yma. Hefyd mae'n bwysig ystyried sut mae'r hyn rydych chi wedi'i ddysgu hyd yma'n gallu cael ei ddefnyddio ar gyfer atebion arholiad drwy ymarfer y sgiliau sy'n gysylltiedig ag AA2.

Mae Amcan Asesu 2 (AA2) yn ymwneud â 'dadansoddi' a 'gwerthuso'. Efallai fod ystyr y termau'n amlwg ond mae'n hanfodol eich bod yn gyfarwydd â sut mae sgiliau penodol yn dangos y rhain, a hefyd, sut bydd eich perfformiad ym mhob un o'r sgiliau hyn yn cael ei fesur (gweler disgrifyddion band cyffredinol Band 5 ar gyfer AA2 UG).

Yn amlwg mae ateb yn cael ei osod mewn disgrifydd band priodol, yn ôl pa mor dda yw'r ateb, gan amrywio o ragorol, da, boddhaol, sylfaenol/cyfyngedig i gyfyngedig iawn.

I ddechrau, ceisiwch ddefnyddio'r fframwaith / ffrâm ysgrifennu sydd wedi'i roi i'ch helpu i ymarfer y sgiliau hyn er mwyn ateb y cwestiwn isod.

Wrth i'r unedau ym mhob adran o'r llyfr ddatblygu, bydd faint o gymorth a gewch yn cael ei leihau'n raddol er mwyn eich annog i ddod yn fwy annibynnol a pherffeithio eich sgiliau AA2.

Rhowch gynnig ar ateb y cwestiwn hwn drwy ddefnyddio'r ffrâm ysgrifennu isod.

YMARFER ARHOLIAD: FFRÂM YSGRIFENNU

Ffocws ar werthuso i ba raddau y mae'r ddadl gosmolegol Kalam yn dangos yn berswadiol fod Duw yn bodoli.

Y mater i'w drafod yma yw …

Mae ffyrdd gwahanol o edrych ar hyn a llawer o gwestiynau allweddol i'w gofyn fel …

Mae'r ddadl gosmolegol Kalam yn brawf anwythol ac felly mae ganddi gryfderau a diffygion. Er mwyn penderfynu i ba raddau y mae'r ddadl hon yn cynnig dadl berswadiol dros fodolaeth Duw, mae angen ystyried pob un o'r cryfderau a'r diffygion hyn yn eu tro …

Yng ngoleuni'r ystyriaethau hyn, gellid dadlau bod …

Serch hynny, fy marn i yw bod …

ac rydw i'n seilio'r ddadl hon ar y rhesymau canlynol …

Sgiliau allweddol

Mae dadansoddi'n ymwneud â nodi materion sy'n cael eu codi gan y deunyddiau yn adran AA1, ynghyd â'r rhai a nodwyd yn adran AA2, ac mae'n cyflwyno safbwyntiau cyson a chlir, naill ai gan ysgolheigion neu safbwyntiau personol, yn barod i'w gwerthuso.

Mae hyn yn golygu ei fod yn nodi pethau allweddol i'w trafod a'r dadleuon sy'n cael eu cyflwyno gan eraill neu o safbwynt personol.

Mae gwerthuso'n ymwneud ag ystyried goblygiadau amrywiol y materion sy'n cael eu codi, yn seiliedig ar y dystiolaeth a gafwyd wrth ddadansoddi ac mae'n rhoi dadl fanwl eang gyda chasgliad clir.

Mae hyn yn golygu bod yr ateb yn pwyso a mesur y dadleuon amrywiol a gwahanol a gafodd eu dadansoddi drwy roi sylwadau ac ymateb unigol, gan ddod i gasgliad drwy broses rhesymu clir.

Awgrym astudio

Tynnwch sylw bob tro at gryfderau a gwendidau cymharol y ddadl Kalam, fel y nodir yn eich nodiadau. Ystyriwch pam mae'r rhain yn cael eu hystyried fel hyn, gan ddefnyddio enghreifftiau a/neu dystiolaeth berthnasol. Yna rhowch eich barn resymegol eich hun wedi'i seilio ar yr hyn rydych chi wedi dewis ysgrifennu amdano.

Mae'r adran hon yn cwmpasu cynnwys a sgiliau AA1

Cynnwys y fanyleb

Pumed Dull Sant Thomas Aquinas – y cysyniad o lywodraethiant; cydweddiad y saethwr a'r saeth.

cwestiwn cyflym

1.11 Pam roedd Aquinas yn credu bod angen awgrymu deallusrwydd arweiniol y tu ôl i weithredoedd naturiol y bydysawd?

Dyfyniad allweddol

Mae'r Pumed Dull yn dod o lywodraethiant y byd. Rydyn ni'n gweld bod pethau sydd heb wybodaeth, fel cyrff naturiol, yn gweithredu i ddiben, ac mae hyn yn amlwg o'r ffaith eu bod yn gweithredu bob amser, neu bron bob amser, yn yr un ffordd, er mwyn cael y canlyniad gorau. Felly mae'n amlwg eu bod yn cyflawni eu diben, nid drwy ddamwain, ond drwy gynllun.

Nawr ni all rhywbeth sydd heb wybodaeth symud tuag at ddiben, oni bai ei fod yn cael ei gyfeirio gan ryw fod sy'n meddu ar wybodaeth a deallusrwydd; fel mae'r saeth yn cael ei gyfeirio gan y saethwr. Felly, mae rhyw fod deallus yn bodoli sy'n cyfeirio pob peth naturiol at ei ddiben; ac rydyn ni'n galw'r bod hwn yn Dduw. (Aquinas)

B: Dadleuon anwythol – teleolegol

Aquinas – Y Pumed Dull

Mae dadl deleolegol Aquinas i'w gweld yn y pumed o'r 'Pum Dull' yn y *Summa Theologica*. Yma mae Aquinas yn datgan na all rhywbeth sydd heb ddeallusrwydd symud tuag at gyflawni diben defnyddiol, oni bai fod rhywbeth â deallusrwydd wedi ei symud.

Dychmygwch, er enghraifft, fod angen i chi ysgrifennu'ch traethawd gyda beiro. Mae'r beiro ei hun heb ddeallusrwydd ac ni all ysgrifennu'r traethawd i chi (er y byddech chi'n hoffi hynny!). Yr unig ffordd y gall wneud hyn yw os ydych chi (fel bod deallus) yn codi'r beiro, ei ddal mewn ffordd sy'n addas ar gyfer ysgrifennu, ac yna'n ei osod ar y papur, gan ei symud i wneud y siapiau (h.y. ysgrifennu) mae eu hangen i gyfleu eich syniadau.

Mae 5ed Dull Aquinas yn defnyddio enghraifft y saethwr a'r saeth

Enghraifft Aquinas oedd y saethwr a'r saeth – roedd saethyddiaeth yn ddiddordeb poblogaidd bryd hynny, naill ai fel camp neu fel ffordd o ladd pobl eraill mewn rhyfel, ac felly byddai'r cydweddiad hwn wedi gwneud synnwyr i'w gynulleidfa.

Dywedodd Aquinas na all y saeth, ar ei phen ei hun, gyrraedd y targed. Mae angen iddi gael ei saethu gan y saethwr er mwyn i hyn ddigwydd. Mae'n cysylltu hyn â phrosesau'r bydysawd gan ddatgan bod popeth yn y bydysawd yn dilyn deddfau naturiol, hyd yn oed os nad oes ganddyn nhw ddeallusrwydd (h.y. symudiad rheolaidd y sêr yn yr awyr – yn oes Aquinas nid oedd gan bobl esboniad 'gwyddonol' rhesymegol am hyn).

Mae'r ffaith fod y pethau hyn yn tueddu i ddilyn y deddfau hyn, ac wrth wneud hynny yn cyflawni rhyw bwrpas neu nod (eu **telos**) ond eu bod heb y gallu i 'feddwl' drostyn nhw'u hunain, yn awgrymu (fel gyda'r saeth) iddyn nhw gael eu 'cyfeirio' gan rywbeth arall. I Aquinas, yr unig esboniad posibl oedd mai Duw oedd y deallusrwydd arweiniol hwn.

Cynnwys y fanyleb

Oriadurwr Paley – cydweddiad dyluniad cymhleth.

Oriadurwr Paley – cydweddiad dyluniad cymhleth

William Paley, Archddiacon Caerliwelydd (*Carlisle*), sy'n cael y clod am gynnig y ddadl ddylunio yn ei ffurf fodern boblogaidd. Cynigiodd ei fersiwn yn ei waith *Natural Theology* a gafodd ei gyhoeddi ar ddechrau'r bedwaredd ganrif ar bymtheg. Ei ddadl sylfaenol oedd, pe bydden ni'n darganfod carreg wrth fynd am dro, efallai bydden ni'n holi sut y daeth i fod ac, wrth ystyried digwyddiadau naturiol, gallen ni ddod i gasgliad am sut cafodd ei ffurfio. Ond, pe bydden ni'n darganfod oriawr, ni fydden ni'n dod i'r un casgliadau. Roedd gan Paley ddiddordeb mewn esbonio pam mae hyn yn wir.

Term allweddol

Telos: gall fod nifer o ystyron i'r term ond yn gyffredinol mae'n cyfeirio at y 'diben' (hynny yw y cyrchfan olaf); 'nod' neu 'bwrpas' rhywbeth – mae'r term hwn i'w weld yn aml yn athroniaeth Aristotle

Byddai'r oriawr yn yr 1800au wedi cynnwys wyneb oriawr â rhifau arno, a 'bysedd' oedd yn pwyntio at yr amser. Byddai tu mewn yr oriawr yn datgelu system gymhleth iawn o sbringiau, cogiau a gerau oedd yn galluogi'r bysedd hynny i symud mewn ffordd oedd yn mesur treigl amser. Byddai'r ffaith fod y peirianwaith hwn mor gymhleth yn awgrymu'r casgliad fod yr oriawr hon wedi cael ei dylunio gan fod deallus ac nad oedd yn ganlyniad i hap a damwain. Mae Paley yn dweud y gallen ni ddod i'r casgliad hwn hyd yn oed pe na bydden ni'n ymwybodol o bwrpas yr oriawr; pe bai'r oriawr yn stopio gweithio neu hyd yn oed os nad oedden ni'n deall beth yn union oedd gwaith rhai darnau o'r oriawr. I grynhoi, mae ar yr oriawr, gyda'i holl gymhlethdodau, angen oriadurwr deallus, i esbonio sut y daeth i fodolaeth.

Y tu mewn i oriawr

Yna mae Paley yn ehangu ei ddadl ac yn dweud bod y bydysawd rydyn ni'n byw ynddo (gan ddefnyddio'r byd naturiol fel tystiolaeth), yn gymhleth yn yr un modd ac felly hefyd yn awgrymu bod yna ddylunydd, yn yr un modd ag y daethon ni i'r casgliad fod yna ddylunydd ar gyfer yr oriawr. Mae Paley'n treulio cryn amser yn manylu ar sut mae'r llygad yn gweithio – o'r ffordd mae'n gweld gwrthrychau, i swyddogaeth y 'secretiadau' sy'n cadw pelen y llygad i symud yn ogystal â'r amrannau sy'n diogelu'r llygad. Mae'n awgrymu bod cymhlethdod anhygoel yr uned hon yn y corff dynol yn ddigon o dystiolaeth am ddeallusrwydd wrth ddylunio. Eto, fel roedd ar yr oriawr angen yr oriadurwr deallus, felly hefyd mae ar y bydysawd angen 'gwneuthurwr' deallus.

Mae Paley'n ysgrifennu fel hyn:

'Wrth groesi rhostir, dychmygwch fy mod yn taro fy nhroed yn erbyn carreg a bod rhywun yn gofyn i mi sut daeth y garreg yno, gallwn ateb o bosibl ei bod, hyd y gwyddwn i, wedi gorwedd yno erioed: ac ni fyddai efallai yn hawdd iawn dangos pa mor afresymol yw'r ateb hwn. Ond dychmygwch fy mod wedi dod o hyd i oriawr ar y ddaear, a bod rhywun yn gofyn i mi sut daeth oriawr i ddigwydd bod yno, mae'n annhebyg iawn y byddwn i'n rhoi'r ateb a roddais cynt, sef, hyd y gwyddwn i, fod yr oriawr wedi bod yno erioed. Eto pam na ddylai'r ateb hwn fod yn gywir am yr oriawr yn ogystal ag am y garreg? ... wrth i ni archwilio'r oriawr, rydyn ni'n gweld (yr hyn na allen ni ei weld yn y garreg) fod ei rhannau amrywiol wedi eu fframio a'u gosod at ei gilydd i bwrpas, e.e. maen nhw wedi'u ffurfio a'u haddasu er mwyn creu mudiant, a'r mudiant hwn wedi'i reoli er mwyn dangos yr awr o'r dydd; pe bai'r amrywiol ddarnau wedi'u ffurfio'n wahanol i'r hyn ydyn nhw, o faint gwahanol i'r hyn ydyn nhw, neu wedi'u gosod mewn ffordd wahanol, neu mewn unrhyw drefn wahanol i'r drefn maen nhw wedi'u gosod, yna ni fyddai dim mudiant o gwbl yn y peiriant, neu ddim a fyddai wedi bodloni'r pwrpas sydd i'r oriawr yn awr ... mae'r awgrym, fe gredwn, yn anochel, sef rhaid bod yr oriawr wedi cael gwneuthurwr: rhaid bod, ar ryw amser ac mewn rhyw le neu'i gilydd, grefftwr neu grefftwyr

Cwestiwn cyflym

1.12 Sut cymharodd Paley y garreg a'r oriawr?

a'i ffurfiodd i'r diben rydyn ni'n gweld ei bod hi'n ei fodloni; a oedd yn deall ei hadeiladwaith, ac a ddyluniodd ei defnydd ... mae pob arwydd o ddyluniad, oedd yn bodoli yn yr oriawr, yn bodoli yng ngwaith natur; gyda'r gwahaniaeth, o ran natur, ei bod hi cymaint yn fwy, ac i raddau sydd y tu hwnt i bob cyfrif.'

Gweithgaredd AA1

Crëwch siart llif llinell amser sy'n dangos ym mha drefn ysgrifennodd Aquinas, Paley a Tennant. Dylech gynnwys gwybodaeth allweddol am bob un o'u dadleuon yn y siart llif hwn.

Bydd hyn yn eich helpu i ddewis y wybodaeth allweddol, berthnasol ar gyfer ateb cwestiwn sy'n disgwyl gwybodaeth a dealltwriaeth o ddatblygiad y ddadl deleolegol.

Termau allweddol

Anthropig: yn ymwneud â bod yn ddynol

Y byd naturiol: byd natur, sy'n cynnwys pob gwrthrych, organig ac anorganig

Awgrym astudio

Mae ymgeiswyr yn aml yn ailadrodd cydweddiad Paley heb ddod i'r casgliad terfynol fod dylunydd y bydysawd (Duw) yn cydweddu â'r oriadurwr. Gan mai dyma holl bwynt dadl Paley, gwnewch yn siŵr nad ydych chi'n gwneud yr un camgymeriad!

Cynnwys y fanyleb

Dadleuon anthropig ac esthetig Tennant – y bydysawd wedi'i ddylunio'n benodol ar gyfer bywyd dynol deallus.

Dadleuon anthropig ac esthetig Tennant

Er nad oedd yn defnyddio'r term penodol 'egwyddor anthropig', yn ei waith *Philosophical Theology* yn 1928, datblygodd Frederick Tennant set o dystiolaethau sy'n cael eu cydnabod yn eang heddiw fel egwyddorion **anthropig**. Roedd y dystiolaeth yn cynnwys credoau fel:

- Yr union ffaith fod y **byd naturiol** rydyn ni'n byw ynddo yn darparu yr union bethau sy'n angenrheidiol i gynnal bywyd.
- Y ffaith fod y byd naturiol rydyn ni'n byw ynddo nid yn unig yn gallu cael ei arsylwi ond yn cynnig ei hun am ddadansoddiad rhesymegol ac o hynny gallwn ni ddiddwytho sut mae'n gweithio.
- Y ffaith fod proses esblygiad, drwy ddetholiad naturiol, wedi arwain at ddatblygiad bywyd dynol deallus – i'r graddau y gall y bywyd deallus hwnnw arsylwi a dadansoddi'r bydysawd y mae'n bodoli ynddo.

cwestiwn cyflym

1.13 Beth oedd y tri darn o dystiolaeth gan Tennant i gefnogi ei egwyddor anthropig?

Dyfyniad allweddol

Mae'r ddadl esthetig dros theistiaeth yn dod yn fwy perswadiol pan mae'n rhoi'r gorau i honni bod yna brawf ac yn apelio at debygolrwydd rhesymegol. Ac mae'n dod yn gryfach pan mae'n ystyried mai'r ffaith bwysicaf yw ... fod byd Natur mor llawn o brydferthwch ... mae Duw yn ei ddangos ei hun mewn nifer o ffyrdd; ac mae rhai dynion yn mynd i mewn i'w Deml drwy'r Porth Prydferth. **(Tennant)**

Dywedodd Tennant fod damcaniaeth esblygiad yn cefnogi'r syniad o ddylunydd deallus

Mae dadl **esthetig** Tennant yn ymwneud â'r gwerthfawrogiad naturiol sydd gan fodau dynol am bethau maen nhw'n eu hystyried yn 'hardd' ac yn gofyn pam mae gennym werthfawrogiad o'r fath fel rhan o'n natur. Wrth edrych ar weddill y byd naturiol, nid yw'n ymddangos bod unrhyw rywogaeth arall yn ymateb i'w hamgylchoedd fel hyn. Yn wir, mae'n bosibl ehangu hyn i'r gwerthfawrogiad sydd gan fodau dynol o gerddoriaeth, celf, barddoniaeth a mathau eraill o lenyddiaeth yn ogystal â gwerthfawrogiad o bethau fel ffasiwn, cosmetigau a phethau eraill sy'n gallu gwella prydferthwch dynol.

Os cymerwn ni ymagwedd hollol resymegol tuag at fodau dynol fel rhywogaeth, yna dim ond y pethau hynny sy'n angenrheidiol i ni i oroesi y mae'n rhaid i ni eu cael yn y byd o'n hamgylch. Mae ein dealltwriaeth o'r byd naturiol yn ein dysgu bod creaduriaid byw yn gweithredu yn ôl dull 'goroesiad y cymhwysaf' ac mae unrhyw beth nad yw'n helpu esblygiad yn cael ei wrthod yn gyflym gan rywogaeth wrth iddi ddatblygu drwy amser. Pam felly rydyn ni, fel bodau dynol, yn gwerthfawrogi harddwch? Pam mae estheteg mor bwysig i ni?

Ymateb Tennant oedd honni bod y gwerthfawrogiad hwn yn ganlyniad uniongyrchol i Dduw graslon. Wedi dylunio'r byd fel ei fod yn arwain at ddatblygiad bywyd dynol deallus (*gweler egwyddor anthropig*), roedd Duw nid yn unig eisiau i'w greadigaeth fyw yn y byd, ond hefyd i fwynhau byw ynddo. Nid oedd harddwch a gwerthfawrogi harddwch yn angenrheidiol er mwyn i fodau dynol oroesi. I Tennant, roedd bodolaeth harddwch yn y byd yn dystiolaeth o fodolaeth Duw ac yn arwain, drwy ddatguddiad, at y meddyliau ymholgar yn darganfod y ffaith o fodolaeth Duw drostyn nhw eu hunain.

Gweithgaredd AA1

Ymchwiliwch ymhellach i egwyddor anthropig a dadl esthetig Tennant. Bydd hyn yn eich helpu i fod yn ymwybodol o sut adeiladodd ef ei ddadl yng nghyd-destun ei waith, *Philosophical Theology*. Bydd y wybodaeth a'r manylion penodol rydych chi'n eu cael o hyn yn gymorth er mwyn rhoi tystiolaeth ac enghreifftiau ar gyfer dangos gwybodaeth a dealltwriaeth (AA1) ond hefyd ar gyfer cynnal dadl (AA2).

Term allweddol

Esthetig: yn gysylltiedig â'r cysyniad o harddwch a'r gallu i'w werthfawrogi

cwestiwn cyflym

1.14 Pam roedd Tennant yn ystyried bod gwerthfawrogiad o harddwch yn arwain at y casgliad fod dylunydd y byd yn raslon?

Sgiliau allweddol

Mae gwybodaeth yn ymwneud â:

Dewis ystod o wybodaeth (drylwyr) gywir a pherthnasol sydd â chysylltiad uniongyrchol â gofynion penodol y cwestiwn.

Mae hyn yn golygu eich bod yn dewis y wybodaeth gywir sy'n berthnasol i'r cwestiwn a osodwyd NID y maes pwnc. Bydd angen i chi feddwl a chanolbwyntio ar ddewis gwybodaeth allweddol ac NID ysgrifennu popeth yr ydych chi'n ei wybod am y maes pwnc.

Mae dealltwriaeth yn ymwneud ag:

Esboniad helaeth, gan ddangos dyfnder a/neu ehangder gyda defnydd rhagorol o dystiolaeth ac enghreifftiau gan gynnwys (lle y bo'n briodol) defnydd trylwyr a chywir o destunau cysegredig, ffynonellau doethineb a geirfa arbenigol.

Mae hyn yn golygu y gallwch ddangos eich bod yn deall rhywbeth drwy egluro ac ehangu eich pwyntiau gan ddefnyddio enghreifftiau/tystiolaeth gefnogol mewn ffordd bersonol ac NID ailadrodd darnau o werslyfr (sef dysgu ar y cof).

Cymhwyso sgiliau ymhellach:

Ar ôl i chi wneud eich dewisiadau a dewis eich gwybodaeth, cymharwch nhw â myfyriwr arall. Edrychwch i weld a allwch chi ar y cyd benderfynu ar chwech a'u trefn gywir, y tro hwn, yn ddilyniant ar gyfer ateb cwestiwn.

Datblygu sgiliau AA1

Nawr mae'n bryd ystyried y wybodaeth sydd wedi'i chyflwyno hyd yma. Hefyd mae'n bwysig ystyried sut mae'r hyn rydych chi wedi'i ddysgu hyd yma'n gallu cael ei ddefnyddio ar gyfer atebion arholiad drwy ymarfer y sgiliau sy'n gysylltiedig ag AA1.

Mae Amcan Asesu 1 (AA1) yn ymwneud â dangos gwybodaeth a dealltwriaeth. Mae'r termau 'gwybodaeth' a 'dealltwriaeth' yn amlwg ond mae'n hanfodol eich bod yn gyfarwydd â sut mae sgiliau penodol yn dangos y rhain, a hefyd, sut bydd eich perfformiad ym mhob un o'r sgiliau hyn yn cael ei fesur (gweler disgrifyddion band cyffredinol Band 5 ar gyfer AA1 UG).

▶ **Dyma eich tasg newydd:** o'r rhestr o ddeg pwynt allweddol isod, dewiswch y chwe phwynt pwysicaf yn eich barn chi wrth ateb y cwestiwn uwchben y rhestr. Rhowch eich pwyntiau yn nhrefn blaenoriaeth, gan esbonio pam mai dyma'r chwe agwedd bwysicaf ar y pwnc hwnnw y dylech sôn amdanyn nhw. Bydd y sgìl hwn, sef blaenoriaethu a dewis deunydd priodol, yn eich helpu wrth ateb cwestiynau arholiad ar gyfer AA1.

Ffocws ar esbonio'r ddadl deleolegol dros fodolaeth Duw.

1. Cafodd y ddadl deleolegol ei chyflwyno gan Aquinas, ysgolhaig o'r oesoedd canol oedd eisiau dangos sut gallai tystiolaeth yn y byd ddangos bodolaeth Duw.
2. Mae angen y saethwr i gyfeirio'r saeth tuag at y targed yn yr un ffordd ag y mae angen deallusrwydd arweiniol i gyfeirio cyrff naturiol at eu diben.
3. Mae bodolaeth bydysawd cymhleth fel pe bai'n awgrymu na ddigwyddodd ar hap ond yn hytrach ei fod yn ganlyniad i ddyluniad bwriadol.
4. Mae dyluniad yn awgrymu dylunydd a, thrwy broses o resymu anwythol, mae'n bosibl awgrymu mai Duw yw dylunydd y bydysawd.
5. William Paley oedd Archddiacon Caerliwelydd a ysgrifennodd *Natural Theology* i brofi bod Duw yn bodoli.
6. Mae cydweddiad Paley am yr oriadurwr yn gydweddiad adnabyddus iawn mae'n bosibl ei ddeall yn hawdd fel ffordd effeithiol o brofi bod gan y bydysawd ddylunydd.
7. Esboniodd Paley pe byddech chi'n dychmygu cerdded ar draws rhostir, gallech chi gicio carreg heb feddwl o ble y daeth. Fodd bynnag, pe byddech chi'n cicio oriawr ar y rhostir byddai'n rhesymol i chi ofyn o ble y daeth.
8. Mae'r egwyddor anthropig yn ffordd effeithiol o ddangos bod y ffyrdd modern o ddeall y byd, yn cynnwys damcaniaeth esblygiad a thrwch yr haen oson, yn brofion clir dros fodolaeth Duw.
9. Mae egwyddor anthropig Tennant yn defnyddio cyfres o dystiolaethau sy'n arwain at y syniad fod y bydysawd wedi cael ei ddylunio'n fwriadol ar gyfer datblygiad bywyd dynol deallus.
10. Mae'r ddadl esthetig yn dystiolaeth glir bod dylunydd graslon yn bodoli.

Materion i'w dadansoddi a'u gwerthuso

A yw'r dadleuon cosmolegol dros fodolaeth Duw yn berswadiol yn yr 21ain ganrif

Mae'r 21ain ganrif yn gartref i'r oes wyddonol fodern. Gyda thechnoleg cyfrifiaduro a chyfathrebu drwy'r Rhyngrwyd, mae bodau dynol wedi gallu rhannu mwy o wybodaeth nag erioed o'r blaen. Wrth wneud hynny, mae gennym fynediad at bob math o wybodaeth amdanon ni'n hunain, a'r bydysawd rydyn ni'n byw ynddo. Mae hyn yn cynnwys syniadau fel damcaniaeth y glec fawr, bydysawd sy'n osgiliadu, aml-fydysawdau a mecaneg cwantwm. Mae'r syniadau hyn yn ddiddorol iawn ac, i lawer, yn berswadiol, o ran rhoi ateb i'r cwestiwn oesol, 'Sut dechreuodd y bydysawd?'

Yn yr un modd, mae'r rheini sy'n bychanu dadleuon theistig traddodiadol, fel y ddadl gosmolegol, yn tanseilio'n fawr gallu'r ddadl i berswadio drwy ddangos bod dadleuon Aristotle yn wallus oherwydd dealltwriaeth anghywir o egwyddor wyddonol gytûn. Mae Deddf Mudiant Gyntaf Newton, er enghraifft, yn dangos bod y syniad na all dim ei symud ei hun oni bai iddo gael ei symud gan rywbeth arall yn anwybyddu egwyddor inertia ac felly ei fod yn anghywir – fe all pethau eu symud eu hunain. Mewn datganiad adnabyddus dywedodd Anthony Kenny fod y sylw hwn yn 'dryllio'r Dull Cyntaf'.

Gyda hyn i gyd mewn golwg, byddai'n ymddangos nad yw'r dadleuon cosmolegol, a gafodd eu cyflwyno gyntaf dros ddwy fil a hanner o flynyddoedd yn ôl gan athronwyr yr Hen Roeg, ac yna eu datblygu gan fynachod Cristnogol yr oesoedd canol, yn berthnasol iawn yn ein byd gwyddonol heddiw. Ac felly, byddai rhai yn ystyried nad oes ganddyn nhw'r pŵer i berswadio pobl.

Ond, rhaid cadw mewn cof bod y ddadl gosmolegol yn seiliedig ar y ffaith fod yna fydysawd. Mae hyn yn sylw *a posteriori* – h.y. dull gwyddonol. Os felly, mae hanfodion y ddadl yn seiliedig ar yr un tybiaethau â damcaniaethau gwyddonol. Byddai hyn yn awgrymu bod y dadleuon cosmolegol yn berswadiol yn yr 21ain ganrif.

Dylen ni hefyd ystyried y ffaith, er bod gwyddoniaeth yn gallu esbonio'n ddigon effeithiol sut mae'r bydysawd yn gweithio a'r ffordd mae'n gwneud hynny (ac felly sut y dechreuodd), beth na all ei wneud yw ateb y cwestiwn pam dechreuodd y bydysawd. Ond fe all y ddadl gosmolegol wneud hynny. Yn wir, mae dadl Kalam Craig yn dangos yn argyhoeddiadol fod y bydysawd yn ganlyniad i ddewis bwriadol gan greawdwr personol.

Mae'r dadleuon cosmolegol yn amlwg wedi'u seilio ar ddadleuon achos ac effaith; ac felly hefyd y mae gwyddoniaeth. Am y rheswm hwn yn unig, ni ddylen ni eu diystyru. I'r crediniwr crefyddol, mae'r dimensiwn ychwanegol o ffydd yn darparu'r elfen bwysig o obaith a chysur, yn hytrach na ffeithiau gwyddonol oeraidd a chaled yn unig. Yn yr 21ain ganrif, gyda holl ryfeddodau'r byd modern, mae dal lle i dderbyn bod y dadleuon cosmolegol dros fodolaeth Duw yn dal yn berswadiol.

Mae'r adran hon yn cwmpasu cynnwys a sgiliau AA2

Cynnwys y fanyleb

A yw'r dadleuon cosmolegol dros fodolaeth Duw yn berswadiol yn yr 21ain ganrif.

Gweithgaredd AA2
Dadleuon posibl

Wedi'u rhestru isod mae rhai casgliadau y byddai'n bosibl dod iddynt ar sail rhesymeg AA2 yn y testun cysylltiedig:

1. Yn yr 21ain ganrif does dim fawr o werth gan ddadleuon nad oedd wedi'u ffurfio yn yr oes wyddonol.
2. Mae defnyddio egwyddorion gwyddonol i lunio dadleuon yn eu gwneud nhw'n fwy perswadiol.
3. Mae pobl yn yr 21ain ganrif yn fwy craff ynghylch yr hyn maen nhw'n ei dderbyn fel gwirionedd na phobl oedd yn byw yn y gorffennol.
4. Dydy gwyddoniaeth yr 21ain ganrif ddim wedi ateb pob un o'r cwestiynau am fodolaeth y bydysawd ac felly dylai safbwyntiau eraill, fel y ddadl gosmolegol, gael eu hystyried i fod yr un mor ddilys.

Ystyriwch bob un o'r casgliadau sy'n cael eu gwneud uchod a chasglwch dystiolaeth ac enghreifftiau i gefnogi pob dadl o'r deunydd AA1 ac AA2 a astudiwyd yn yr adran hon. Dewiswch un casgliad sy'n argyhoeddi fwyaf yn eich barn chi ac esboniwch pam mae hyn yn wir. Nawr cyferbynnwch hyn â'r casgliad gwannaf ar y rhestr, gan gyfiawnhau eich dadl gyda rhesymu clir a thystiolaeth.

Cynnwys y fanyleb

Effeithiolrwydd y ddadl deleolegol dros fodolaeth Duw.

Effeithiolrwydd y ddadl deleolegol dros fodolaeth Duw

Pan siaradodd Platon am 'grefftwr' dros ddwy fil a hanner o flynyddoedd yn ôl, mae'n gwneud i ni feddwl pam byddai wedi dod i'r fath gasgliad wrth ystyried pam mae'r byd rydyn ni'n byw ynddo fel y mae. Gwnaeth y deallusrwydd arweiniol hwn, a luniodd byd y synhwyrau o fater cynfodol, osod y sylfeini ar gyfer datblygu'r syniad drwy feddwl Iddewig-Gristnogol, gan arwain at yr honiad crefyddol fod y byd rydyn ni'n byw ynddo yn ganlyniad i ddylunydd dwyfol.

Mae effeithiolrwydd y ddadl, yn ôl rhai, yn ei ffurf *a posteriori*, anwythol. Yn seiliedig ar dystiolaeth dyluniad sy'n amlwg i unrhyw un sy'n edrych, mae cymhlethdod llwyr ein bydysawd, gyda'i ffurfiau bywyd niferus a'i systemau cymhleth, cydgysylltiedig sy'n cynnal bywyd ar y blaned, yn pwyntio'n amlwg at ddyluniad bwriadol gan ryw feddwl hollalluog.

Mae'r dystiolaeth gydweddol mae Paley yn ei rhoi yn effeithiol yn dangos, yn union fel peiriant cymhleth, na allai ein bydysawd cymhleth fod yn ganlyniad i hap a damwain. Roedd creawdwr deallus oedd yn ddylunydd yn gyfrifol amdano. Mae'r pwyntiau hyn i gyd yn dangos pa mor effeithiol yw'r ddadl deleolegol dros fodolaeth Duw.

Ymhellach, mae cyfraniad Tennant, gyda'i ddadleuon anthropig ac esthetig, yn sicr yn dangos y tu hwnt i amheuaeth resymol fod hwn yn fydysawd a ddyluniwyd yn fwriadol ar gyfer bywyd dynol deallus. Rydyn ni'n byw mewn byd sy'n darparu popeth y mae angen arnon ni, nid yn unig er mwyn i ni oroesi, ond hefyd er mwyn i ni ei fwynhau.

Fodd bynnag, pan edrychwch ar y ddadl yn fwy manwl, mae cyfleustra arwynebol y pwyntiau a wnaeth Aquinas, Paley a Tennant yn dechrau dangos gwendidau.

Mae defnyddio cydweddiad yn amheus ar y gorau gan na all unrhyw beiriant dynol byth gymharu'n ddigonol â'r bydysawd cymhleth rydyn ni'n byw ynddo. Felly sut gallen ni gyflwyno'r syniad o ddylunydd deallus yn seiliedig ar hyn yn unig? Does dim digon o debygrwydd rhwng y peiriant a'r bydysawd.

Hyd yn oed pe bydden ni'n derbyn y cydweddiad fel un dilys – beth am pryd mae pethau'n mynd o'i le yn y bydysawd? A yw'r dylunydd yn anfedrus felly? Neu, fel yn achos nifer o beiriannau, a oedd mwy nag un dylunydd? A wnaethon nhw adael ar ôl iddyn nhw orffen rhoi ein bydysawd at ei gilydd? Sut rydyn ni hyd yn oed yn gwybod bod hwn yn fydysawd da? Beth sydd yno y gallwn ni ei gymharu â'r bydysawd?

Mae rhai yn awgrymu ei bod yn haerllug tybio y gallwn ni adnabod achos cymhlethdodau'r bydysawd rydyn ni'n byw ynddo drwy hawlio dylunydd dwyfol sy'n cyd-fynd â'r model theistig o grefydd. Mae cynnig syniad o'r fath a gofyn i eraill ei dderbyn fel y gwirionedd yn mynd yn erbyn tystiolaeth yr oes wyddonol – mae gwyddonwyr esblygol cyfoes fel Richard Dawkins yn dweud bod dadlau safbwynt o'r fath am ddylunydd dwyfol yn 'ddi-fudd', 'plentynnaidd' ac yn 'nonsens ofergoelus' – gan ei fod yn atal pobl rhag ystyried yn iawn farn 'aeddfed' am y byd fel lle sy'n cael ei lywodraethu gan ddeddfau natur ac nid deddfau rhyw dduw.

Er gwaethaf apêl gychwynnol y ddadl deleolegol, mae'r beirniadaethau ohoni yn rhy anorchfygol ac yn rhy eang i rywun allu derbyn byth ei bod yn ddadl effeithiol dros fodolaeth Duw.

Gweithgaredd AA2
Dadleuon posibl

Wedi'u rhestru isod mae rhai casgliadau y byddai'n bosibl dod iddynt ar sail rhesymeg AA2 yn y testun cysylltiedig:

1. Mae'n bosibl esbonio cymhlethdodau'r bydysawd yn llawer mwy effeithiol os yw rhywun yn derbyn iddyn nhw gael eu dylunio'n fwriadol, yn hytrach na bod yn ganlyniad i hap a damwain.
2. Mae derbyn bodolaeth dylunydd y bydysawd yn creu mwy o anawsterau nag y mae'n eu hateb.
3. Mae angen ymrwymiad blaenorol i ffydd grefyddol os ydych chi'n mynd i dderbyn bodolaeth dylunydd dwyfol.
4. Mae'r ddadl deleolegol yn rhy ddiffygiol i gael ei derbyn byth fel dadl effeithiol dros fodolaeth Duw.

Ystyriwch bob un o'r casgliadau sy'n cael eu gwneud uchod a chasglwch dystiolaeth ac enghreifftiau i gefnogi pob dadl o'r deunydd AA1 ac AA2 a astudiwyd yn yr adran hon. Dewiswch un casgliad sy'n argyhoeddi fwyaf yn eich barn chi ac esboniwch pam mae hyn yn wir. Nawr cyferbynnwch hyn â'r casgliad gwannaf ar y rhestr, gan gyfiawnhau eich dadl gyda rhesymu clir a thystiolaeth.

Datblygu sgiliau AA2

Nawr mae'n bryd ystyried y wybodaeth sydd wedi'i chyflwyno hyd yma. Hefyd mae'n bwysig ystyried sut mae'r hyn rydych chi wedi'i ddysgu hyd yma'n gallu cael ei ddefnyddio ar gyfer atebion arholiad drwy ymarfer y sgiliau sy'n gysylltiedig ag AA2.

Mae Amcan Asesu 2 (AA2) yn ymwneud â 'dadansoddi' a 'gwerthuso'. Efallai fod ystyr y termau'n amlwg ond mae'n hanfodol eich bod yn gyfarwydd â sut mae sgiliau penodol yn dangos y rhain, a hefyd, sut bydd eich perfformiad ym mhob un o'r sgiliau hyn yn cael ei fesur (gweler disgrifyddion band cyffredinol Band 5 ar gyfer AA2 UG).

Yn amlwg mae ateb yn cael ei osod mewn disgrifydd band priodol, yn ôl pa mor dda yw'r ateb, gan amrywio o ragorol, da, boddhaol, sylfaenol/cyfyngedig i gyfyngedig iawn.

▶ **Dyma eich tasg**: o'r rhestr o ddeg pwynt allweddol isod, dewiswch chwech sy'n berthnasol i'r dasg werthuso isod. Rhowch eich dewis yn y drefn y byddech chi'n ei defnyddio i wneud y dasg sydd wedi'i rhoi. Wrth esbonio pam rydych wedi dewis y chwe phwynt hwn i ateb y dasg, fe welwch eich bod yn datblygu proses rhesymu o fewn ateb.

Ffocws ar werthuso effeithiolrwydd y ddadl deleolegol.

1. Mae'r ddadl deleolegol yn brawf *a posteriori*, anwythol.
2. Mae Pumed Dull Aquinas yn seiliedig ar lywodraethiant y byd.
3. Mae cydweddiad Paley am yr oriadurwr yn rhy syml i fod yn effeithiol.
4. Dim ond posibiliadau mae dadleuon anwythol yn eu cynnig, nid profion pendant.
5. Cafodd cydweddiad yr oriadurwr ei ysgrifennu ar ôl i Hume feirniadu gallu cydweddiadau dynol i ddisgrifio pethau y tu hwnt i'n profiad.
6. Mae'r egwyddor anthropig yn cael ei datblygu gan wyddonwyr cyfoes sy'n defnyddio eu gwybodaeth wyddonol i gynnig amddiffyniad effeithiol o'r ddadl deleolegol.
7. Ein dehongliad ni o batrymau yng ngwaith y bydysawd sy'n gwneud i ni weld dyluniad – hynny yw, mae'r dyluniad yn ymddangosiadol yn unig ac nid yn real.
8. Mae'r ddadl ddylunio yn hen hen ddadl.
9. Os yw peiriant cymhleth angen dylunydd deallus, yna onid yw hi'n gwbl resymegol i awgrymu bod bydysawd cymhleth hefyd yn awgrymu bod yna ddylunydd deallus?
10. Mae presenoldeb harddwch yn y byd yn fater goddrychol sy'n fwy agos at ddetholiad naturiol nag at haelioni dylunydd graslon.

Ar ôl i chi wneud eich dewisiadau, cymharwch nhw â myfyriwr arall. Edrychwch i weld a allwch chi ar y cyd benderfynu ar y chwe phwynt allweddol a fyddai'n fwyaf defnyddiol i werthuso'r cwestiwn am effeithiolrwydd y ddadl deleolegol.

Sgiliau allweddol

Mae dadansoddi'n ymwneud â nodi materion sy'n cael eu codi gan y deunyddiau yn adran AA1, ynghyd â'r rhai a nodwyd yn adran AA2, ac mae'n cyflwyno safbwyntiau cyson a chlir, naill ai gan ysgolheigion neu safbwyntiau personol, yn barod i'w gwerthuso.

Mae hyn yn golygu ei fod yn nodi pethau allweddol i'w trafod a'r dadleuon sy'n cael eu cyflwyno gan eraill neu o safbwynt personol.

Mae gwerthuso'n ymwneud ag ystyried goblygiadau amrywiol y materion sy'n cael eu codi, yn seiliedig ar y dystiolaeth a gafwyd wrth ddadansoddi ac mae'n rhoi dadl fanwl eang gyda chasgliad clir.

Mae hyn yn golygu bod yr ateb yn pwyso a mesur y dadleuon amrywiol a gwahanol a gafodd eu dadansoddi drwy roi sylwadau ac ymateb unigol, gan ddod i gasgliad drwy broses rhesymu clir.

Mae'r adran hon yn cwmpasu cynnwys a sgiliau AA1

C: Heriau i ddadleuon anwythol

Cyflwyniad: Heriau i'r ddadl gosmolegol

Wedi bodoli ers dros 2,500 o flynyddoedd, mae'r ddadl gosmolegol wedi denu nid yn unig gefnogwyr ond hefyd y rheini sy'n dymuno dangos ei ffaeleddau. Mae datblygiadau gwyddonol, yn enwedig yn y 100 mlynedd diwethaf, wedi cymryd ein dealltwriaeth arferol o fydysawd achos ac effaith a'i throi ar ei phen. Mae ffiseg cwantwm, damcaniaeth caos a datblygiadau radical tebyg yn ein dealltwriaeth o sut mae'r bydysawd yn gweithio i gyd wedi chwarae eu rhan mewn gwanhau'r honiadau gan gefnogwyr y ddadl gosmolegol, er dydyn nhw ddim bob amser yn gwbl lwyddiannus. Yn wir, mae rhai damcaniaethau gwyddonol, gan gynnwys yn fwyaf amlwg damcaniaeth y glec fawr, wedi cael eu defnyddio i gefnogi rhannau o'r ddadl gosmolegol – enghraifft bwysig yw wrth ddangos y cysyniad fod dechreubwynt gan y bydysawd.

Cynnwys y fanyleb

David Hume – gwrthwynebiadau empirig a beirniadaeth o achosion (cosmolegol).

David Hume

Roedd yr athronydd empirig David Hume yn anesmwyth ynghylch y rhesymu y tu ôl i'r ddadl gosmolegol, yn benodol o ran y dadleuon yr oedd yn eu cyflwyno mewn perthynas ag achosion. Roedd gan Hume bedair prif her:

- Dim ond oherwydd ein bod ni'n gweld achos ac effaith YN y bydysawd, dydy hyn ddim yn golygu bod y rheol hon yn wir am y bydysawd ei hun! (Defnyddiodd Russell yr enghraifft, 'Dim ond oherwydd bod mam gan bob bod dynol, dydy hyn ddim yn golygu bod mam gan y ddynoliaeth gyfan.') Mae hyn yn aml yn cael ei alw'n '**dwyllresymeg cyfansoddiad**'.
- Er ein bod ni'n gallu siarad am bethau mae gennym brofiad ohonyn nhw â pheth sicrwydd, does dim profiad gennym o greu bydysawd ac felly ni allwn ni siarad yn ystyrlon am hynny.
- Does dim digon o dystiolaeth i ddweud a oedd achos i'r bydysawd ac yn sicr does dim digon i ddod i unrhyw gasgliad am beth efallai oedd yr achos hwnnw.
- Hyd yn oed pe bai modd derbyn 'Duw' fel achos y bydysawd, does dim ffordd o benderfynu pa fath o Dduw fyddai hwn ac yn sicr dim ffordd o benderfynu ai hwn oedd **Duw Theistiaeth Glasurol**.

Termau allweddol

Duw Theistiaeth Glasurol: y Duw sy'n cael ei gysylltu fel arfer â chrefyddau monotheistig y Gorllewin, sef Cristnogaeth, Islam ac Iddewiaeth

Twyllresymeg cyfansoddiad: syniad athronyddol nad yw'r hyn sy'n wir am y rhannau o reidrwydd yn wir am y cyfan (h.y. mae atomau yn ddi-liw ond nid yw hyn yn golygu bod cath, sydd wedi'i gwneud o atomau, yn ddi-liw)

Cyflwyniad: Heriau i'r ddadl deleolegol

Mae'r ddadl ddylunio neu deleolegol yn olrhain ei tharddiadau i'r cynharaf o feddylwyr mawr gwareiddiad y Gorllewin, ac mae'n un o amddiffyniadau mwyaf cadarn y theistiaid crefyddol. Mae'r syniad fod y bydysawd yn llawer rhy gymhleth, yn cynnwys pwrpas i bob peth sydd ynddo ac wedi cynhyrchu ffurf ar fywyd sydd â'r gallu i arsylwi, dadansoddi a hyd yn oed athronyddu amdano, ac nad yw'r un o'r pethau hyn yn debygol o fod wedi digwydd ar hap, i gyd fel pe bai'n pwyntio at fodolaeth Duw; neu felly yr hoffai credinwyr crefyddol ei honni. Ond, fel y ddadl gosmolegol, mae gan hon hefyd bobl sy'n ei bychanu. Maen nhw'n awgrymu nad oes digon o brofiad gennym i wneud honiadau o'r fath am ddyluniad mawreddog; nad yw'r cydweddiadau yn dal dŵr; yn gofyn pe bai'r bydysawd wedi'i ddylunio, pam mae ganddo gymaint o ddiffygion; ac yn tynnu sylw at yr atebion gwahanol mae ymholiad gwyddonol yn eu cynnig. Mae angen ystyried pob un o'r awgrymiadau hyn o ddifrif.

Cynnwys y fanyleb

David Hume – problemau â chydweddiadau; gwrthod honiadau theistig traddodiadol; nid Duw Theistiaeth Glasurol yw'r dylunydd o reidrwydd; duw prentis; sawl duw; duw absennol (teleolegol).

Unigolyn allweddol

David Hume (1711–1776): Athronydd Oes y Goleuo o'r Alban a ddangosodd, fel empirydd, nifer o ddiffygion yn y prif ddadleuon theistig dros fodolaeth Duw. Ei waith pwysicaf yn y cyd-destun hwn yw ei '*Dialogues Concerning Natural Religion*'.

Mae Hume yn beirniadu'r defnydd o gydweddiadau dynol i ddangos y ffaith fod y bydysawd wedi cael ei ddylunio. Defnyddiodd dŷ a phensaer/adeiladwr fel enghraifft a dywedodd, er ein bod yn gwybod sut mae tŷ yn cael ei ddylunio/adeiladu, dydy hynny ddim yn golygu y gallwn ni gasglu o hyn sut cafodd y bydysawd ei ddylunio/adeiladu. Mae'r tŷ a'r bydysawd yn llawer rhy wahanol i wneud y gymhariaeth honno, er bod ganddyn nhw rai pethau cyffredin mewn ffyrdd eraill. Mae cydweddiadau'n gweithio fel arfer ar y sail ganlynol:

a. Mae X ac Y yn debyg.

b. Mae gan X y nodwedd Z.

c. Felly mae gan Y y nodwedd Z.

Ond, mae honni bod yr hyn sy'n wir am Y yn seiliedig yn unig ar debygrwydd i X yn dibynnu ar ba mor debyg yw X ac Y. Os yw'r tebygrwydd rhyngddyn nhw yn wan, yna mae'r casgliad a geir drwy'r cydweddiad yn wan hefyd. Mae Hume yn dod i'r casgliad, gan fod y bydysawd yn unigryw, does dim cydweddiad sy'n ddigonol i esbonio ei ddechreuad. Byddai hyn yn cael ei ddefnyddio yn effeithiol iawn fel beirniadaeth, flynyddoedd yn ddiweddarach, pan luniodd Paley gydweddiad yr oriadurwr.

Mae unrhyw gydweddiad a wneir gan fodau dynol o reidrwydd yn seiliedig ar y profiad sydd gan fodau dynol. Os nad oes gennym brofiad o'r hyn mae'r cydweddiad yn cael ei ddefnyddio i'w 'brofi', yna sut gallwn ni fod yn sicr fod y cydweddiad yn gadarn? Gan nad oes gan fodau dynol unrhyw brofiad o sut cafodd y bydysawd ei ddylunio, mae unrhyw gydweddiad a gynigir i geisio profi'r pwnc yn ddiwerth yn y pen draw.

Mae'r awgrym y gellir cymharu'r bydysawd â rhyw ddyfeisiad artiffisial fel tŷ neu beiriant yn cael ei wrthod hefyd. Mae'r bydysawd yn dangos mwy o debygrwydd i'r organebau byw yn y byd naturiol nag y mae i ddyfeisiad artiffisial disymud. *'Ac onid yw planhigyn neu anifail, sy'n tarddu o lystyfiant neu genhedlaeth, yn dwyn tebygrwydd cryfach i'r byd, nag yw unrhyw beiriant artiffisial, sy'n tarddu o reswm a dyluniad?'* (Hume, *Dialogues*)

Yn ei *Dialogues Concerning Natural Religion* mae Hume yn awgrymu ei bod yn dwyllresymeg i dybio bod y bydysawd wedi cael ei ddylunio, dim ond oherwydd ei bod yn ymddangos felly. Mae'n gwahaniaethu rhwng dyluniad dilys a dyluniad ymddangosiadol. Yn yr achos cyntaf, dyma'r honiad y byddai theistiad clasurol yn ei wneud – mai Duw sy'n gyfrifol am ddylunio'r bydysawd. Ond, yn yr ail achos, yr hyn sydd gennym yw ymddangosiad o ddyluniad lle nad oes un yn bodoli mewn gwirionedd. Yn wir, dyma'r pwynt mae Hume yn ei wneud drwy Philo, y cymeriad yn y *Dialogues* y mae'r rhan fwyaf o esbonwyr yn ei gysylltu â barn Hume ei hun. Mae Philo'n cyfeirio at y ddamcaniaeth Epicuraidd. Cred yw hon, wedi'i mynegi gan Epicurus, nad yw'r hyn a elwir y drefn yn y bydysawd ar hyn o bryd yn ddim mwy na chysylltiad ar hap rhwng atomau a oedd gynt mewn cyflwr caotig ond, drwy brif natur y bydysawd (sef newid) mae'r atomau hyn yn eu had-drefnu eu hunain yn anfeidraidd, ac o dro i dro yn gwneud hyn mewn ffordd sy'n debyg i drefn (ac felly, dyluniad).

Hyd yn oed os ydyn ni'n cymryd bod gan y bydysawd ddylunydd, gan nad oes gennym fydysawdau eraill i'w cymharu â'r un hwn, sut rydyn ni'n gwybod iddo gael ei ddylunio'n dda? Efallai, pe gallen ni wneud cymhariaeth o'r fath, y bydden ni'n canfod bod dylunydd y bydysawd hwn wedi dangos diffyg sgìl. Mae Hume yn gwneud cymhariaeth ag adeiladwr llongau. Pe bai rhywun yn gweld llong am y tro cyntaf, efallai byddai'n credu bod yr adeiladwr llongau yn athrylith oherwydd iddo wneud y fath beth. Ond, pe bai'n edrych ymhellach, byddai'n canfod nad yw'r llong honno yn ddim mwy na chopi o longau eraill ac, mewn cymhariaeth, nad yw hyd yn oed cystal â hynny. Nid yw chwaith yn ystyried y gwahanol longau eraill y gall yr adeiladwr llongau hwn fod wedi ceisio eu gwneud cyn hynny, wrth berffeithio

cwestiwn cyflym

1.15 Beth yw twyllresymeg cyfansoddiad yng nghyd-destun y ddadl gosmolegol?

Dyfyniad allweddol

Os ydyn ni'n gweld tŷ, Cleanthes, rydyn ni'n dod i'r casgliad, gyda'r sicrwydd mwyaf, fod ganddo bensaer neu adeiladwr; oherwydd dyma'n union y math o effaith, sydd yn ein profiad yn dilyn o'r math hwnnw o achos. Ond siawns na fyddwch chi'n honni, bod y bydysawd mor debyg i dŷ, fel y gallwn ni gyda'r un sicrwydd gasglu bod achos tebyg, neu fod y cydweddiad yma yn llwyr ac yn berffaith. Mae'r annhebygrwydd mor drawiadol, fel y mwyaf y gallwch chi ei honni yma yw dyfalu, bwrw amcan, tybio ynghylch achos tebyg; a sut bydd yr honiad hwnnw'n cael ei dderbyn yn y byd, gadawaf i chi feddwl am hynny. **(Hume)**

cwestiwn cyflym

1.16 Pam mae Hume yn gwrthod y defnydd o gydweddiad i brofi bodolaeth dylunydd dwyfol?

ei grefft. Gan gysylltu hyn â gwaith duw yn dylunio'r bydysawd, mae Hume yn dweud y gall fod bydysawdau gwell allan yno; bod y duw hwn sy'n dylunio yn ddylunydd gwael o'i gymharu ag eraill a'i fod, wrth ymarfer ei grefft, wedi cynhyrchu cyfres o fydoedd a bydysawdau sydd wedi cael eu *'cawlio a'u potsio, drwy dragwyddoldeb, cyn i'r system hon gael ei dileu.'* (Hume, *Dialogues*)

Wedi cyfeirio at gydweddiad y llong/adeiladwr llongau, mae Philo'n awgrymu, yn debyg i'r ffaith fod gan dŷ neu long nifer o adeiladwyr, fod yn rhaid ei bod yn gwneud synnwyr dweud bod nifer o adeiladwyr wedi bod â rhan yn adeiladu'r bydysawd hefyd. Wrth wneud yr honiad hwn, mae Hume yn dangos bod defnyddio cydweddiadau dynol yn gleddyf deufin i'r theistiaid hynny sy'n dibynnu arnynt i ddangos tebygolrwydd bodolaeth Duw greawdwr sy'n dylunio.

Ymhellach, ar ôl i adeiladwr llongau neu dŷ orffen ei dasg, mae'n symud ymlaen. Efallai fod hyn yn wir hefyd am ddylunydd tybiedig y bydysawd? Mae'n bosibl iawn ei fod wedi gadael y bydysawd barhau ar ei ben ei hun (sy'n debyg iawn i safbwynt y Deist), neu efallai ei fod wedi marw hyd yn oed. Does dim rheidrwydd bod dylunydd o'r fath yn gorfod bodoli am dragwyddoldeb, dim ond oherwydd bod y peth a ddyluniodd yn gwneud hynny.

Dyfyniad allweddol

Ond gan ganiatáu y bydden ni'n cymryd gweithrediadau un rhan o natur ar un arall fel sail ein barn ynghylch tarddiad y cyfan (na ellir byth ei gydnabod), yna pam dewis egwyddor mor fân, mor wan, mor derfynedig ag y ceir bod rheswm a dyluniad anifeiliaid ar y blaned hon? Pa fraint arbennig sydd gan y symudiad bach hwn o'r ymennydd rydyn ni'n ei alw'n feddwl, fel bod yn rhaid i ni felly ei wneud yn fodel o'r bydysawd cyfan? Mae'n tueddiad o'n plaid ni'n hunain yn wir yn ei gyflwyno ar bob achlysur; ond dylai athroniaeth gadarn ochel yn erbyn twyll mor naturiol. (Hume)

Gweithgaredd AA1

Crëwch gyflwyniad newyddion un munud sy'n crynhoi prif bwyntiau beirniadaethau Hume.

Bydd hyn yn eich helpu i allu dewis a chyflwyno'r prif nodweddion perthnasol yn y deunydd rydych chi wedi ei ddarllen.

Awgrym astudio

Cofiwch fod Hume yn byw cyn Paley. Mae rhai ymgeiswyr yn dweud yn anghywir fod Hume yn beirniadu Paley ond dydy hyn ddim yn wir. Gwnewch yn siŵr eich bod yn gwybod y drefn gronolegol yr oedd y prif athronwyr yn byw fel nad ydych chi'n gwneud yr un camgymeriad!

Awgrym astudio

Dydy cyfeirio at feirniadaethau o'r ddadl ddylunio DDIM yr un peth â'i gwerthuso. Mae'n bwysig sylweddoli bod gwerthusiadau'n deillio o'r cryfderau a'r gwendidau. Deunydd AA1 yw beirniadaethau **ar eu pennau eu hunain** – ac maen nhw'n perthyn i ran 'a' eich traethawd yn unig.

Damcaniaeth y glec fawr

Cynnwys y fanyleb

Esboniadau gwyddonol amgen, gan gynnwys damcaniaeth y glec fawr a damcaniaeth Darwin o esblygiad drwy ddetholiad naturiol.

Mae damcaniaeth y glec fawr yn cael ei defnyddio'n aml fel 'prawf' mai gweithred ar hap a achosodd ddechreuad y bydysawd, nid Duw. (Fodd bynnag, mae nifer o theistiaid yn awgrymu nad gweithred ar hap oedd hon ond un a achoswyd gan Dduw.) Mae'n bosibl crynhoi damcaniaeth y glec fawr drwy gyfeirio at ddigwyddiad bron 14 biliwn o flynyddoedd yn ôl, pan ymddangosodd hynodyn. Mae'r hynodyn yn gysyniad gwyddonol sy'n cyfeirio at bwynt mewn gofod-amser sy'n herio ein dealltwriaeth bresennol o ddeddfau ffiseg ond lle mae anfeidredd yn bodoli. Chwyddodd, ehangodd ac oerodd yr hynodyn hwn i roi i ni'r bydysawd sydd gennym heddiw.

Damcaniaeth Charles Darwin o esblygiad drwy ddetholiad naturiol

Yn ei *On the Origin of Species*, mae Darwin yn nodi mai hap a damwain sy'n trefnu bywyd yn y bydysawd, yn ôl egwyddorion esblygiad a detholiad naturiol. Mae detholiad naturiol yn gweithio ar egwyddor 'goroesiad y cymhwysaf' lle mae dim ond y cryfaf o rywogaeth benodol sy'n goroesi yn ddigon hir i drosglwyddo ei enynnau i'r genhedlaeth nesaf. Drwy hyn mae nodweddion gwan yn cael eu 'bridio allan' o rywogaeth ac mae'n dod yn gryfach ac yn fwy abl i oroesi yn ei hamgylchedd.

Mewn geiriau eraill, y rheswm fod rhywogaeth mor addas i'w hamgylchedd oedd nid o ganlyniad i ddylunydd graslon, fel roedd pobl yn ei gredu o'r blaen, ond oherwydd eu gallu i addasu i'w hamgylchoedd ac i drosglwyddo'r nodweddion ffafriol oedd yn galluogi'r addasiad hwn i fod yn llwyddiannus.

Roedd mwyafrif y bobl yn y bedwaredd ganrif ar bymtheg yn casáu'r syniad hwn. Roedden nhw'n credu mai Duw oedd Ysgogydd Cyntaf y bydysawd – nid hap. Fodd bynnag, wrth gyfeirio at egwyddor detholiad naturiol, mae Darwin yn datgan nad oedd ei syniad o hap yn golygu pethau 'yn digwydd yn ddamweiniol' ond yn hytrach eu bod yn digwydd yn ôl egwyddor benodol – ni waeth pa mor anrhagweladwy y gall fod.

Roedd Darwin yn cyfaddef nad oedd yn gwybod pa fecanwaith oedd yn achosi i'r nodweddion defnyddiol hyn gael eu trosglwyddo o un genhedlaeth i'r llall, ond gyda darganfod DNA yn yr 20fed ganrif, mae'r broblem hon wedi cael ei goresgyn i raddau helaeth.

Unigolyn allweddol

Charles Darwin: Naturiaethwr o Loegr a chwyldrôdd ddealltwriaeth y byd gorllewinol o sut datblygodd bywyd. Cyflwynodd ei waith enwocaf, ***On the Origin of Species*** a gyhoeddwyd yn 1859, y syniad fod bywyd ar y Ddaear wedi datblygu drwy brosesau detholiad naturiol ac esblygiad. Doedd y ddamcaniaeth ddim yn sôn am ddatblygiad bywyd fel rhan o waith creawdwr dwyfol, a gwelwyd graddau amrywiol o wrthwynebiad iddi gan y sefydliad crefyddol pan gafodd ei chyhoeddi.

Gweithgaredd AA1

Pam rydych chi'n meddwl bod yr heriau i'r dadleuon mor eang? Esboniwch eich ateb gan ddefnyddio tystiolaeth ac enghreifftiau o'r hyn rydych chi wedi ei ddarllen.

cwestiwn cyflym

1.17 Beth oedd y prif syniad y tu ôl i ddamcaniaeth Darwin am ddetholiad naturiol?

Charles Darwin (1809–1882)

Sgiliau allweddol

Mae gwybodaeth yn ymwneud â:

Dewis ystod o wybodaeth (drylwyr) gywir a pherthnasol sydd â chysylltiad uniongyrchol â gofynion penodol y cwestiwn.

Mae hyn yn golygu eich bod yn dewis y wybodaeth gywir sy'n berthnasol i'r cwestiwn a osodwyd NID y maes pwnc. Bydd angen i chi feddwl a chanolbwyntio ar ddewis gwybodaeth allweddol ac NID ysgrifennu popeth yr ydych chi'n ei wybod am y maes pwnc.

Mae dealltwriaeth yn ymwneud ag:

Esboniad helaeth, gan ddangos dyfnder a/neu ehangder gyda defnydd rhagorol o dystiolaeth ac enghreifftiau gan gynnwys (lle y bo'n briodol) defnydd trylwyr a chywir o destunau cysegredig, ffynonellau doethineb a geirfa arbenigol.

Mae hyn yn golygu y gallwch ddangos eich bod yn deall rhywbeth drwy egluro ac ehangu eich pwyntiau gan ddefnyddio enghreifftiau/tystiolaeth gefnogol mewn ffordd bersonol ac NID ailadrodd darnau o werslyfr (sef dysgu ar y cof).

Cymhwyso sgiliau ymhellach:

Ewch drwy'r meysydd pwnc yn yr adran hon a lluniwch rai rhestri bwled o bwyntiau allweddol o feysydd allweddol. Ar gyfer pob un, rhowch fwy o fanylion ac esboniwch fwy drwy ddefnyddio tystiolaeth ac enghreifftiau.

Datblygu sgiliau AA1

Nawr mae'n bryd ystyried y wybodaeth sydd wedi'i chyflwyno hyd yma. Hefyd mae'n bwysig ystyried sut mae'r hyn rydych chi wedi'i ddysgu hyd yma'n gallu cael ei ddefnyddio ar gyfer atebion arholiad drwy ymarfer y sgiliau sy'n gysylltiedig ag AA1.

Mae Amcan Asesu 1 (AA1) yn ymwneud â dangos gwybodaeth a dealltwriaeth. Mae'r termau 'gwybodaeth' a 'dealltwriaeth' yn amlwg ond mae'n hanfodol eich bod yn gyfarwydd â sut mae sgiliau penodol yn dangos y rhain, a hefyd, sut bydd eich perfformiad ym mhob un o'r sgiliau hyn yn cael ei fesur (gweler disgrifyddion band cyffredinol Band 5 ar gyfer AA1 UG).

▶ **Dyma eich tasg nesaf:** mae angen i chi ddatblygu pob un o'r pwyntiau allweddol isod drwy ychwanegu tystiolaeth ac enghreifftiau er mwyn esbonio pob pwynt yn llawn. Mae'r un cyntaf wedi'i wneud i chi. Bydd hyn yn eich helpu wrth ateb cwestiynau ar gyfer AA1 drwy allu 'dangos dyfnder a/neu ehangder sylweddol' gyda 'defnydd rhagorol o dystiolaeth ac enghreifftiau' (Disgrifydd Band 5 AA1).

Ffocws y cwestiwn ar heriau i ddadleuon anwythol.

1. Dywedodd Anthony Kenny fod yr egwyddor ffisegol a amlygwyd yn Neddf Mudiant Gyntaf Newton yn 'dryllio dadleuon y Dull Cyntaf'.

DATBLYGIAD: *Mae hyn oherwydd ei bod yn bosibl defnyddio egwyddor inertia i ddangos sut mae gan anifeiliaid y gallu i'w symud eu hunain heb gael eu symud gan rywbeth arall.*

2. Hyd yn oed pe bai modd derbyn 'Duw' fel achos y bydysawd, does dim ffordd o benderfynu pa fath o Dduw fyddai hwn ac yn sicr dim ffordd o benderfynu ai hwn oedd Duw Theistiaeth Glasurol.
3. Mae'r egwyddor ffisegol a amlygwyd yn Neddf Mudiant Gyntaf Newton yn 'dryllio dadleuon y Dull Cyntaf'.
4. Mae Hume yn beirniadu'r defnydd o gydweddiadau dynol i ddangos y ffaith fod y bydysawd wedi cael ei ddylunio.
5. Os nad oes gennym brofiad o'r hyn mae'r cydweddiad yn cael ei ddefnyddio i'w 'brofi', yna sut gallwn ni fod yn sicr fod y cydweddiad yn gadarn?
6. Nid yw'r hyn a elwir y drefn yn y bydysawd ar hyn o bryd yn ddim mwy na chysylltiad ar hap rhwng atomau a oedd gynt mewn cyflwr caotig.
7. Mae Hume yn gwneud cymhariaeth ag adeiladwr llongau. Pe bai rhywun yn gweld llong am y tro cyntaf, efallai byddai'n credu bod yr adeiladwr llongau yn athrylith oherwydd iddo wneud y fath beth.
8. Mae Hume yn dangos bod defnyddio cydweddiadau dynol yn gleddyf deufin i theistiaid.
9. Does dim rheidrwydd bod dylunydd o'r fath yn gorfod bodoli am dragwyddoldeb, dim ond oherwydd bod y peth a ddyluniodd yn gwneud hynny.
10. Mae Darwin yn nodi mai hap a damwain sy'n trefnu bywyd yn y bydysawd, yn ôl egwyddorion esblygiad a detholiad naturiol.
11. Doedd y rheswm fod rhywogaethau mor addas i'w hamgylchoedd ddim yn ganlyniad i ddylunydd graslon yn ôl Darwin.

Materion i'w dadansoddi a'u gwerthuso

Effeithiolrwydd yr heriau i'r ddadl deleolegol dros fodolaeth Duw

Roedd Hume yn bendant: roedd y ddadl deleolegol dros fodolaeth Duw sy'n dylunio ar y gorau yn ddiffygiol ac ar y gwaethaf yn hollol aneffeithiol. Roedd Hume yn ystyried bod defnyddio profiad dynol i feddwl am gydweddiadau yn ymwneud ag endid cosmig y tu hwnt i brofiad dynol yn anargyhoeddiadol – doedd dim tystiolaeth empirig a allai bwyntio'n bendant at fodolaeth bod o'r fath.

Mae'r haeriad mai dim ond rhywbeth ymddangosiadol yw dyluniad yn her effeithiol. Nid yw'r drefn y gellir ei gweld yn y bydysawd yn dystiolaeth o fwriad. Felly does dim angen dod i'r casgliad mai gwaith Duw y dylunydd oedd hyn, gan danseilio honiadau am Ei fodolaeth o ganlyniad. Byddai awgrymu fel arall yn afresymegol.

Mae'r meddwl modern, gyda mynediad at y dystiolaeth wyddonol ddiweddaraf, yn profi dro ar ôl tro ei fod yn her effeithiol i'r ddadl deleolegol. Ar sail tystiolaeth gan y gwyddonydd o'r 19eg ganrif, Charles Darwin, a'i waith ar ddetholiad naturiol ac esblygiad, nid yw'n ymddangos bod y ddadl deleolegol yn dal yn gadarn o gael ei harchwilio. Caiff y safbwynt crefyddol fod y byd a phopeth sydd ynddo yn ganlyniad i gynllun dwyfol ei danseilio gan ganfyddiadau Darwin. Cafodd y rhain eu datblygu dros y ganrif ddiwethaf ac mae ymchwil genetig wedi cryfhau damcaniaethau gwreiddiol Darwin yn sylweddol.

Yn wir, yr awgrym yw bod y ddadl hon yn fwy am Dduw y 'bylchau' yn hytrach nag yn seiliedig ar honiadau tystiolaethol empirig . Oherwydd hynny, mae'n hen ffasiwn ac yn ddiangen mewn oes wyddonol resymegol.

Fodd bynnag, dylid cadw mewn cof bod y ddadl deleolegol yn seiliedig ar weld dyluniad, trefn a phwrpas ymddangosiadol yn y bydysawd (*a posteriori*), h.y. dull gwyddonol. Os felly, mae hanfodion y ddadl yn seiliedig ar yr un rhagdybiaethau â rhagdybiaethau damcaniaethau gwyddonol. Rhaid bod hyn yn profi nad yw pob her i'r ddadl yn effeithiol.

Yn yr un modd, yn aml mae angen diweddaru damcaniaethau gwyddonol neu mae'n cael ei brofi eu bod nhw'n anghywir – bu digon o enghreifftiau dros y canrifoedd lle roedd yr hyn oedd yn cael ei dderbyn yn 'ffaith' wyddonol effeithiol ar un adeg wedi cael ei droi ar ei ben wrth i dystiolaeth newydd ddod i'r amlwg. Yn wir, mae llawer o wyddonwyr yn sylweddoli bod eu damcaniaethau mewn sefyllfa simsan, yn enwedig yng ngoleuni datblygiadau mewn dealltwriaeth wyddonol o'r bydysawd sydd ddim wedi cael eu deall yn llawn eto. Felly, nid yw tystiolaeth wyddonol yn erbyn y ddadl deleolegol o angenrheidrwydd yn her effeithiol. I ddatblygu'r pwynt hwn ymhellach, mae gwyddonwyr cyfoes fel Polkinghorne, Behe a Davies i gyd yn cefnogi'r cysyniad dylunio. Pam bydden nhw'n peryglu eu henwau da fel gwyddonwyr proffesiynol oni bai fod rhywbeth ynddo?

Mae hyn yn dangos y gellir defnyddio tystiolaeth wyddonol i gefnogi'r ddadl deleolegol yn ogystal â'i herio. Os felly, gall cryfder y ddadl fod yn fater o ddewis personol, sy'n negyddu effeithiolrwydd yr heriau.

Cynnwys y fanyleb

Effeithiolrwydd yr heriau i'r ddadl deleolegol dros fodolaeth Duw.

Gweithgaredd AA2

Dadleuon posibl

Wedi'u rhestru isod mae rhai casgliadau y byddai'n bosibl dod iddynt ar sail rhesymeg AA2 yn y testun cysylltiedig:

1. Mae'r heriau'n effeithiol oherwydd does gan y ddadl ddim sail empirig gadarn.
2. Bydd dadleuon sydd â thystiolaeth wyddonol bob amser yn fwy effeithiol na dadleuon crefyddol athronyddol.
3. Dylai unrhyw ddadl sy'n seiliedig ar arsylwi, profiad a thystiolaeth gael ei hystyried yn effeithiol.
4. Mae dibynnu ar dystiolaeth wyddonol i herio'r ddadl deleolegol yn aneffeithiol gan ei bod yn bosibl ei defnyddio i gefnogi'r ddadl hefyd.

Ystyriwch bob un o'r casgliadau sy'n cael eu gwneud uchod a chasglwch dystiolaeth ac enghreifftiau i gefnogi pob dadl o'r deunydd AA1 ac AA2 a astudiwyd yn yr adran hon. Dewiswch un casgliad sy'n argyhoeddi fwyaf yn eich barn chi ac esboniwch pam mae hyn yn wir. Nawr cyferbynnwch hyn â'r casgliad gwannaf ar y rhestr, gan gyfiawnhau eich dadl gyda rhesymu clir a thystiolaeth.

Cynnwys y fanyleb

A yw esboniadau gwyddonol yn fwy perswadiol nag esboniadau athronyddol ynghylch bodolaeth y bydysawd.

A yw esboniadau gwyddonol yn fwy perswadiol nag esboniadau athronyddol ynghylch bodolaeth y bydysawd

Mae ystyried a yw esboniadau gwyddonol yn fwy perswadiol nag esboniadau athronyddol ynghylch bodolaeth y bydysawd yn gallu cynnwys amrywiaeth o esboniadau. Mae darganfyddiadau gwyddonol yn y ganrif ddiwethaf wedi digwydd ar gyflymder heb ei weld erioed o'r blaen yn hanes yr hil ddynol. Mae gwyddoniaeth yn seiliedig ar empiriaeth a gwybodaeth resymegol a geir drwy ddefnyddio'r pum synnwyr – mae'n cael ei derbyn yn hawdd ac yn eang.

Mae'r esboniadau cwantwm yn cynnwys y syniad o 'ddigwyddiadau ar hap' i esbonio sut gallai'r bydysawd fod wedi dod i fodolaeth. Mae damcaniaeth ffiseg cwantwm yn awgrymu, ar y lefel is-atomig, nad yw ein dealltwriaeth draddodiadol o fydysawd achos ac effaith o reidrwydd yn berthnasol. Mae hyn yn golygu bod rhai digwyddiadau 'cwantwm' yn gallu digwydd heb 'achos' amlwg.

Yn ddiddorol, mae damcaniaeth y glec fawr, sy'n cael ei derbyn yn eang, yn cyfeirio at ddechreubwynt i'r bydysawd. Yr hyn y mae mwyafrif y gymuned wyddonol yn ei dderbyn yw bod gan y bydysawd ddechrau yn bendant, ac mae'r rhannau cyntaf o bob dadl gosmolegol yn ceisio profi hyn bob amser. Mae gwyddoniaeth ac athroniaeth yn cytuno ar y pwynt hwn. Y cwestiwn wedyn yw 'beth achosodd y dechreubwynt?' – a'r farn wyddonol yw does dim angen tybosod bod dwyfol, ond yn hytrach chwilio am esboniad arall, rhesymegol, gwyddonol.

Gan ddatblygu'r pwynt hwn ymhellach, mae'n wir dweud bod gwyddoniaeth yn defnyddio meddwl rhesymegol sy'n seiliedig ar dystiolaeth i ddangos sut dechreuodd y bydysawd. Mae meddwl o'r fath i raddau helaeth yn sail i'r ffordd mae cymdeithas gyfoes yn gweithio. Mae hyn yn groes i'r awgrym mai bod dwyfol oedd achos cyntaf y bydysawd. Ond, mae gwyddoniaeth yn gweithio ar dybiaethau fod achosion tebyg yn cynhyrchu effeithiau tebyg – mae bodolaeth benderfyniaethol y bydysawd yn ei chynnig ei hun i'r model a ddefnyddir i bennu Duw fel achos cyntaf y bydysawd.

Dylid ystyried, gan nad oes ateb pendant i sut dechreuodd y bydysawd, yna mae'n hollol resymegol derbyn bod grym perswadiol gan rai dadleuon crefyddol ac athronyddol. Er enghraifft, dydy arsylwyr gwyddonol ddim wedi profi y tu hwnt i amheuaeth resymol nad Duw yw achos cyntaf y bydysawd.

Dim ond am yr amser ar ôl y glec fawr y mae tystiolaeth wyddonol yn gallu sôn yn ystyrlon – nid am yr eiliadau cynt. Mae hyn yn caniatáu'r posibilrwydd mai bod dwyfol oedd achos y glec fawr, ac felly yn dangos y gall esboniadau athronyddol am fodolaeth y bydysawd gael eu hystyried i fod yn berswadiol.

Hefyd, yn aml mae esboniadau gwyddonol yn gallu bod yn hynod o gymhleth. I lawer sy'n gwrando ar drafodaeth wyddonol gyfoes am realiti is-gwantwm, bydysawdau aml-ddimensiwn a syniadau eraill sy'n ymddangos yn anhygoel, gall yr esboniadau hyn ymddangos yn gwbl annhebygol. Mae hyn i'r fath raddau fel bod esboniad athronyddol synnwyr cyffredin, gydag ymagwedd fel 'rasel Ockham' sef peidio â gwneud esboniad yn fwy a mwy anodd, yn gallu ymddangos fel pe bai'n gwneud mwy o synnwyr, ac felly byddai'n bosibl dadlau ei fod, yn y pen draw, yn fwy perswadiol – oherwydd ei fod yn haws ei ddeall.

Gweithgaredd AA2

Dadleuon posibl

Wedi'u rhestru isod mae rhai casgliadau y byddai'n bosibl dod iddynt ar sail rhesymeg AA2 yn y testun cysylltiedig:

1. Bydd dadleuon sydd â thystiolaeth wyddonol bob amser yn fwy effeithiol na dadleuon crefyddol athronyddol.
2. Mae'r diffyg tystiolaeth glir gan wyddoniaeth yn tanseilio pa mor berswadiol yw esboniadau gwyddonol dros fodolaeth y bydysawd yn wyneb esboniadau athronyddol gan grefydd.
3. Mae crefydd yn dibynnu'n ormodol ar ymagwedd Duw y bylchau i esbonio bodolaeth y bydysawd – mae esboniadau gwyddonol yn llawer mwy perswadiol.
4. Dylid derbyn bod esboniadau crefyddol yn ddilys oherwydd na all gwyddoniaeth eu gwrthbrofi yn llwyr.

Ystyriwch bob un o'r casgliadau sy'n cael eu gwneud uchod a chasglwch dystiolaeth ac enghreifftiau i gefnogi pob dadl o'r deunydd AA1 ac AA2 a astudiwyd yn yr adran hon. Dewiswch un casgliad sy'n argyhoeddi fwyaf yn eich barn chi ac esboniwch pam mae hyn yn wir. Nawr cyferbynnwch hyn â'r casgliad gwannaf ar y rhestr, gan gyfiawnhau eich dadl gyda rhesymu clir a thystiolaeth.

Datblygu sgiliau AA2

Nawr mae'n bryd ystyried y wybodaeth sydd wedi'i chyflwyno hyd yma. Hefyd mae'n bwysig ystyried sut mae'r hyn rydych chi wedi'i ddysgu hyd yma'n gallu cael ei ddefnyddio ar gyfer atebion arholiad drwy ymarfer y sgiliau sy'n gysylltiedig ag AA2.

Mae Amcan Asesu 2 (AA2) yn ymwneud â 'dadansoddi' a 'gwerthuso'. Efallai fod ystyr y termau'n amlwg ond mae'n hanfodol eich bod yn gyfarwydd â sut mae sgiliau penodol yn dangos y rhain, a hefyd, sut bydd eich perfformiad ym mhob un o'r sgiliau hyn yn cael ei fesur (gweler disgrifyddion band cyffredinol Band 5 ar gyfer AA2 UG).

Yn amlwg mae ateb yn cael ei osod mewn disgrifydd band priodol, yn ôl pa mor dda yw'r ateb, gan amrywio o ragorol, da, boddhaol, sylfaenol/cyfyngedig i gyfyngedig iawn.

▶ **Dyma eich tasg nesaf**: datblygwch bob un o'r pwyntiau allweddol isod drwy ychwanegu tystiolaeth ac enghreifftiau i werthuso'n llawn y ddadl sy'n cael ei chyflwyno yn y gosodiad gwerthuso. Mae'r un cyntaf wedi'i wneud i chi. Bydd hyn yn eich helpu wrth ateb cwestiynau arholiad ar gyfer AA2 drwy allu sicrhau 'safbwyntiau trylwyr, cyson a chlir wedi'u cefnogi gan resymeg a/neu dystiolaeth helaeth, fanwl' (Disgrifydd Band 5 AA2).

Ffocws ar werthuso i ba raddau y mae esboniadau gwyddonol ynghylch bodolaeth y bydysawd yn fwy perswadiol nag esboniadau athronyddol.

1. Mae gwyddoniaeth yn seiliedig ar empiriaeth a gwybodaeth resymegol a geir drwy ddefnyddio'r pum synnwyr – mae'n cael ei derbyn yn hawdd ac yn eang.

DATBLYGIAD: *Mae hyn oherwydd bod modd ei gyfiawnhau'n llawn mewn termau ffisegol ac oherwydd mai rhesymoledd yw conglfaen meddwl modern yn y Gorllewin.*

2. Mae gwyddoniaeth yn seiliedig ar empiriaeth a gwybodaeth resymegol a geir drwy ddefnyddio'r pum synnwyr.
3. Mae ffiseg cwantwm yn awgrymu, ar y lefel is-atomig, nad yw ein dealltwriaeth draddodiadol o fydysawd achos ac effaith o reidrwydd yn berthnasol.
4. Mae damcaniaeth y glec fawr yn cyfeirio at ddechreubwynt i'r bydysawd.
5. Mae dadleuon gwyddonol ac athronyddol yn cytuno bod gan y bydysawd ddechreubwynt.
6. Mae dadleuon sy'n seiliedig ar brofion empirig yn fwy tebygol o fod yn berswadiol.
7. Mae gwyddoniaeth yn defnyddio meddwl rhesymegol sy'n seiliedig ar dystiolaeth i ddangos sut dechreuodd y bydysawd.
8. Mae gwyddoniaeth yn gweithio ar dybiaethau fod achosion tebyg yn cynhyrchu effeithiau tebyg.
9. Mae athroniaeth grefyddol wedi'i seilio gymaint ar ffydd ag y mae ar reswm.
10. Mae'r dadleuon athronyddol dros Dduw fel dechreubwynt y bydysawd yn llawer hŷn na'r rhai gwyddonol.
11. Dim ond am yr amser ar ôl y glec fawr mae tystiolaeth wyddonol yn gallu sôn yn ystyrlon.

Sgiliau allweddol

Mae dadansoddi'n ymwneud â nodi materion sy'n cael eu codi gan y deunyddiau yn adran AA1, ynghyd â'r rhai a nodwyd yn adran AA2, ac mae'n cyflwyno safbwyntiau cyson a chlir, naill ai gan ysgolheigion neu safbwyntiau personol, yn barod i'w gwerthuso.

Mae hyn yn golygu ei fod yn nodi pethau allweddol i'w trafod a'r dadleuon sy'n cael eu cyflwyno gan eraill neu o safbwynt personol.

Mae gwerthuso'n ymwneud ag ystyried goblygiadau amrywiol y materion sy'n cael eu codi, yn seiliedig ar y dystiolaeth a gafwyd wrth ddadansoddi ac mae'n rhoi dadl fanwl eang gyda chasgliad clir.

Mae hyn yn golygu bod yr ateb yn pwyso a mesur y dadleuon amrywiol a gwahanol a gafodd eu dadansoddi drwy roi sylwadau ac ymateb unigol, gan ddod i gasgliad drwy broses rhesymu clir.

Th2 Dadleuon dros fodolaeth Duw – diddwythol

Mae'r adran hon yn cwmpasu cynnwys a sgiliau AA1

Cynnwys y fanyleb

Prawf diddwythol; y cysyniad o *a priori.*

Termau allweddol

A priori: heb dystiolaeth neu brofiad neu cyn cael tystiolaeth neu brofiad

Dadl ontolegol: dadl o blaid bodolaeth Duw ar sail y cysyniad o natur bodolaeth

Prawf diddwythol: prawf lle, os yw'r rhagosodiadau'n wir, yna mae'n rhaid bod y casgliad yn wir

Rhagosodiad: gosodiad neu gynnig a ddefnyddir i adeiladu dadl

Y Meddyliwr gan Rodin

cwestiwn cyflym

2.1 Beth sy'n gwneud prawf diddwythol yn wahanol i brawf anwythol?

A: Dadleuon diddwythol – tarddiadau'r ddadl ontolegol

Dadleuon diddwythol

Roedd Thema 1 yn edrych ar y cysyniad o brofion anwythol. Mae'r rhain yn ddefnyddiol wrth seilio dadl ar dystiolaeth neu brofiad. Ond, yn anffodus dydy pob dadl athronyddol ddim yn gallu tynnu ar y ddau faes defnyddiol hyn. Weithiau, mae angen dadlau er nad oes gennych unrhyw brofiad neu dystiolaeth ymlaen llaw – a dyma pryd y defnyddir y term **a priori**. Gallwn ni wneud dadleuon (a gosodiadau) athronyddol *a priori* ac yn aml mae'n ddefnyddiol gwneud hyn. Dyma pryd rydyn ni'n cymhwyso rhesymu rhesymegol pur i ddod i gasgliad, a'r enw ar hyn yw rhesymu diddwythol neu **brawf diddwythol**.

Mae profion diddwythol yn aml yn cynnwys cyfres o **ragosodiadau** neu osodiadau sydd, wrth eu pentyrru gyda'i gilydd, yn pwyntio tuag at gasgliad sydd fel arfer yn anochel yn rhesymegol. Er enghraifft, edrychwch ar y canlynol:

[Rhagosodiad 1] Mae pob cefnfor yn cynnwys dŵr.

[Rhagosodiad 2] Cefnfor yw Môr Iwerydd.

[Casgliad] Felly mae Môr Iwerydd yn cynnwys dŵr.

Mae Rhagosodiad 1 yn cael ei ddilyn gan Ragosodiad 2 ac mae'r rhain yn arwain at gasgliad sy'n rhesymegol gadarn ac yn ffeithiol gywir.

Ond, mae hyn i gyd yn iawn os yw'r rhagosodiadau sy'n pwyntio tuag at y casgliad yn gywir ac yn wir, ond weithiau nid felly y mae hi. Fodd bynnag, mae'r casgliad sy'n cael ei dynnu yn anochel.

[Rhagosodiad 1] Mae adar i gyd yn gallu hedfan.

[Rhagosodiad 2] Adar yw pengwiniaid.

[Casgliad] Felly mae pengwiniaid yn gallu hedfan.

Yn yr achos hwn, mae'r prawf diddwythol yn arwain at gasgliad sydd, er ei fod yn rhesymegol gadarn, yn ffeithiol anghywir. Pam? Wel y rheswm yw bod o leiaf un o'r rhagosodiadau yn amheus (neu'n anghywir!). Yn yr achos hwn, nid yw'r rhagosodiad 'Mae adar i gyd yn gallu hedfan' yn ffeithiol gywir ac, oherwydd hyn, mae'n bosibl nad yw'r casgliad yn gywir chwaith.

Mae profion diddwythol yn ddarnau hynod bwerus o resymu rhesymegol ac, os ydyn nhw wedi'u hadeiladu'n dda, mae bron yn amhosibl anghytuno â nhw. Prawf diddwythol yw sail y **ddadl ontolegol** dros fodolaeth Duw ac, i'w chefnogwyr, dyma'r math mwyaf perswadiol o ddadl athronyddol sydd i gael wrth dybosod bodolaeth bod dwyfol.

Gweithgaredd AA1

Dangoswch eich dealltwriaeth o sut mae profion diddwythol yn cael eu ffurfio drwy ysgrifennu pum set o brofion diddwythol – gallan nhw fod am unrhyw beth y dymunwch, cyhyd â'ch bod chi'n dilyn y rheolau *Rhagosodiad + Rhagosodiad = Casgliad.* Ar ôl i chi gwblhau'r dasg hon, rhannwch eich syniadau â rhywun arall yn eich dosbarth a gofynnwch iddyn nhw wirio eich bod chi wedi rhesymu'n gywir.

Awgrym astudio

Wrth ateb cwestiynau ar fathau gwahanol o brawf, gwnewch yn siŵr eich bod chi'n gallu esbonio'n glir y gwahaniaethau rhwng profion anwythol a diddwythol drwy gael enghraifft glir i bob un. Dylai fod gennych enghraifft yn barod fel y gallwch chi ei defnyddio yn ôl yr angen. Mae bob amser yn werth gwirio gyda'ch athro fod yr enghraifft rydych chi wedi ei dewis yn gywir ac yn berthnasol. Drwy wneud hyn gallwch chi ddangos o leiaf 'defnydd da o dystiolaeth ac enghreifftiau' (ateb Lefel 4/5 AA1) i'r arholwr wrth ymateb i esbonio'r mathau gwahanol o brawf.

Anselm – Duw fel y bod mwyaf posibl

Yn yr unfed ganrif ar ddeg, daeth y mynach Anselm o Bec, a ddaeth wedyn yn Archesgob Caergaint, draw i Loegr yn rhan o oresgyniad y Normaniaid. Ysgrifennodd e'r ***Proslogion*** (weithiau defnyddir y teitl gwreiddiol *Fides Quaerens Intellectum*, sy'n golygu *'Ffydd yn chwilio am ddealltwriaeth')*. Yn y llyfr hwn mae'n ceisio cynnig un prawf rhesymegol dros fodolaeth Duw. Cafodd yr un ddadl hon ei mynegi mewn ffurf ddiddwythol.

Anselm o Gaergaint (1033–1109)

Cynnwys y fanyleb

Anselm – Duw fel y bod mwyaf posibl (*Proslogion* 2).

Term allweddol

Proslogion: gwaith a ysgrifennwyd gan Anselm, oedd yn cael ei ddefnyddio fel myfyrdod, ond ynddo mae ffurf glasurol y ddadl ontolegol i'w chael

Termau allweddol

Ffydd: cred neu ymddiriedaeth gadarn yn rhywbeth neu rywun

Rheswm: y defnydd o resymeg mewn prosesau meddwl neu wrth gyflwyno dadl

Dyfyniad allweddol

Dechreuais fy holi fy hun a fyddai'n bosibl dod o hyd i un ddadl na fyddai angen unrhyw beth arall i'w phrofi heblaw y ddadl ei hun; ac a fyddai ar ei phen ei hun yn ddigon i ddangos bod Duw yn wir yn bodoli, a bod yna dda goruchaf nad oes arno angen dim byd arall, ac y mae ar yr holl bethau eraill ei angen ar gyfer eu bodolaeth a'u llesiant; a beth bynnag y credwn ni o ran y Bod dwyfol. (Anselm)

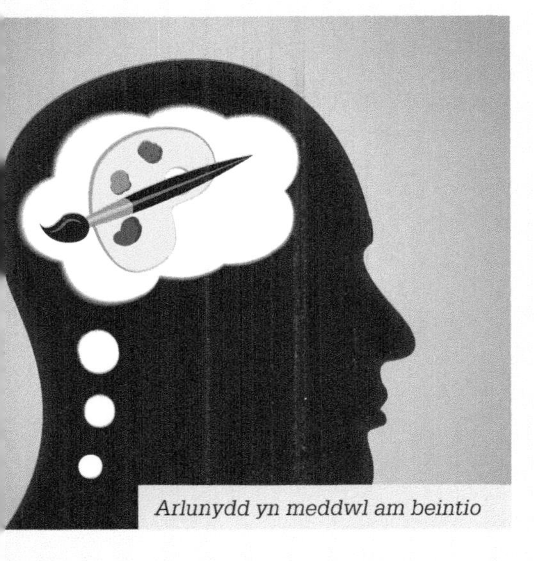
Arlunydd yn meddwl am beintio

Roedd Anselm yn gweld y berthynas rhwng **ffydd** a **rheswm** mewn ffordd wahanol i rai o'r prif feddylwyr sy'n ymddangos mewn rhannau eraill o'r cwrs. I Anselm, ffydd ddaeth gyntaf. Ei ffydd oedd bod Duw yn bodoli, mai Duw oedd ffynhonnell pob bod a'r da eithaf. Roedd rheswm yn cael ei ddefnyddio i ddyfnhau ei ddealltwriaeth o'r hyn roedd ei ffydd yn ei ddweud wrtho:

'Oherwydd dydw i ddim yn ceisio deall er mwyn i mi gredu, ond rydw i'n credu er mwyn gallu deall. Oherwydd hefyd rydw i'n credu hyn, sef heblaw fy mod i'n credu, fyddwn i ddim yn deall.' (Anselm)

Mae hyn yn arwain y darllenydd at ail bennod ei waith, sy'n cael ei galw'n *Proslogion* 2. Mae'n agor drwy gyfeirio at Salm 14:1, ac yn datgan, 'Yn wir mae yna Dduw, er bod yr ynfyd (ffŵl) yn dweud yn ei galon, "Nid oes Duw".'

Mae Anselm yn cyflwyno deuoliaeth ei ymchwiliad i'r darllenydd – bod dau safbwynt sy'n ymwneud â bodolaeth Duw: derbyn neu wadu. Byddai'r meddwl modern yn ystyried bod hon yn ddadl theistig yn erbyn atheistig, ond dydy rhai esbonwyr beiblaidd ddim yn credu bod hyn yn wir (a byddai Anselm wedi bod yn ymwybodol o'r dehongliad arbennig hwn).

Yn y byd cyfoes, mae rhywun sy'n gwrthod unrhyw bosibilrwydd o fodolaeth y fath fod â duw yn atheist. I ffŵl Anselm, roedd yn fwy fel hunan-dwyll er mwyn byw bywyd o anghyfiawnder a llygredd – eich 'twyllo' eich hun y gallech chi osgoi cosb Duw am fyw fel hynny. Roedd y thema hon yn cael ei hailadrodd yn aml yn llyfrau'r Hen Destament Cristnogol. Felly nid mater o wrthod bod o'r enw Duw oedd hyn ond yn hytrach gwrthod gorfod wynebu bod yn atebol i'r barnwr dwyfol, o'r enw Duw, am yr hyn mae rhywun yn ei wneud yn y byd hwn.

Sut bynnag rydyn ni'n deall y ffŵl, yr hyn sy'n sicr yw bod Anselm yn ei osod ar ochr y rhai sy'n colli'r ddadl. Mae *Proslogion* 2 yn gwahodd y darllenydd i ystyried Duw fel 'bod na ellir dychmygu dim byd mwy nag ef'. Rhaid derbyn bod diffiniad Anselm ychydig yn annelwig, ond mae'n datgan y safbwynt rhesymegol mai Duw yw'r peth mwyaf posibl y gellir ei ddychmygu gan y meddwl dynol.

Mae'r ddadl hon yn cael ei datblygu wedyn gan Anselm. Mae'n datgan ei bod yn bosibl i rywbeth fodoli yn y meddwl ac i fodoli mewn realiti ond nad yw'r ddau syniad yn gydgynhwysol (h.y. does dim rhaid i'r ddau fod yn wir yr un pryd – dydy'r ffaith fod rhywbeth yn bodoli yn y meddwl ddim yn golygu bod yn rhaid iddo fodoli mewn realiti). Fodd bynnag, gan mai Duw yw'r bod na ellir dychmygu dim byd mwy nag ef, yna, yn yr achos hwn, mae e'n bodoli yn y meddwl ac mewn realiti – neu fel arall nid ef yw'r bod mwyaf posibl.

Mae hwn yn syniad eithaf dryslyd ar yr olwg gyntaf. Gallai fod yn well meddwl amdano fel hyn:

(Rhagosodiad 1) Mae bodau yn bodoli yn y meddwl ac mewn realiti.

(Rhagosodiad 2) Duw yw'r bod mwyaf posibl y gellir ei ddychmygu.

(Casgliad) Er mwyn iddo fod y peth mwyaf posibl y gellir ei ddychmygu, mae'n rhaid i Dduw fodoli yn y meddwl ac mewn realiti.

Byddai'r casgliad yn wir pe byddech chi'n derbyn y syniad fod bodoli mewn realiti yn hytrach na dim ond yn y meddwl yn 'fwy' (neu'n 'well').

Yn y bôn mae hwn yn dal i fod yn syniad anodd ac, yn wir, ar y dechrau mae'n ymddangos yn rhesymegol wan o ran ei ragosodiadau. Yn sicr cafodd lawer o feirniadaeth, fel byddwn ni'n ei weld nes ymlaen.

Defnyddiodd Anselm yr enghraifft o arlunydd a phaentiad – gan sylwi, cyn iddo fodoli mewn gwirionedd, fod angen i baentiad fodoli ym meddwl yr arlunydd cyn iddo ddod yn realiti.

cwestiwn cyflym

2.2 Ar gyfer beth oedd rheswm, yn ôl Anselm?

Gweithgaredd AA1

Gofynnir i chi esbonio *Proslogion 2* Anselm yn fyr i fyfyriwr newydd yn y dosbarth. Ysgrifennwch beth fyddai eich ateb mewn 200 gair. Os ydych chi'n gwneud hyn mewn grŵp, darllenwch eich atebion allan. Cymerwch dair enghraifft a cheisiwch wneud un fersiwn terfynol drwy dynnu'r deunydd gorau o bob un.

Anselm – mae gan Dduw fodolaeth angenrheidiol

Cynnwys y fanyleb

Anselm – mae gan Dduw fodolaeth angenrheidiol (*Proslogion* 3).

'Ni ellir dychmygu nad yw Duw yn bodoli.' Mae Anselm yn dechrau Pennod 3 ei *Proslogion* drwy ddatblygu ei thema o Bennod 2 mai Duw yw'r bod mwyaf posibl. Mae'n ehangu ei ddiffiniad i gynnwys y syniad, ar ôl i chi ddeall ystyr Duw fel y bod mwyaf posibl, mai'r cam rhesymegol nesaf yw dod i'r casgliad fod gan Dduw fodolaeth angenrheidiol – h.y. ni ellir dychmygu nad yw Duw yn bodoli.

Mae rhesymu Anselm yn debyg i hyn: mae'n bosibl meddwl am fod sydd â'r briodwedd o orfod bodoli (h.y. y gellir ei ddychmygu yn bodoli a heb allu peidio â bodoli). Mae'n bosibl hefyd feddwl am rywbeth nad oes rhaid iddo fodoli. Wrth feddwl am y ddau, ochr yn ochr, mae'r un na all beidio â bodoli yn amlwg yn fwy na'r un nad oes rhaid iddo fodoli.

O'i roi mewn ffordd arall, mae Duw, os yw'n bodoli, naill ai yn fod na ellir meddwl amdano fel un nad yw'n bodoli (h.y. mae'n angenrheidiol) neu mae'n fod y gellir meddwl amdano fel un nad yw'n bodoli (h.y. mae'n amodol). Os 'y peth na ellir dychmygu dim byd mwy nag ef' yw'r diffiniad rydyn ni'n ei ddefnyddio ar gyfer Duw (fel sy'n wir o *Proslogion* 2) yna mae'n rhaid bod bodolaeth Duw yn angenrheidiol – gan fod hyn yn amlwg yn fwy na bod yn amodol. Drwy hyn mae Anselm yn cyflwyno'r syniad i ni fod bodolaeth Duw yn angenrheidiol a bod hyn yn rhan annatod o'r hyn mae'n ei olygu i fod yn Dduw – nodwedd unigryw sydd uwchlaw unrhyw nodwedd sydd gan yr holl fodau sy'n bodoli (h.y. bodolaeth angenrheidiol).

I grynhoi felly, mae syniad Anselm fod gan Dduw fodolaeth angenrheidiol yn dangos mai Duw yw'r bod mwyaf posibl y gellir ei ddychmygu, gan fod unrhyw beth sy'n bodoli yn fwy nag unrhyw beth nad yw'n bodoli.

Felly, os Duw yw'r peth mwyaf posibl sydd i'w gael, yna mae'n rhaid iddo, yn angenrheidiol, fodoli mewn realiti – nid fel syniad yn unig. Mae hyn oherwydd fel arall byddai unrhyw beth sy'n bodoli mewn realiti yn fwy na Duw (pe bai e'n syniad yn unig) ond oherwydd mai ein diffiniad ni o Dduw yw'r 'bod mwyaf posibl', yna mae'n dilyn bod yn rhaid iddo yn angenrheidiol fodoli.

cwestiwn cyflym

2.3 Beth roedd Anselm yn ei olygu gan y term 'bodolaeth angenrheidiol'?

Gweithgaredd AA1

Dewiswch rhwng pump a deg gair allweddol ym mhob agwedd sy'n cael ei hastudio yma, ar gyfer *Proslogion* 2 a *Proslogion* 3. Nawr meddyliwch am acronym ar gyfer pob un i'ch helpu chi i gofio. Profwch eich hun gyda phartner. Bydd hyn yn eich helpu i ddewis a chofio set graidd o bwyntiau i'w datblygu mewn ateb i esbonio pob cysyniad.

Sgiliau allweddol

Mae gwybodaeth yn ymwneud â:

Dewis ystod o wybodaeth (drylwyr) gywir a pherthnasol sydd â chysylltiad uniongyrchol â gofynion penodol y cwestiwn.

Mae hyn yn golygu eich bod yn dewis y wybodaeth gywir sy'n berthnasol i'r cwestiwn a osodwyd NID y maes pwnc. Bydd angen i chi feddwl a chanolbwyntio ar ddewis gwybodaeth allweddol ac NID ysgrifennu popeth yr ydych chi'n ei wybod am y maes pwnc.

Mae dealltwriaeth yn ymwneud ag:

Esboniad helaeth, gan ddangos dyfnder a/neu ehangder gyda defnydd rhagorol o dystiolaeth ac enghreifftiau gan gynnwys (lle y bo'n briodol) defnydd trylwyr a chywir o destunau cysegredig, ffynonellau doethineb a geirfa arbenigol.

Mae hyn yn golygu y gallwch ddangos eich bod yn deall rhywbeth drwy egluro ac ehangu eich pwyntiau gan ddefnyddio enghreifftiau/tystiolaeth gefnogol mewn ffordd bersonol ac NID ailadrodd darnau o werslyfr (sef dysgu ar y cof).

Cymhwyso sgiliau ymhellach:

Ewch drwy'r meysydd pwnc yn yr adran hon a lluniwch rai rhestri bwled o bwyntiau allweddol o feysydd allweddol. Ar gyfer pob un, rhowch fwy o fanylion ac esboniwch fwy drwy ddefnyddio tystiolaeth ac enghreifftiau.

Datblygu sgiliau AA1

Nawr mae'n bryd ystyried y wybodaeth sydd wedi'i chyflwyno hyd yma. Hefyd mae'n bwysig ystyried sut mae'r hyn rydych chi wedi'i ddysgu hyd yma'n gallu cael ei ddefnyddio ar gyfer atebion arholiad drwy ymarfer y sgiliau sy'n gysylltiedig ag AA1.

Mae Amcan Asesu 1 (AA1) yn ymwneud â dangos gwybodaeth a dealltwriaeth. Mae'r termau 'gwybodaeth' a 'dealltwriaeth' yn amlwg ond mae'n hanfodol eich bod yn gyfarwydd â sut mae sgiliau penodol yn dangos y rhain, a hefyd, sut bydd eich perfformiad ym mhob un o'r sgiliau hyn yn cael ei fesur (gweler disgrifyddion band cyffredinol Band 5 ar gyfer AA1 UG).

▶ **Dyma eich tasg newydd:** isod mae ateb gwan a gafodd ei ysgrifennu'n ymateb i gwestiwn sy'n gofyn am archwilio dadl ontolegol Anselm. Gan ddefnyddio'r disgrifyddion band rhowch yr ateb hwn mewn band perthnasol sy'n cyfateb i'r disgrifiad yn y band hwnnw. Yn amlwg mae'n ateb gwan ac felly nid yw'n perthyn i fandiau 3–5. Er mwyn gwneud hyn bydd yn ddefnyddiol i chi ystyried beth sydd ar goll o'r ateb a beth sy'n anghywir. Bydd y dadansoddiad sy'n cyd-fynd â'r ateb yn eich helpu chi. Wrth ddadansoddi gwendidau'r ateb, gweithiwch mewn grŵp a meddyliwch am bum ffordd o wella'r ateb er mwyn ei gryfhau. Efallai fod gennych fwy na phum awgrym ond ceisiwch drafod fel grŵp a blaenoriaethu'r pum peth pwysicaf sydd ar goll.

Ateb

Mae dadl ontolegol Anselm yn cael ei defnyddio i brofi bodolaeth Duw [1]. Mae wedi'i seilio ar y syniad mai Duw yw'r peth mwyaf rhyfeddol sy'n bodoli yn y bydysawd [2]. Mae Anselm yn datgan bod y syniad am Dduw yn golygu ei fod yn bodoli yn y meddwl ac mewn realiti [3]. Gall unrhyw un, hyd yn oed ffŵl, feddwl am Dduw yn ei feddwl ac mae hyn yn bwysig i ddadl Anselm [4]. Yn ei *Proslogion*, mae Anselm yn dweud wrth y darllenydd fod yn rhaid i Dduw fodoli yn y meddwl ac mewn realiti oherwydd bod realiti yn fwy [5]. Gan fod Duw yn bodoli mewn realiti ac yn y meddwl ef yw'r peth mwyaf rhyfeddol yn y bydysawd [6]. Dyma sut mae Anselm yn profi bodolaeth Duw drwy ddefnyddio'r ddadl ontolegol [7].

Dadansoddiad o'r ateb

1. Dydy'r gosodiad ddim yn rhoi unrhyw fanylion heblaw dweud beth yw testun y ddadl. Angen ehangu ac archwilio.
2. Mae hwn yn aralleirio yn anghywir thema ganolog dadl Anselm.
3. Collwyd cyfle yma i ddangos dealltwriaeth fanwl gywir. Mae camau'r ddadl yn cael eu trin yn arwynebol a'u crynhoi mewn ffordd sy'n golygu bod y pwynt yn cael ei golli.
4. Mae hwn wedi'i fynegi'n wael – mae angen datgan pam mae'n bwysig i'r ddadl.
5. Colli'r pwynt – mae angen esbonio hwn yn gliriach gan fod y mater yn cael ei ddrysu.
6. Mae'r crynodeb yn gywir yn gyffredinol er, unwaith eto, mae mynegiant gwael yn arwain at deimlad o ddryswch yn yr ymateb.
7. Dim ond ailadrodd y frawddeg gyntaf yw hwn. Nid yw'n dangos yn iawn sut mae Anselm yn profi bodolaeth Duw.

Materion i'w dadansoddi a'u gwerthuso

I ba raddau y mae dadleuon *a priori* dros fodolaeth Duw yn berswadiol

Mae'n bosibl dosbarthu dadleuon dros fodolaeth Duw yn ddadleuon *a priori* ac *a posteriori*. Mae dadleuon *a priori* yn ddadleuon sy'n annibynnol ar ein profiad neu unrhyw dystiolaeth a all fod ar gael i ni.

Yn gyffredinol, yr unig beth mae ei angen ar gyfer dadl *a priori* yw dealltwriaeth o'r iaith mae'n cael ei mynegi ynddi! Yn hyn o beth, gellid dadlau bod y ffaith fod y dadleuon yn annibynnol ar brofiad yn golygu eu bod nhw'n berswadiol ynddynt eu hunain gan nad ydynt wedi cael eu llygru gan brofiad unigolyn neu grŵp, ac nid ydynt yn dibynnu chwaith ar dystiolaeth (sydd yn aml yn gallu bod yn annibynadwy).

Ar y llaw arall, yn gyffredinol, mae dadleuon *a posteriori*, y rheini sy'n seiliedig ar dystiolaeth a phrofiad, yn rhoi sail empirig i ni ar gyfer profi, drwy ddulliau gwyddonol, pa mor ddibynadwy y gall honiad neu ddadl arbennig fod, ac mae hyn yn ymddangos yn llawer mwy synhwyrol i feddwl yr 21ain ganrif! Rydyn ni'n derbyn dadleuon am ba mor ddibynadwy y mae meddyginiaethau, technoleg a hyd yn oed systemau addysg sy'n seiliedig ar ymchwil empirig, h.y. ymchwil *a posteriori*. Ni fydden ni'n derbyn *a priori* y gallai unrhyw un o'r pethau hyn fod yn ddibynadwy, sy'n profi felly fod dadleuon *a posteriori* yn fwy perswadiol na rhai *a priori*.

Yn gwrthwynebu hyn y mae'r ffaith fod dadleuon *a priori* yn tueddu i arwain at gasgliadau anochel – maen nhw'n datgan yr hyn rydyn ni'n ei wybod ac sy'n cael ei dderbyn. Yn hyn o beth, gellid ystyried bod dadleuon *a priori* yn fwy perswadiol, yn enwedig wrth ymdrin â phwnc fel bodolaeth bosibl Duw.

Fodd bynnag, dylen ni gofio'r ffaith fod profion diddwythol *a priori* yn dibynnu'n drwm ar eu rhagosodiadau o ran cynnig dadleuon cadarn. Os yw'r rhagosodiadau yn amheus, yn wallus neu'n anghywir yna bydd y casgliad maen nhw'n arwain ato yn anochel yn meddu ar y diffygion hyn hefyd. Yn hyn o beth, mae grym perswâd dadl *a priori* dros fodolaeth Duw yn cael ei danseilio gryn dipyn.

Mae'r ddadl ontolegol, fel ffurf *a priori*, yn dibynnu ar y ddealltwriaeth o'r hyn mae'n ei olygu i fod yn Dduw. Rydyn ni'n derbyn rhai ffeithiau am Dduw, yn seiliedig dim ond ar ddiffiniad y gair. Mae'r honiad fod Duw yn bodoli o reidrwydd, oherwydd mai ef yw'r bod mwyaf posibl y gellir ei ddychmygu a rhaid iddo feddu ar bob perffeithrwydd, gan gynnwys perffeithrwydd bodolaeth, i'w weld yn hynod berswadiol.

Yn gwrthwynebu hyn y mae'r dadleuon *a posteriori* dros fodolaeth Duw, fel y ffurfiau cosmolegol a theleolegol. Mae'r ddwy ffurf hyn wedi bodoli ers amser hir fel dadleuon posibl dros fodolaeth Duw. Maen nhw'n cael eu defnyddio hyd yn oed heddiw yn yr 21ain ganrif gan athronwyr a diwinyddion, sy'n eu derbyn nhw fel ffurfiau perswadiol neu brofion o fodolaeth Duw.

Mae'r adran hon yn cwmpasu cynnwys a sgiliau AA2

Cynnwys y fanyleb

I ba raddau y mae dadleuon *a priori* dros fodolaeth Duw yn berswadiol.

Gweithgaredd AA2

Dadleuon posibl

Wedi'u rhestru isod mae rhai casgliadau y byddai'n bosibl dod iddynt ar sail rhesymeg AA2 yn y testun cysylltiedig:

1. Mae dadleuon *a priori* dros fodolaeth Duw yn hollol berswadiol.
2. Mae gallu dadleuon *a priori* i berswadio yn dibynnu ar ein dealltwriaeth o'r iaith.
3. Dydy dadleuon dros fodolaeth Duw ddim yn berswadiol oni bai eu bod wedi'u seilio ar dystiolaeth a phrofiad.
4. Mae gallu dadleuon *a priori* i berswadio yn dibynnu ar safbwynt eich ffydd.
5. Dim ond pan fydd dadleuon *a posteriori* yn methu y bydd dadleuon *a priori* yn berswadiol.

Ystyriwch bob un o'r casgliadau sy'n cael eu gwneud uchod a chasglwch dystiolaeth ac enghreifftiau i gefnogi pob dadl o'r deunydd AA1 ac AA2 a astudiwyd yn yr adran hon. Dewiswch un casgliad sy'n argyhoeddi fwyaf yn eich barn chi ac esboniwch pam mae hyn yn wir. Nawr cyferbynnwch hyn â'r casgliad gwannaf ar y rhestr, gan gyfiawnhau eich dadl gyda rhesymu clir a thystiolaeth.

Cynnwys y fanyleb

I ba raddau y mae amrywiol safbwyntiau crefyddol am natur Duw yn dylanwadu ar ddadleuon dros fodolaeth Duw.

I ba raddau y mae amrywiol safbwyntiau crefyddol am natur Duw yn dylanwadu ar ddadleuon dros fodolaeth Duw

Yn ôl y cysyniad traddodiadol o Dduw mewn Theistiaeth Glasurol, mae Duw yn hollalluog, yn hollwybodus ac yn hollbresennol. Mewn geiriau eraill, mae Duw yn gallu gwneud pob peth, yn gwybod pob peth ac mae ym mhob man. Mae hwn yn safbwynt sy'n cael ei ddal gan Gristnogaeth, Islam ac Iddewiaeth – y crefyddau sy'n aml yn cael eu galw gyda'i gilydd y crefyddau gorllewinol neu Abrahamaidd.

Wrth ystyried y profion theistig rydyn ni wedi eu trafod hyd yn hyn (h.y. cosmolegol, teleolegol ac ontolegol) mae'n werth myfyrio ar faint mae pob un o'r rhain yn seiliedig ar ddealltwriaeth o natur Duw fel y'i cyflwynir gan y crefyddau hyn.

Er enghraifft, mae hollalluogrwydd Duw yn nodwedd allweddol o ddadleuon cosmolegol a dadleuon teleolegol sy'n disgrifio bod sydd â'r gallu i greu bydysawd a dylunio bydysawd yn eu tro. Pe na bai Duw yn cael ei briodoli â'r pŵer hwn, yna sut gallai'r un o'r ddau beth hyn gael ei briodoli iddo? Rhan hanfodol o'r dadleuon hyn yw bod Duw yn meddu ar y galluoedd hyn (creawdwr/dylunydd) fel rhan annatod o bwy yw ef.

Yn yr un modd, mae'r ddadl ontolegol yn dweud bod Duw yn meddu ar 'bob perffeithrwydd'. Yn wir, y diffiniad hwn o Dduw yw craidd y ddadl. Oni bai am hynny, byddai'r ddadl ontolegol yn fethiant o'r cychwyn. Yr union syniad am Dduw yw Duw y mae ei natur yn cynnwys y syniad o'r pethau perffaith hyn fel rhan angenrheidiol o bwy yw ef.

Yna gellir gofyn y cwestiwn, beth am yr ystyriaethau eraill am natur Duw? A fyddai'r dadleuon hyn yn dal i weithio pe bai Duw yn cael ei ddisgrifio mewn unrhyw ffurf arall – e.e. amhersonol, wedi'i gyfyngu i faes penodol o natur, yn gwbl drosgynnol (h.y. y tu hwnt i'n byd ffisegol ni a heb y gallu i ryngweithio ag ef), ac yn y blaen? Yn sicr, byddai hyn yn tueddu i danseilio dilysrwydd y tair dadl, o leiaf fel rydyn ni'n eu deall nhw'n draddodiadol.

Fodd bynnag, dydy cysyniadau am Dduw sydd y tu hwnt i'r rhai a nodir uchod ddim o reidrwydd yn golygu nodweddion o'r fath. Mewn achosion o'r fath, dydy natur Duw – a allai gynnwys nodweddion o rym cyfyngedig neu fwriad maleisus – ddim yn rhwystro cwestiynau traddodiadol ynghylch bodolaeth Duw yn wyneb y materion sy'n gysylltiedig â drygioni neu ddioddefaint er enghraifft. (Gellid cynnwys traddodiadau ffydd deuol neu amldduwiol yn hyn.) Dydy'r dadleuon theistig traddodiadol, wedi'u hamlinellu uchod, ddim fel arfer yn hybu dealltwriaeth o natur Duw fel hyn, ond yn sicr mae cwestiynau diddorol yn cael eu codi am geisio esbonio natur Duw a pham rydyn ni'n tybio'r nodweddion sy'n cael eu priodoli i Dduw Theistiaeth Glasurol.

I gloi, mae dadleuon traddodiadol dros fodolaeth Duw yn tueddu i godi o draddodiadau ffydd penodol ac, o ganlyniad, maen nhw'n cael eu cysylltu'n agos â natur benodol Duw fel mae'n cael ei disgrifio yn y traddodiad hwnnw. Oherwydd hynny, byddai'n ymddangos bod gwahanol safbwyntiau crefyddol am natur Duw yn dylanwadu ar ddadleuon dros fodolaeth Duw.

Gweithgaredd AA2
Dadleuon posibl

Wedi'u rhestru isod mae rhai casgliadau y byddai'n bosibl dod iddynt ar sail rhesymeg AA2 yn y testun cysylltiedig:

1. Mae natur Duw yn sail i ddadleuon dros ei fodolaeth.
2. Mae dadleuon dros fodolaeth Duw sydd ddim yn dibynnu ar honiadau ffydd penodol am ei natur yn fwy perswadiol na'r rheini sy'n dibynnu ar honiadau o'r fath.
3. Heb ddealltwriaeth glir o natur Duw, byddai'n amhosibl adeiladu dadl dros fodolaeth Duw.
4. Mae dilysrwydd dadleuon dros fodolaeth Duw yn dibynnu'n llwyr ar y safbwyntiau crefyddol am natur Duw.
5. Mae dadleuon dros fodolaeth Duw yn gweithio'n annibynnol ar unrhyw honiadau ffydd am ei natur.

Ystyriwch bob un o'r casgliadau sy'n cael eu gwneud uchod a chasglwch dystiolaeth ac enghreifftiau i gefnogi pob dadl o'r deunydd AA1 ac AA2 a astudiwyd yn yr adran hon. Dewiswch un casgliad sy'n argyhoeddi fwyaf yn eich barn chi ac esboniwch pam mae hyn yn wir. Nawr cyferbynnwch hyn â'r casgliad gwannaf ar y rhestr, gan gyfiawnhau eich dadl gyda rhesymu clir a thystiolaeth.

Datblygu sgiliau AA2

Nawr mae'n bryd ystyried y wybodaeth sydd wedi'i chyflwyno hyd yma. Hefyd mae'n bwysig ystyried sut mae'r hyn rydych chi wedi'i ddysgu hyd yma'n gallu cael ei ddefnyddio ar gyfer atebion arholiad drwy ymarfer y sgiliau sy'n gysylltiedig ag AA2.

Mae Amcan Asesu 2 (AA2) yn ymwneud â 'dadansoddi' a 'gwerthuso'. Efallai fod ystyr y termau'n amlwg ond mae'n hanfodol eich bod yn gyfarwydd â sut mae sgiliau penodol yn dangos y rhain, a hefyd, sut bydd eich perfformiad ym mhob un o'r sgiliau hyn yn cael ei fesur (gweler disgrifyddion band cyffredinol Band 5 ar gyfer AA2 UG).

Yn amlwg mae ateb yn cael ei osod mewn disgrifydd band priodol, yn ôl pa mor dda yw'r ateb, gan amrywio o ragorol, da, boddhaol, sylfaenol/cyfyngedig i gyfyngedig iawn.

▶ **Dyma eich tasg**: isod mae ateb gwan a gafodd ei ysgrifennu'n ymateb i gwestiwn sy'n gofyn am werthuso i ba raddau y mae dadleuon *a priori* dros fodolaeth Duw yn berswadiol. Gan ddefnyddio'r disgrifyddion band rhowch yr ateb hwn mewn band perthnasol sy'n cyfateb i'r disgrifiad yn y band hwnnw. Yn amlwg mae'n ateb gwan ac felly nid yw'n perthyn i fandiau 3–5. Er mwyn gwneud hyn bydd yn ddefnyddiol i chi ystyried beth sydd ar goll o'r ateb a beth sy'n anghywir. Bydd y dadansoddiad sy'n cydfynd â'r ateb yn eich helpu chi. Wrth ddadansoddi gwendidau'r ateb, gweithiwch mewn grŵp a meddyliwch am bum ffordd o wella'r ateb er mwyn ei gryfhau. Efallai fod gennych fwy na phum awgrym ond ceisiwch drafod fel grŵp a blaenoriaethu'r pum peth pwysicaf sydd ar goll.

Ateb

Nid yw profi bodolaeth Duw yn dasg hawdd. Mae athronwyr wedi dadlau am hyn ers miloedd o flynyddoedd **1**.

Fodd bynnag, mae dau brif fath o ddadl sy'n gallu helpu i brofi bodolaeth Duw: anwythol, *a posteriori* a diddwythol, *a priori* **2**.

Mae'r dadleuon cosmolegol a theleolegol yn ddadleuon *a posteriori* anwythol. Mae'r ddadl ontolegol yn *a priori* a diddwythol. Dadleuon *a posteriori* yw dadleuon sy'n seiliedig ar dystiolaeth fel bod pobl yn gallu gweld am beth maen nhw'n dadlau ac mae'n anodd iawn dadlau yn eu herbyn os oes gennych dystiolaeth i gefnogi'ch dadl **3**.

Nid yw dadleuon *a priori* yn defnyddio tystiolaeth ac oherwydd hyn maen nhw'n anodd iawn eu profi gan fod pobl yn gallu dadlau yn eich erbyn bob amser nad oes tystiolaeth i gefnogi'ch dadl. Ond, mae rhai pobl yn meddwl bod rhai syniadau mor amlwg fel nad oes angen tystiolaeth **4**.

Er enghraifft mae'n wir *a priori* fod pob hen lanc yn ddyn sydd heb briodi a does dim angen tystiolaeth i ddadlau yn erbyn hynny, ac felly hefyd gyda'r syniad o Dduw, fel mae Anselm yn ei ddiffinio, does dim angen tystiolaeth oherwydd bod y gair Duw yn golygu ei fod yn bodoli **5**.

Felly yn fy marn i gall dadleuon *a priori* fod yn dda iawn i ddangos i bobl sut gall bodolaeth Duw gael ei phrofi **6**.

Sgiliau allweddol

Mae dadansoddi'n ymwneud â nodi materion sy'n cael eu codi gan y deunyddiau yn adran AA1, ynghyd â'r rhai a nodwyd yn adran AA2, ac mae'n cyflwyno safbwyntiau cyson a chlir, naill ai gan ysgolheigion neu safbwyntiau personol, yn barod i'w gwerthuso.

Mae hyn yn golygu ei fod yn nodi pethau allweddol i'w trafod a'r dadleuon sy'n cael eu cyflwyno gan eraill neu o safbwynt personol.

Mae gwerthuso'n ymwneud ag ystyried goblygiadau amrywiol y materion sy'n cael eu codi, yn seiliedig ar y dystiolaeth a gafwyd wrth ddadansoddi ac mae'n rhoi dadl fanwl eang gyda chasgliad clir.

Mae hyn yn golygu bod yr ateb yn pwyso a mesur y dadleuon amrywiol a gwahanol a gafodd eu dadansoddi drwy roi sylwadau ac ymateb unigol, gan ddod i gasgliad drwy broses rhesymu clir.

Dadansoddiad o'r ateb

1. Cyflwyniad sydd ddim yn mynd i'r afael â'r cwestiwn yn iawn ond yn hytrach yn canolbwyntio ar faterion cyffredinol ynghylch profi bodolaeth Duw.
2. Yn dangos gafael sylfaenol ar gysyniadau dadleuon *a priori* ac *a posteriori*.
3. Mae'r esboniad am *a posteriori* yn gyfyngedig, ac er ei fod wedi cael ei gysylltu'n gywir â'r dadleuon cosmolegol a theleolegol, nid yw'n ymddangos bod gan yr ymgeisydd afael go iawn ar beth yw dadl *a posteriori*.
4. Dealltwriaeth drwsgl o ddadleuon *a priori* wedi'i mynegi'n wael.
5. Pwynt sylfaenol sydd heb ei ddatblygu'n ddigonol ac felly wedi cael ei fynegi'n wael.
6. Casgliad sydd heb ei gysylltu â'r cwestiwn.

Mae'r adran hon yn cwmpasu cynnwys a sgiliau AA1

Cynnwys y fanyleb

Rene Descartes – y cysyniad o Dduw fel bod hollol berffaith; cydweddiadau trionglau a mynyddoedd/dyffrynnoedd.

B: Dadleuon diddwythol – datblygiadau'r ddadl ontolegol

Rene Descartes – y cysyniad o Dduw fel bod hollol berffaith; cydweddiadau trionglau a mynyddoedd/dyffrynnoedd

I Descartes, y diffiniad o Dduw oedd mai Duw oedd y bod mwyaf perffaith – neu i'w roi mewn ffordd arall – bod oedd yn meddu ar bob **perffeithrwydd**. Er bod Descartes ychydig yn annelwig am beth yn union mae'n ei olygu gan y cysyniad o 'berffeithrwydd', yr awgrym yw ei fod yn golygu bod Duw yn meddu ar y ffurf orau bosibl o bob **priodoledd** posibl.

Wrth siarad am Dduw Theistiaeth Glasurol, mae priodoleddau grym, gwybodaeth a chariad yn cael eu chwyddo fel ei fod yn gallu gwneud popeth (hollalluog); yn gwybod popeth (hollwybodus) ac yn caru popeth (*hollraslon*). Hynny yw – mae Duw yn meddu ar bob un o'r priodoleddau hynny yn eu cyflwr perffaith. I Descartes, mae Duw fel y bod hollol berffaith yn meddu ar bob perffeithrwydd ac mae'n cynnwys yn hyn y syniad o'r bodolaeth mae Duw yn meddu arni fel priodoledd. Pe na bai'n meddu ar berffeithrwydd pob un priodoledd cadarnhaol yr oedd modd meddu arno, yna nid y bod hollol berffaith fyddai Duw. Felly, mae'r diffiniad o Dduw, i Descartes, yn cael ei fynegi mewn termau cadarnhaol, yn wahanol i agwedd negyddol Anselm, 'Duw yw'r peth na ellir dychmygu dim byd mwy nag ef'.

Dyfyniad allweddol

Rwyf yn gweld yn glir na all bodolaeth gael ei gwahanu oddi wrth hanfod Duw mwy nag y gall bod ei dair ongl yn hafal i ddwy ongl sgwâr gael ei wahanu oddi wrth hanfod triongl [unionlin], neu'r syniad o fynydd oddi wrth y syniad o ddyffryn; ac felly nid yw'n llai gwrthun meddwl am Dduw (hynny yw, Bod hollol berffaith) sydd heb fodolaeth (hynny yw, mae'n ddiffygiol mewn perffeithrwydd arbennig), na meddwl am fynydd heb ddim dyffryn. **(Descartes)**

Termau allweddol

Perffeithrwydd: absenoldeb llwyr unrhyw ddiffygion, hefyd y cyflwr eithaf o nodwedd gadarnhaol

Priodoledd: nodwedd ddisgrifiadol mae rhywun neu rywbeth yn meddu arni

Rene Descartes (1596–1650)

Er mwyn ein helpu i ddeall y cysyniad hwn yn well, mae Descartes yn defnyddio dau gydweddiad:

Y syniad o driongl:

Mae Descartes yn nodi bod meddwl am driongl yn eich gorfodi i feddwl am siâp sydd â thair ochr ac onglau mewnol sy'n adio i 180°. Nid yw'n golygu o reidrwydd fod y siâp hwn yn bodoli mewn unrhyw realiti allanol ond er mwyn meddwl am y syniad o driongl mae angen cael set o feini prawf y mae pawb yn gallu ei deall ac sy'n ffurfio rhan o'r diffiniad o beth yw triongl.

Yn yr un modd gyda Duw: mae yr un mor amhosibl meddwl am Dduw oni bai fod rhywun yn ystyried priodoledd bodolaeth fel rhan angenrheidiol o'r diffiniad o beth yw Duw. I grynhoi – mae Descartes yn dweud bod y cysyniad o Dduw yn cynnwys y syniad am ei fodolaeth fel perffeithrwydd angenrheidiol y mae'n meddu arno yn yr un ffordd ag y mae'r cysyniad o driongl yn cyfeirio at siâp sydd â thair ochr ac onglau mewnol sy'n adio i 180°. Mae cyswllt anorfod rhwng y priodoleddau a'r syniad yn y ddau achos.

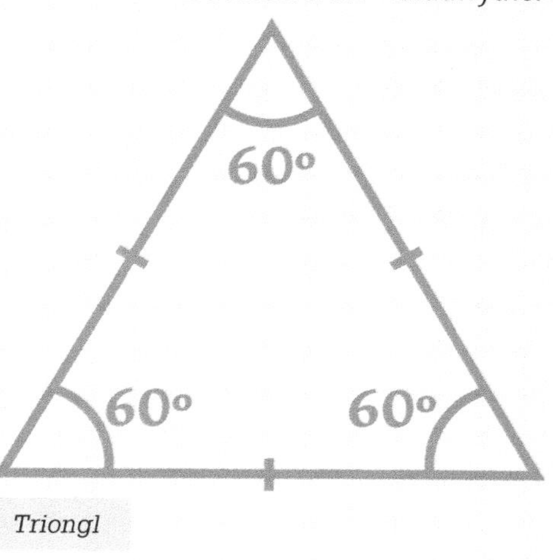

Triongl

Mynyddoedd a dyffrynnoedd:

Yr ail gydweddiad mae Descartes yn ei ddefnyddio yw'r syniad na all rhywun feddwl am fynydd heb feddwl am y dyffryn cyfatebol – oherwydd ble bynnag mae'r naill bydd y llall yno bob amser, drwy ddiffiniad. Mae Descartes yn defnyddio'r cydweddiad hwn i atgyfnerthu'r syniad ei bod yn amhosibl gwahanu'r syniadau am Dduw a'r syniad am ei fodolaeth:

'....oherwydd o'r ffaith na allaf feddwl am fynydd heb ddyffryn, nid yw'n dilyn bod unrhyw fynydd neu unrhyw ddyffryn yn bodoli, dim ond na all y mynydd a'r dyffryn, p'un ai eu bod nhw'n bodoli neu beidio, gael eu gwahanu mewn unrhyw ffordd, y naill oddi wrth y llall. Ac o'r ffaith na allaf feddwl am Dduw heb fodolaeth, mae'n dilyn bod bodolaeth yn anwahanadwy oddi wrtho Ef, ac felly ei fod Ef yn wir yn bodoli; nid bod fy meddwl i'n gallu gwneud i hyn ddigwydd, neu osod unrhyw reidrwydd ar bethau, ond, i'r gwrthwyneb, oherwydd bod y rheidrwydd sy'n gorwedd yn y peth ei hun, h.y. rheidrwydd bodolaeth Duw, yn gwneud i mi feddwl fel hyn. Oherwydd nid yw yn fy ngallu i feddwl am Dduw heb fodolaeth (hynny yw am Fod hollol berffaith heb fod ganddo berffeithrwydd llwyr).'

Mae dyffryn gan bob mynydd

Mae Descartes yn datgan mai Duw yn unig sy'n meddu ar y perffeithrwydd hwn (hynny yw, bodolaeth angenrheidiol) fel y bod hollol berffaith, sydd felly yn profi bod Duw, o reidrwydd, yn bodoli.

Awgrym astudio

Gwnewch yn siŵr eich bod bob amser yn ateb y cwestiwn a osodwyd, gan roi sylw arbennig i eiriau allweddol. Bydd hyn yn sicrhau bod gennych y siawns orau o roi 'ateb helaeth a pherthnasol sy'n bodloni gofynion penodol y cwestiwn a osodwyd' (disgrifydd band L5 AA1).

cwestiwn cyflym

2.4 Pa ddau gydweddiad mae Descartes yn eu defnyddio i helpu i esbonio ei ddadl ontolegol?

Gweithgaredd AA1

Mae dadleuon Descartes yn gymharol syml i'w dilyn, cyhyd â'ch bod chi'n deall ei gydweddiadau am y syniad o driongl a'r cysylltiad rhwng mynyddoedd a dyffrynnoedd. Crynhowch y syniadau hyn mewn dau ddiagram ar wahân sy'n cael eu gwneud ar un ochr A4. Bydd hyn yn eich helpu i gofio sut maen nhw'n gweithio i gefnogi dadl ontolegol Descartes.

Cynnwys y fanyleb

Norman Malcolm – Duw fel bod diderfyn: bodolaeth Duw fel rhywbeth angenrheidiol yn hytrach na rhywbeth posibl yn unig.

Norman Malcolm – Duw fel bod diderfyn: bodolaeth Duw fel rhywbeth angenrheidiol yn hytrach na rhywbeth posibl yn unig

Yn *The Philosophical Review* (1960), edrychodd Norman Malcolm ar y ddadl ontolegol eto a'i chyflwyno ar ffurf oedd yn ymateb i'w beirniaid blaenorol. Datblygodd e'r ddadl ymhellach na'r hyn a ysgrifennwyd gan Anselm a Descartes, ganrifoedd ynghynt.

Mae Malcolm yn gwrthod dadl Anselm a fynegwyd yn *Proslogion* 2 a'r un a gynigiwyd gan Descartes. Mae Malcolm yn ochri â Gaunilo a Kant yn eu gwrthwynebiadau, sef bod dweud bod rhywbeth yn bodoli naill ai oherwydd bod bodoli mewn realiti yn fwy, neu oherwydd bod bodolaeth yn berffeithrwydd a bod Duw yn meddu ar bob perffeithrwydd, yn ddadleuon anghywir. Nid yw'n bosibl dim ond ychwanegu'r cysyniad o fodolaeth at restr o nodweddion sydd gan rywbeth ac yna honni ei fod felly yn bodoli! (gweler Dyfyniad allweddol 1).

Dyfyniad allweddol 1

Mae'r ddysgeidiaeth fod bodolaeth yn berffeithrwydd yn hynod o ryfedd. Mae'n gwneud synnwyr ac mae'n wir dweud y bydd fy nhŷ nesaf yn un gwell os yw'n cael ei ynysu nag os nad yw'n cael ei ynysu; ond beth fyddai'n ei olygu i ddweud y bydd yn dŷ gwell os yw'n bodoli nag os nad yw'n bodoli? Bydd y plentyn a gaf yn well dyn os yw'n onest nag os nad ydyw; ond pwy fyddai'n deall y dywediad y bydd yn well dyn os yw'n bodoli nag os nad yw'n bodoli? Neu pwy sy'n deall y dywediad, os yw Duw yn bodoli, ei fod Ef yn fwy perffaith nag os nad yw'n bodoli? Gallai rhywun ddweud, yn ddigon dealladwy, y byddai'n well (iddo'i hun ac i ddynoliaeth) pe bai Duw yn bodoli na phe na bai'n bodoli – ond mater arall yw hwnnw. (Malcolm)

Ond, mae Malcolm yn cydymdeimlo â'r ddadl mae Anselm yn ei chyflwyno yn *Proslogion* 3, sef ei fod yn dod i'r casgliad (yn dilyn ei brawf yn *Proslogion* 2), oherwydd mai Duw yw'r bod mwyaf posibl y gellir ei ddychmygu, yna mae'n rhaid bod ganddo fodolaeth angenrheidiol. Fel y gwelwyd yn gynharach, mae hyn yn ganlyniad angenrheidiol i fod y bod mwyaf posibl y gellir ei ddychmygu – yn syml oherwydd byddai bod nad oedd ganddo fodolaeth angenrheidiol yn israddol i un yr oedd ganddo fodolaeth angenrheidiol. Gan ei bod yn bosibl dychmygu'r ddau, yna y bod y mae ganddo'r fodolaeth angenrheidiol yw'r mwyaf – ac fel y bod mwyaf posibl, rhaid ei fod yn bodoli.

I Malcolm, mae'r union ffaith mai Duw yw'r bod mwyaf posibl y gellir ei ddychmygu yn golygu, o reidrwydd, y dylai Duw gael ei ddisgrifio hefyd fel bod diderfyn (gweler Dyfyniad allweddol 2). Ystyr hyn yw bod sydd heb derfynau, sy'n meddu ar bob perffeithrwydd i'r graddau mwyaf posibl ac, oherwydd yr ystyrir Duw yn fod diderfyn, yna i'r crediniwr crefyddol, mae'n haeddu cael ei addoli. Pe na bai Duw yn fod diderfyn, yna byddai'n golygu bod terfynau i rai agweddau, os nad pob agwedd o'i fod. Byddai hyn yn golygu wedyn nad ef yw'r peth mwyaf y gellir ei ddychmygu, na fyddai'n bodloni ein dealltwriaeth ni o'r hyn mae'n ei olygu i fod yn 'Dduw' (yn ôl diffiniad Anselm), ac felly na fyddai'n haeddu cael ei addoli. Felly, mae'n rhaid bod Duw, drwy ddiffiniad, yn fod diderfyn o reidrwydd.

Y cwestiwn mawr am Dduw

Mae Malcolm yn crynhoi sut mae'r ddadl ontolegol yn dangos bod bodolaeth Duw yn angenrheidiol fel hyn:

'Os nad yw Duw, y bod mwyaf y gellir meddwl amdano, yn bodoli, yna ni all Ef *ddod* i fodolaeth. Oherwydd pe bai Ef wedi dod i fodolaeth byddai naill ai wedi cael ei *achosi* i ddod i fodolaeth neu byddai wedi *digwydd* dod i fodolaeth, ac yn y naill achos a'r llall byddai Ef yn fod cyfyngedig, ac yn ein syniad ni ohono nid dyna ydyw. Gan na all Ef ddod i fodolaeth, os nad yw'n bodoli mae ei fodolaeth Ef yn amhosibl. Os yw'n bodoli ni all Ef fod wedi dod i fodolaeth (am y rhesymau a roddwyd), ac ni all beidio â bodoli, gan na allai dim achosi iddo Ef beidio â bodoli ac ni ellir ond digwydd ei fod Ef yn peidio â bodoli. Felly os yw Duw yn bodoli mae ei fodolaeth Ef yn angenrheidiol. Felly mae bodolaeth Duw naill ai'n amhosibl neu'n angenrheidiol. Gall y cyntaf fod yn wir dim ond os yw'r cysyniad o gael bod o'r fath yn anghyson â'i hun neu mewn rhyw ffordd yn rhesymegol afresymol. Gan dybio nad felly y mae hi, mae'n dilyn ei fod Ef yn bodoli o reidrwydd.' (Malcolm)

Gweithgaredd AA1

Ar gardiau adolygu bach gwnewch grynodeb o ddadl ontolegol Malcolm. Cefnogwch yr esboniadau â thystiolaeth berthnasol o'r testun, yn cynnwys dyfyniadau gan Malcolm. Bydd hyn yn eich helpu i ddewis a chofio set graidd o bwyntiau i ddatblygu ateb i esbonio fersiwn Malcolm o'r ddadl ontolegol a sicrhau eich bod chi'n dangos 'Gwybodaeth a dealltwriaeth drylwyr, gywir a pherthnasol o grefydd a chred' (disgrifydd band L5 AA1).

Awgrym astudio

Gwnewch yn siŵr eich bod bob amser yn ateb y cwestiwn a osodwyd, gan roi sylw arbennig i eiriau allweddol. Bydd hyn yn sicrhau bod gennych y siawns orau o roi 'ateb helaeth a pherthnasol sy'n bodloni gofynion penodol y cwestiwn a osodwyd' (disgrifydd band L5 AA1).

Dyfyniad allweddol 2

Yr hyn a wnaeth Anselm oedd dangos bod y cynnig 'mae Duw yn bodoli o reidrwydd' yn dilyn o'r cynnig mai 'Duw yw'r bod mwyaf y gellir meddwl amdano' (sy'n cyfateb i 'mae Duw yn fod cwbl ddiderfyn'). (Malcolm)

cwestiwn cyflym

2.5 O dan ba amodau, yn ôl Malcolm, byddai bodolaeth Duw yn amhosibl?

Sgiliau allweddol

Mae gwybodaeth yn ymwneud â:

Dewis ystod o wybodaeth (drylwyr) gywir a pherthnasol sydd â chysylltiad uniongyrchol â gofynion penodol y cwestiwn.

Mae hyn yn golygu eich bod yn dewis y wybodaeth gywir sy'n berthnasol i'r cwestiwn a osodwyd NID y maes pwnc. Bydd angen i chi feddwl a chanolbwyntio ar ddewis gwybodaeth allweddol ac NID ysgrifennu popeth yr ydych chi'n ei wybod am y maes pwnc.

Mae dealltwriaeth yn ymwneud ag:

Esboniad helaeth, gan ddangos dyfnder a/neu ehangder gyda defnydd rhagorol o dystiolaeth ac enghreifftiau gan gynnwys (lle y bo'n briodol) defnydd trylwyr a chywir o destunau cysegredig, ffynonellau doethineb a geirfa arbenigol.

Mae hyn yn golygu y gallwch ddangos eich bod yn deall rhywbeth drwy egluro ac ehangu eich pwyntiau gan ddefnyddio enghreifftiau/tystiolaeth gefnogol mewn ffordd bersonol ac NID ailadrodd darnau o werslyfr (sef dysgu ar y cof).

Cymhwyso sgiliau ymhellach:

Ewch drwy'r meysydd pwnc yn yr adran hon a lluniwch rai rhestri bwled o bwyntiau allweddol o feysydd allweddol. Ar gyfer pob un, rhowch fwy o fanylion ac esboniwch fwy drwy ddefnyddio tystiolaeth ac enghreifftiau.

Datblygu sgiliau AA1

Nawr mae'n bryd ystyried y wybodaeth sydd wedi'i chyflwyno hyd yma. Hefyd mae'n bwysig ystyried sut mae'r hyn rydych chi wedi'i ddysgu hyd yma'n gallu cael ei ddefnyddio ar gyfer atebion arholiad drwy ymarfer y sgiliau sy'n gysylltiedig ag AA1.

Mae Amcan Asesu 1 (AA1) yn ymwneud â dangos gwybodaeth a dealltwriaeth. Mae'r termau 'gwybodaeth' a 'dealltwriaeth' yn amlwg ond mae'n hanfodol eich bod yn gyfarwydd â sut mae sgiliau penodol yn dangos y rhain, a hefyd, sut bydd eich perfformiad ym mhob un o'r sgiliau hyn yn cael ei fesur (gweler disgrifyddion band cyffredinol Band 5 ar gyfer AA1 UG).

▶ **Dyma eich tasg newydd**: isod mae ateb cryf a gafodd ei ysgrifennu'n ymateb i gwestiwn sy'n gofyn am archwilio tarddiadau'r ddadl ontolegol. Gan ddefnyddio'r disgrifyddion band gallwch ei gymharu â'r bandiau uwch perthnasol a disgrifyddion y bandiau hynny. Yn amlwg, mae'n ateb cryf ac felly nid yw'n perthyn i fandiau 1–3. Er mwyn gwneud hyn bydd yn ddefnyddiol i chi ystyried beth sy'n dda am yr ateb a beth sy'n gywir. Mae'r dadansoddiad sy'n cyd-fynd â'r ateb yn rhoi cliwiau ac awgrymiadau i'ch helpu chi. Wrth ddadansoddi cryfderau'r ateb, gweithiwch mewn grŵp a meddyliwch am bum peth sy'n gwneud yr ateb hwn yn un da. Efallai fod gennych fwy na phum sylw ac yn wir awgrymiadau i wneud iddo fod yn ateb perffaith!

Ateb

Mae'r ddadl ontolegol yn ddadl *a priori*, ddiddwythol dros fodolaeth Duw. Mae hyn yn golygu nad yw'n seiliedig ar dystiolaeth neu brofiad ond yn hytrach ar ddealltwriaeth flaenorol o beth rydyn ni'n ei wybod yn barod – h.y. beth mae'r gair Duw yn ei olygu. Yn yr ystyr hwn mae'r diffiniad o 'Dduw' yn arwain at y casgliad fod Duw yn bodoli. [1]

Cafodd y ddadl ontolegol, fel rydyn ni'n ei deall heddiw, ei chyflwyno gyntaf gan Anselm o Gaergaint yn ei *Proslogion*. Yn y gwaith hwn mae Anselm yn ystyried dau bwynt allweddol. I ddechrau, mai Duw yw'r bod mwyaf posibl ac yn ail, fod gan Dduw fodolaeth angenrheidiol. [2]

Mae prawf cyntaf Anselm yn dechrau drwy gyfeirio at yr adnod yn y Salmau sy'n dweud 'Mae'r ffŵl yn dweud yn ei galon "Nid oes Duw"'. Mae Anselm yn defnyddio'r adnod hon i ddangos bod dweud nad oes Duw, pan all rhywun honni bod cysyniad o'r fath yn bodoli, yn 'ffôl' yn wir. I Anselm mae'r gair 'Duw' yn cael ei ddiffinio fel hyn: 'Duw yw'r peth na ellir dychmygu dim byd mwy nag ef.' Drwy hyn mae'n dangos bod yn rhaid i Dduw fodoli.

Mae'r ddadl yn mynd fel hyn – mae'n well bodoli mewn realiti nag yn y meddwl yn unig, oherwydd bydd y pethau sy'n bodoli yn y meddwl yn unig bob amser yn israddol i'r pethau sydd â realiti ffisegol allanol. Oherwydd hyn, mae Duw – y peth na ellir dychmygu dim byd mwy nag ef – eisoes yn bodoli fel syniad yn y meddwl. Fodd bynnag, os Duw yn wir yw'r bod mwyaf posibl y gellir ei ddychmygu, yna mae'n rhaid ei fod yn bodoli mewn realiti hefyd. Mae hyn oherwydd pe na bai'n bodoli mewn realiti, yna byddai unrhyw beth oedd yn bodoli mewn realiti yn cael ei ystyried yn syth i fod yn fwy na Duw. [3]

Byddai hyn yn ei dro yn golygu nad Duw fyddai'r 'peth na ellir dychmygu dim byd mwy nag ef', sy'n gwadu'r diffiniad o Dduw – mae ei hanfod, neu 'ontos', yn golygu ei fod yn bodoli drwy ddiffiniad. Dim ond Duw sy'n bodoli mewn realiti all fod yn wir y peth mwyaf posibl y gellir ei ddychmygu. Dyma sut mae Anselm yn datblygu ei ddadl yn *Proslogion* 3. Hynny yw, os yw Duw'n bodoli, mae'n rhaid ei fod yn angenrheidiol. [4]

Mae Anselm yn dweud ei bod yn bosibl meddwl am fod sydd â'r briodwedd o orfod bodoli a'i bod yn bosibl hefyd feddwl am rywbeth nad oes rhaid iddo fodoli. Wrth feddwl am y ddau, yr un na all beidio â bodoli sy'n fwy na'r un nad oes rhaid iddo fodoli. 5

Mewn geiriau eraill, mae Duw, os yw'n bodoli, naill ai yn fod na ellir ei ddychmygu yn peidio â bodoli (h.y. mae'n angenrheidiol) neu mae'n fod y gellir ei ddychmygu yn peidio â bodoli (h.y. mae'n amodol). Os ydyn ni'n defnyddio diffiniad Anselm o Dduw, sef ef yw'r 'peth na ellir dychmygu dim byd mwy nag ef', yna mae'n rhaid bod bodolaeth Duw yn angenrheidiol. 6

Yr hyn mae Anselm yn ei ddweud yma yw os Duw yw'r bod mwyaf posibl, yna mae'n rhaid iddo, o reidrwydd, fodoli mewn realiti ac nid fel cysyniad yn y meddwl yn unig. Mae hyn oherwydd fel arall byddai unrhyw beth sy'n bodoli mewn realiti yn fwy na Duw (pe bai'n syniad yn unig) ond oherwydd mai ein diffiniad ni o Dduw yw'r 'bod mwyaf posibl', yna mae'n dilyn bod yn rhaid iddo fodoli o reidrwydd. 7

Sylwadau wedi'u cwblhau

1. Cyflwyniad da sy'n esbonio'r fframwaith athronyddol mae'r ddadl ontolegol wedi ei llunio arno.
2. Mae'n amlinellu'r ddwy brif elfen yn nadl ontolegol Anselm yn glir.
3. Mae'n nodi dechrau'r ddadl yn dda ac yn dangos gwybodaeth gywir a pherthnasol.
4. Defnydd da iawn o iaith gymhleth a thechnegol i ddangos dealltwriaeth drylwyr o'r ddadl ontolegol.
5. Mae'n parhau i ddatblygu'r ddadl yn rhesymegol ac yn gywir.
6. Mae'n esbonio'r ddadl yn gywir drwy fynd yn ôl at y diffiniad allweddol.
7. Mae'r ymgeisydd yn terfynu dadl Anselm yn glir gan ddangos ei fod wedi cyfeirio'n gywir at y *Proslogion* wrth ffurfio ei ymateb.

Mae'r adran hon yn cwmpasu cynnwys a sgiliau AA2

Cynnwys y fanyleb

Effeithiolrwydd y ddadl ontolegol dros fodolaeth Duw.

Materion i'w dadansoddi a'u gwerthuso

Effeithiolrwydd y ddadl ontolegol dros fodolaeth Duw

Mae gan y ddadl ontolegol dros fodolaeth Duw fil o flynyddoedd o hanes yng nghofnodion athroniaeth grefyddol ac mae'n haeddu parch. Fel dadl *a priori* mae'n brawf rhesymegol, ac mae ei rhesymeg yn anochel pan dderbynnir ffurf ddiddwythol ei rhagosodiadau. I Anselm, roedd y ddadl hon yn gwbl effeithiol yn cadarnhau ei gredoau theistig ei hun – bod bodolaeth Duw yn amlwg ac yn angenrheidiol.

Mae crefyddau theistig o'r traddodiad Abrahamaidd, fel Cristnogaeth, Iddewiaeth ac Islam, i gyd yn derbyn y diffiniad o Dduw a gynigiodd Anselm. Felly bydden nhw hefyd yn ystyried hon i fod yn ffurf effeithiol ar ddadl gan ei bod yn cadarnhau eu safbwyntiau ffydd eu hunain, sef mai Duw yw'r bod mwyaf posibl, un na ellir meddwl am ddim byd mwy nag ef yn holl deyrnas realiti.

Yr hyn sy'n dangos effeithiolrwydd y ddadl ontolegol hefyd yw ei bod yn cyd-fynd â ffurfiau cyfoes athroniaeth a rhesymeg, fel y systemau moddol a fabwysiadwyd gan athronwyr modern y ddadl ontolegol, fel Malcolm.

Mae'r ddadl ontolegol, fel ffurf *a priori*, yn dibynnu ar y ddealltwriaeth o beth mae'n ei olygu i fod yn Dduw. Rydyn ni'n derbyn rhai ffeithiau am Dduw, yn seiliedig ar ddiffiniad y gair yn unig. Yn hyn o beth, mae'r honiad fod Duw yn bodoli o reidrwydd, oherwydd mai ef yw'r bod mwyaf posibl y gellir ei ddychmygu a rhaid ei fod yn meddu ar bob perffeithrwydd, gan gynnwys bodoli, yn dangos pa mor effeithiol yw'r ddadl.

Dylen ni gadw mewn cof hefyd y ffaith fod y ddadl ontolegol, fel dadl *a priori*, yn arwain at gasgliad anochel – h.y. bod Duw yn bodoli. Mae hyn yn ei gwneud yn hynod o effeithiol cyhyd â'ch bod yn derbyn y rhesymu a gyflwynir yn y ddadl!

Ond, nid yw pob athronydd neu grediniwr crefyddol yn derbyn bod y ddadl ontolegol yn brawf effeithiol o fodolaeth Duw. Yn wir, un o'i beirniaid cynharaf oedd un o gyfoedion Anselm, sef Gaunilo, oedd yn gwrthod y syniad fod modd gwneud i unryw beth fodoli drwy ei ddiffinio.

Yn yr un modd, ganrifoedd yn ddiweddarach, gwrthododd Immanuel Kant y ddadl hefyd, gan awgrymu bod Descartes yn camddefnyddio'r gair 'bodoli'. Nid oedd yn bosibl, yn ei farn ef, dim ond i ychwanegu'r gair bodoli at restr o bethau perffaith roedd rhywbeth yn meddu arnynt neu beidio – a thrwy hynny dangosodd fod y ddadl yn aneffeithiol.

Dylen ni sylweddoli hefyd, yn unol â'r beirniadaethau hyn, pryd bynnag y gellir dangos bod unrhyw un o ragosodiadau dadl *a priori* yn wan neu'n anghywir, yna bydd y casgliad a geir drwy resymu hefyd yn wan neu'n anghywir – mae hyn yn cysylltu'n bendant â'r safbwyntiau a gyflwynwyd gan Kant.

I gloi, mae'r dadleuon yn erbyn y ddadl ontolegol yn ddigon cadarn i danseilio unrhyw honiad rhesymol ei bod yn ddadl effeithiol wrth brofi bodolaeth Duw.

Gweithgaredd AA2
Dadleuon posibl

Wedi'u rhestru isod mae rhai casgliadau y byddai'n bosibl dod iddynt ar sail rhesymeg AA2 yn y testun cysylltiedig:

1. Mae'r ddadl ontolegol yn profi bodolaeth Duw yn effeithiol y tu hwnt i unrhyw amheuaeth resymol.
2. Dim ond ffurfiau diweddarach ar y ddadl ontolegol sy'n dderbyniol. Mae'r ffurf glasurol gan Anselm yn gwbl aneffeithiol.
3. Mae defnyddio'r ddadl ontolegol i brofi bodolaeth Duw yn athronyddol ddiwerth.
4. Mae effeithiolrwydd y ddadl ontolegol yn dibynnu ar eich credoau crefyddol.
5. Mae effeithiolrwydd y ddadl ontolegol yn cael ei danseilio gan feddwl gwyddonol modern.

Ystyriwch bob un o'r casgliadau sy'n cael eu gwneud uchod a chasglwch dystiolaeth ac enghreifftiau i gefnogi pob dadl o'r deunydd AA1 ac AA2 a astudiwyd yn yr adran hon. Dewiswch un casgliad sy'n argyhoeddi fwyaf yn eich barn chi ac esboniwch pam mae hyn yn wir. Nawr cyferbynnwch hyn â'r casgliad gwannaf ar y rhestr, gan gyfiawnhau eich dadl gyda rhesymu clir a thystiolaeth.

A yw'r ddadl ontolegol yn fwy perswadiol na'r dadleuon cosmolegol/teleolegol dros fodolaeth Duw

Bu bodolaeth neu anfodolaeth Duw yn destun trafod i athronwyr ers amser maith. Mae safbwyntiau cryf ar ddwy ochr y ddadl. Er mwyn cefnogi'r drafodaeth hon cynigiwyd nifer o fathau gwahanol o 'brawf'. Mae'r profion hyn yn bodoli ar ffurfiau *a priori* ac *a posteriori*. Mae'r ddadl ontolegol yn ddadl *a priori* dros fodolaeth Duw ond mae'r dadleuon cosmolegol a theleolegol yn ffurfiau *a posteriori*.

Mae gallu'r ddadl ontolegol i berswadio yn dibynnu, fel sy'n aml yn wir, ar ba mor barod yw'r unigolyn i dderbyn y rhagosodiadau diddwythol mae'r ddadl wedi ei gosod arnynt. Os yw'r rhagosodiadau hyn yn cael eu derbyn – h.y. y syniad mai'r diffiniad o Dduw yw 'y peth na ellir dychmygu mwy nag ef' a'r ddadl gysylltiedig fod hyn yn profi bod gan Dduw fodolaeth angenrheidiol (fel arall ni all Duw fod y peth mwyaf posibl y gellir ei ddychmygu) – yna mae'n anodd iawn gwadu'r casgliad fod Duw yn bodoli o reidrwydd. Byddai hyn yn gwneud y ddadl ontolegol yn gwbl berswadiol.

Fodd bynnag, os yw'r rhagosodiadau'n cael eu gwrthod – fel gwnaeth Gaunilo, Kant ac eraill – yna mae'r ddadl ontolegol yn syrthio'n llwyr. Nid yw'r ddadl byth yn cael ei derbyn gan fod y syniad fod bodolaeth yn dilyn o ddiffiniad yn cael ei ystyried yn hollol dwyllodrus a ddim yn berswadiol o gwbl.

Mae'r ddadl gosmolegol yn seiliedig ar y ffaith empirig fod yna fydysawd, ac mae'n gofyn y cwestiwn 'Beth ddechreuodd y bydysawd?' Yr ateb mae athronwyr fel Aquinas, Leibniz a Craig yn ei gynnig drwy resymu yw Duw.

Mae'r ddadl deleolegol yn dechrau o'r arsylwad athronyddol fod y bydysawd yn cynnwys tystiolaeth o ddylunio a bod pethau yn y bydysawd i'w gweld yn gweithio tuag at ddiben neu bwrpas, hyd yn oed pan nad oes rheswm amlwg i hyn ddigwydd. Y casgliad mae athronwyr fel Aquinas, Paley a Tennant yn ei dynnu'n anwythol yw mai'r rheswm dros hyn yw Duw.

Mae'r ddwy ddadl olaf yn defnyddio tystiolaeth empirig. Mewn oes wyddonol, mae tystiolaeth empirig bob amser yn cael ei gwerthfawrogi fel man cychwyn i unrhyw ddadl berswadiol. Felly, gellid dadlau bod y dadleuon hyn yn argyhoeddi'n fwy na'r ddadl ontolegol, wrth brofi bodolaeth Duw.

Fodd bynnag, mae'r ddwy ddadl anwythol hyn yn destun sawl beirniadaeth. Un feirniadaeth yw, hyd yn oed os yw'r holl syniadau eraill yn cael eu derbyn fel rhesymu anwythol, pam mae'n rhaid mai casgliad terfynol y rhesymu anwythol hwn yw Duw? Nid yw'r naill ddadl na'r llall yn rhoi ateb pendant na pherswadiol i hyn.

Wedyn mae'n dod yn fater o ddewis pa fath o resymu sy'n cael ei fabwysiadu wrth dderbyn ffurf fwy perswadiol ar y ddadl dros fodolaeth Duw. Mae'n sicr bydd y rheini y mae'n well ganddyn nhw sail profiad neu dystiolaeth yn dewis y dadleuon anwythol o gosmoleg neu ddyluniad – bydd y rheini y mae'n well ganddyn nhw'r rhesymu rhesymegol a geir yn ffurf ddiddwythol y ddadl ontolegol yn dewis honno. Gall rhai pobl ddod i'r casgliad felly fod grym perswâd cymharol y dadleuon yn dod yn fater goddrychol, yn debyg iawn i dderbyn neu wadu cred mewn bod dwyfol.

Cynnwys y fanyleb

A yw'r ddadl ontolegol yn fwy perswadiol na'r dadleuon cosmolegol/teleolegol dros fodolaeth Duw.

Gweithgaredd AA2
Dadleuon posibl

Wedi'u rhestru isod mae rhai casgliadau y byddai'n bosibl dod iddynt ar sail rhesymeg AA2 yn y testun cysylltiedig:

1. Y ddadl ontolegol yw'r ddadl fwyaf perswadiol dros fodolaeth Duw.
2. Y dadleuon cosmolegol/teleolegol yw'r dadleuon mwyaf perswadiol dros fodolaeth Duw.
3. Nid yw'r un o'r dadleuon yn berswadiol.
4. Mae pob un o'r dadleuon yr un mor berswadiol.
5. Bydd grym perswâd cymharol y dadleuon yn dibynnu ar safbwynt athronyddol yr unigolyn.

Ystyriwch bob un o'r casgliadau sy'n cael eu gwneud uchod a chasglwch dystiolaeth ac enghreifftiau i gefnogi pob dadl o'r deunydd AA1 ac AA2 a astudiwyd yn yr adran hon. Dewiswch un casgliad sy'n argyhoeddi fwyaf yn eich barn chi ac esboniwch pam mae hyn yn wir. Nawr cyferbynnwch hyn â'r casgliad gwannaf ar y rhestr, gan gyfiawnhau eich dadl gyda rhesymu clir a thystiolaeth.

Sgiliau allweddol

Mae dadansoddi'n ymwneud â nodi materion sy'n cael eu codi gan y deunyddiau yn adran AA1, ynghyd â'r rhai a nodwyd yn adran AA2, ac mae'n cyflwyno safbwyntiau cyson a chlir, naill ai gan ysgolheigion neu safbwyntiau personol, yn barod i'w gwerthuso.

Mae hyn yn golygu ei fod yn nodi pethau allweddol i'w trafod a'r dadleuon sy'n cael eu cyflwyno gan eraill neu o safbwynt personol.

Mae gwerthuso'n ymwneud ag ystyried goblygiadau amrywiol y materion sy'n cael eu codi, yn seiliedig ar y dystiolaeth a gafwyd wrth ddadansoddi ac mae'n rhoi dadl fanwl eang gyda chasgliad clir.

Mae hyn yn golygu bod yr ateb yn pwyso a mesur y dadleuon amrywiol a gwahanol a gafodd eu dadansoddi drwy roi sylwadau ac ymateb unigol, gan ddod i gasgliad drwy broses rhesymu clir.

Datblygu sgiliau AA2

Nawr mae'n bryd ystyried y wybodaeth sydd wedi'i chyflwyno hyd yma. Hefyd mae'n bwysig ystyried sut mae'r hyn rydych chi wedi'i ddysgu hyd yma'n gallu cael ei ddefnyddio ar gyfer atebion arholiad drwy ymarfer y sgiliau sy'n gysylltiedig ag AA2.

Mae Amcan Asesu 2 (AA2) yn ymwneud â 'dadansoddi' a 'gwerthuso'. Efallai fod ystyr y termau'n amlwg ond mae'n hanfodol eich bod yn gyfarwydd â sut mae sgiliau penodol yn dangos y rhain, a hefyd, sut bydd eich perfformiad ym mhob un o'r sgiliau hyn yn cael ei fesur (gweler disgrifyddion band cyffredinol Band 5 ar gyfer AA2 UG).

Yn amlwg mae ateb yn cael ei osod mewn disgrifydd band priodol, yn ôl pa mor dda yw'r ateb, gan amrywio o ragorol, da, boddhaol, sylfaenol/cyfyngedig i gyfyngedig iawn.

▶ **Dyma eich tasg:** isod mae ateb cryf a gafodd ei ysgrifennu'n ymateb i gwestiwn sy'n gofyn am werthusiad o'r cwestiwn, a yw'r ddadl ontolegol yn profi bodolaeth Duw. Gan ddefnyddio'r disgrifyddion band gallwch ei gymharu â'r bandiau uwch perthnasol a disgrifyddion y bandiau hynny. Yn amlwg, mae'n ateb cryf ac felly nid yw'n perthyn i fandiau 1–3. Er mwyn gwneud hyn bydd yn ddefnyddiol i chi ystyried beth sy'n dda am yr ateb a beth sy'n gywir. Mae'r dadansoddiad sy'n cyd-fynd â'r ateb yn rhoi cliwiau ac awgrymiadau i'ch helpu chi. Wrth ddadansoddi cryfderau'r ateb, gweithiwch mewn grŵp a meddyliwch am bum peth sy'n gwneud yr ateb hwn yn un da. Efallai fod gennych fwy na phum sylw ac yn wir awgrymiadau i wneud iddo fod yn ateb perffaith!

Ateb

Er mwyn gweld a yw'r ddadl ontolegol yn profi bodolaeth Duw, mae'n bwysig ystyried, i ddechrau, beth mae prawf yn ei olygu. Mae tri math o brawf ar gael i ni fel arfer: uniongyrchol, diddwythol ac anwythol. Mae prawf uniongyrchol yn golygu defnyddio un neu fwy o'r pum synnwyr, ac weithiau mae'n cael ei alw'n 'brawf empirig'. O ran profi bodolaeth Duw, dyma un o'r ffurfiau mwyaf dadleuol gan fod honiadau o weledigaethau, gwyrthiau a 'phrofion' ffisegol eraill o fodolaeth Duw yn anodd eu dilysu'n bendant. 1

Mae prawf diddwythol yn defnyddio rhagosodiadau i ffurfio casgliad – a thrwy hynny'n cynnig math o brawf rhesymegol. Ar y math hwn o brawf y mae'r ddadl ontolegol wedi'i seilio. Mae'r trydydd math o brawf yn anwythol a dyma'r ffurf a ddefnyddir gan y dadleuon cosmolegol a theleolegol. 2

Mae llwyddiant cymharol y ddadl ontolegol, fel math o brawf diddwythol, yn dibynnu llawer – fel mae pob prawf diddwythol – ar dderbyn y rhagosodiadau. I Anselm, mae'r rhagosodiadau hyn yn cynnwys derbyn bod y diffiniad o'r gair Duw yn profi y tu hwnt i amheuaeth resymol ei fod e'n bodoli. Duw yw'r peth na ellir dychmygu dim byd mwy nag ef. Mae hefyd yn well bodoli mewn realiti nac yn y meddwl yn unig. Felly os Duw yw'r peth na ellir dychmygu dim byd mwy nag ef, mae'n dilyn o reidrwydd ei fod e'n bodoli nid yn unig yn y meddwl ond mewn realiti hefyd. 3

Ar yr olwg gyntaf, mae'r ddadl hon i'w gweld yn berswadiol. Ond, mae'n gofyn i ni dderbyn rhai rhagosodiadau roedd rhai pobl yn anhapus i'w derbyn. Er enghraifft, ni allai'r mynach Gaunilo dderbyn y gallech chi symud yn hawdd o ddiffiniad i realiti sy'n bodoli. Aeth ef yn groes i ddadl Anselm drwy ddweud, pe bai'n meddwl am ynys berffaith, yna mae'n rhaid i hynny olygu bod yr ynys yn bodoli hefyd, fel arall ni fyddai'n ynys berffaith! Mae hwn wrth gwrs yn syniad afresymol. Byddai'n ymddangos bod Gaunilo wedi trechu dadl Anselm ac na allai'r ddadl ontolegol brofi bodolaeth Duw. Ond nid felly y bu. 4

Yn ei ymateb i Gaunilo, dywedodd Anselm fod priodweddau ynys a phriodweddau Duw yn hollol wahanol. Er enghraifft, gallai ynys bob amser gael ei gwella – dydy hyn ddim yn wir yn achos Duw. Roedd Duw yn unigryw, ac oherwydd hyn roedd y syniad fod ei fodolaeth yn angenrheidiol yn wir amdano ef yn unig – nid oedd yn wir, ac ni allai fod yn wir, am unrhyw beth arall yn y byd ffisegol. Felly roedd Anselm yn credu bod ei ddadl ontolegol wedi profi bodolaeth Duw yn llwyddiannus. [5]

Datblygodd Descartes syniadau Anselm drwy esbonio bod yr union syniad o Dduw yn golygu bod yn rhaid iddo fodoli. Yn yr un ffordd ag yr oedd yn amhosibl meddwl am driongl heb feddwl am siâp tair ochr, roedd hi yr un mor amhosibl ystyried y syniad o Dduw heb feddwl yr un pryd am fod oedd yn bodoli'n angenrheidiol. Roedd hyn felly yn profi bodolaeth Duw. [6]

Gwrthwynebiad Kant i Descartes oedd na allai bodolaeth gael ei thrin fel traethiad ac felly roedd hi'n athronyddol simsan i symud o ddiffiniad lle yr honnwyd pob perffeithrwydd ac wedyn i gynnwys bodolaeth fel un o'r pethau perffaith. I Kant, nid oedd bodolaeth yn briodwedd y gallai rhywbeth fod hebddo – pe bai hynny'n wir, ni fyddai'n bodoli yn y lle cyntaf! Roedd bodolaeth yn rhan annatod o rywbeth yn y byd real, ond nid oedd yn nodwedd oedd yn diffinio'r peth hwnnw. Felly er iddo dderbyn bod modd dal y syniad am Dduw, nid oedd yn dilyn bod Duw'n bodoli mewn gwirionedd – roedd yn ymddangos bod Kant wedi dangos nad oedd y ddadl ontolegol wedi profi bodolaeth Duw. [7]

Drwy edrych ar y dadleuon fel maen nhw'n cael eu cyflwyno uchod, byddai'n ymddangos nad yw'r ddadl ontolegol yn profi bodolaeth Duw. [8]

Awgrymiadau wedi'u cwblhau

1. Yn cyflwyno'r pwnc drwy edrych ar beth mae'r syniad o brawf yn ei olygu.
2. Yn parhau i amlinellu diffiniadau o brawf. Mae'r wybodaeth yn gywir.
3. Yn cyflwyno'r ddadl ontolegol a gynigiwyd gan Anselm. Yn ymdrin â'r wybodaeth yn gywir.
4. Yn cyflwyno gwrthbwynt i'r ddadl; yn gwneud defnydd da o dystiolaeth berthnasol.
5. Yn cyflwyno gwrthddadl i'r gwrthbwynt. Mae hyn yn dangos gwerthusiad effeithiol o'r pwnc.
6. Yn ychwanegu tystiolaeth arall i gefnogi'r ddadl drwy gyflwyno athronydd gwahanol.
7. Yn rhoi'r wrthddadl drwy gyfeirio at sut roedd Kant yn gwrthod dadleuon Anselm a Descartes.
8. Casgliad byr nad yw'n ymhelaethu ar osodiad sylfaenol. Dydy tystiolaeth ddim yn cael ei hailadrodd i gefnogi'r casgliad sy'n cael ei wneud.

Mae'r adran hon yn cwmpasu cynnwys a sgiliau AA1

Cynnwys y fanyleb

Gaunilo, ei ymateb i Anselm yn gwrthod y syniad o fod mwyaf posibl y mae modd ystyried bod ganddo fodolaeth ar wahân y tu allan i'n meddyliau; ei gydweddiad o'r syniad o'r ynys fwyaf er mwyn gwatwar rhesymeg Anselm.

Yr ynys berffaith?

Termau allweddol

Macsimwm cynhenid: term a gysylltir yn aml yng nghyd-destun y ddadl ontolegol â'r athronydd o Loegr, Charles Dunbar Board, i gyfeirio at briodweddau angenrheidiol Duw – sef bod yn rhaid iddyn nhw i gyd feddu ar y macsimwm cynhenid hwn er mwyn i'r diffiniad o Dduw fel y bod mwyaf posibl fod yn gywir

Reductio ad absurdum: dadl sy'n dangos bod gosodiad yn ffug neu'n afresymol pe bai ei gasgliadau rhesymegol yn cael eu derbyn

cwestiwn cyflym

2.6 Pam roedd Gaunilo'n meddwl bod dadl Anselm yn ddiffygiol?

C: Heriau i'r ddadl ontolegol

Gaunilo, ei ymateb i Anselm

Cafodd y ddadl ontolegol oedd wedi'i chyflwyno gan Anselm gryn dipyn o feirniadaeth gan un o'i gyfoedion, mynach o'r enw Gaunilo o Marmoutier. Mewn gwaith o'r enw *Ar ran yr ynfyd*, ymatebodd Gaunilo i brawf Anselm drwy ddefnyddio strwythur dadl sy'n cael ei alw'n **reductio ad absurdum**. Mae e'n honni, os dadl Anselm yw bod modd dadlau bod Duw yn bodoli drwy ei ddiffinio fel 'y peth na ellir dychmygu dim byd mwy nag ef', mae'n rhaid bod modd cael y syniad o ynys berffaith ac, oherwydd y syniad hwn, yna mae'n rhaid bod yr ynys hon yn bodoli:

'Pe bai rhywun yn dweud wrthyf fod yna ynys o'r fath, byddwn yn hawdd yn deall ei eiriau, gan nad oes unrhyw anhawster ynddyn nhw. Ond pe bai'r person hwnnw'n mynd ymlaen i ddweud, fel pe bai drwy gasgliad rhesymegol: "Ni allwch amau bellach fod yr ynys hon, sy'n fwy gwych na'r holl diroedd, yn bodoli yn rhywle, oherwydd nad ydych chi'n amau ei bod yn eich dealltwriaeth. Ac oherwydd ei bod yn fwy gwych peidio â bod yn y ddealltwriaeth yn unig, ond i fodoli yn y ddealltwriaeth ac mewn realiti, felly mae'n rhaid i'r ynys fodoli. Oherwydd os nad yw'n bodoli, bydd unrhyw dir sy'n bodoli mewn gwirionedd yn fwy gwych na hi; ac felly ni fydd yr ynys, y credwch chi'n barod ei bod yn fwy gwych, yn fwy gwych."

Pe bai dyn yn ceisio profi i mi drwy resymu o'r fath fod yr ynys hon yn bodoli mewn gwirionedd, ac na ddylid amau ei bodolaeth bellach, naill ai byddwn i'n credu ei fod yn tynnu coes, neu nid wyf yn gwybod pwy dylwn i ystyried yw'r ffŵl mwyaf: fi, gan gymryd y byddwn i'n caniatáu'r prawf hwn; neu ef, pe bai'n meddwl ei fod wedi profi bodolaeth yr ynys hon ag unrhyw sicrwydd.'

Mewn geiriau eraill, mae Gaunilo yn datgan bod y syniad am rywbeth y gellir meddwl amdano'n bodoli ar wahân y tu allan i'n meddyliau, dim ond oherwydd mai hwnnw yw'r peth mwyaf y gallwn ni feddwl amdano, yn nonsens rhesymegol. Nid yw'r ffaith y gallwch chi ddiffinio bod mwyaf posibl yn arwain yn syth at y ffaith fod un yn bodoli mewn gwirionedd – a dyma lle mae'n defnyddio cydweddiad yr ynys i danlinellu pa mor afresymol y mae dadl Anselm.

Mae beirniaid Gaunilo yn awgrymu ei fod wedi camddeall y ddadl ontolegol a'i fod yn beirniadu'n anghywir. Mae'r wrthddadl sylfaenol i Gaunilo yn canolbwyntio ar y syniad mai dim ond Duw sy'n angenrheidiol (anamodol) ac mai ef yw sail neu ffynhonnell ei fodolaeth ei hun. Os cymerir bod hyn yn wir, yna mae diffiniad Anselm yn dal dŵr. Mae ynys Gaunilo yn wrthrych amodol ac, oherwydd hynny, nid oes **macsimwm cynhenid** ganddo. (Hynny yw, gallwch chi bob amser ychwanegu rhywbeth arall i'w wella neu i'w wneud yn 'fwy perffaith' nag y mae yn barod – nid yw hyn yn wir am y cysyniad o Dduw anamodol. Mae perffeithrwydd Duw yn rhan angenrheidiol ohono – ni ellir dweud yr un peth am ynysoedd (neu unrhyw endid amodol arall).

Gweithgaredd AA1

Ar gardiau adolygu bach gwnewch grynodeb o'r prif bwyntiau yng ngwrthwynebiadau Gaunilo. Cefnogwch yr esboniadau â dyfyniadau perthnasol gan Gaunilo. Bydd hyn yn eich galluogi i ddangos 'Defnydd rhagorol o dystiolaeth ac enghreifftiau' (disgrifydd band L5 AA1). Mae hyn yn sicrhau eich bod yn dewis y nodweddion pwysicaf ar gyfer pwyslais ac eglurder ac yn cefnogi hyn â thystiolaeth, yn hytrach na dim ond cyflwyno strwythur disgrifiadol, neu syml, i'ch ateb.

Gwrthwynebiad Immanuel Kant

Yn y 18fed ganrif cynigiodd yr athronydd o Brwsia, Immanuel Kant, feirniadaeth o ffurf Descartes ar y ddadl ontolegol. Roedd Descartes wedi honni bod Duw yn meddu ar bob perffeithrwydd ac mai bodolaeth oedd un o'r rheini. Gwrthwynebiad Kant, fodd bynnag, oedd ei bod yn anghywir disgrifio bodolaeth fel perffeithrwydd. Y rhesymau dros hyn oedd bod y pethau perffaith roedd Descartes yn cyfeirio atyn nhw yn briodoleddau neu'n '**draethiadau**'. Yn ôl Kant, ni allai bodolaeth fod yn draethiad, yn syml oherwydd gall bodolaeth fod yn rhywbeth y gall gwrthrych feddu arni neu fod yn brin ohoni, ond nid yw'n disgrifio dim am natur y gwrthrych.

Er enghraifft, os ydyn ni'n dweud bod Duw yn hollraslon yna rydyn ni'n disgrifio traethiad sydd gan Dduw – mae'n draethiad (neu'n briodoledd/nodwedd) sy'n dweud rhywbeth wrthym am natur Duw. Mae'r un peth yn wir wrth i ni ddweud bod Duw yn hollbresennol neu'n hollwybodus. Pe bydden ni'n dweud 'mae Duw'n bodoli', beth mae hynny'n ei ddweud wrthym am ei natur? I Kant, dyma'r rheswm pam roedd Descartes yn anghywir wrth awgrymu bod bodolaeth Duw yn draethiad dylanwadol yr oedd yn meddu arno.

I wneud hyn yn gliriach, gadewch i ni ystyried eto beth yw ystyr traethiad. Os ydw i'n dweud 'lliw arian yw fy nghar i' yna rydw i'n disgrifio rhywbeth am fy nghar sy'n galluogi pobl eraill i wybod rhywbeth amdano. Gallwn i fynd ymhellach a dweud 'mae gan fy nghar bedair olwyn', 'mae gan fy nghar bum drws', 'mae gan fy nghar sychwyr ffenestri', ac yn y blaen. Mae'r pethau hyn i gyd yn draethiadau fy nghar – maen nhw'n esbonio pethau am fy nghar, pethau mae'r car yn meddu arnyn nhw a phethau sy'n helpu eraill i ddeall rhywbeth am natur fy nghar. Ond, os ydw i'n dweud 'mae fy nghar yn bodoli' dydw i ddim yn dweud unrhyw beth am ei natur – yr unig bwynt rydw i'n ei wneud yw bod fy nghar yn bodoli, o'i gyferbynnu â nad yw fy nghar yn bodoli.

Ymhelaethodd Kant eto ar ei wrthwynebiad i'r syniad fod bodolaeth yn draethiad drwy roi enghraifft y 100 **thaler**. Mae'n gofyn i'r darllenydd ystyried pa wahaniaeth sydd yn ein dealltwriaeth o thaleri drwy ychwanegu'r ymadrodd 'mae'n bodoli' at y rhestr o draethiadau eraill (e.e. maen nhw'n grwn, wedi'u gwneud o aur, ac yn y blaen). Mae'n dweud, gan nad oes dim byd yn newid yn ein meddyliau drwy ychwanegu'r ymadrodd hwn, yna mae'n dangos nad yw bodolaeth yn draethiad go iawn – er gwaetha'r ffaith y byddai 100 thaler mewn realiti wedi bod yn well na 100 thaler yn y meddwl yn unig! Nid yw'r gair 'bodoli' yn ychwanegu dim at ein syniad o Dduw ac felly, yn ôl Kant, mae dadleuon ontolegol Descartes (a, thrwy gysylltiad, Anselm) yn methu *a priori* i brofi bodolaeth Duw.

Awgrym astudio

Pan ddefnyddiwch chi gyfeiriadau at ysgolheigion a thestunau, ceisiwch eu cadw i faint hawdd eu trin. Weithiau mae darnau byr yr un mor effeithiol. Hefyd, peidiwch ag ysgrifennu dyfyniad dim ond er mwyn 'dangos eich hun' heb feddwl am sut mae'n cyd-fynd â'r pwynt rydych chi'n ei wneud.

Gweithgaredd AA1

Ar gardiau adolygu, nodwch brif ddadleuon Gaunilo a Kant. Dangoswch sut maen nhw'n gwrth-ddweud dadleuon Anselm a Descartes. Bydd hyn yn eich helpu i gryfhau eich dealltwriaeth o'r ddadl ontolegol.

Cynnwys y fanyleb

Gwrthwynebiad Immanuel Kant – nid yw bodolaeth yn draethiad dylanwadol: nid yw'n gallu bod yn briodwedd y mae gwrthrych yn gallu meddu arni neu fod yn brin ohoni.

Immanuel Kant (1724–1804)

Termau allweddol

Traethiad: nodwedd neu briodoledd ddiffiniol

Thaler: arian cyfred oedd yn cael ei ddefnyddio ym Mhrwsia yn y 18fed ganrif

cwestiwn cyflym

2.7 Beth oedd prif wrthwynebiad Kant i'r ddadl ontolegol?

Sgiliau allweddol

Mae gwybodaeth yn ymwneud â:

Dewis ystod o wybodaeth (drylwyr) gywir a pherthnasol sydd â chysylltiad uniongyrchol â gofynion penodol y cwestiwn.

Mae hyn yn golygu eich bod yn dewis y wybodaeth gywir sy'n berthnasol i'r cwestiwn a osodwyd NID y maes pwnc. Bydd angen i chi feddwl a chanolbwyntio ar ddewis gwybodaeth allweddol ac NID ysgrifennu popeth yr ydych chi'n ei wybod am y maes pwnc.

Mae dealltwriaeth yn ymwneud ag:

Esboniad helaeth, gan ddangos dyfnder a/neu ehangder gyda defnydd rhagorol o dystiolaeth ac enghreifftiau gan gynnwys (lle y bo'n briodol) defnydd trylwyr a chywir o destunau cysegredig, ffynonellau doethineb a geirfa arbenigol.

Mae hyn yn golygu y gallwch ddangos eich bod yn deall rhywbeth drwy egluro ac ehangu eich pwyntiau gan ddefnyddio enghreifftiau/tystiolaeth gefnogol mewn ffordd bersonol ac NID ailadrodd darnau o werslyfr (sef dysgu ar y cof).

Cymhwyso sgiliau ymhellach:

Ewch drwy'r meysydd pwnc yn yr adran hon a lluniwch rai rhestri bwled o bwyntiau allweddol o feysydd allweddol. Ar gyfer pob un, rhowch fwy o fanylion ac esboniwch fwy drwy ddefnyddio tystiolaeth ac enghreifftiau.

Datblygu sgiliau AA1

Nawr mae'n bryd ystyried y wybodaeth sydd wedi'i chyflwyno hyd yma. Hefyd mae'n bwysig ystyried sut mae'r hyn rydych chi wedi'i ddysgu hyd yma'n gallu cael ei ddefnyddio ar gyfer atebion arholiad drwy ymarfer y sgiliau sy'n gysylltiedig ag AA1.

Mae Amcan Asesu 1 (AA1) yn ymwneud â dangos gwybodaeth a dealltwriaeth. Mae'r termau 'gwybodaeth' a 'dealltwriaeth' yn amlwg ond mae'n hanfodol eich bod yn gyfarwydd â sut mae sgiliau penodol yn dangos y rhain, a hefyd, sut bydd eich perfformiad ym mhob un o'r sgiliau hyn yn cael ei fesur (gweler disgrifyddion band cyffredinol Band 5 ar gyfer AA1 UG).

▶ **Dyma eich tasg newydd:** isod mae ateb eithaf cryf, er nad yw'n berffaith, a gafodd ei ysgrifennu'n ymateb i gwestiwn sy'n gofyn am archwilio'r heriau i'r ddadl ontolegol. Gan ddefnyddio'r disgrifyddion band gallwch ei gymharu â'r bandiau uwch perthnasol a disgrifyddion y bandiau hynny. Yn amlwg, mae'n ateb eithaf cryf ac felly nid yw'n perthyn i fandiau 5, 1 neu 2. Er mwyn gwneud hyn bydd yn ddefnyddiol i chi ystyried beth sy'n gryf ac yn wan am yr ateb ac felly beth mae angen ei ddatblygu.

Wrth ddadansoddi'r ateb, gweithiwch mewn grŵp a nodwch dair ffordd o wella'r ateb hwn. Efallai fod gennych fwy na thri sylw ac yn wir awgrymiadau i wneud iddo fod yn ateb perffaith!

Ateb

Pan ffurfiodd Anselm ei ddadl ontolegol yn y *Proslogion*, roedd ei osodiad, mai Duw oedd y peth na ellir dychmygu dim byd mwy nag ef, yn rhoi'r syniad o Dduw y gallai ei fodolaeth gael ei phrofi dim ond drwy ddiffinio ei enw. Roedd y rhagosodiadau oedd yn sail i'r ddadl hon i'w gweld yn effeithiol ac felly cafodd y casgliad anochel fod Duw yn bodoli ei sefydlu.

Fodd bynnag, roedd yr her a ddaeth gan Gaunilo, mynach o Marmoutier, fel pe bai'n awgrymu bod y ddadl ontolegol a gyflwynwyd gan Anselm yn ddiffygiol ac felly yn methu â phrofi bodolaeth Duw, gan fod y ddadl ei hun, yn nhyb Gaunilo, yn afresymol. Ei ymateb ef oedd bod dweud bod rhywbeth yn bodoli dim ond am ei fod yn meddu ar bob perffeithrwydd yn nonsens.

Dywedodd Gaunilo, pe bai'r fath beth yn bosibl, yna dylai fod yn bosibl gwneud i unrhyw beth fodoli drwy ei ddiffinio – cyhyd â bod y peth hwnnw'n meddu ar rinweddau perffeithrwydd. Ei enghraifft ef oedd ynys berffaith – dywedodd Gaunilo fod yn rhaid i'r ynys hon fodoli mewn realiti oherwydd gallai ddychmygu ynys berffaith yn ei feddwl. Wrth wneud hyn roedd yn adleisio dadl Anselm fod yn rhaid i Dduw fodoli mewn realiti yn ogystal ag yn y meddwl gan ei bod yn well bodoli mewn realiti nag yn y meddwl yn unig.

Ganrifoedd yn ddiweddarach, datblygodd Descartes ddadl Anselm. Mynnodd mai Duw oedd y bod hollol berffaith ac ar ôl i hynny gael ei ddeall yna byddai'n bosibl deall hefyd fod Duw'n bodoli o reidrwydd; yn wir, byddai meddwl am Dduw fel rhywbeth nad oedd yn bodoli yn union fel meddwl am driongl heb dair ochr neu am fynydd heb ddyffryn.

Ymosododd Kant ar y ddadl hon drwy ddweud bod Descartes wedi camddefnyddio'r gair bodolaeth. Dywedodd nad traethiad oedd bodolaeth – mewn geiriau eraill, nid oedd yn air y gallech chi ei ddefnyddio i ddisgrifio natur rhywbeth. Nid oedd y cysyniad o fodolaeth yn ychwanegu dim at ein dealltwriaeth o rywbeth – heblaw i ddweud bod y peth hwnnw'n meddu ar realiti allanol. Fodd bynnag, allech chi ddim ychwanegu bodolaeth at restr o draethiadau i wneud iddyn nhw ddod i realiti. Rhoddodd enghraifft y 100 thaler (arian). Dywedodd y gallech chi feddwl am y rhain yn eich meddwl ond wrth eu disgrifio, pe byddech chi'n ychwanegu 'maen nhw'n bodoli', yna ni fyddech chi'n ychwanegu unrhyw beth gwahanol i'r darlun ohonyn nhw oedd gennych yn eich meddwl, ac yn sicr ni fydden nhw'n ymddangos drwy ryw hud. Felly heriodd Kant y ddadl ontolegol.

Materion i'w dadansoddi a'u gwerthuso

Effeithiolrwydd yr heriau i'r ddadl ontolegol dros fodolaeth Duw

Roedd her Gaunilo i'r ddadl ontolegol ar sail y ffaith ei fod yn teimlo bod Anselm wedi defnyddio dadl afresymol. Gan ddefnyddio'r ddadl athronyddol *reductio ad absurdum*, dangosodd fod ceisio gwneud i rywbeth fodoli drwy ei ddiffinio, dim ond drwy ddiffiniad, yn syniad hurt.

Roedd ei gyflwyniad ef o'r ynys berffaith yn ymateb i ddiffiniad Anselm o Dduw fel bod na ellir dychmygu dim byd mwy nag ef. Dywedodd Gaulino y gallai feddwl am ynys na ellir dychmygu un fwy na hi ond doedd hynny ddim yn meddwl ei bod yn bodoli mewn gwirionedd – yn wir, doedd honiad o'r fath yn amlwg ddim yn gwneud synnwyr. Mae her Gaunilo yma yn ymddangos yn arbennig o effeithiol, gan ei bod yn ymosod ar graidd dadl Anselm.

Fodd bynnag, nid oedd Gaunilo'n ystyried y ffaith fod honiad Anselm yn ymwneud â Duw, ac oherwydd mai Duw oedd y peth na ellir dychmygu dim byd mwy nag ef, yna roedd y diffiniad hwnnw'n wir amdano ef yn unig. Ni allai cysyniad Gaunilo o ynys berffaith weithio oherwydd gellir bob amser ychwanegu at ynys neu ei gwella – nid yw perffeithrwydd llwyr (yn yr ystyr na ellir byth ei wella o gwbl) yn gwneud synnwyr wrth sôn am realiti amodol fel ynys. Roedd Duw yn angenrheidiol – doedd ynys ddim. Oherwydd hyn ystyrir bod ymosodiad Gaunilo ar ddadl Anselm yn aneffeithiol gan nad oedd yn defnyddio rhesymu dilys.

Heriodd Kant honiad Descartes fod bodolaeth yn draethiad o Dduw. Roedd Descartes wedi dweud bod Duw, fel y bod hollol berffaith, yn meddu ar bob perffeithrwydd. Wedi'i gynnwys yn hyn oedd 'perffeithrwydd' bodolaeth. Fodd bynnag, roedd Kant yn gwrthod hyn gan ei fod yn teimlo bod defnydd Descartes o'r gair bodolaeth yn anghywir. Mae traethiadau'n dweud rhywbeth wrthym am natur y realiti maen nhw'n ceisio ei ddisgrifio. Nid yw'r cysyniad o fodolaeth yn dweud dim wrthym am natur realiti. Felly, yn ôl Kant, mae'r ddadl ontolegol yn methu – ac ystyrir bod ei her i'r ddadl ontolegol yn effeithiol.

Mae rhai pobl, er hynny, wedi cwestiynu a oedd dealltwriaeth Kant o ddadl wreiddiol Anselm yn gwbl gywir. Mae rhai wedi dweud bod Kant yn siarad am Anselm yn ychwanegu'r cysyniad o fodolaeth at y cysyniad o Dduw er mwyn gwneud i'w ddadl weithio; ond, mae ysgolheigion eraill wedi awgrymu bod hyn yn camddeall Anselm. Maen nhw'n dweud bod Anselm yn hytrach yn gofyn i'w ddarllenwyr gymharu rhywbeth sy'n bodoli yn y ddealltwriaeth yn unig â rhywbeth sy'n bodoli mewn realiti hefyd.

Cynnwys y fanyleb

Effeithiolrwydd yr heriau i'r ddadl ontolegol dros fodolaeth Duw.

Gweithgaredd AA2
Dadleuon posibl

Wedi'u rhestru isod mae rhai casgliadau y byddai'n bosibl dod iddynt ar sail rhesymeg AA2 yn y testun cysylltiedig:

1. Cafodd her Gaunilo ei thanseilio gan ddefnydd Anselm o resymu diddwythol.
2. Roedd her Kant yn fwy effeithiol nag un Gaunilo.
3. Mae'r ddadl ontolegol yn ddiogel rhag cael ei herio.
4. Mae effeithiolrwydd yr heriau i'r ddadl ontolegol yn dibynnu'n llwyr ar eu diffiniad o fodolaeth.
5. Mae'n amhosibl profi bodolaeth Duw *a priori* ac felly mae'r heriau'n effeithiol.

Ystyriwch bob un o'r casgliadau sy'n cael eu gwneud uchod a chasglwch dystiolaeth ac enghreifftiau i gefnogi pob dadl o'r deunydd AA1 ac AA2 a astudiwyd yn yr adran hon. Dewiswch un casgliad sy'n argyhoeddi fwyaf yn eich barn chi ac esboniwch pam mae hyn yn wir. Nawr cyferbynnwch hyn â'r casgliad gwannaf ar y rhestr, gan gyfiawnhau eich dadl gyda rhesymu clir a thystiolaeth.

Cynnwys y fanyleb

I ba raddau y mae gwrthwynebiadau i'r ddadl ontolegol yn berswadiol.

I ba raddau y mae gwrthwynebiadau i'r ddadl ontolegol yn berswadiol

Mae grym perswâd cymharol y gwrthwynebiadau i'r ddadl ontolegol yn dibynnu ar ba mor ddilys yw'r gwrthwynebiadau hyn ym marn yr unigolyn, yn ogystal ag a oedd y dadleuon gwreiddiol yn cael eu derbyn fel rhai cadarn.

Mae gwrthwynebiadau Gaunilo yn canolbwyntio ar yr honiad, os dadl Anselm yw bod modd dadlau bod Duw yn bodoli drwy ei ddiffinio fel 'y peth na ellir dychmygu dim byd mwy nag ef', mae'n rhaid bod modd cael y syniad o ynys berffaith ac, oherwydd y syniad hwn, yna mae'n rhaid bod yr ynys hon yn bodoli. Mae Gaunilo'n dweud, 'Pe bai dyn yn ceisio profi i mi drwy resymu o'r fath fod yr ynys hon yn bodoli mewn gwirionedd .... nid wyf yn gwybod pwy dylwn i ystyried yw'r ffŵl mwyaf: fi, gan gymryd y byddwn i'n caniatáu'r prawf hwn, neu ef, pe bai'n meddwl ei fod wedi profi bodolaeth yr ynys hon ag unrhyw sicrwydd.' I ddangos pa mor berswadiol y gallai'r ddadl hon gael ei hystyried, dylen ni feddwl am safbwynt Gaunilo, sef dim ond oherwydd y gallech chi ddiffinio bod mwyaf posibl nid yw o reidrwydd yn arwain at y ffaith fod un yn bodoli mewn gwirionedd.

Fodd bynnag, mae rhai sy'n beirniadu safbwynt Gaunilo yma. Maen nhw'n dweud ei fod wedi camddeall y ddadl ontolegol ac yn defnyddio ei feirniadaeth yn anghywir. Nid yw'n ymddangos bod Gaunilo yn deall bod y ddadl ontolegol, oherwydd y ffaith fod Duw yn unigryw, yn wir amdano ef yn unig – nid am unrhyw fod arall. Mae hyn oherwydd mai dim ond Duw sy'n angenrheidiol (anamodol). Mae pob bod arall yn amodol ac felly ni allan nhw roi'r un diffiniad iddyn nhw eu hunain. Os yw'r wrthddadl hon yn cael ei derbyn, mae'n tanseilio yn sylweddol unrhyw rym perswâd y byddai gan Gaunilo yn ei wrthwynebiad.

Yn groes i ddiffyg grym perswâd cymharol gwrthwynebiadau Gaunilo, mae'r gwrthwynebiadau a roddir gan Kant i'w gweld yn llawer mwy perswadiol. Mae hyn oherwydd dydy Kant ddim yn ceisio tanseilio dadl Anselm yn uniongyrchol yn seiliedig ar ei ddiffiniad ond yn hytrach mae'n herio safbwynt Descartes. Mae hyn, yn ei dro, yn effeithio ar y safbwynt roedd Anselm yn ei gymryd am natur Duw. Mae Kant yn dangos mai rhesymu annilys yw rhesymu Descartes, yn diffinio bodolaeth Duw drwy ystyried y pethau perffaith amdano. Mae Kant yn esbonio dydy bodolaeth, oedd yn cael ei hystyried yn berffeithrwydd roedd Duw yn meddu arno, ddim yn draethiad dylanwadol – gan na all bodolaeth ychwanegu unrhyw beth at y syniad o rywbeth. Dim ond y rhinweddau hynny sy'n ychwanegu at natur Duw (e.e. hollalluogrwydd; hollwybodaeth; hollbresenoldeb, ac yn y blaen) a allai gael eu galw'n draethiadau. Nid yw bodolaeth yn ychwanegu dim byd newydd at ein dealltwriaeth o natur Duw ac felly ni all gael ei galw'n draethiad. Mae hyn felly yn tanseilio safbwynt Descartes ac yn cryfhau grym perswâd gwrthwynebiad Kant.

Ond, os ydyn ni'n derbyn bod Kant wedi camddeall Anselm ac nad y syniad o ychwanegu y cysyniad o fodolaeth at y cysyniad o Dduw oedd bwriad Anselm, yna mae cryfder gwrthwynebiadau Kant yn cael ei danseilio rhywfaint. Byddai hyn felly'n dangos nad yw gwrthwynebiadau Kant mor berswadiol ag roedden nhw'n ymddangos i ddechrau.

Gweithgaredd AA2
Dadleuon posibl

Wedi'u rhestru isod mae rhai casgliadau y byddai'n bosibl dod iddynt ar sail rhesymeg AA2 yn y testun cysylltiedig:

1. Mae gallu dadl i berswadio yn dibynnu ar ba mor ddilys y mae ei rhagosodiadau.
2. Nid yw ymateb Gaunilo yn berswadiol.
3. Dim ond dadleuol ontolegol sy'n seiliedig ar ragosodiadau dilys sy'n gallu gwrthsefyll gwrthwynebiadau i'w rhesymu.
4. Dealltwriaeth Kant o'r traethiadau yw'r gwrthwynebiad mwyaf perswadiol i'r ddadl ontolegol oedd wedi'i chyflwyno gan Descartes ac Anselm.
5. Mae gwrthwynebiadau Kant yn berswadiol oherwydd eu bod yn tanseilio dadleuon *a priori* yn effeithiol iawn.

Ystyriwch bob un o'r casgliadau sy'n cael eu gwneud uchod a chasglwch dystiolaeth ac enghreifftiau i gefnogi pob dadl o'r deunydd AA1 ac AA2 a astudiwyd yn yr adran hon. Dewiswch un casgliad sy'n argyhoeddi fwyaf yn eich barn chi ac esboniwch pam mae hyn yn wir. Nawr cyferbynnwch hyn â'r casgliad gwannaf ar y rhestr, gan gyfiawnhau eich dadl gyda rhesymu clir a thystiolaeth.

Datblygu sgiliau AA2

Nawr mae'n bryd ystyried y wybodaeth sydd wedi'i chyflwyno hyd yma. Hefyd mae'n bwysig ystyried sut mae'r hyn rydych chi wedi'i ddysgu hyd yma'n gallu cael ei ddefnyddio ar gyfer atebion arholiad drwy ymarfer y sgiliau sy'n gysylltiedig ag AA2.

Mae Amcan Asesu 2 (AA2) yn ymwneud â 'dadansoddi' a 'gwerthuso'. Efallai fod ystyr y termau'n amlwg ond mae'n hanfodol eich bod yn gyfarwydd â sut mae sgiliau penodol yn dangos y rhain, a hefyd, sut bydd eich perfformiad ym mhob un o'r sgiliau hyn yn cael ei fesur (gweler disgrifyddion band cyffredinol Band 5 ar gyfer AA2 UG).

Yn amlwg mae ateb yn cael ei osod mewn disgrifydd band priodol, yn ôl pa mor dda yw'r ateb, gan amrywio o ragorol, da, boddhaol, sylfaenol/cyfyngedig i gyfyngedig iawn.

▶ **Dyma eich tasg**: isod mae ateb rhesymol, er nad yw'n berffaith, a gafodd ei ysgrifennu'n ymateb i gwestiwn sy'n gofyn am archwilio cryfderau'r heriau i'r ddadl ontolegol. Gan ddefnyddio'r disgrifyddion band gallwch ei gymharu â'r bandiau uwch perthnasol a disgrifyddion y bandiau hynny. Yn amlwg, mae'n ateb rhesymol ac felly nid yw'n perthyn i fandiau 5, 1 neu 2. Er mwyn gwneud hyn bydd yn ddefnyddiol i chi ystyried beth sy'n gryf ac yn wan am yr ateb ac felly beth mae angen ei ddatblygu.

Wrth ddadansoddi'r ateb, gweithiwch mewn grŵp a nodwch dair ffordd o wella'r ateb hwn. Efallai fod gennych fwy na thri sylw ac yn wir awgrymiadau i wneud iddo fod yn ateb perffaith!

Ateb

Mae cryfderau'r heriau i'r ddadl ontolegol yn niferus. Mae her Gaunilo i'r ddadl ontolegol yn dangos yn glir fod rhesymu Anselm yn afresymol oherwydd ei fod yn ceisio profi bodolaeth Duw drwy roi diffiniad oedd yn cynnwys y syniad fod yn rhaid i Dduw fodoli.

Nid oedd hon yn ddadl dda oherwydd, fel dywedodd Gaunilo, pe gallech chi wneud i bethau fodoli drwy eu diffinio yna gallai ef wneud i ynys berffaith fodoli drwy ei diffinio, a doedd hynny ddim yn gwneud unrhyw synnwyr. O safbwynt Gaunilo, roedd yn amhosibl gwneud i unrhyw beth fodoli drwy ei ddiffinio gan ddim ond dweud bod yn rhaid iddo fodoli, fel rhan o'r diffiniad o'r hyn oedd y peth.

Mae rhai ysgolheigion yn credu bod dadleuon Gaunilo yn ddryslyd, fodd bynnag, ac felly doedden nhw ddim yn gryf iawn. Mae hyn oherwydd nad oedd Gaunilo yn gwahaniaethu rhwng gwrthrychau amodol (sef popeth sydd yn y bydysawd) a gwrthrychau anamodol neu angenrheidiol (a dim ond Duw sydd). Gan mai Duw yw'r unig fod anamodol yn y bydysawd yna mae'r ddadl ontolegol oedd wedi'i chyflwyno gan Anselm yn wir am Dduw yn unig a dim byd arall ac, oherwydd bod Gaunilo wedi camddeall hyn, doedd ei feirniadaeth ddim yn arbennig o gryf.

Fodd bynnag, cafwyd her gryfach gan Immanuel Kant oedd yn cydnabod bod cynnwys bodolaeth fel gair disgrifio (neu draethiad) am Dduw yn anghywir. Mae hyn oherwydd bod bodolaeth ond yn dweud wrthych a yw rhywbeth yn bod neu beidio – nid yw'n dweud wrthych beth ydyw, nac unrhyw beth arall amdano, ac felly ni ellir ei ystyried yn draethiad go iawn. Mae Kant yn dweud bod Descartes ac Anselm wedi camddeall y pwynt hwn yn eu dadleuon ac oherwydd hyn dylid ystyried dadleuon ontolegol y ddau ohonynt yn annilys.

Heriodd Kant honiad Descartes fod bodolaeth yn draethiad o Dduw. Roedd Descartes wedi dweud bod Duw, fel y bod hollol berffaith, yn meddu ar bob perffeithrwydd. Wedi'i gynnwys yn hyn oedd 'perffeithrwydd' bodolaeth. Fodd bynnag, roedd Kant yn gwrthod hyn gan ei fod yn teimlo bod defnydd Descartes o'r gair bodolaeth yn anghywir. Mae traethiadau'n dweud rhywbeth wrthym am natur y realiti maen nhw'n ceisio ei ddisgrifio. Nid yw'r cysyniad o fodolaeth yn dweud dim wrthym am natur realiti. Felly, yn ôl Kant, mae'r ddadl ontolegol yn methu – ac ystyrir bod ei her i'r ddadl ontolegol yn effeithiol.

Sgiliau allweddol

Mae dadansoddi'n ymwneud â nodi materion sy'n cael eu codi gan y deunyddiau yn adran AA1, ynghyd â'r rhai a nodwyd yn adran AA2, ac mae'n cyflwyno safbwyntiau cyson a chlir, naill ai gan ysgolheigion neu safbwyntiau personol, yn barod i'w gwerthuso.

Mae hyn yn golygu ei fod yn nodi pethau allweddol i'w trafod a'r dadleuon sy'n cael eu cyflwyno gan eraill neu o safbwynt personol.

Mae gwerthuso'n ymwneud ag ystyried goblygiadau amrywiol y materion sy'n cael eu codi, yn seiliedig ar y dystiolaeth a gafwyd wrth ddadansoddi ac mae'n rhoi dadl fanwl eang gyda chasgliad clir.

Mae hyn yn golygu bod yr ateb yn pwyso a mesur y dadleuon amrywiol a gwahanol a gafodd eu dadansoddi drwy roi sylwadau ac ymateb unigol, gan ddod i gasgliad drwy broses rhesymu clir.

Th3 Heriau i gred grefyddol – problem drygioni a dioddefaint

Mae'r adran hon yn cwmpasu cynnwys a sgiliau AA1

Cynnwys y fanyleb

Mathau o ddrygioni (wedi'i achosi gan asiantau ewyllys rydd) a naturiol (wedi'i achosi gan natur).

A: Problem drygioni a dioddefaint

Mathau o ddrygioni: moesol (wedi'i achosi gan asiantau ewyllys rydd) a naturiol (wedi'i achosi gan natur)

Yn aml ystyrir bod **drygioni** yn unrhyw beth sy'n achosi dioddefaint. Gall y dioddefaint hwn ddigwydd mewn llawer o ffurfiau gwahanol a gall fod yn ganlyniad i weithred foesol neu ddigwyddiad naturiol. Oherwydd hyn, mae natur drygioni yn cyflwyno nifer o broblemau athronyddol. Ystyriwch y delweddau yn y lluniau – pa fath o ddrygioni maen nhw'n ei ddangos? Beth yw'r dioddefaint a achosir gan y mathau hyn o ddrygioni? Sut maen nhw'n wahanol i'w gilydd?

Enghreifftiau o ddrygioni

Enghreifftiau o ddrygioni naturiol

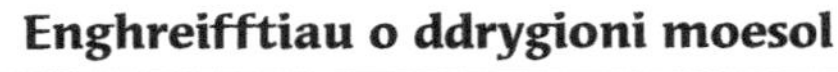

Enghreifftiau o ddrygioni moesol

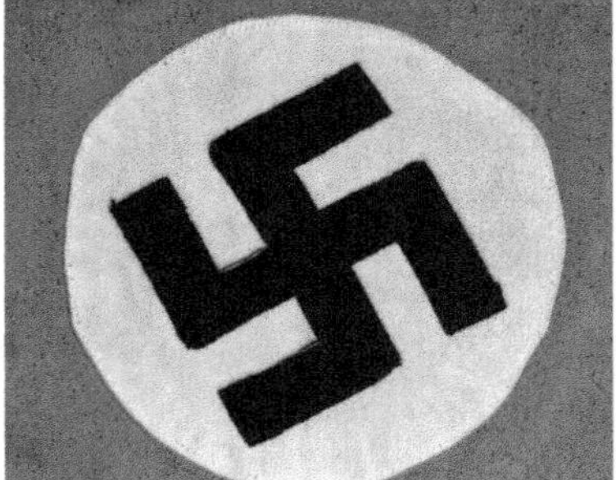

Termau allweddol

Drygioni: unrhyw beth sy'n achosi poen neu ddioddefaint

Drygioni moesol: drygioni wedi'i achosi gan weithredoedd asiant ewyllys rydd

Drygioni naturiol: drygioni wedi'i achosi gan rym y tu allan i reolaeth asiantau ewyllys rydd – fel arfer cyfeirir ato fel 'natur'

Yn gyffredinol, gellir dosbarthu drygioni mewn dwy brif ffordd: **drygioni moesol** a **drygioni naturiol**.

Rydyn ni'n deall drygioni moesol fel unrhyw ddioddefaint sy'n digwydd drwy weithredoedd asiant ewyllys rydd. Mae gan asiantau ewyllys rydd y gallu i ddewis 'daioni' neu 'ddrygioni'. Oherwydd hynny, mae eu gweithredoedd yn gallu arwain at ddioddefaint i eraill. Mae'n bwysig sylweddoli mai un o'r prif broblemau athronyddol sy'n deillio o'r math hwn o ddrygioni yw, os achosir drygioni gan unigolyn *a allai fod wedi dewis gwneud daioni yn lle hynny*, ydy hyn yn golygu na ellir dal Duw yn atebol am fodolaeth drygioni yn y byd? Mae enghreifftiau o ddrygioni moesol yn cynnwys llofruddio, dwyn, trais, trais rhywiol, caethwasiaeth, cam-drin plant, creulondeb i anifeiliaid, terfysgaeth, godineb, anonestrwydd, unrhyw fath o wahaniaethu negyddol a hil-laddiad.

Rydyn ni'n deall drygioni naturiol fel unrhyw ddioddefaint sy'n digwydd o ganlyniad i ddigwyddiadau y tu allan i reolaeth asiantau ewyllys rydd – yn fwyaf cyffredin y rheini sy'n digwydd fel rhan o'r drefn naturiol. Mae enghreifftiau o ddrygioni naturiol yn cynnwys y dioddefaint sy'n deillio o ddaeargryn, tsunami, llifogydd, sychder, tornado, corwynt, eithafion mewn tymheredd (poeth ac oer), afiechyd, heneiddio, methiant cnydau, tân coedwig, llygredd a chynhesu byd-eang.

Weithiau gall asiantau ewyllys rydd gychwyn cyfres o ddigwyddiadau sy'n arwain at ddioddefaint yn anfwriadol. Mae'n anodd penderfynu felly ai drygioni moesol yw'r dioddefaint hwn neu beidio.

Awgrym astudio

Er mwyn dangos y sgiliau lefel uwch, dylech chi bob amser esbonio'n llawn unrhyw enghraifft o ddrygioni y gallech chi ei defnyddio mewn ateb i egluro drygioni moesol neu naturiol. Mae'n rhaid i'r esboniad hwn ddangos sut mae'r enghraifft a ddewiswyd yn achosi dioddefaint ac felly'n cael ei ystyried yn ddrwg.

cwestiwn cyflym

3.1 Enwch y ddau brif fath o ddrygioni.

cwestiwn cyflym

3.2 Rhowch enghraifft o'r ddau brif fath o ddrygioni.

Gweithgaredd AA1

Lluniwch restr o enghreifftiau sy'n dangos y ddau brif fath o ddrygioni. Rhannwch y rhain wedyn â phartner a chymerwch eich tro i ysgrifennu esboniad o sut mae drygioni'n cael ei ddangos drwy'r enghreifftiau hyn a'r effaith y mae'n ei chael ar eraill.

Problem resymegol drygioni: clasurol (Epicurus) – problem dioddefaint

Mae problem drygioni yn hen broblem athronyddol a diwinyddol. Os yw system gred yn awgrymu bod y bydysawd wedi cael ei greu'n fwriadol, allan o ddim, gan Dduw sy'n hollalluog, yn hollwybodus ac yn hollraslon, yna sut mae'n bosibl fod pethau yn y bydysawd hwnnw yn gallu mynd o'i le? Nid yn unig hynny, ond pam, yn y bydysawd hwnnw, y mae'r bodau creëdig, sydd eto wedi cael eu gwneud yn fwriadol gan y Duw hwn, yn dioddef – yn aml i raddau dychrynllyd?

Byddai'n ymddangos bod unrhyw ateb yn datgelu rhyw fath o wrthddywediad athronyddol i nodweddion y Duw hwn. Dyna pam, er gwaethaf ymdrechion niferus gan gredinwyr crefyddol, diwinyddion ac athronwyr, mae'n dal i fod yn her gyson i'r rheini a fyddai'n credu mewn Duw o'r fath (y cyfeirir ato fel arfer fel Duw Theistiaeth Glasurol).

Cynnwys y fanyleb

Problem resymegol drygioni: clasurol (Epicurus) – problem dioddefaint.

Dyfyniad allweddol

Naill ai mae Duw'n dymuno dileu drygioni, ac nid yw'n gallu; neu mae'n gallu, ond nid yw'n dymuno. Os yw'n dymuno, ond nid yw'n gallu, mae'n analluog. Os yw'n gallu, ond nid yw'n dymuno, mae'n ddrwg. Os yw Duw'n gallu dileu drygioni, ac os yw Duw wir yn dymuno gwneud hynny, pam mae drygioni yn y byd? **(Epicurus)**

Cynnwys y fanyleb

Datblygiad modern John L. Mackie (J. L. Mackie) – natur problem drygioni (triawd anghyson).

Datblygiad modern John L. Mackie (J. L. Mackie) – natur problem drygioni (triawd anghyson)

Ffurfiodd yr athronydd o Awstralia, J. L. Mackie, broblem drygioni yn 'driawd anghyson' sy'n mynd fel hyn:

1. Mae Duw yn **Hollalluog**
2. Mae Duw yn **Hollraslon**
3. Mae Drygioni'n Bodoli

Hollalluogrwydd

Hollraslonrwydd **Drygioni**

Mae Mackie yn dweud ei bod yn rhesymegol anghyson i'r tri gosodiad hyn fodoli gyda'i gilydd.
Mae hyn oherwydd pe bai Duw yn hollalluog byddai ganddo'r pŵer i gael gwared ar ddrygioni gan fod ei hollalluogrwydd yn golygu ei fod yn gallu gwneud unrhyw beth. Mae nodwedd hollalluogrwydd hefyd yn cynnwys y syniad y gallai Duw fod wedi creu bydysawd lle doedd dim drygioni. I Mackie, mae hollalluogrwydd, fel y gwelir nes ymlaen, yn cynnwys hollwybodaeth ac mae'n golygu diffiniad clir o'r hyn mae e'n ei alw'n 'hollalluogrwydd diamwys' – hynny yw, hollalluogrwydd heb unrhyw derfynau oherwydd cyfyngiadau'r byd.

Pe bai'n hollraslon yna byddai ef, yn ei garedigrwydd tuag at ei greadigaeth, yn dymuno cael gwared ar ddrygioni fel na byddai'r greadigaeth yn dioddef. Mae'r syniad y byddai unrhyw fod hollraslon yn goddef drygioni yn fwriadol, a'r dioddefaint ofnadwy mae'n ei achosi, yn anathema i'r holl syniad o hollraslonrwydd.

Fodd bynnag, mae bodolaeth drygioni mor amlwg yn ei effeithiau a'i gwmpas fel y byddai ceisio gwadu ei fodolaeth yn wirion. Felly nid yw'n bosibl i'r tri gosodiad fodoli gyda'i gilydd.

Un ateb i'r broblem yw ceisio datrys y triawd anghyson drwy gael gwared ar un o'r tri phwynt. Byddai ateb o'r fath yn darllen fel hyn:

Os tynnwn ni nodwedd hollalluogrwydd oddi wrth Dduw, yna gallwn ni ddeall pam mae drygioni'n bodoli oherwydd, er bod Duw yn caru'r greadigaeth ac eisiau atal drygioni, nid oes ganddo'r pŵer i wneud hynny. Mae'r ateb hwn yn adleisio'r safbwynt athronyddol a gymerwyd gan ddiwinyddion proses fel Whitehead. Honnodd ef fod Duw yn rhan o'r bydysawd ac yn gyfrifol am ddechrau'r broses esblygol a arweiniodd at ddynoliaeth ac, felly, roedd yn gyfrifol am yr hyn a ddigwyddodd i'w greadigaeth. Fodd bynnag, doedd gan Dduw o'r fath, fel rhan o'r bydysawd, ddim digon o bŵer i gael gwared ar ddrygioni. Mae diwinyddion proses yn ystyried y Duw hwn fel 'y cyd-ddioddefwr sy'n deall' – gan ei fod yn rhan o'r bydysawd cymaint ag y mae dynoliaeth. Er bod yr ateb hwn i'w weld mor ddeniadol, yn y pen draw nid yw'n bodloni'r credinwyr crefyddol hynny sy'n credu mai eu Duw nhw oedd yn gyfrifol am greu'r bydysawd *ex nihilo* – ac felly ei fod e'n fwy na phopeth sy'n bodoli yn y bydysawd.

Felly mae rhai'n awgrymu y dylen ni gael gwared ar nodwedd hollraslonrwydd. Yn yr achos hwn mae drygioni'n bodoli ac mae Duw yn hollalluog. Nid yw meddu ar y pŵer i gael gwared ar ddrygioni yn golygu bod Duw'n dymuno gwneud hynny. Os nad yw'n 'hollraslon' yna pam y dylai boeni pe bai ei greadigaeth yn dioddef? Gall Duw o'r fath gael ei ystyried yn faleisus, ac efallai byddai'n mwynhau gweld ei greadigaeth yn dioddef hyd yn oed. Fodd bynnag, mae Duw o'r fath mor bell o ddychymyg pob crefydd theistig glasurol ei bod yn amhosibl ei adnabod; mae'r broblem gennym o hyd felly.

Termau allweddol

Hollalluog: yn gallu gwneud popeth

Hollraslon: yn caru popeth

cwestiwn cyflym

3.3 Beth yw ystyr y term 'Duw Theistiaeth Glasurol'?

Awgrym astudio

Gwnewch yn siŵr eich bod yn esbonio'r triawd anghyson yn llawn bob tro a sut gallai gael ei ddatrys drwy gael gwared ar un gornel o'r triongl. Mae ymgeiswyr yn colli marciau yn aml oherwydd dydyn nhw ddim yn esbonio hyn yn iawn.

cwestiwn cyflym

3.4 Beth yw ystyr yr ymadrodd 'problem drygioni'?

Yn olaf felly gallwn ni gael gwared ar y ffaith fod 'drygioni'n bodoli'. Wrth wneud hynny, mae Duw'n cadw nodweddion hollalluogrwydd a hollraslonrwydd, a does dim gwrth-ddweud i'r credinwyr o ran nodweddion Duw. Yr honiad yw dydy drygioni ddim yn bodoli. Wedi'r cyfan, efallai mai ein canfyddiad ni sydd ar fai. Pe gallen ni weld y bydysawd drwy lygaid Duw, yna efallai bydden ni'n gweld nad drygioni yw'r dioddefaint mae creadigaeth yn ei wynebu, ond yn hytrach fod ganddo bwrpas dydyn ni ddim yn ei ddeall oherwydd nad persbectif Duw sydd gennym.

Dychmygwch sefyllfa lle mae plentyn bach yn chwarae yn y gegin wrth i'r rhiant ddefnyddio'r ffwrn. Mae'r plentyn eisiau gwybod mwy am y ffwrn ac mae'n mynd draw ati. Gan sefyll yn erbyn y ffwrn mae'n estyn i fyny i geisio tynnu'r sosban oddi ar y top er mwyn cael gweld beth sydd ynddi. Wrth weld hyn, efallai bydd y rhiant, sydd wedi dychryn am beth sydd ar fin digwydd, yn taro llaw'r plentyn i ffwrdd o'r ffwrn. Wrth wneud hynny, mae'r plentyn yn dioddef drwy gael slap ar ei law. Nid yw'n gallu deall pam mae'r rhiant wedi ei daro ac mae'r digwyddiad wedi ei ypsetio. Efallai bydd y plentyn hyd yn oed yn meddwl bod y rhiant yn greulon ac annheg. Eto, yr hyn doedd y plentyn ddim yn ei sylweddoli oedd bod y sosban ar ben y ffwrn yn llawn dŵr berwedig a, phe bai wedi llwyddo i dynnu'r sosban i lawr, byddai wedi cael anafiadau difrifol a dioddef llawer mwy o boen nag a gafodd wrth gael slap ar ei law. Doedd persbectif y rhiant ddim gan y plentyn bach ac, fel y plentyn, dydy creadigaeth ddim yn rhannu persbectif Duw (fel y rhiant).

Er bod y syniad hwn i'w weld yn ddeniadol i ddechrau, mae wedi cael ei wrthod ar y cyfan oherwydd, yn syml, fel mae Hume yn ei ddweud, fod effeithiau drygioni'n cael eu teimlo'n rhy eang, ac mae ei bresenoldeb i'w weld yn rhy amlwg i allu ei anwybyddu.

Roedd Mackie, fodd bynnag, yn canolbwyntio ar broblem resymegol drygioni ar ei ffurf buraf. Mae'r broblem resymegol yn codi oherwydd bod theistiaid yn mynnu nad oes terfynau i'r hyn y gall bod hollalluog ei wneud. Ond wedyn, mae'r 'atebion' neu'r 'theodiciaethau' sy'n cael eu cynnig yn cyfyngu ar bŵer Duw ond, yn gamarweiniol, yn cadw'r term 'hollalluogrwydd'. Felly, mae Mackie'n dadlau dydy'r theodiciaethau ddim yn cynnig ateb i broblem drygioni gan eu bod wedi newid y rhagosodiad (h.y. bod Duw yn hollalluog).

Enw Mackie am ei ddamcaniaeth yw 'Paradocs Hollalluogrwydd'. Mae'n ysgrifennu: 'Mae hyn yn ein harwain at yr hyn rydw i'n ei alw'n Baradocs Hollalluogrwydd: a all bod hollalluog wneud pethau na all ef eu rheoli wedyn? Neu, yr hyn sydd fwy neu lai'n cyfateb i hyn, a all bod hollalluog wneud rheolau sy'n ei rwymo ei hun wedyn?'

O hyn mae'n dweud: 'Mae'n amlwg fod hwn yn baradocs: ni ellir ateb y cwestiynau'n foddhaol naill ai'n gadarnhaol neu'n negyddol. Os ydyn ni'n ateb "Gall", mae'n dilyn, os yw Duw'n gwneud pethau na all ef eu rheoli, neu'n gwneud rheolau sy'n ei rwymo ei hun, nid yw'n hollalluog ar ôl iddo eu gwneud nhw: felly mae yna bethau na all ef eu gwneud. Ond os ydyn ni'n ateb "Na all", rydyn ni'n honni'n syth fod yna bethau na all ef eu gwneud, hynny yw, yn barod nid yw'n hollalluog.'

Yr unig ateb i hyn mae Mackie'n ei weld yw 'gwadu bod Duw yn fod parhaol, ac na ellir priodoli unrhyw amser i'w weithredoedd o gwbl', neu 'drwy osod Duw y tu allan i amser'. Yn y naill achos a'r llall, mae hyn yn cael ei danseilio'n syth wrth ystyried unrhyw ateb i broblem drygioni sy'n cynnwys ewyllys rydd.

I lawer o athronwyr mae problem drygioni yn gwbl anorchfygol. Mae'r triawd anghyson yn cyflwyno beirniadaeth syml ond dinistriol o'r cwestiwn pam byddai Duw hollraslon, hollalluog yn gadael i'w greadigaeth ddioddef. Fodd bynnag, cafodd y safbwynt hwn ei herio gan nifer o theistiaid sy'n honni bod y triawd anghyson a phroblem drygioni yn dibynnu ar dybiaethau a, phe bai'r tybiaethau hyn yn cael eu herio, bydden nhw'n gallu agor y ddadl.

cwestiwn cyflym

3.5 Esboniwch beth mae athronwyr yn ei olygu gan y term 'triawd anghyson'.

Perygl o'ch blaen!

Dyfyniad allweddol

Ar wahân i broblem drygioni, mae Paradocs Hollalluogrwydd wedi dangos bod yn rhaid bod hollalluogrwydd Duw wedi'i gyfyngu mewn rhyw ffordd neu'i gilydd beth bynnag, gan na all hollalluogrwydd diamwys gael ei briodoli i unrhyw fod sy'n parhau drwy amser. Ac os nad yw Duw a'i weithredoedd mewn amser, a all hollalluogrwydd, neu bŵer o unrhyw fath, gael ei briodoli iddo yn ystyrlon? (Mackie)

Er enghraifft, un o'r tybiaethau yw'r syniad, dim ond oherwydd bod Duw yn hollalluog a hollraslon, pam y byddai o reidrwydd eisiau cael gwared ar ddrygioni o'r bydysawd yn syth? Efallai yn wir fod rhyw bwrpas mwy iddo nad ydyn ni'n ymwybodol ohono ar hyn o bryd.

Mae Aquinas, gan gyfeirio yn ei waith at ein dealltwriaeth o natur Duw, yn dweud efallai nad yw'r hyn rydyn ni'n ei ddeall fel 'daioni' (neu hyd yn oed drygioni) yr un peth â'r hyn mae Duw'n ei ddeall fel daioni. Wedi'r cyfan, mae ein dealltwriaeth o ddaioni yn aml yn gysylltiedig â'r amser a'r diwylliant rydyn ni'n byw ynddynt. Rydyn ni fel bodau wedi ein cyfyngu gan amser ac mae'r byd a'r gymdeithas rydyn ni'n byw ynddynt yn newid drwy'r amser. Nid yw Duw, fel bod perffaith, yn gaeth i newid fel hyn ac felly mae ei ddealltwriaeth ef o gysyniadau fel da a drwg hefyd yn sefydlog a digyfnewid. Gall hyn fod yn wahanol iawn i'n dealltwriaeth ni; os felly nid oes gwrth-ddweud rhesymegol yn y 'triawd anghyson' ac yn sicr does dim her i hollalluogrwydd Duw.

Cynnwys y fanyleb

William Rowe (dioddefaint dwys bodau dynol ac anifeiliaid) a Gregory S. Paul (marwolaethau cynamserol).

William Rowe (dioddefaint dwys bodau dynol ac anifeiliaid) a Gregory S. Paul (marwolaethau cynamserol)

Yn ei waith *The problem of evil and some varieties of atheism* (1979), roedd William Rowe yn dadlau, er ei bod yn ymddangos yn rhesymol i Dduw ganiatáu rhywfaint o ddioddefaint er mwyn galluogi bodau dynol i dyfu a datblygu, ni allai dderbyn bod Duw'n caniatáu'r hyn roedd e'n ei alw'n 'ddioddefaint dwys'. Roedd anifeiliaid yn dioddef yn ymddangos yn ddibwynt hefyd. Defnyddiodd Rowe yr enghraifft o garw bach wedi'i ddal mewn tân yn y goedwig fel enghraifft o anifeiliaid yn dioddef yn ddibwynt. Mae'n dadlau:

- Byddai bod hollalluog a hollwybodus yn gwybod pryd roedd dioddefaint dwys ar fin digwydd.
- Gallai bod o'r fath atal y dioddefaint rhag digwydd.
- Mae'n debyg y byddai bod hollraslon yn atal pob drygioni a dioddefaint sydd heb bwrpas, sy'n ddibwynt ac mae'n bosibl eu hosgoi.
- Mae drygioni a dioddefaint o'r fath yn digwydd.
- Felly, yn fwy na thebyg dydy Duw ddim yn bodoli.

Cyfeirir weithiau at ymagwedd Rowe fel problem dystiolaethol drygioni, oherwydd ei bod yn golygu ystyried a yw bodolaeth drygioni yn gallu cael ei defnyddio, ac i ba raddau, fel tystiolaeth i ddadlau'r achos yn erbyn bodolaeth Duw. Dylid sylweddoli bod hyn yn wahanol i broblem drygioni fel roedd Epicurus a Mackie yn ei gweld – neu, fel mae'n cael ei galw, problem resymegol drygioni.

Mae Gregory Paul yn dadlau bod marwolaeth cynifer o blant diniwed yn herio bodolaeth Duw. Mae e'n amcangyfrif, ers pan siaradodd Duw â dyn am y tro cyntaf, fel mae testunau cysegredig y crefyddau Abrahamaidd yn ei gofnodi, fod dros 50 biliwn o blant wedi marw'n naturiol cyn cyrraedd beth mae Paul yn ei alw'n 'oed cydsyniad aeddfed', a bod tua 300 biliwn o fodau dynol wedi marw'n naturiol ond cyn genedigaeth. Yn ôl Paul dyma 'Holocost y plant' ac mae'n dadlau, gan ddefnyddio'r wybodaeth ystadegol hon:

- Mae miliynau o blant diniwed yn dioddef ac yn marw bob blwyddyn, o achosion naturiol ac achosion drwg.
- Mae'r plant hyn yn rhy ifanc i allu gwneud dewisiadau am Dduw – does ganddyn nhw ddim ewyllys rydd.
- Ni fyddai bod hollraslon, hollalluog yn caniatáu dioddefaint o'r fath.
- Felly, dydy Duw ddim yn bodoli.

Weithiau cyfeirir at broblem drygioni yn cael ei datgan yn y ffordd hon fel problem ystadegol drygioni.

Dyfyniad allweddol

Mae'r consensws Cristnogol modern y mae biliynau yn ei ddilyn yn cael ei ddymchwel mor bendant gan amgylchiadau dynol ei bod yn debygol iawn nad yw'n bosibl cysoni'r cysyniad Cristnogol o greawdwr heddychlon â chyflwr y bydysawd. (Paul)

Datblygu sgiliau AA1

Nawr mae'n bryd ystyried y wybodaeth sydd wedi'i chyflwyno hyd yma. Hefyd mae'n bwysig ystyried sut mae'r hyn rydych chi wedi'i ddysgu hyd yma'n gallu cael ei ddefnyddio ar gyfer atebion arholiad drwy ymarfer y sgiliau sy'n gysylltiedig ag AA1.

Mae Amcan Asesu 1 (AA1) yn ymwneud â dangos gwybodaeth a dealltwriaeth. Mae'r termau 'gwybodaeth' a 'dealltwriaeth' yn amlwg ond mae'n hanfodol eich bod yn gyfarwydd â sut mae sgiliau penodol yn dangos y rhain, a hefyd, sut bydd eich perfformiad ym mhob un o'r sgiliau hyn yn cael ei fesur (gweler disgrifyddion band cyffredinol Band 5 ar gyfer AA1 UG).

▶ **Dyma eich tasg newydd:** isod mae ateb is na'r cyffredin a gafodd ei ysgrifennu'n ymateb i gwestiwn sy'n gofyn am archwilio sut mae'r mathau gwahanol o ddrygioni yn achosi dioddefaint a pham mae hyn yn broblem i gredinwyr crefyddol. Mae'n amlwg yn ateb is na'r cyffredin ac felly byddai tua band 2. Yn y lle cyntaf, bydd yn ddefnyddiol i chi ystyried beth sydd ar goll o'r ateb a beth sy'n anghywir. Mae'r rhestr sy'n cyd-fynd â'r ateb yn rhoi rhai sylwadau posibl i'ch helpu chi. Cofiwch, efallai na fydd pob pwynt yn berthnasol! Wrth ddadansoddi gwendidau'r ateb, gweithiwch mewn grŵp a dewiswch bum pwynt o'r rhestr er mwyn gwella'r ateb hwn a'i gryfhau. Yna ysgrifennwch eich ychwanegiadau, pob un mewn paragraff clir, gan gofio egwyddorion esbonio gyda thystiolaeth a/neu enghreifftiau. Gallwch ychwanegu rhagor o'ch awgrymiadau eich hun, ond ceisiwch drafod fel grŵp a blaenoriaethu'r pethau pwysicaf i'w hychwanegu.

Ateb

Mae dioddefaint yn broblem fawr ac nid i gredinwyr crefyddol yn unig – mae'n effeithio ar bawb ar ryw adeg yn eu bywydau. Dioddefaint yw'r hyn sy'n digwydd o ganlyniad i ddrygioni, er bod angen rhai mathau o ddioddefaint er mwyn gwella bywyd rhywun – e.e. y math o ddioddefaint a achosir pan fydd babi'n cael pigiad – mae'n brifo ond y canlyniad yw bod y babi wedyn wedi'i amddiffyn rhag afiechydon.

Ond, mae dioddefaint yn gysylltiedig â drygioni os dydy'r math o ddioddefaint a geir ddim i'w weld yn cael effaith gadarnhaol – megis pan gaiff person ei lofruddio neu pan gaiff tŷ ei ddinistrio gan storm wael.

Dioddefodd llawer o bobl yn ystod yr Holocost, sef digwyddiad ofnadwy wedi'i achosi gan Hitler a'r Natsïaid yn ystod yr 1930au a'r 1940au. O ganlyniad bu farw 6 miliwn o Iddewon. Bu farw llawer o bobl eraill hefyd yn yr adeg hon oherwydd eu bod yn anghytuno â'r Natsïaid. Cafodd y math hwn o ddioddefaint ei achosi gan fodau dynol ac felly mae'n cael ei alw'n ddrygioni moesol.

Drygioni naturiol yw pan mae rhywbeth heblaw bodau dynol yn achosi drygioni. Enghraifft enwog o hyn yw'r tsunami ar ŵyl San Steffan yn 2004 pan ddioddefodd miloedd o bobl oherwydd y digwyddiad ofnadwy hwn.

Sgiliau allweddol

Mae gwybodaeth yn ymwneud â:

Dewis ystod o wybodaeth (drylwyr) gywir a pherthnasol sydd â chysylltiad uniongyrchol â gofynion penodol y cwestiwn.

Mae hyn yn golygu eich bod yn dewis y wybodaeth gywir sy'n berthnasol i'r cwestiwn a osodwyd NID y maes pwnc. Bydd angen i chi feddwl a chanolbwyntio ar ddewis gwybodaeth allweddol ac NID ysgrifennu popeth yr ydych chi'n ei wybod am y maes pwnc.

Mae dealltwriaeth yn ymwneud ag:

Esboniad helaeth, gan ddangos dyfnder a/neu ehangder gyda defnydd rhagorol o dystiolaeth ac enghreifftiau gan gynnwys (lle y bo'n briodol) defnydd trylwyr a chywir o destunau cysegredig, ffynonellau doethineb a geirfa arbenigol.

Mae hyn yn golygu y gallwch ddangos eich bod yn deall rhywbeth drwy egluro ac ehangu eich pwyntiau gan ddefnyddio enghreifftiau/tystiolaeth gefnogol mewn ffordd bersonol ac NID ailadrodd darnau o werslyfr (sef dysgu ar y cof).

Cymhwyso sgiliau ymhellach:

Ewch drwy'r meysydd pwnc yn yr adran hon a lluniwch rai rhestri bwled o bwyntiau allweddol o feysydd allweddol. Ar gyfer pob un, rhowch fwy o fanylion ac esboniwch fwy drwy ddefnyddio tystiolaeth ac enghreifftiau.

Sylwadau

- Mae angen cyflwyniad i ddiffinio'r mathau gwahanol o ddrygioni.
- Mae angen esbonio pam mae drygioni'n achosi dioddefaint a sut mae hyn yn broblem i gredinwyr crefyddol.
- Dylid esbonio'r cysyniad o Dduw Theistiaeth Glasurol.
- Dylid cynnwys dyfyniadau o weithiau cysegredig i ddangos pam mae drygioni'n broblem i gredinwyr crefyddol.
- Mae angen esbonio'r mathau o ddrygioni a sut maen nhw'n achosi dioddefaint.
- Mae'n defnyddio terminoleg gywir mewn perthynas â'r problemau drygioni clasurol a modern.
- Mae angen esbonio sut dylai pob un o nodweddion Duw Theistiaeth Glasurol ddileu bodolaeth drygioni.
- Dylid esbonio sut mae'r mathau penodol o ddrygioni yn achosi dioddefaint a sut mae hyn yn digwydd.
- Dylid dangos sut mae bodolaeth drygioni yn tanseilio'r cysyniad o Dduw Theistiaeth Glasurol.
- Dylid esbonio enghreifftiau penodol o ddrygioni yn llawn i ddangos sut maen nhw'n achosi dioddefaint.
- Mae angen crynodeb ar y diwedd sy'n cysylltu â'r cwestiwn.

Mae'r adran hon yn cwmpasu cynnwys a sgiliau AA2

Cynnwys y fanyleb

I ba raddau y mae'r ffurf glasurol ar ddrygioni yn broblem.

Materion i'w dadansoddi a'u gwerthuso

I ba raddau y mae'r ffurf glasurol ar ddrygioni yn broblem

Yn y 3edd ganrif CCC, Epicurus sy'n cael ei gydnabod am gyflwyno problem resymegol drygioni, lle mae'n gwneud y datganiad: 'Naill ai mae Duw'n dymuno dileu drygioni, ac nid yw'n gallu; neu mae'n gallu, ond nid yw'n dymuno. Os yw'n dymuno, ond nid yw'n gallu, mae'n analluog. Os yw'n gallu, ond nid yw'n dymuno, mae'n ddrwg. Os yw Duw'n gallu dileu drygioni, ac os yw Duw wir yn dymuno gwneud hynny, pam mae drygioni yn y byd?'

Mae Epicurus yn seilio ei ragdybiaeth ar Dduw sy'n bodoli, sy'n meddu ar bŵer dwyfol a graslonrwydd, ac sy'n edrych yn ffafriol ar yr hil ddynol. Ond, mae ei ddatganiad, y 'paradocs Epicuraidd' yn ôl rhai, yn gwadu ei bod yn bosibl i Dduw o'r fath fodoli ochr yn ochr â bodolaeth drygioni. Dyma, felly, broblem resymegol glasurol drygioni. Mae i ba raddau mae'n cael ei hystyried yn broblem yn dibynnu, yn y pen draw, ar duedd yr unigolyn.

Er enghraifft – mae unrhyw unigolyn sy'n diystyru bodolaeth Duw yn cael ei 'wobrwyo' yn syth oherwydd nad yw problem drygioni yn broblem o gwbl. Oherwydd efallai fod drygioni'n bodoli ond nid yw Duw'n bodoli. Fel arall, gall y crediniwr benderfynu priodoli nodweddion gwahanol i Dduw – yn gwneud iddo fod yn dduw maleisus neu'n dduw â phŵer cyfyngedig – neu hyd yn oed Duw sydd heb ddiddordeb arbennig yn lles bodau ddynol – duw sy'n ddifater am ddioddefaint pobl ddiniwed. Fodd bynnag, osgoi'r broblem yw hyn!

I'r unigolyn sy'n cyfaddef cred yn Nuw mae'n dod yn amlwg yn gyflym fod priodoleddau'r Duw hwnnw yn hanfodol wrth ystyried i ba raddau mae problem glasurol drygioni yn broblem. Felly, os oes cred yn Nuw lle ystyrir Duw fel pŵer hollalluog ond heb hoffter arbennig tuag at ddynoliaeth (neu unrhyw beth arall yn y greadigaeth), yna does dim gwrth-ddweud â bodolaeth drygioni. Gall fod yn bosibl hefyd anghytuno â honiad Epicurus y byddai Duw o'r fath yn 'ddrwg' gan mai craidd y mater fyddai nad yw Duw yn poeni am fodolaeth drygioni – felly, nid yw'n ddrwg cymaint ag y mae'n ddifater o ran drygioni.

Yn yr un modd, mae'n rhaid i unrhyw grediniwr sydd â ffydd mewn Duw sy'n gariadus tuag at ei greadigaeth, ond heb briodoleddau arbennig eraill, gyfaddef, er y byddai'n dymuno cael gwared ar ddrygioni, nad yw Ef yn gallu gwneud hynny. Dyma safbwynt y diwinyddion Proses, sy'n ystyried Duw fel y 'cyd-ddioddefwr sy'n deall'. Mewn achos o'r fath, mae'r ffaith fod drygioni'n dal i fodoli yn broblem emosiynol a chorfforol, ond nid yw bellach yn un resymegol!

Fodd bynnag, i'r theistiad clasurol sy'n credu bod Duw yn hollalluog ac yn hollraslon, does dim dianc rhag problem resymegol drygioni fel y cafodd ei chyflwyno i ni gan Epicurus. Ni fyddai Duw o'r fath, sy'n gallu gwneud unrhyw beth ac sy'n dymuno rhwystro ein dioddefaint, eisiau i ni, Ei greadigaeth, ddioddef – na fyddai?

Gweithgaredd AA2
Dadleuon posibl

Wedi'u rhestru isod mae rhai casgliadau y byddai'n bosibl dod iddynt ar sail rhesymeg AA2 yn y testun cysylltiedig:

1. Mae drygioni yn ganlyniad i greadigaeth Duw.
2. Nid yw'n bosibl goresgyn problem resymegol drygioni.
3. Dim ond theistiaid clasurol sy'n poeni am broblem drygioni.
4. Mae problem resymegol drygioni yn llai pwysig na phroblem emosiynol a chorfforol drygioni.
5. Mae gwrthod unrhyw un o briodoleddau allweddol Duw yn helpu i ddatrys problem resymegol glasurol drygioni.

Ystyriwch bob un o'r casgliadau sy'n cael eu gwneud uchod a chasglwch dystiolaeth ac enghreifftiau i gefnogi pob dadl o'r deunydd AA1 ac AA2 a astudiwyd yn yr adran hon. Dewiswch un casgliad sy'n argyhoeddi fwyaf yn eich barn chi ac esboniwch pam mae hyn yn wir. Nawr cyferbynnwch hyn â'r casgliad gwannaf ar y rhestr, gan gyfiawnhau eich dadl gyda rhesymu clir a thystiolaeth.

I ba raddau y mae dadleuon modern ynghylch problem drygioni'n effeithiol o ran profi anfodolaeth Duw

Gofynnwch i unrhyw antheistiad pam nad yw'n derbyn bodolaeth Duw fel syniad credadwy ac, yn ddieithriad, bydd yn ymateb drwy gyfeirio at yr holl ddrygioni a dioddefaint sydd yn y byd. Mae'n ymddangos yn gwbl anghyson y gallai Duw, sy'n hollraslon ac yn hollalluog ac sydd wedi creu'r bydysawd, fod wedi rhoi Ei greadigaeth at ei gilydd mewn ffordd sy'n caniatáu bodolaeth drygioni a dioddefaint – yn aml i eithafion difrifol – ac felly'n tanseilio unrhyw honiad i'r gwrthwyneb am ei ddaioni a'i bŵer tybiedig.

Mae triawd anghyson Mackie – sy'n dangos pa mor anghydnaws yw Duw hollalluog a hollraslon â bodolaeth drygioni – yn 'ddadl' effeithiol ar gyfer tanseilio bodolaeth Duw – neu felly mae'n ymddangos. Ond, dylid nodi bod anghysondeb y tri gosodiad yn seiliedig ar y dybiaeth fod Duw yn wir yn meddu ar y nodweddion a nodwyd, ac mae'n bosibl nad felly y mae.

Os yw Duw yn wir yn hollalluog a hollraslon, yna mae'n ymddangos bron yn amhosibl cyfaddef bod drygioni'n bodoli, o safbwynt rhesymegol. Fodd bynnag, mae'r dystiolaeth lethol o ddioddefaint ymhlith y greadigaeth gyfan, nid y ddynoliaeth yn unig, yn golygu bod casgliad o'r fath yn ymddangos yn nonsens llwyr. Byddai derbyn y safbwynt hwn i bob golwg yn arwain rhywun felly i'r casgliad arall anochel – h.y. na all Duw sy'n hollalluog ac yn hollraslon fodoli.

Fodd bynnag, os derbynnir, yn unol â rhesymu Mackie, fod Duw yn gallu bodoli heb un o'r priodoleddau allweddol hynny, yna dydy problem fodern drygioni, yn debyg i'r broblem glasurol, ddim i'w gweld yn berthnasol bellach. Mewn geiriau eraill, byddai Duw, sy'n hollalluog ond yn fodlon gadael i ddrygioni fodoli naill ai oherwydd nad yw'n poeni neu ei fod yn fwriadol eisiau i'w greadigaeth ddioddef, yn dal i fodoli, ond byddai'n dra gwahanol i'r Duw sy'n cael ei addoli gan y rhan fwyaf o grefyddau theistig yn y byd heddiw.

Efallai, serch hynny, ei fod yn Dduw hollraslon sy'n dymuno atal y dioddefaint y mae'r greadigaeth yn ei ddioddef ond heb y gallu i wneud hynny. Mae'n bosibl fod deddfau'r bydysawd yn rhwymo'r bod hwn, ac oherwydd cyfyngiadau i'w bŵer, nid yw'n gallu atal bodolaeth drygioni. Mae'n bosibl y gallai fodoli o hyd ond a fyddai bod o'r fath yn deilwng o gael ei addoli?

Mae dadleuon tystiolaethol, fel y rhai a gynigiodd William Rowe lle mae pob math o ddioddefaint yn cael ei ddangos fel tystiolaeth yn erbyn bodolaeth Duw, hefyd yn gosod her ddifrifol i fodolaeth Duw. Sut gall Duw hollalluog a hollraslon adael i'r fath erchyllterau ddigwydd ac eto sefyll yn ddidaro wrth iddyn nhw barhau i ddigwydd? Yn yr un modd, mae problem ystadegol drygioni, wedi'i chyflwyno gan Gregory Paul, hefyd yn dangos Duw sy'n ymddangos yn ddi-hid am ddinistrio yn llythrennol biliynau o blant ers dechrau'r crefyddau Abrahamaidd. Yr unig gasgliad synhwyrol y gellir dod iddo o hyn yw dydy Duw ddim yn bodoli.

Felly byddai'n ymddangos bod dadleuon modern ynghylch problem drygioni, fel y rheini oedd wedi'u hamlinellu gan Mackie, Rowe a Paul, yn cynnig her sylweddol i'r rhai sy'n credu yn Nuw Theistiaeth Glasurol, ac yn wir mae'n ymddangos bod y dadleuon hyn yn awgrymu ei anfodolaeth.

Cynnwys y fanyleb

I ba raddau y mae dadleuon modern ynghylch drygioni'n effeithiol o ran profi anfodolaeth Duw.

Gweithgaredd AA2
Dadleuon posibl

Wedi'u rhestru isod mae rhai casgliadau y byddai'n bosibl dod iddynt ar sail rhesymeg AA2 yn y testun cysylltiedig:

1. Mae dadleuon modern ynghylch problem drygioni yn fwy effeithiol na dadleuon clasurol wrth brofi anfodolaeth Duw.
2. Mae hollraslonrwydd yn briodoledd lai arwyddocaol na hollalluogrwydd wrth ystyried a yw Duw yn deilwng o gael ei addoli.
3. Mae atebion i broblem fodern drygioni.
4. Nid anfodolaeth Duw y mae'r dadleuon modern ynghylch problem drygioni yn ei phrofi, ond yn hytrach priodoleddau traddodiadol Duw sy'n cael eu herio.
5. Mae'r dadleuon modern ynghylch problem drygioni yn gwbl aneffeithiol wrth brofi anfodolaeth Duw.

Ystyriwch bob un o'r casgliadau sy'n cael eu gwneud uchod a chasglwch dystiolaeth ac enghreifftiau i gefnogi pob dadl o'r deunydd AA1 ac AA2 a astudiwyd yn yr adran hon. Dewiswch un casgliad sy'n argyhoeddi fwyaf yn eich barn chi ac esboniwch pam mae hyn yn wir. Nawr cyferbynnwch hyn â'r casgliad gwannaf ar y rhestr, gan gyfiawnhau eich dadl gyda rhesymu clir a thystiolaeth.

Sgiliau allweddol

Mae dadansoddi'n ymwneud â nodi materion sy'n cael eu codi gan y deunyddiau yn adran AA1, ynghyd â'r rhai a nodwyd yn adran AA2, ac mae'n cyflwyno safbwyntiau cyson a chlir, naill ai gan ysgolheigion neu safbwyntiau personol, yn barod i'w gwerthuso.

Mae hyn yn golygu ei fod yn nodi pethau allweddol i'w trafod a'r dadleuon sy'n cael eu cyflwyno gan eraill neu o safbwynt personol.

Mae gwerthuso'n ymwneud ag ystyried goblygiadau amrywiol y materion sy'n cael eu codi, yn seiliedig ar y dystiolaeth a gafwyd wrth ddadansoddi ac mae'n rhoi dadl fanwl eang gyda chasgliad clir.

Mae hyn yn golygu bod yr ateb yn pwyso a mesur y dadleuon amrywiol a gwahanol a gafodd eu dadansoddi drwy roi sylwadau ac ymateb unigol, gan ddod i gasgliad drwy broses rhesymu clir.

Datblygu sgiliau AA2

Nawr mae'n bryd ystyried y wybodaeth sydd wedi'i chyflwyno hyd yma. Hefyd mae'n bwysig ystyried sut mae'r hyn rydych chi wedi'i ddysgu hyd yma'n gallu cael ei ddefnyddio ar gyfer atebion arholiad drwy ymarfer y sgiliau sy'n gysylltiedig ag AA2.

Mae Amcan Asesu 2 (AA2) yn ymwneud â 'dadansoddi' a 'gwerthuso'. Efallai fod ystyr y termau'n amlwg ond mae'n hanfodol eich bod yn gyfarwydd â sut mae sgiliau penodol yn dangos y rhain, a hefyd, sut bydd eich perfformiad ym mhob un o'r sgiliau hyn yn cael ei fesur (gweler disgrifyddion band cyffredinol Band 5 ar gyfer AA2 UG).

Yn amlwg mae ateb yn cael ei osod mewn disgrifydd band priodol, yn ôl pa mor dda yw'r ateb, gan amrywio o ragorol, da, boddhaol, sylfaenol/cyfyngedig i gyfyngedig iawn.

▶ **Dyma eich tasg newydd:** isod mae ateb is na'r cyffredin a gafodd ei ysgrifennu'n ymateb i gwestiwn sy'n gofyn am werthuso'r her i fodolaeth Duw gan broblem drygioni. Mae'n amlwg yn ateb is na'r cyffredin ac felly byddai tua gwaelod band 2. Yn y lle cyntaf, bydd yn ddefnyddiol i chi ystyried beth sydd ar goll o'r ateb a beth sy'n anghywir. Mae'r rhestr sy'n cyd-fynd â'r ateb yn rhoi rhai sylwadau posibl i'ch helpu chi. Cofiwch, efallai na fydd pob pwynt yn berthnasol! Wrth ddadansoddi gwendidau'r ateb, gweithiwch mewn grŵp a dewiswch bum pwynt o'r rhestr er mwyn gwella'r ateb hwn a'i gryfhau. Yna ysgrifennwch eich ychwanegiadau, pob un mewn paragraff clir. Cofiwch, y ffordd rydych chi'n defnyddio'r pwyntiau yw'r ffactor pwysicaf. Defnyddiwch egwyddorion gwerthuso gan wneud yn siŵr eich bod: yn nodi'r materion yn glir; yn cyflwyno safbwyntiau eraill yn gywir, gan wneud yn siŵr eich bod yn gwneud sylwadau ar y safbwyntiau rydych yn eu cyflwyno; yn dod i farn bersonol gyffredinol. Gallwch ychwanegu rhagor o'ch awgrymiadau eich hun, ond ceisiwch drafod fel grŵp a blaenoriaethu'r pethau pwysicaf i'w hychwanegu.

Ateb

Mae problem drygioni yn broblem fawr. Mae'n dweud wrthym nad yw'n bosibl i Dduw fodoli os yw drygioni'n bodoli hefyd. Mae'r athronydd o Awstralia, Mackie, yn dweud wrthym ei bod yn anghyson meddwl am Dduw yn hollalluog a hollraslon a bod drygioni yn bodoli yr un pryd.

Mae Duw'n gyfrifol am achosi pethau fel Tsunami Gŵyl San Steffan 2004 pryd collodd llawer o bobl eu bywydau, neu eu ffrindiau a'u teuluoedd. Pe bai Duw yn ein caru ni, ni fyddai hyn yn digwydd o gwbl. Mae Duw hefyd yn gyfrifol am achosi'r corwyntoedd difrifol sy'n achosi cymaint o ddifrod i eiddo yn America ym mis Awst bob blwyddyn – sut gall Duw cariadus wneud pethau fel hyn?

Mae rhai pobl yn dweud nad bai Duw yw hyn oherwydd mae gennym ewyllys rydd sy'n golygu y gallwn ni achosi drygioni ac nid oes hawl gan Dduw i'n rhwystro ni. Byddai hyn yn golygu bod drygioni yn bodoli oherwydd mai ni sy'n ei achosi, nid Duw, ac felly mae'n dangos dydy problem drygioni ddim yn profi'n llwyddiannus nad yw Duw yn bodoli.

Yn gyffredinol, mae problem drygioni yn herio cred ym modolaeth Duw.

Sylwadau

- Cyflwyniad sy'n datgan beth yw problem drygioni a pham mae'n bosibl ei hystyried fel rhywbeth sy'n herio cred ym modolaeth Duw.
- Mae angen esbonio'n glir beth yw ystyr pob un o'r priodoleddau allweddol mae Duw yn meddu arnyn nhw a pham mae'r rhain hefyd yn cefnogi'r syniad na ddylai drygioni fodoli, yn rhesymegol.
- Cyfeiriwch at Mackie ac Epicurus i gefnogi'r ddadl.
- Ystyriwch y mathau o ddrygioni a sut maen nhw'n berthnasol i'r ddadl.
- Archwiliwch y rhesymau dros gredu y byddai presenoldeb drygioni'n golygu ei bod yn amhosibl i Dduw fodoli.
- Defnyddiwch eich dealltwriaeth o resymu diddwythol i ddangos pam byddai'n bosibl ystyried problem drygioni yn her aruthrol i gred y theistiaid clasurol.
- Mae angen gwrthddadl gryfach i amddiffyn safbwynt y theistiad clasurol.
- Dylid sicrhau bod unrhyw enghreifftiau sy'n cael eu cynnwys yn cysylltu'n glir â gwerthuso'r haeriad yn y cwestiwn.
- Dylid osgoi gor-symleiddio o ran mynegiant a dylid defnyddio geirfa arbenigol yn effeithiol.
- Mae angen casgliad sy'n gytbwys, yn adlewyrchu'r ddadl a gyflwynir ac yn cysylltu'n glir â'r cwestiwn.

B: Ymatebion crefyddol i broblem drygioni: theodiciaeth sy'n seiliedig ar un Awstin

Cynnwys y fanyleb

Theodiciaeth sy'n seiliedig ar un Awstin: Drygioni o ganlyniad i bechod: drygioni fel amddifadrwydd; cwymp dynoliaeth a'r greadigaeth; y Groes yn trechu drygioni, theodiciaeth penderfyniad am yr enaid.

Ymatebion crefyddol i broblem drygioni: theodiciaeth sy'n seiliedig ar un Awstin

Er gwaethaf nifer o gyflwyniadau modern i'r gwrthwyneb, nid un gwaith cryno yw 'theodiciaeth' Awstin ond yn hytrach llinyn sy'n rhedeg drwy lawer o'i weithiau llenyddol. Mae rhai o'i esbonwyr wedi nodi bod gan Awstin obsesiwn â phroblem drygioni ac iddo ymladd â'r broblem hon drwy gydol ei fywyd – hyd yn oed cyn ei dröedigaeth i Gristnogaeth. Felly rhaid cofio bod unrhyw gyflwyniad o'i theodiciaeth sy'n cael ei roi mewn llyfr fel hwn o reidrwydd yn symleiddio meddyliau Awstin. Byddai'n rhaid darllen drwy ei weithiau helaeth i gael yr union fanylion. Rhaid hefyd ystyried y dylanwadau roedd Awstin yn agored iddyn nhw yn ystod ei fywyd cynhyrfus megis Manicheaeth, Neo-Blatoniaeth a systemau meddwl eraill oedd yn cystadlu â'i gilydd.

Adda ac Efa yn cael eu temtio yn Eden

Drygioni o ganlyniad i bechod

Yn ôl theodiciaeth sy'n seiliedig ar un Awstin, roedd creadigaeth Duw yn rhydd o ddrygioni yn wreiddiol. Nid oedd yn bodoli cyn pechod angylion a bodau dynol. Daeth i fodolaeth gyntaf pan wnaeth yr angylion, ac yna bodau dynol, gamddefnyddio eu hewyllysiau a throi oddi wrth Dduw, eu creawdwr.

Mae'n un o ffeithiau'r bydysawd creëdig fod Duw wedi galw pob peth i fodolaeth *ex nihilo* a, thrwy lygredd a dirywiad, byddan nhw i gyd yn y pen draw yn mynd i ddiddymdra. Mae bodau dynol ac angylion yn rhan o'r drefn greëdig, felly maen nhw'n gallu cael eu newid ac felly mae ganddyn nhw'r gallu i droi i ffwrdd oddi wrth Dduw. Yr union droi hwn – sy'n golygu gweithred o ewyllys rydd (sef, dewis daioni is yn hytrach na daioni uwch) – sy'n achosi drygioni. Ond, mae achos y ffaith fod bodau dynol ac angylion yn fodlon gwneud hyn yn dal i fod yn ddirgelwch y tu hwnt i ddealltwriaeth ddynol, yn ôl Awstin.

Gan fod rhodd ewyllys rydd o reidrwydd yn cynnwys y syniad o gyfrifoldeb moesol, bodau dynol sydd yn y pen draw yn gyfrifol am bechod ac, o ganlyniad, drygioni – nid Duw. Mae hyn oherwydd bydd bodau dynol yn dewis pechod o'u gwirfodd.

Drygioni fel amddifadrwydd

Mae'n bwysig sylweddoli, serch hynny, nad yw drygioni mewn unrhyw ffordd yn 'sylwedd' neu'n rhan o'r drefn greëdig. Arwyddocâd hyn yw dydy drygioni felly ddim yn rhywbeth mae Duw yn ei greu. Os yw'n sylwedd, yna mae'n rhaid bod Duw wedi ei greu gan mai ef sy'n creu pob peth. Ni all Duw, fel creawdwr hollraslon, fod wedi creu drygioni fel sylwedd. Yn hytrach, mae drygioni'n dangos absenoldeb neu **amddifadrwydd** o ran o drefn greëdig Duw. Er enghraifft, pan fydd bodau dynol neu angylion yn 'troi i ffwrdd' oddi wrth Dduw, y troi i ffwrdd hwn yw'r amddifadrwydd o drefn a phwrpas creëdig gwreiddiol Duw. Mae'r 'troi i ffwrdd' felly yn 'ddrwg'.

Duw a wnaeth bob peth da ond mae gan bob peth da y potensial i gael ei lygru. Nid yw meddu ar y potensial hwnnw'n ddrwg. Ni fydd drygioni ond yn digwydd pan fydd y potensial hwnnw'n cael ei wireddu ac mae'r peth da'n cael ei lygru. Rhaid bod pob peth sy'n cael ei greu yn llygradwy gan ei bod yn bosibl ei newid. Mae'r union ffaith fod pethau yn llygru yn dangos eu bod nhw, yn eu hanfod, yn dda. Drygioni yw pan maen nhw'n colli peth o'u daioni. Felly amddifadrwydd yw drygioni. Cyfeiriodd Awstin at dywyllwch fel trosiad am ddrygioni, ond tywyllwch yn yr ystyr o ddiffyg goleuni. Nid oes gan ddrygioni ei fodolaeth wirioneddol ei hun. Y rheswm mae bodau dynol yn tueddu i fod yn ddig am drefn pethau sy'n bodoli yw eu meidroldeb, ond dydy hyn ddim yn caniatáu iddynt weld y darlun cyfan fel mae Duw'n gallu gwneud.

Term allweddol

Amddifadrwydd: absenoldeb neu golled rhywbeth sy'n bresennol fel arfer (h.y. mae amddifadrwydd o iechyd yn golygu bod unigolyn yn sâl a ddim yn iach)

Dyfyniad allweddol

Ni fyddai'r Duw hollalluog, sydd … â'r pŵer llwyraf dros bob peth, gan ei fod Ef yn llwyr dda, fyth yn caniatáu bodolaeth unrhyw beth drwg ymhlith ei weithiau, oni bai ei fod Ef mor hollalluog a da fel y gall Ef ddod â da hyd yn oed allan o ddrwg. Oherwydd beth yw'r hyn rydyn ni'n ei alw'n ddrwg ond absenoldeb daioni? Yng nghyrff anifeiliaid, nid yw afiechydon ac anafiadau yn golygu dim ond absenoldeb iechyd; oherwydd pan geir iachâd, nid yw hynny'n golygu bod y drygioni oedd yn bresennol – sef, yr afiechydon a'r anafiadau – yn mynd i ffwrdd o'r corff ac yn byw yn rhywle arall: maen nhw'n peidio â bodoli yn gyfan gwbl; oherwydd nid yw'r anaf neu'r afiechyd yn sylwedd, ond yn ddiffyg yn y sylwedd cnawdol – mae'r cnawd ei hun yn sylwedd, ac felly yn rhywbeth da, ac mae'r pethau drwg hynny ynddo – sef, amddifadrwydd o'r daioni rydyn ni'n ei alw'n iechyd – yn ddamweiniau. Yn yr un modd, mae'r hyn a elwir yn ddrygioni yn yr enaid yn ddim mwy nag amddifadrwydd o'r daioni naturiol. (Awstin)

Term allweddol

Iachawdwriaeth: y weithred o achub rhywbeth neu rywun. Yn y cyd-destun Cristnogol mae'n cyfeirio at Iesu yn achub dynoliaeth rhag drygioni a phechod.

Awgrym astudio

Dangoswch ymwybyddiaeth yn eich atebion ar y theodiciaeth hon fod syniadau Awstin wedi cael eu seilio ar set gymhleth o syniadau deallusol a gafodd eu cyfuno â dysgeidiaethau beiblaidd i gynhyrchu ei theodiciaeth. Peidiwch â diystyru ei theodiciaeth yn syth fel 'gor-syml' neu 'naïf' oherwydd wrth wneud hynny, rydych chi'n dangos bod eich dealltwriaeth chi o Awstin yn ddiffygiol. Mae'n cael ei ystyried yn un o'r meddylwyr Cristnogol mwyaf erioed – felly byddwch yn bwyllog yn eich beirniadaeth a dangoswch barch at ei safbwyntiau! (Does dim rhaid i chi gytuno â nhw ond ni ddylech chi eu diystyru nhw fel rhai diwerth chwaith!)

Cwymp dynoliaeth a'r greadigaeth

Gan fod pob bod dynol yn ddisgynnydd i Adda yn y pen draw (yng ngeiriau Awstin 'yn semenol bresennol'), yna mae pob bod dynol yn rhannu euogrwydd a phechod Adda. Gan ein bod ni i gyd yn rhannu ei euogrwydd a'i bechod rydyn ni i gyd yn haeddu wynebu'r un gosb. Rydyn ni'n dioddef drwy 'ddrygioni moesol' gan mai'r ddynoliaeth sydd ar fai drwy weithredoedd a wneir ar sail ewyllys rydd.

Mae'r dioddefaint mae bodau dynol yn ei wynebu fel rhan o'r byd naturiol (h.y. drygioni naturiol) yn ganlyniad uniongyrchol i 'absenoldeb daioni', wedi ei achosi yn y greadigaeth drwy'r 'troi i ffwrdd' oddi wrth Dduw ac sydd felly'n dod â llygredd i mewn i'r drefn greëdig.

Fel ateb terfynol i'r cwestiwn, 'Pam dewisodd Duw greu'r bydysawd arbennig hwn, hyd yn oed os oedd yn gwybod y byddai pobl yn camddefnyddio eu rhyddid ac yn pechu?', mae Awstin yn ateb, 'Roedd Duw'n barnu y byddai'n well dod â da allan o ddrygioni, yn hytrach na pheidio â chaniatáu i unrhyw ddrygioni fodoli.'

Y Groes yn trechu drygioni, theodiciaeth penderfyniad am yr enaid

Mae llawer o Gristnogion yn cyfeirio at y pwynt hwn ('dod â daioni allan o ddrygioni') fel y 'camgymeriad ffodus' (*felix culpa*). Dyma'r gred Gristnogol, oni bai am ddigwyddiadau cwymp Adda ac Efa (ac felly, pob bod dynol), yna ni fyddai Duw erioed wedi gorfod anfon Iesu i'r byd i'w achub rhag pechod.

Byddai'r rheini sy'n dewis derbyn Iesu fel eu gwaredwr yn cael eu hachub ac, ar ôl y bywyd hwn, yn ailymuno â Duw yn y nefoedd. Dyma pam y cyfeirir weithiau at y theodiciaeth fel theodiciaeth 'penderfyniad am yr enaid'.

Mae theodiciaeth sy'n seiliedig ar un Awstin yn credu bod y cyfle hwn i ddynoliaeth geisio **iachawdwriaeth**, drwy Grist, nid yn unig yn dangos bod Duw yn drugarog ond hefyd ei fod yn dangos ei gyfiawnder.

Gweithgaredd AA1

Crëwch boster gwybodaeth sy'n crynhoi pwyntiau allweddol theodiciaeth sy'n seiliedig ar un Awstin.

Arweiniodd y felix culpa at iachawdwriaeth i Gristnogion drwy Iesu

Heriau i theodiciaethau sy'n seiliedig ar un Awstin: dilysrwydd yr adroddiadau yn llyfr Genesis, penodau 2 a 3

Mae theodiciaeth Awstin yn dibynnu'n gryf ar yr adroddiadau am y Creu a'r **Cwymp** fel maen nhw'n cael eu disgrifio yn llyfr Genesis, penodau 1–3. I'r crediniwr Cristnogol **llythrenolaidd** mae hyn yn golygu bod yr adroddiadau'n argyhoeddiadol ac wedi'u gwreiddio yn natguddiad yr ysgrythur ddwyfol. Mae lle dynoliaeth yn y drefn greëdig, a'r dioddefaint mae'n ei wynebu, yn cael ei esbonio'n glir yn adroddiadau Genesis. Fodd bynnag, os edrychir ar yr ysgrythur o unrhyw safbwynt arall, mae theodiciaeth Awstin yn troi'n broblem.

Os edrychir ar yr ysgrythur o safbwynt anllythrennol a chwedlonol, yna mae unrhyw honiad o ddilysrwydd hanesyddol sy'n gysylltiedig â'r adroddiadau am y creu a'r cwymp yn mynd yn amheus. O'r safbwynt hwn mae'r ymosodiadau mwyaf dinistriol ar y theodiciaeth yn codi. Mae John Hick yn ei *Evil and the God of Love* (1966) yn ystyried nifer o'r problemau hyn.

Cynnwys y fanyleb

Heriau i theodiciaethau sy'n seiliedig ar un Awstin: dilysrwydd yr adroddiadau yn y Beibl; gwall gwyddonol; gwrthddywediadau moesol o Dduw hollraslon a bodolaeth uffern; gwrthddywediad rhesymegol o greadigaeth berffaith sy'n gallu newid.

Unigolyn allweddol

Awstin o Hippo: fe'i ganwyd yng Ngogledd Affrica, 354 OCC, ac roedd gan Awstin dad paganaidd a mam Gristnogol. Cafodd addysg Gristnogol ond gwrthryfelodd fel llanc ifanc a gwrthod Cristnogaeth. Treuliodd nifer o flynyddoedd yn ceisio dod o hyd i system feddwl oedd yn gwneud synnwyr iddo a dilynodd sawl dysgeidiaeth oedd yn ddylanwadol ar y pryd. Daeth i ymddiddori yn athroniaeth Groeg (nad oedd yn boblogaidd yr adeg honno â dilynwyr dysgeidiaethau Cristnogaeth) ac yn y pen draw daeth ynghlwm yn nysgeidiaethau deuol Manicheaeth ac yna Neo-Blatoniaeth. Treuliodd lawer o'i amser hefyd yn mwynhau 'pleserau'r cnawd' (oedd yn achos anobaith i'w fam Gristnogol) nes iddo ddod dan ddylanwad Ambrose o Milano, esgob Cristnogol. Trodd ei gefn ar ei gredoau eraill ac yn 387 OCC cafodd ei fedyddio. Yna yn 396 OCC daeth yn Esgob Hippo, yng Ngogledd Affrica. Ysgrifennodd lawer iawn o weithiau, yn bennaf yn amddiffyn Cristnogaeth yn erbyn nifer o heresïau oedd yn boblogaidd ar y pryd er iddo hefyd ysgrifennu'n ddylanwadol iawn am gred ac athrawiaeth Gristnogol. Ei weithiau mwyaf enwog yw 'Dinas Duw'; 'Cyffesion' a'i 'Enchiridion'. Bu farw yn 430 OCC.

cwestiwn cyflym

3.6 Ar beth roedd Sant Awstin yn seilio ei theodiciaeth?

cwestiwn cyflym

3.7 Beth yw ystyr amddifadrwydd?

cwestiwn cyflym

3.8 Pam mae Cwymp dynoliaeth yn 'gamgymeriad ffodus'?

Gwall gwyddonol – amhosibl yn fiolegol i fodau dynol fod yn ddisgynyddion i un cwpl (gan olygu bod y cysyniad ein bod wedi 'etifeddu' pechod Adda yn annilys)

Mae'r syniad fod bodau dynol i gyd yn haeddu cael eu cosbi oherwydd eu bod yn ddisgynyddion i Adda yn methu oherwydd ei fod yn amhosibl yn fiolegol. Gyda'n datblygiadau mewn dealltwriaeth wyddonol o eneteg a'r meddwl a'r corff dynol, dydy'r syniad o 'bechod' un person yn cael ei drosglwyddo i'r ddynoliaeth gyfan ddim yn bosibl; na chwaith yw'r syniad fod y ddynoliaeth i gyd wedi tarddu o un cwpl yn y lle cyntaf. Os nad yw disgrifiad Genesis yn wyddonol ddilys yna dydy damcaniaeth Awstin ddim yn gyson neu'n berthnasol i'n profiad o ddrygioni.

Fodd bynnag, dyma'r ddadl enetig. Beth am esblygiad a syniad Dawkins fod nodweddion ymddygiad neu 'memynnau' yn cael eu 'hetifeddu'? Gellid dadlau bod hyn yn cyd-fynd â'r syniad Hebreaidd o *yetzer hara* (tueddiad neu awydd am ddrygioni sy'n gynhenid mewn bodau dynol). Ond, y broblem wedyn yw nad yw hon yn nodwedd ymddygiadol sy'n gyson ond, yn ôl egwyddorion esblygiad, mae'n gallu newid ac felly nid yw'n gallu cyfiawnhau'r ddamcaniaeth 'etifeddiaeth' o un cwpl o fodau dynol. Mae'n ymddangos bod yr un syniad hwn o etifeddiaeth yn broblemus iawn ac, yn ôl gwyddoniaeth, yn wall.

Termau allweddol

Y Cwymp: digwyddiadau Genesis pennod 3, lle mae Adda ac Efa yn wynebu cosb Duw am anufuddhau i'w orchymyn dwyfol i beidio â bwyta'r ffrwyth o bren gwybodaeth Da a Drwg

Llythrenolaidd: dehongli'r Beibl yn llythrennol – hynny yw, dylid cymryd bod pob gair yn wir; does dim angen dehongli

Termau allweddol

Daearegol: yr wyddor sy'n ymwneud â sut cafodd y ddaear ei ffurfio

Damcaniaeth esblygiad: damcaniaeth wyddonol, wedi ei chynnig yn wreiddiol yn y 19eg ganrif, oedd yn tybosod bod bywyd wedi datblygu o ffurfiau bywyd symlach i rai mwy cymhleth drwy broses detholiad naturiol a mwtaniad genetig

Ewyllys rydd: y cysyniad diwinyddol ac athronyddol sy'n dweud bod gan fodau dynol y gallu i ddewis yn rhydd rhwng da a drwg

Gwrth-ddweud y syniad fod y drefn berffaith yn datblygu i roi caos – tystiolaeth ddaearegol a biolegol sy'n awgrymu rhywbeth i'r gwrthwyneb

Mae'r byd perffaith yn mynd yn amherffaith yn gwrth-ddweud pob cofnod **daearegol**, gwyddonol a thystiolaeth fiolegol. Mae daeareg yn gweld natur y byd yn rhywbeth caotig ac anodd ei ragweld, hyd yn oed heddiw, er enghraifft yn achos daeargrynfeydd. Byddai daearegwyr yn sicr yn gwadu symud o berffeithrwydd cychwynnol.

Mae digon o dystiolaeth am **ddamcaniaeth esblygiad**, yn ôl bioleg, o ddatblygiad bodau dynol o ganlyniad i broses detholiad naturiol, mwtaniad ac esblygiad o ffurfiau bywyd cynnar. Mae hyn yn gwneud hanes y creu fel ffaith hanesyddol yn llai credadwy.

Hefyd, dydy esblygiad ddim bob amser yn golygu gwelliant. Camargraff yw cymryd bod cyfeiriant cynhenid sy'n gwneud rhywogaethau yn 'uwch'. Dyma'r safbwynt fyddai'n cael ei gymryd yn erbyn y ddealltwriaeth hon. Ni all gwyddoniaeth ddefnyddio 'barnau ar werth' ar gyfer esblygiad. Er enghraifft, os yw bodau dynol, dros amser, yn 'atchwelyd', nid yw'n cael ei weld felly ond yn hytrach fel un cam arall yn unig yn y broses esblygu. Mater o farn yw 'atchwelyd'.

Gwrthddywediadau moesol o Dduw hollraslon a bodolaeth uffern; gwrthddywediad rhesymegol o greadigaeth berffaith sy'n gallu newid

Pe bai byd perffaith wedi cael ei greu, yna sut byddai'n bosibl fod yna wybodaeth am dda a drwg oedd ei hangen ar gyfer **ewyllys rydd** dynoliaeth? Mae hyn yn awgrymu bod drygioni'n bodoli'n barod ac felly mae'n rhaid mai cyfrifoldeb Duw ydyw.

Mae uffern yn rhan o'r drefn greëdig. Mae hyn yn awgrymu nid yn unig fod Duw'n gwybod y byddai angylion yn gwrthryfela a bodau dynol yn cwympo ond ei fod hefyd wedi paratoi lle ar gyfer eu cosbi. Pam byddai Duw hollraslon yn gwneud hyn? Nid yw bodolaeth uffern yn gyson â Duw hollraslon.

Mae perffeithrwydd yn ddigyfnewid – ni all newid. Felly sut gall creadigaeth berffaith byth fod yn llai na pherffaith? Gwrthryfelodd angylion yn erbyn Duw. Mae hyn yn awgrymu diffygion yn yr angylion roedd Duw wedi eu creu oherwydd pam byddai gwrthryfela'n digwydd mewn trefn greëdig berffaith?

Hefyd, os dechreuodd bodau dynol drwy fod yn berffaith, yna er eu bod yn rhydd i bechu, does dim angen iddyn nhw wneud hynny. Os ydyn nhw'n pechu, yna nid oedden nhw heb fai i ddechrau ac felly mae'n rhaid i Dduw rannu'r cyfrifoldeb dros eu cwymp. Mae'n anodd clirio Duw o'r cyfrifoldeb dros ddrygioni gan iddo ddewis creu bod yr oedd yn rhagweld y byddai'n gwneud drygioni. (Sylwer bod Awstin yn dadlau bod rhai angylion wedi eu tynghedu i gwympo. Os na dderbynnir y safbwynt hwn yna sut cwympodd yr angylion, o wybod eu bod yn berffaith?) Siawns na fyddai ganddyn nhw reswm i bechu mewn byd perffaith.

Yn olaf, mae Duw yn hollwybodus. Felly mae'n rhaid ei fod yn gwybod ymlaen llaw y byddai angylion yn gwrthryfela a bodau dynol yn cwympo. Felly mae'n rhaid iddo gymryd cyfrifoldeb dros fodolaeth drygioni o ganlyniad i ddiffyg daioni yn y greadigaeth.

Fodd bynnag, mae'r ddadl am ddilysrwydd theodiciaeth Awstin yn parhau mewn athroniaeth grefyddol fodern. Mae cefnogwyr modern fel Plantinga a Miller yn awgrymu bod llawer yn dibynnu ar sut rydyn ni'n dehongli beth roedd Awstin yn ei olygu gan dermau fel amddifadrwydd ac ewyllys rydd. Mae eraill, fel Hick, yn ystyried mai dim ond cynnyrch ei chyfnod yw'r theodiciaeth ac nad yw wir yn berthnasol i'r ffordd rydyn ni'n deall y byd heddiw.

cwestiwn cyflym

3.9 Disgrifiwch un broblem resymegol yn ymwneud â theodiciaeth Awstin.

cwestiwn cyflym

3.10 Pam mae damcaniaeth esblygiad yn tanseilio theodiciaeth Awstin?

Gweithgaredd AA1

Lluniwch dabl sy'n dangos y gwrthddywediadau gwyddonol, moesol a rhesymegol yn theodiciaeth Awstin.

Datblygu sgiliau AA1

Nawr mae'n bryd ystyried y wybodaeth sydd wedi'i chyflwyno hyd yma. Hefyd mae'n bwysig ystyried sut mae'r hyn rydych chi wedi'i ddysgu hyd yma'n gallu cael ei ddefnyddio ar gyfer atebion arholiad drwy ymarfer y sgiliau sy'n gysylltiedig ag AA1.

Mae Amcan Asesu 1 (AA1) yn ymwneud â dangos gwybodaeth a dealltwriaeth. Mae'r termau 'gwybodaeth' a 'dealltwriaeth' yn amlwg ond mae'n hanfodol eich bod yn gyfarwydd â sut mae sgiliau penodol yn dangos y rhain, a hefyd, sut bydd eich perfformiad ym mhob un o'r sgiliau hyn yn cael ei fesur (gweler disgrifyddion band cyffredinol Band 5 ar gyfer AA1 UG).

▶ **Dyma eich tasg newydd:** isod mae ateb is na'r cyffredin a gafodd ei ysgrifennu'n ymateb i gwestiwn sy'n gofyn am archwilio theodiciaethau sy'n seiliedig ar un Awstin. Mae'n amlwg yn ateb is na'r cyffredin ac felly byddai tua band 2. Yn y lle cyntaf, bydd yn ddefnyddiol i chi ystyried beth sydd ar goll o'r ateb a beth sy'n anghywir. Y tro hwn does dim rhestr gyda'r ateb i'ch helpu. Wrth ddadansoddi gwendidau'r ateb, gweithiwch mewn grŵp a dewiswch bum pwynt o'r rhestr er mwyn gwella'r ateb hwn a'i gryfhau. Yna ysgrifennwch eich ychwanegiadau, pob un mewn paragraff clir, gan gofio egwyddorion esbonio gyda thystiolaeth a/neu enghreifftiau.

Ateb

Mae theodiciaethau sy'n seiliedig ar un Awstin wedi'u seilio'n bennaf ar y Beibl ac yn arbennig ar yr hanes o lyfr Genesis sy'n esbonio sut y bu i Adda ac Efa anufuddhau i Dduw drwy wrando ar y sarff a bwyta o Bren Gwybodaeth Da a Drwg yr oedd Duw wedi dweud wrthynt yn bendant i beidio â bwyta ohono.

Drwy ddefnyddio'r stori hon, sef 'Y Cwymp', a'i chyfuno â stori'r Creu yn llyfr Genesis pennod 1 lle gwnaeth Duw greu popeth yn berffaith ('a gwelodd mai Da oedd'), mae Awstin yn datgan, drwy sawl un o'i weithiau, y ffaith fod bodau dynol wedi methu yn yr hyn roedd Duw wedi'i fwriadu ar eu cyfer. Wrth wneud hynny fe wnaethon nhw darfu ar y byd naturiol, dod â drygioni i mewn iddo ar ffurf drygioni naturiol a hefyd, oherwydd eu bod wedi anufuddhau i Dduw, drygioni moesol.

Dangosodd Awstin nad oedd Duw wedi creu drygioni oherwydd nad peth yw drygioni ond diffyg peth – mae Awstin yn galw hyn yn amddifadrwydd – ac felly oherwydd nad peth ydyw, ni wnaeth (ni allai) Duw ei greu. Felly, mae'n dangos nad bai Duw yw drygioni. Bai bodau dynol ydyw oherwydd wrth droi i ffwrdd oddi wrth Dduw fe wnaethon nhw achosi absenoldeb Duw – h.y. amddifadrwydd Duw – felly bai pobl yw hyn, nid bai Duw. Hefyd, oherwydd mai Lwsiffer ar ffurf sarff a demtiodd Efa, mae hynny'n golygu mai dewis ewyllys rydd angel (angel syrthiedig) a wnaeth darfu ar fyd perffaith Duw hefyd.

Fodd bynnag, gan ddangos bod Duw yn dda ac nad yw eisiau i fodau dynol ddioddef am byth, anfonodd ei fab Iesu fel y gall pobl sy'n credu ynddo gael maddeuant am eu pechod gwreiddiol a mynd i'r nefoedd gyda Duw yn y diwedd.

Sgiliau allweddol

Mae gwybodaeth yn ymwneud â:

Dewis ystod o wybodaeth (drylwyr) gywir a pherthnasol sydd â chysylltiad uniongyrchol â gofynion penodol y cwestiwn.

Mae hyn yn golygu eich bod yn dewis y wybodaeth gywir sy'n berthnasol i'r cwestiwn a osodwyd NID y maes pwnc. Bydd angen i chi feddwl a chanolbwyntio ar ddewis gwybodaeth allweddol ac NID ysgrifennu popeth yr ydych chi'n ei wybod am y maes pwnc.

Mae dealltwriaeth yn ymwneud ag:

Esboniad helaeth, gan ddangos dyfnder a/neu ehangder gyda defnydd rhagorol o dystiolaeth ac enghreifftiau gan gynnwys (lle y bo'n briodol) defnydd trylwyr a chywir o destunau cysegredig, ffynonellau doethineb a geirfa arbenigol.

Mae hyn yn golygu y gallwch ddangos eich bod yn deall rhywbeth drwy egluro ac ehangu eich pwyntiau gan ddefnyddio enghreifftiau/tystiolaeth gefnogol mewn ffordd bersonol ac NID ailadrodd darnau o werslyfr (sef dysgu ar y cof).

Cymhwyso sgiliau ymhellach:

Ewch drwy'r meysydd pwnc yn yr adran hon a lluniwch rai rhestri bwled o bwyntiau allweddol o feysydd allweddol. Ar gyfer pob un, rhowch fwy o fanylion ac esboniwch fwy drwy ddefnyddio tystiolaeth ac enghreifftiau.

Mae'r adran hon yn cwmpasu cynnwys a sgiliau AA2

Cynnwys y fanyleb

A yw theodiciaethau sy'n seiliedig ar un Awstin yn berthnasol yn yr 21ain ganrif.

Materion i'w dadansoddi a'u gwerthuso

A yw theodiciaethau sy'n seiliedig ar un Awstin yn berthnasol yn yr 21ain ganrif

Mae gwreiddiau theodiciaethau sy'n seiliedig ar un Awstin i'w gweld yng ngwaith Awstin – Esgob Cristnogol Hippo yn y 4edd/5ed ganrif. Yn seiliedig yn bennaf ar hanes Y Cwymp yn llyfr Genesis a'r ddealltwriaeth Gristnogol o'r Iawn drwy atgyfodiad Iesu, mae'r theodiciaeth yn dangos sut doedd drygioni ddim yn rhan o gynllun Duw ar gyfer y greadigaeth ond yn hytrach roedd yn ganlyniad anfwriadol gadael i asiantau ewyllys rydd ddefnyddio eu dewis moesol. Yna gellir gofyn y cwestiwn – pa mor hanesyddol gywir yw'r adroddiadau hyn? A wnaethon nhw ddigwydd mewn gwirionedd? Os na, yna pam dylen ni gredu unrhyw beth sy'n seiliedig arnyn nhw? Ym myd yr 21ain ganrif, lle mae ymholiad gwyddonol a sgeptigaeth iach yn gyffredin, mae'n ymddangos yn hawdd diystyru syniadau fel hyn ac felly prin eu bod nhw'n berthnasol.

Roedd y gallu i gael ewyllys rydd yn golygu bod angen i ddewis gwirioneddol rhwng da neu ddrwg fod ar gael. Roedd hyn yn golygu y gallai drygioni moesol ffynnu mewn egwyddor, pe bai'r asiantau ewyllys rydd hyn yn dewis troi i ffwrdd oddi wrth Dduw yn fwriadol. Yn yr un modd, roedd yr anufudd-dod a ddangoswyd i Dduw yn gofyn am gosb gyfiawn. Dyma o ble y daeth drygioni naturiol – tarfu ar y byd perffaith a grëwyd gan Dduw o ganlyniad i ddewisiadau drwg yr asiantau ewyllys rydd. Mae safbwynt o'r fath hefyd yn mynnu rhagdybiaeth am fod dwyfol oedd yn bodoli oedd wedi 'rhaglenni' Ei greadigaeth i weithredu mewn ffordd benodol. Mae'r syniad hwn yn ymddangos yn anodd ei ddeall mewn oes lle mae damcaniaeth esblygiad yn teyrnasu, o ran ystyried sut cafodd bodau dynol eu ffurfio a'u datblygu.

Mae disgrifiad Awstin hefyd yn rhagdybio bod rhywun yn credu ym modolaeth angylion. Yn wir, yr angel syrthiedig ar ffurf sarff yw'r catalydd i ddigwyddiadau'r Cwymp. Eto, mae hyn yn syniad rhyfedd yn yr 21ain ganrif gan nad oes tystiolaeth empirig o greaduriaid o'r fath ac yn sicr ddim mewn ffordd lle maen nhw'n gallu cymryd ffurf anifail a siarad â phobl. Mae'r holl adroddiad yn ymddangos yn rhy hynod i gael ei gymryd o ddifrif gan y meddwl 21ain ganrif – sy'n dibrisio ymhellach berthnasedd theodiciaethau sy'n seiliedig ar un Awstin yn yr 21ain ganrif.

Mae'r safbwynt am ddrygioni fel amddifadrwydd yn dibynnu ar dderbyn y cysyniad o fyd perffaith lle roedd pob peth yn bodoli mewn cyflwr o ddaioni a pherffeithrwydd, a dim ond drwy darfu ar hyn y gwelwyd absenoldeb y daioni hwn ac felly roedd 'drygioni' yn bodoli. Ond, yn yr 21ain ganrif, pa mor gredadwy yw hyn? Mae drygioni yn bresenoldeb real iawn yn y byd – fel y mae ei effeithiau. Oherwydd hyn, mae awgrymu bod drygioni yn 'ddiffyg peth' fel pe bai'n perthyn i fyd dyfalu metaffisegol yn unig yn hytrach na realiti oer a garw.

Mae achubiaeth bodau dynol drwy dderbyn aberth Iesu yn gysur i'r rheini sy'n arddel y ffydd Gristnogol, lle mae'r syniad o ailgymodi â Duw ar ôl marwolaeth yn cynnig gobaith am ddyfodol lle na fydd poen a dioddefaint yn ddim mwy nag atgof pell. Fodd bynnag, i'r rheini y tu allan i'r traddodiad ffydd hwn nid oes cysur o'r fath. Gan fod llai na hanner poblogaeth y blaned yn cael addewid o'r achubiaeth hon, yna sut mae'n berthnasol i fwyafrif y bobl yn yr 21ain ganrif?

I gloi, er gwaetha'r apêl sydd ganddyn nhw i gredinwyr o'r traddodiadau ffydd Cristnogol, does gan theodiciaethau sy'n seiliedig ar un Awstin ddim o'r hygrededd gwyddonol a hanesyddol fyddai'n eu gwneud yn wir yn berthnasol yn yr 21ain ganrif.

Gweithgaredd AA2
Dadleuon posibl

Wedi'u rhestru isod mae rhai casgliadau y byddai'n bosibl dod iddynt ar sail rhesymeg AA2 yn y testun cysylltiedig:

1. Mae gwyddoniaeth yn tanseilio perthnasedd theodiciaethau sy'n seiliedig ar un Awstin.
2. Dim ond i gredinwyr Cristnogol y mae theodiciaethau sy'n seiliedig ar un Awstin yn berthnasol.
3. Mae theodiciaethau sy'n seiliedig ar un Awstin yn gwbl amherthnasol yn yr 21ain ganrif.
4. Os nad yw llyfr Genesis yn ddibynadwy, yna nid yw theodiciaethau sy'n seiliedig ar un Awstin yn ddibynadwy chwaith.
5. Rhaid credu mewn ewyllys rydd er mwyn i theodiciaethau sy'n seiliedig ar un Awstin gael eu hystyried yn berthnasol.

Ystyriwch bob un o'r casgliadau sy'n cael eu gwneud uchod a chasglwch dystiolaeth ac enghreifftiau i gefnogi pob dadl o'r deunydd AA1 ac AA2 a astudiwyd yn yr adran hon. Dewiswch un casgliad sy'n argyhoeddi fwyaf yn eich barn chi ac esboniwch pam mae hyn yn wir. Nawr cyferbynnwch hyn â'r casgliad gwannaf ar y rhestr, gan gyfiawnhau eich dadl gyda rhesymu clir a thystiolaeth.

I ba raddau y mae theodiciaeth Awstin yn llwyddo i amddiffyn Duw Theistiaeth Glasurol

Bu problem drygioni yn her ers oesoedd i'r rhai sy'n credu yn Nuw Theistiaeth Glasurol. Drwy hanes cafwyd ymdrechion i gefnogi'r gred hon ac ymosod ar broblem drygioni. Gellir gweld un enghraifft o'r fath yn y theodiciaethau (ymdrechion i gyfiawnhau Duw yn wyneb presenoldeb drygioni) sy'n gysylltiedig â gweithiau Awstin o Hippo.

Man cychwyn Awstin yw nad Duw sy'n gyfrifol am greu drygioni. Mae Awstin yn cyfeirio at ddrygioni fel diffyg daioni neu 'amddifadrwydd daioni'. Un ffordd o geisio deall ystyr hyn yw drwy ystyried enghraifft dallineb. Dallineb yw diffyg neu amddifadrwydd golwg, ac felly mae hyn yn helpu i esbonio'r cysyniad mai diffyg neu amddifadrwydd daioni yw drygioni. Mae creu 'diffyg rhywbeth' yn gwrth-ddweud gweithred Duw o greu. Os derbynnir y pwynt hwn fel un dilys, yna mae theodiciaeth Awstin eisoes yn amddiffyniad rhannol lwyddiannus o Dduw Theistiaeth Glasurol.

Wrth amddiffyn Duw Theistiaeth Glasurol ymhellach, mae Awstin yn tynnu sylw at y ffaith mai ewyllys rydd dynion ac angylion a achosodd ddioddefaint. Troi i ffwrdd oddi wrth y gorchmynion dwyfol yn fwriadol, fel mae'r disgrifiad o'r Cwymp yn y Beibl yn ei esbonio, a arweiniodd wedyn at ddinistrio'r drefn berffaith. Nid ewyllys Duw oedd bod hyn yn digwydd ond yn hytrach gweithredoedd bwriadol asiantau ewyllys rydd. Dylid cydnabod bod drygioni'n ganlyniad uniongyrchol i effeithiau'r Cwymp.

Mae disgrifiad Genesis yn dangos yr angen i ddrygioni a dioddefaint fodoli fel canlyniad i weithredoedd asiantau ewyllys rydd. Mae'n angenrheidiol fod Duw cyfiawn yn cosbi drwgweithredu. Mae cyflwyno drygioni naturiol (a achoswyd gan weithredoedd angylion syrthiedig, sy'n gwneud llanastr, a gwrthryfela dynol, a effeithiodd ar y greadigaeth gyfan ac yna ei hanffurfio) yn gosb haeddiannol felly. Eto, os derbynnir y safbwynt hwn yna mae theodiciaeth Awstin yn cynnig amddiffyniad llwyddiannus o Dduw Theistiaeth Glasurol, yn rhannol o leiaf.

Fodd bynnag, nid yw pob un o safbwyntiau Awstin mor hawdd ei dderbyn. Mae'r honiad fod pob bod dynol yn 'semenol bresennol' yn Adda ac felly, yn ôl yr athrawiaethau am etifeddu euogrwydd, fod holl ddisgynyddion Adda (h.y. pob bod dynol) yn haeddu cosb gan iddyn nhw etifeddu ei bechod, yn safbwynt arbennig o anodd ei dderbyn. Mae hyn oherwydd bod cofnodion genetig a biolegol yn dangos ei bod yn fiolegol amhosibl (yn ogystal ag yn enetig annymunol) fod pob bod dynol yn ddisgynnydd i un gwryw. Yn yr achos hwn dydy theodiciaeth Awstin ddim yn amddiffyniad llwyddiannus o Dduw Theistiaeth Glasurol.

Yn yr un modd, mae'r cynnig fod Duw yn dangos trugaredd drwy ddarparu achubiaeth drwy Grist, sy'n arwain at gyfeirio at y Cwymp fel y *felix culpa* (camgymeriad ffodus), yn berthnasol i gredinwyr Cristnogol yn unig. Beth am theistiaid o draddodiadau ffydd eraill? Dydy'r rhan hon o theodiciaeth Awstin ddim yn gweithio o gwbl.

Mae'r problemau moesol a rhesymegol sydd gan y gwahanol wrthddywediadau yn theodiciaeth Awstin yn tanseilio ymhellach ei dilysrwydd fel amddiffyniad o Dduw Theistiaeth Glasurol yn wyneb bodolaeth drygioni.

Felly, i gloi, yn sgil y pwyntiau sydd wedi'u gwneud uchod, mae theodiciaeth Awstin yn methu fel amddiffyniad llwyddiannus o Dduw Theistiaeth Glasurol.

Cynnwys y fanyleb

I ba raddau y mae theodiciaeth Awstin yn llwyddo i amddiffyn Duw Theistiaeth Glasurol.

Gweithgaredd AA2

Dadleuon posibl

Wedi'u rhestru isod mae rhai casgliadau y byddai'n bosibl dod iddynt ar sail rhesymeg AA2 yn y testun cysylltiedig:

1. Mae theodiciaeth Awstin yn llwyddiannus os derbynnir bod llyfr Genesis yn ffaith.
2. Y gwrthddywediadau o fewn theodiciaeth Awstin yw'r hyn sy'n ei gwanhau fwyaf.
3. Mae'n amhosibl amddiffyn Duw Theistiaeth Glasurol drwy ddefnyddio theodiciaeth Awstin.
4. Mae theodiciaeth Awstin yn cynrychioli amddiffyniad rhannol lwyddiannus o Dduw Theistiaeth Glasurol.
5. Dim ond Cristnogion all ddeall yr amddiffyniad a gynigir gan theodiciaeth Awstin.

Ystyriwch bob un o'r casgliadau sy'n cael eu gwneud uchod a chasglwch dystiolaeth ac enghreifftiau i gefnogi pob dadl o'r deunydd AA1 ac AA2 a astudiwyd yn yr adran hon. Dewiswch un casgliad sy'n argyhoeddi fwyaf yn eich barn chi ac esboniwch pam mae hyn yn wir. Nawr cyferbynnwch hyn â'r casgliad gwannaf ar y rhestr, gan gyfiawnhau eich dadl gyda rhesymu clir a thystiolaeth.

Sgiliau allweddol

Mae dadansoddi'n ymwneud â nodi materion sy'n cael eu codi gan y deunyddiau yn adran AA1, ynghyd â'r rhai a nodwyd yn adran AA2, ac mae'n cyflwyno safbwyntiau cyson a chlir, naill ai gan ysgolheigion neu safbwyntiau personol, yn barod i'w gwerthuso.

Mae hyn yn golygu ei fod yn nodi pethau allweddol i'w trafod a'r dadleuon sy'n cael eu cyflwyno gan eraill neu o safbwynt personol.

Mae gwerthuso'n ymwneud ag ystyried goblygiadau amrywiol y materion sy'n cael eu codi, yn seiliedig ar y dystiolaeth a gafwyd wrth ddadansoddi ac mae'n rhoi dadl fanwl eang gyda chasgliad clir.

Mae hyn yn golygu bod yr ateb yn pwyso a mesur y dadleuon amrywiol a gwahanol a gafodd eu dadansoddi drwy roi sylwadau ac ymateb unigol, gan ddod i gasgliad drwy broses rhesymu clir.

Datblygu sgiliau AA2

Nawr mae'n bryd ystyried y wybodaeth sydd wedi'i chyflwyno hyd yma. Hefyd mae'n bwysig ystyried sut mae'r hyn rydych chi wedi'i ddysgu hyd yma'n gallu cael ei ddefnyddio ar gyfer atebion arholiad drwy ymarfer y sgiliau sy'n gysylltiedig ag AA2.

Mae Amcan Asesu 2 (AA2) yn ymwneud â 'dadansoddi' a 'gwerthuso'. Efallai fod ystyr y termau'n amlwg ond mae'n hanfodol eich bod yn gyfarwydd â sut mae sgiliau penodol yn dangos y rhain, a hefyd, sut bydd eich perfformiad ym mhob un o'r sgiliau hyn yn cael ei fesur (gweler disgrifyddion band cyffredinol Band 5 ar gyfer AA2 UG).

Yn amlwg mae ateb yn cael ei osod mewn disgrifydd band priodol, yn ôl pa mor dda yw'r ateb, gan amrywio o ragorol, da, boddhaol, sylfaenol/cyfyngedig i gyfyngedig iawn.

▶ **Dyma eich tasg nesaf:** isod y mae ateb is na'r cyffredin a gafodd ei ysgrifennu'n ymateb i gwestiwn sy'n gofyn am werthuso theodiciaeth Awstin fel amddiffyniad llwyddiannus o Dduw Theistiaeth Glasurol. Mae'n amlwg yn ateb is na'r cyffredin ac felly byddai tua band 2. Yn y lle cyntaf, bydd yn ddefnyddiol i chi ystyried beth sydd ar goll o'r ateb a beth sy'n anghywir. Y tro hwn does dim rhestr gyda'r ateb i'ch helpu. Wrth ddadansoddi gwendidau'r ateb, gweithiwch mewn grŵp a dewiswch bum pwynt o'r rhestr er mwyn gwella'r ateb hwn a'i gryfhau. Yna ysgrifennwch eich ychwanegiadau, pob un mewn paragraff clir. Cofiwch, y ffordd rydych chi'n defnyddio'r pwyntiau yw'r ffactor pwysicaf. Defnyddiwch egwyddorion gwerthuso gan wneud yn siŵr eich bod: yn nodi'r materion yn glir; yn cyflwyno safbwyntiau eraill yn gywir, gan wneud yn siŵr eich bod yn gwneud sylwadau ar y safbwyntiau rydych yn eu cyflwyno; yn dod i farn bersonol gyffredinol. Gallwch ychwanegu rhagor o'ch awgrymiadau eich hun, ond ceisiwch drafod fel grŵp a blaenoriaethu'r pethau pwysicaf i'w hychwanegu.

Ateb

Gallech chi ddadlau bod Awstin yn berson deallus iawn ac felly gallai ddefnyddio hyn i'w helpu i lunio dadl i brofi bod Duw yn bodoli, ni waeth pa heriau oedd yn cael eu cyflwyno iddo o ran problem drygioni.

Roedd Awstin yn gwybod bod bodau dynol yn greaduriaid pechadurus ac oherwydd hyn ein bod yn llawer mwy tebygol o wneud dewisiadau moesol drwg na rhai da. Roedd hyn oherwydd bod gennym ewyllys rydd. Nid bai Duw yw'r ffaith ein bod ni wedi gwneud y dewisiadau hyn – rhoddodd ef ryddid i ni i ddewis a dewison ni'r peth anghywir. Yn yr achos hwn mae'n amlwg fod y theodiciaeth yn llwyddiannus.

Ond, mae dadleuon Awstin yn gyfyngedig oherwydd yr oes roedd yn byw ynddi. Rydyn ni'n gwybod llawer mwy am wyddoniaeth a sut mae'r byd yn gweithio nag yr oedd ef a gallwn ni weld nad yw llawer o'i syniadau'n gwneud synnwyr gwyddonol.

I gloi, nid yw theodiciaeth Awstin yn amddiffyniad llwyddiannus o Dduw Theistiaeth Glasurol.

C: Ymatebion crefyddol i broblem drygioni: theodiciaeth sy'n seiliedig ar un Irenaeus

Cynnwys y fanyleb

Ymatebion crefyddol i broblem drygioni: theodiciaeth sy'n seiliedig ar un Irenaeus: dyffryn creu eneidiau: bodau dynol yn cael eu creu yn amherffaith; pellter epistemig; daioni eilradd; cyfiawnhad eschatolegol.

Ymatebion crefyddol i broblem drygioni: theodiciaeth sy'n seiliedig ar un Irenaeus

Roedd Awstin yn credu bod y cyfrifoldeb dros fodolaeth drygioni yn ganlyniad i weithredoedd asiantau ewyllys rydd yn troi i ffwrdd yn fwriadol oddi wrth Dduw. Yn wahanol i hyn, roedd Irenaeus yn credu mai gweithred fwriadol gan Dduw hollraslon, oedd eisiau i'w greadigaeth ddatblygu'r rhinweddau fyddai'n ei gwneud yn ysbrydol berffaith, oedd bodolaeth drygioni yn y drefn greëdig. Mae ei syniadau'n ganlyniad i'w ddehongliad ef o Genesis 1:26. Fodd bynnag, fel Awstin, ni chafodd ei theodiciaeth byth ei chyflwyno fel gwaith cyflawn ond yn hytrach roedd yn deillio o'i syniadau am le dynoliaeth yn y bydysawd a'r berthynas sydd ganddi â Duw.

Unigolyn allweddol

Irenaeus o Lyon: Esgob Cristnogol Cynnar o'r ail-drydedd ganrif rydyn ni'n ei gofio yn bennaf am ei weithiau yn erbyn heresi Gnosticiaeth – bygythiad mawr i uniongrededd Cristnogaeth yng nghanrifoedd cyntaf hanes yr Eglwys. Roedd e'n ddylanwadol yn ei ddatganiad am fodau dynol yn cael eu gwneud yn amherffaith a bod angen iddyn nhw dyfu tuag at berffeithrwydd. Roedd e'n credu mai'r unig ffordd o wneud hynny oedd drwy ymateb yn briodol i Dduw drwy Grist.

Dyffryn creu eneidiau: bodau dynol yn cael eu creu yn amherffaith; pellter epistemig; daioni eilradd; cyfiawnhad eschatolegol

Irenaeus o Lyon (130–202 OCC)

Mae Irenaeus yn ystyried y bywyd hwn fel man lle mae bodau dynol yn datblygu eu potensial ac yn tyfu o'r 'ddelw' (yn meddu ar rinweddau potensial perffeithrwydd ysbrydol Duw) i'r 'tebygrwydd' (gwireddu'r rhinweddau hynny) o Dduw, drwy'r treialon a'r profedigaethau maen nhw'n eu hwynebu a'r penderfyniadau maen nhw'n eu gwneud. Gyda phob penderfyniad moesol mae'n ei wynebu lle mae'n gwneud dewis da yn rhydd, mae'r unigolyn yn datblygu'n llawnach tuag at aeddfedrwydd ysbrydol. Roedd rhai rhinweddau moesol yn gynhenid i fodau dynol ond mae theodiciaeth Irenaeus yn dangos sut mae daioni eilradd fel dewrder, maddeuant a thosturi yn gallu datblygu dim ond fel ymateb i'n dioddefaint ein hunain a dioddefaint pobl eraill. Dyma oedd hanfod symud o'r 'ddelw' i'r 'tebygrwydd'.

Mae drygioni'n agwedd angenrheidiol o fywyd sy'n galluogi pobl i ddatblygu. Hebddo, ni fyddai gwir werth i benderfyniadau mewn bywyd. Er enghraifft, ni fyddai rhywun byth yn gwir werthfawrogi bod yn iach oni bai iddyn nhw brofi afiechyd. Fel y nodwyd eisoes, ni fyddai'n bosibl datblygu daioni neu rinweddau eilradd fel dewrder, amynedd a dyfalbarhad heb yr heriau mewn bywyd sy'n rhoi rhinweddau o'r fath ar brawf. Mae dioddefaint nid yn unig yn galluogi pobl i fod yn gryfach, ond mae hefyd yn eu galluogi i werthfawrogi daioni yn fwy. I Irenaeus, roedd gallu bodau dynol i ddewis yn rhydd i wneud daioni yn cyfrannu at gyflawni pwrpas Duw ar gyfer ei greadigaeth.

Mae Irenaeus yn defnyddio cydweddiad Duw fel crefftwr yn gweithio gyda bodau dynol fel ei ddefnydd. Mae'n awgrymu y dylai bodau dynol ganiatáu i Dduw eu mowldio i berffeithrwydd drwy weithredu mewn ffydd tuag at Dduw, a gadael i brofiadau bywyd, da a drwg, ein gwneud ni'n eitem wedi'i saernïo'n berffaith. Mae'n dweud hefyd y bydd y rheini sy'n gwrthsefyll Duw yn cael eu cosbi yn y bywyd nesaf. Yn wahanol i Awstin, mae theodiciaeth sy'n seiliedig ar un Irenaeus yn caniatáu i drugaredd Duw barhau i'r bywyd nesaf lle bydd unigolion sydd wedi gwrthod Duw yn y bywyd hwn yn cael cyfle i ennill ei faddeuant a datblygu i berffeithrwydd ysbrydol yn yr un nesaf. Roedd y cyfiawnhad eschatolegol hwn dros ddrygioni yn caniatáu i Dduw aros yn gyfiawn a da yn wyneb y dioddefaint dros dro mae'r greadigaeth yn ei brofi. Dyma'r hyn y byddai'r athronydd a'r diwinydd John Hick yn ei ddadlau.

Dyfyniadau allweddol

Dywedodd Duw, 'Gwnawn ddyn ar ein delw, yn ôl ein llun ni.' (Genesis 1:26)

Gwnaeth Duw ddyn yn [asiant] rhydd o'r dechrau, yn meddu ar ei rym ei hun, fel y mae ar ei enaid ei hun, i ufuddhau i orchmynion Duw o'i wirfodd, ac nid drwy orfodaeth gan Dduw. Oherwydd nid oes gorfodaeth gan Dduw, ond mae ewyllys dda [tuag atom ni] yn bresennol gydag Ef drwy'r adeg. (Irenaeus)

A'r caletaf yr ymdrechwn, y mwyaf gwerthfawr yw hynny; a'r mwyaf gwerthfawr ydyw, y mwyaf y dylen ni ei edmygu. (Irenaeus)

Termau allweddol

Creu eneidiau: proses lle mae'r enaid yn datblygu tuag at berffeithrwydd ysbrydol drwy ennill y doethineb i wneud y dewisiadau moesol cywir bob tro wrth wynebu amwyseddau bywyd fel bod dynol

Pellter epistemig: pellter sy'n cael ei fesur yn nhermau gwybodaeth yn hytrach na gofod neu amser

Datblygodd John Hick theodiciaeth Irenaeus yn ei lyfr *Evil and the God of Love* (1966). Mae Hick yn disgrifio theodiciaeth Irenaeus fel theodiciaeth '**creu eneidiau**' (cyfeiriad at syniad John Keats fod y byd yn dir profi i fodau dynol oedd yn ennill eu hiachawdwriaeth, nid yn unig drwy gredu mewn gwaredwr, ond yn hytrach drwy weithio drwy dreialon a phrofedigaethau bywyd pob dydd). Mae Hick hefyd yn gwneud y pwynt, er mwyn bod yn wirioneddol rydd, fod yn rhaid i fodau dynol gael eu creu ar '**bellter epistemig**' oddi wrth Dduw.

Yn hyn o beth, roedd bodau dynol yn cael eu gosod mewn sefyllfa lle roedd bodolaeth ac anfodolaeth Duw yr un mor debygol. Roedd hyn wedyn yn galluogi i ryddid dynol gwirioneddol fodoli o ran sut roedden nhw'n ymateb i Dduw. Ni allai Duw greu bodau dynol oedd yn ysbrydol berffaith nac yn syth yn ymwybodol o'i fodolaeth ef. Y rheswm am hyn oedd, yn yr achos cyntaf, fod daioni sy'n datblygu drwy ddewis rhydd yn fwy gwerthfawr na daioni 'parod' ac, yn yr ail achos, byddai hyn yn cyfyngu ar ddewisiadau gan y byddai dynoliaeth yn ymwybodol drwy'r amser o gael eu 'gwylio' ac felly bydden nhw'n gwneud pob penderfyniad yng ngoleuni'r wybodaeth hon. Roedd Hick hefyd yn derbyn y syniad y byddai trugaredd Duw yn caniatáu i bob bod dynol gwblhau'r broses o ddatblygu perffeithrwydd ysbrydol – os nad yn y bywyd hwn, yna yn yr un nesaf.

Dyfyniadau allweddol

Bydd e'n goresgyn sylwedd natur greëdig. Oherwydd roedd yn angenrheidiol, ar y dechrau, fod natur yn cael ei dangos; yna, wedi hynny, dylai'r hynny oedd yn feidrol gael ei goncro a'i lyncu gan anfarwoldeb, a'r llygradwy gan anllygredigaeth, a dylai dyn gael ei wneud ar ddelw a thebygrwydd Duw, wedi derbyn gwybodaeth am dda a drwg. **(Irenaeus)**

Cyfenw cyffredin am y byd hwn ymhlith yr annoeth a'r ofergoelus yw 'dyffryn dagrau' y cawn ein hachub ohono gan ryw ymyrraeth fympwyol ar ran Duw a'n cymryd yn syth i'r nefoedd – dyna syniad bach trefnedig a chyfyngedig! Galwch y byd os dymunwch yn 'Ddyffryn Creu Eneidiau'. **(Keats)**

Unigolyn allweddol

John Hick: 1922–2012. Hick oedd un o athronwyr crefyddol mwyaf dylanwadol yr 20fed a dechrau'r 21ain ganrif. Mae ei weithiau enwocaf yn cynnwys *Faith and Knowledge* (1957); *Evil and the God of Love* (1966); *Death and the Eternal Life* (1976); *Philosophy of Religion* (gwahanol argraffiadau – y 4ydd argraffiad yw'r mwyaf diweddar, cyhoeddwyd 1990) a *The New Frontier of Religion and Science: Religious Experience, Neuroscience and the Transcendent* (2006). Bu farw ym mis Chwefror 2012.

Gweithgaredd AA1

Crëwch ddau fap meddwl – un ar gyfer Irenaeus ac un ar gyfer John Hick. Ysgrifennwch fanylion eu syniadau ar bob map meddwl fel eich bod chi'n glir pwy ddywedodd beth o ran y theodiciaeth. Bydd hyn yn golygu eich bod yn gallu dangos 'gwybodaeth drylwyr, gywir a pherthnasol' am y prif athronwyr (ateb Lefel 5 AA1) yn eich atebion i gwestiynau am theodiciaethau sy'n seiliedig ar un Irenaeus.

Cynnwys y fanyleb

Heriau i theodiciaethau sy'n seiliedig ar un Irenaeus: y cysyniad fod iachawdwriaeth hollgyffredinol yn anghyfiawn; ni ddylai Duw hollraslon ddefnyddio drygioni a dioddefaint fel offeryn; anferthedd dioddefaint a dosbarthiad anghyfartal drygioni a dioddefaint.

Heriau i theodiciaethau sy'n seiliedig ar un Irenaeus

Mae ailwampio'r theodiciaeth hon yn y byd modern, gyda'i gydymdeimlad tuag at esboniadau gwyddonol o ddatblygiad bywyd ar y ddaear, wedi rhoi bywyd newydd a hygrededd iddi nad yw theodiciaeth Awstin wedi llwyddo i gael i'r un graddau. Mae datblygu i aeddfedrwydd ysbrydol yn adlewyrchu crefyddau y tu allan i'r fframwaith Cristnogol – ac o bosibl yn atseinio safbwynt Hick ei hun am blwraliaeth grefyddol. Fodd bynnag, er gwaethaf yr elfennau deniadol niferus, mae theodiciaeth Irenaeus wedi denu beirniadaeth ffyrnig hefyd.

Y cysyniad fod iachawdwriaeth hollgyffredinol yn anghyfiawn

Os bydd pob bod dynol yn cyrraedd perffeithrwydd yn y pen draw, ni waeth beth maen nhw wedi ei wneud yn y gorffennol, sut mae hyn yn annog ymddygiad

cwestiwn cyflym

3.11 Pa adnod yn y Beibl yw sail y theodiciaeth sy'n seiliedig ar un Irenaeus?

moesol da yn y presennol? Os yw'r canlyniad yn cael ei warantu gan Dduw, beth yw pwynt y bererindod? Yn wir, os oes iachawdwriaeth hollgyffredinol, yna a oes gennym yr ewyllys rydd i wrthod aeddfedu?

Mae'r cysyniad o iachawdwriaeth hollgyffredinol fel pe bai'n tanseilio ymdrechion bodau dynol i ddatblygu eu haeddfedrwydd ysbrydol eu hunain. Os bydd Duw yn y pen draw yn codi pawb i'r cyflwr hwn, ydy hynny'n awgrymu bod ewyllys rydd yn gyfyngedig? H.y. a oes gan fodau dynol yr ewyllys rydd i wrthod y datblygiad hwn tuag at berffeithrwydd ysbrydol?

Ni ddylai Duw hollraslon ddefnyddio drygioni a dioddefaint fel offeryn

Ni ddylai dioddefaint byth fod yn offeryn i Dduw hollraslon. Mae niweidio rhywun yn debycach i gamdriniaeth nag i gariad.

Hefyd, mae nifer o feirniadaethau'n cynnwys awgrymiadau am well ffyrdd o gyflawni'r broses hon. Er enghraifft, pam roedd yn rhaid i'r amgylchedd naturiol gael ei greu drwy broses hir, araf a llawn poen? Pam na allai Duw hollalluog ei wneud 'ar amrantiad'? Yn yr un modd, os ydyn ni'n mynd ymlaen i fywyd arall i gyrraedd aeddfedrwydd, yna pam na wnaeth Duw ein bywyd ar y ddaear yn llawer hirach, fel y gallen ni gyrraedd y Ddinas Nefol ar y ddaear, neu fynd yn nes ati o leiaf? Yn wir, a oes yna unrhyw dystiolaeth o fywydau eraill?

Oni ellir cyrraedd y daioni gwell heb y fath ddrygioni a dioddefaint? Fel theodiciaeth Gristnogol, mae'n ymddangos ei bod yn gwneud swyddogaeth Iesu, fel gwaredwr sy'n gwneud iawn am bob pechod, yn ychwanegiad ac yn ddiangen.

Anferthedd dioddefaint a dosbarthiad anghyfartal drygioni a dioddefaint

Dydy'r dioddefaint aruthrol mae rhai yn ei brofi ddim yn gwneud iawn am unrhyw wobr bosibl o berffeithrwydd ysbrydol. Nid yw dioddefaint wedi'i ddosbarthu'n gyfartal – mae hyn yn awgrymu anghysondeb â mecanwaith perffeithrwydd Duw.

Ydy'r diben yn cyfiawnhau'r modd? Dydy'r dioddefaint a brofwyd, er enghraifft, yn Auschwitz yn ystod yr Holocost neu weithredoedd terfysgol sy'n lladd pobl ddiniwed, ddim yn gallu cyfiawnhau'r llawenydd terfynol. Yn wir, yn yr Holocost, roedd pobl yn cael eu difetha a'u dinistrio yn fwy na chael eu gwneud neu eu perffeithio. Mae'n anodd gweld sut mae hyn yn rhan o gynllun Duw a chynnydd dynol.

Byddai'n ymddangos, felly, fod y dioddefaint dwys a brofir gan lawer yn gwneud hon yn theodiciaeth 'torri eneidiau' yn hytrach na theodiciaeth 'creu eneidiau'.

Awgrym astudio

Cofiwch y gall beirniadaethau o unrhyw ddadl wanhau neu gryfhau yn dibynnu ar safbwynt y person. Er enghraifft, byddai un o feirniadaethau creu eneidiau yn feirniadaeth gref dim ond os oes gan berson safbwynt Cristnogol am yr Iawn. Os nad oes, does dim gwerth iddi fel beirniadaeth.

Gweithgaredd AA1

Lluniwch boster gwybodaeth sy'n rhoi manylion y prif heriau i theodiciaethau sy'n seiliedig ar un Irenaeus, gan gynnwys rhan allweddol y theodiciaeth maen nhw'n ei herio. Bydd hyn yn helpu i gryfhau eich dealltwriaeth AA1 a'ch sgiliau gwerthuso AA2.

cwestiwn cyflym

3.12 Beth yw rôl drygioni yn y theodiciaeth sy'n seiliedig ar un Irenaeus?

Dioddefodd llawer o Iddewon yn nwylo'r Natsïaid

Dyfyniad allweddol

Pwy sydd wedi achosi hyn i ni? …. Pwy sydd wedi gadael i ni ddioddef mor enbyd tan nawr? Duw sydd wedi ein gwneud ni fel rydyn ni, ond Duw, hefyd, a fydd yn ein dyrchafu ni eto. Os goddefwn ni'r holl ddioddefaint hwn ac os bydd Iddewon ar ôl o hyd wedi iddo orffen, yna bydd Iddewon, yn lle cael eu condemnio, yn cael eu cynnig yn esiampl. (Anne Frank)

cwestiwn cyflym

3.13 Rhowch un feirniadaeth o'r theodiciaeth sy'n seiliedig ar un Irenaeus.

Sgiliau allweddol

Mae gwybodaeth yn ymwneud â:

Dewis ystod o wybodaeth (drylwyr) gywir a pherthnasol sydd â chysylltiad uniongyrchol â gofynion penodol y cwestiwn.

Mae hyn yn golygu eich bod yn dewis y wybodaeth gywir sy'n berthnasol i'r cwestiwn a osodwyd NID y maes pwnc. Bydd angen i chi feddwl a chanolbwyntio ar ddewis gwybodaeth allweddol ac NID ysgrifennu popeth yr ydych chi'n ei wybod am y maes pwnc.

Mae dealltwriaeth yn ymwneud ag:

Esboniad helaeth, gan ddangos dyfnder a/neu ehangder gyda defnydd rhagorol o dystiolaeth ac enghreifftiau gan gynnwys (lle y bo'n briodol) defnydd trylwyr a chywir o destunau cysegredig, ffynonellau doethineb a geirfa arbenigol.

Mae hyn yn golygu y gallwch ddangos eich bod yn deall rhywbeth drwy egluro ac ehangu eich pwyntiau gan ddefnyddio enghreifftiau/tystiolaeth gefnogol mewn ffordd bersonol ac NID ailadrodd darnau o werslyfr (sef dysgu ar y cof).

Cymhwyso sgiliau ymhellach:

Ewch drwy'r meysydd pwnc yn yr adran hon a lluniwch rai rhestri bwled o bwyntiau allweddol o feysydd allweddol. Ar gyfer pob un, rhowch fwy o fanylion ac esboniwch fwy drwy ddefnyddio tystiolaeth ac enghreifftiau.

Datblygu sgiliau AA1

Nawr mae'n bryd ystyried y wybodaeth sydd wedi'i chyflwyno hyd yma. Hefyd mae'n bwysig ystyried sut mae'r hyn rydych chi wedi'i ddysgu hyd yma'n gallu cael ei ddefnyddio ar gyfer atebion arholiad drwy ymarfer y sgiliau sy'n gysylltiedig ag AA1.

Mae Amcan Asesu 1 (AA1) yn ymwneud â dangos gwybodaeth a dealltwriaeth. Mae'r termau 'gwybodaeth' a 'dealltwriaeth' yn amlwg ond mae'n hanfodol eich bod yn gyfarwydd â sut mae sgiliau penodol yn dangos y rhain, a hefyd, sut bydd eich perfformiad ym mhob un o'r sgiliau hyn yn cael ei fesur (gweler disgrifyddion band cyffredinol Band 5 ar gyfer AA1 UG).

▶ **Dyma eich tasg newydd:** isod mae rhestr o nifer o bwyntiau bwled allweddol a gafodd eu hysgrifennu'n ymateb i gwestiwn sy'n gofyn am archwilio theodiciaethau sy'n seiliedig ar un Irenaeus. Mae'n amlwg yn rhestr lawn iawn. Yn y lle cyntaf, bydd yn ddefnyddiol i chi ystyried pa rai yw'r pwyntiau pwysicaf i'w defnyddio wrth gynllunio ateb. Yn y bôn, mae'r ymarfer hwn fel ysgrifennu eich set eich hun o atebion posibl sydd wedi'u rhestru mewn cynllun marcio nodweddiadol fel cynnwys dangosol. Gweithiwch mewn grŵp a dewiswch y pwyntiau pwysicaf i'w cynnwys mewn rhestr o gynnwys dangosol ar gyfer y cwestiwn hwn. Bydd angen i chi benderfynu ar ddau beth: pa bwyntiau i'w dewis; ac yna, ym mha drefn y dylech eu rhoi mewn ateb.

Rhestr o gynnwys dangosol:

- Mae drygioni'n rhan fwriadol o gynllun Duw.
- Mae theodiciaethau sy'n seiliedig ar un Awstin yn wahanol iawn i rai sy'n seiliedig ar un Irenaeus.
- Esgob Cristnogol Cynnar oedd Irenaeus ac roedd yn byw yn Lyon, Gâl.
- Mae bodau dynol yn cael eu creu *Imago Dei* (ar ddelw Duw).
- Bydd bodau dynol i gyd yn y pen draw yn cael eu huno â Duw mewn perffeithrwydd ysbrydol yn y nefoedd. Mae hyn yn cynnig cyfiawnhad eschatolegol dros y dioddefaint a wynebir mewn bywyd.
- Mae Duw'n gallu mowldio pobl i berffeithrwydd os ydyn nhw'n gweithredu mewn ffydd tuag ato.
- Mae drygioni'n rhan angenrheidiol o fodolaeth ddynol.
- 'Gwnawn ddyn ar ein delw, yn ôl ein llun ni' (Genesis 1:26).
- Crëwyd bodau dynol ar bellter epistemig oddi wrth Dduw (pellter mewn gwybodaeth) gan fod hynny'n caniatáu i ewyllys rydd fodoli.
- Gall daioni eilradd fel dewrder a thosturi ddatblygu dim ond pan fydd pobl yn wynebu'r problemau mae drygioni a dioddefaint yn eu hachosi.
- Mae dewisiadau gwirioneddol yn golygu bod angen i ddaioni a drygioni fod yn bosibiliadau gwirioneddol sydd â chanlyniadau gwirioneddol.
- Pan fydd pobl yn dewis yn rhydd gwneud daioni yn hytrach na drygioni, maen nhw'n cyflawni pwrpas Duw ar gyfer ei greadigaeth.
- Mae 'delw' yn golygu meddu ar y potensial i fod fel Duw ac mae 'tebygrwydd' yn golygu dangos rhinweddau fel rhai Duw.
- Gall y broses o ddatblygu i berffeithrwydd ysbrydol gymryd yn hirach nag un oes feidrol yn unig.
- Bydd y rheini sy'n gwrthsefyll Duw drwy ddewis drygioni yn cael eu cosbi yn y byd nesaf.
- Mae Duw yn hollalluog ac yn hollraslon.
- Mae'n amhosibl gwerthfawrogi bod yn iach os nad ydych chi wedi bod yn wael. Mae hyn yn dangos pam mae angen dioddefaint i'n helpu ni i ddeall sut i ddewis gwneud daioni.

Materion i'w dadansoddi a'u gwerthuso

A yw theodiciaethau sy'n seiliedig ar un Irenaeus yn gredadwy yn yr 21ain ganrif

Mae theodiciaethau sy'n seiliedig ar un Irenaeus yn tarddu o ganol y 3edd ganrif OCC. Wrth fyfyrio ar y berthynas oedd gan fodau dynol â Duw a'r lle roedd ganddyn nhw yn y drefn greëdig, daeth Irenaeus i sylweddoli bod bodau dynol yn unigryw. Bodau dynol oedd yr unig fodau creëdig wedi'u gwneud *Imago Dei* (ar ddelw Duw) ac felly mae ganddyn nhw'r potensial i ddatblygu'r math o nodweddion sydd gan Dduw ei hun a dod 'fel Duw'. Roedd y syniad hwn yn seiliedig ar yr adnod yn llyfr Genesis 1:26, 'Gwnawn ddyn ar ein delw, yn ôl ein llun ni'. O safbwynt yr 21ain ganrif, mae'r syniad hwn yn cyd-fynd â'r ddealltwriaeth wyddonol fod bywyd ar y ddaear yn datblygu rhinweddau sy'n ei helpu i oroesi yn fwy effeithiol o fewn yr amgylchedd naturiol (fel yn ôl detholiad naturiol a damcaniaeth esblygiad). Yn hyn o beth, mae'n ymddangos bod gan theodiciaethau sy'n seiliedig ar un Irenaeus rywfaint o hygrededd yn yr 21ain ganrif.

Fodd bynnag, gall eraill ddweud bod seilio theodiciaeth ar ddogfen sydd bron yn 3000 mlwydd oed yn golygu bod unrhyw honiad o hygrededd yn amheus a dweud y lleiaf. Efallai bydd y syniad y gellir esbonio bodolaeth drygioni a dioddefaint fel rhyw fath o 'ymarfer corff ysbrydol' yn swnio'n anweddus i rai pobl – yn enwedig y rheini y mae eu dioddefaint mor ddrwg fel ei bod bron yn amhosibl gweld unrhyw beth cadarnhaol ynddo.

Yn wir, mae anferthedd y dioddefaint sydd wedi digwydd drwy hanes dynol drwy hil-laddiadau, fel y rheini a wynebwyd gan Serbiaid Bosnia, dioddefwyr Stalin, pobloedd Rwanda ac Iddewon Ewrop (a dim ond digwyddiadau o hanes dynol yn yr 80 mlynedd diwethaf yw'r rheini), yn tanseilio'n llwyr y syniad fod dioddefaint yno i helpu unigolion i ddod yn ysbrydol aeddfed. Mae syniad o'r fath yn mynd yn ffiaidd os dyna'r pris mae angen ei dalu. Pa fath o Dduw fyddai'n mynnu cost mor ofnadwy gan Ei greadigaeth?

Mae'n bosibl fod hygrededd i'r theodiciaethau yn yr 21ain ganrif i'w gael yn yr addewid o obaith a roddir i bawb. Mae'r awgrym y bydd y broses hon o ddatblygu o ddelw i debygrwydd yn cael ei gwireddu un diwrnod gan bob bod dynol, ni waeth faint o amser mae'n ei gymryd i bob unigolyn, yn rhoi rhywbeth i bawb i anelu ato. Y nod hwn yw y bydd dioddefaint a phoen yn diflannu am byth a bydd pawb yn gallu bod yn rhan o berffeithrwydd ysbrydol mewn tragwyddoldeb gyda Duw. Dyna'r gobaith i'r rheini sy'n dilyn Diwinyddiaeth Rhyddhad. Hynny yw, un diwrnod bydd dioddefaint yn cael ei oresgyn a bydd Duw yn ein hadfer yn ôl ato ef yn y berthynas wreiddiol a ddarluniwyd yn Eden.

Serch hynny, mae llawer o wrthwynebiadau i hyn. Byddai beirniaid yn honni bod y syniad o iachawdwriaeth hollgyffredinol yn ffiaidd. Ydy hyn yn meddwl y bydd rhai o'r bobl fwyaf cas, drwg a chreulon sydd erioed wedi byw yn cael yr union un wobr yn y pen draw â'r bodau dynol hynny sydd wedi cysegru eu bywydau i wneud gwaith da, gweithredu'n anhunanol a gwella bywydau pobl eraill? Ydyn ni wir yn golygu y bydd Gandhi a Stalin yn cael eu trin yn yr un ffordd? Sut mae hyn yn dangos cyfiawnder Duw? Pam dylai unrhyw un drafferthu gwneud ymdrech yn y byd hwn nawr, os byddwn ni i gyd yn mynd i'r nefoedd yn y diwedd? Mae'r syniad yn ymddangos yn chwerthinllyd ac mae'n tanseilio'n ddifrifol unrhyw hygrededd sydd gan y theodiciaeth hon yn yr 21ain ganrif.

I gloi, er gwaethaf apêl gychwynnol datblygiad dynol a gobaith hollgyffredinol o wobr dragwyddol, mae'r gwrthddywediadau yn y theodiciaethau sy'n seiliedig ar un Irenaeus yn rhy ddifrifol i'r theodiciaeth hon gynnal unrhyw hygrededd yn yr 21ain ganrif.

Mae'r adran hon yn cwmpasu cynnwys a sgiliau AA2

Cynnwys y fanyleb

A yw theodiciaethau sy'n seiliedig ar un Irenaeus yn gredadwy yn yr 21ain ganrif.

Gweithgaredd AA2
Dadleuon posibl

Wedi'u rhestru isod mae rhai casgliadau y byddai'n bosibl dod iddynt ar sail rhesymeg AA2 yn y testun cysylltiedig:

1. Dydy theodiciaethau sy'n seiliedig ar un Irenaeus ddim yn gredadwy oherwydd dydyn nhw ddim yn cymryd mater drygioni yn ddigon difrifol.
2. Annhegwch y theodiciaethau sy'n achosi'r diffyg hygrededd yn yr 21ain ganrif.
3. Os derbynnir y Beibl fel ffynhonnell ddibynadwy yna mae theodiciaeth Irenaeus yn gwneud synnwyr perffaith.
4. Mae datblygu perffeithrwydd ysbrydol yn syniad credadwy gan ei fod yn cysylltu'n agos â damcaniaeth esblygiad.
5. Dydy theodiciaethau sy'n seiliedig ar un Irenaeus ddim yn gredadwy yn yr 21ain ganrif oherwydd dydyn nhw ddim yn gallu ymdrin yn ddigonol â'r dwyster, anferthedd a'r annhegwch llwyr a achosir gan ddrygioni a dioddefaint.

Ystyriwch bob un o'r casgliadau sy'n cael eu gwneud uchod a chasglwch dystiolaeth ac enghreifftiau i gefnogi pob dadl o'r deunydd AA1 ac AA2 a astudiwyd yn yr adran hon. Dewiswch un casgliad sy'n argyhoeddi fwyaf yn eich barn chi ac esboniwch pam mae hyn yn wir. Nawr cyferbynnwch hyn â'r casgliad gwannaf ar y rhestr, gan gyfiawnhau eich dadl gyda rhesymu clir a thystiolaeth.

Cynnwys y fanyleb

I ba raddau y mae theodiciaeth Irenaeus yn llwyddo i amddiffyn Duw Theistiaeth Glasurol.

I ba raddau y mae theodiciaeth Irenaeus yn llwyddo i amddiffyn Duw Theistiaeth Glasurol

Bu problem drygioni yn her ers oesoedd i'r rhai sy'n credu yn Nuw Theistiaeth Glasurol. Drwy hanes cafwyd ymdrechion i gefnogi'r gred hon ac ymosod ar broblem drygioni. Gellir gweld un enghraifft o'r fath yn y theodiciaethau (ymdrechion i gyfiawnhau Duw yn wyneb bodolaeth drygioni) sy'n gysylltiedig â gweithiau Irenaeus o Lyon.

Mae Irenaeus yn seilio ei brif syniadau ar Genesis 1:26 sy'n dweud: 'Gwnawn ddyn ar ein delw, yn ôl ein llun ni'. Y llinyn sylfaenol sy'n rhedeg drwy weithiau Irenaeus (ni chafodd y theodiciaeth ei hysgrifennu fel un gwaith cyfan – thema ydyw sy'n mynd drwy lawer o'i weithiau) yw i fodau dynol gael eu gwneud ar ddelw Duw. Mewn geiriau eraill roedd gennym y potensial i fod fel Duw, ond dim ond drwy fynd drwy dreialon dioddefaint mewn bywyd ac ymateb i'r rhain yn briodol (dewis yn rhydd gwneud daioni yn hytrach na drygioni) y bydden ni'n datblygu i fod fel Duw – h.y. y bydden ni'n gwireddu rhinweddau Duw ynon ni'n hunain. Yma mae Irenaeus yn wynebu problem drygioni yn uniongyrchol ac yn cyfaddef bod drygioni yn bodoli. Nid yn unig y mae'n bodoli, ond roedd hefyd yn rhan o gynllun Duw ar gyfer dynoliaeth. Mae Duw, ym marn Irenaeus, wedi creu drygioni'n fwriadol fel y gallen ni ddatblygu ein rhinweddau ysbrydol a dod yn bobl well. Yn hyn o beth, mae theodiciaeth Irenaeus yn amddiffyniad llwyddiannus o Dduw Theistiaeth Glasurol oherwydd ei fod yn derbyn 'trydedd gornel' y triawd anghyson ond yn goresgyn hyn drwy ddweud bod rheswm amlwg iawn dros fodolaeth drygioni – sef helpu pobl i gyrraedd perffeithrwydd ysbrydol a moesol.

Mae Irenaeus yn sôn am Dduw fel crefftwr, ac mae drygioni yn un o'i offer sy'n ei alluogi i fowldio pobl i berffeithrwydd pan maen nhw'n gweithredu mewn ffydd tuag ato (h.y. maen nhw o'u gwirfodd yn dewis gwneud daioni yn wyneb drygioni a dioddefaint). Mae'r theodiciaeth yn llwyddiannus hefyd os ydyn ni'n ystyried datblygiad John Hick o theodiciaeth Irenaeus. Mae Hick yn datgan bod trugaredd Duw yn ymestyn y tu hwnt i'r bywyd hwn ac y bydd pob bod dynol, drwy ei drugaredd ddwyfol, yn datblygu yn y diwedd yn fodau sy'n ysbrydol berffaith ac yn cael eu huno gydag ef yn y nefoedd. Byddai hyn ar yr olwg gyntaf i'w weld yn amddiffyniad llwyddiannus arall o Dduw Theistiaeth Glasurol yn wyneb bodolaeth drygioni. Hynny yw, yr addewid yw y bydd drygioni, ryw ddiwrnod, nid yn unig yn cael ei oresgyn, ond y bydd pob unigolyn ryw ddiwrnod yn cyflawni'r diben y mae Duw wedi ei osod iddyn nhw a bydd y greadigaeth gyfan yn un mewn cytgord gyda'i gilydd.

Yn anffodus i'r rheini sy'n cefnogi theodiciaeth Irenaeus mae gormod o broblemau heb eu datrys. Nid yw hyd a lled y dioddefaint yn gyfartal. Nid yw pob bod dynol yn profi'r un faint o ddioddefaint yn eu bywydau ac mae rhai yn llwyddo i ddod yn bobl foesol ac ysbrydol dda heb fynd drwy dreialon dioddefaint a drygioni. Yn wir, mae rhai o'r rheini sy'n dioddef yn gorfod delio â chymaint fel nad ydyn nhw'n datblygu ond yn atchwelyd – rhai i gylchoedd o drais a chreulondeb, rhai yn eu lladd eu hunain oherwydd na allan nhw ddioddef eiliad arall. Nid yw'r naill beth na'r llall yn cael eu hystyried yn y theodiciaeth ac mae'r ddau yn gosod her ddifrifol i'w heffeithiolrwydd fel amddiffyniad o Dduw Theistiaeth Glasurol. Ymhellach, mae'r cysyniad o iachawdwriaeth hollgyffredinol fel pe bai'n tanseilio unrhyw reswm dros ddewis gwneud y peth cywir yn y byd sydd ohoni. Beth yw'r pwynt os bydd y ddynoliaeth gyfan yn diweddu gyda Duw beth bynnag?

Felly, i gloi, gan ddilyn y pwyntiau uchod, mae'r theodiciaeth sy'n seiliedig ar un Irenaeus yn methu fel amddiffyniad llwyddiannus o Dduw Theistiaeth Glasurol.

Gweithgaredd AA2
Dadleuon posibl

Wedi'u rhestru isod mae rhai casgliadau y byddai'n bosibl dod iddynt ar sail rhesymeg AA2 yn y testun cysylltiedig:

1. Mae theodiciaethau sy'n seiliedig ar un Irenaeus yn gwanhau'r syniad o hollalluogrwydd Duw.
2. Nid yw theodiciaethau sy'n seiliedig ar un Irenaeus yn cyd-fynd â Duw cariadus.
3. Mae theodiciaethau sy'n seiliedig ar un Irenaeus yn awgrymu bod Duw'n dosbarthu drygioni a dioddefaint yn fympwyol, a bod hyn yn anghydnaws â Duw Theistiaeth Glasurol.
4. Dydy theodiciaethau sy'n seiliedig ar un Irenaeus ddim yn esbonio pam byddai Duw hollwybodus yn caniatáu cynllun mor gymhleth.
5. Mae theodiciaethau sy'n seiliedig ar un Irenaeus yn llwyddiannus oherwydd dyma'r unig ffordd o esbonio ewyllys rydd.

Ystyriwch bob un o'r casgliadau sy'n cael eu gwneud uchod a chasglwch dystiolaeth ac enghreifftiau i gefnogi pob dadl o'r deunydd AA1 ac AA2 a astudiwyd yn yr adran hon. Dewiswch un casgliad sy'n argyhoeddi fwyaf yn eich barn chi ac esboniwch pam mae hyn yn wir. Nawr cyferbynnwch hyn â'r casgliad gwannaf ar y rhestr, gan gyfiawnhau eich dadl gyda rhesymu clir a thystiolaeth.

Datblygu sgiliau AA2

Nawr mae'n bryd ystyried y wybodaeth sydd wedi'i chyflwyno hyd yma. Hefyd mae'n bwysig ystyried sut mae'r hyn rydych chi wedi'i ddysgu hyd yma'n gallu cael ei ddefnyddio ar gyfer atebion arholiad drwy ymarfer y sgiliau sy'n gysylltiedig ag AA2.

Mae Amcan Asesu 2 (AA2) yn ymwneud â 'dadansoddi' a 'gwerthuso'. Efallai fod ystyr y termau'n amlwg ond mae'n hanfodol eich bod yn gyfarwydd â sut mae sgiliau penodol yn dangos y rhain, a hefyd, sut bydd eich perfformiad ym mhob un o'r sgiliau hyn yn cael ei fesur (gweler disgrifyddion band cyffredinol Band 5 ar gyfer AA2 UG).

Yn amlwg mae ateb yn cael ei osod mewn disgrifydd band priodol, yn ôl pa mor dda yw'r ateb, gan amrywio o ragorol, da, boddhaol, sylfaenol/cyfyngedig i gyfyngedig iawn.

▶ **Dyma eich tasg newydd:** isod mae rhestr o nifer o bwyntiau bwled allweddol a gafodd eu hysgrifennu'n ymateb i gwestiwn sy'n gofyn am werthuso theodiciaethau sy'n seiliedig ar un Irenaeus. Mae'n amlwg yn rhestr lawn iawn. Yn y lle cyntaf, bydd yn ddefnyddiol i chi ystyried pa rai yw'r pwyntiau pwysicaf i'w defnyddio wrth gynllunio ateb. Yn y bôn, mae'r ymarfer hwn fel ysgrifennu eich set eich hun o atebion posibl sydd wedi'u rhestru mewn cynllun marcio nodweddiadol fel cynnwys dangosol. Gweithiwch mewn grŵp a dewiswch y pwyntiau pwysicaf i'w cynnwys mewn rhestr o gynnwys dangosol ar gyfer y cwestiwn hwn. Bydd angen i chi benderfynu ar ddau beth: pa bwyntiau i'w dewis; ac yna, ym mha drefn y dylech eu rhoi mewn ateb.

Rhestr o gynnwys dangosol:

- Gallai derbyn theodiciaeth sy'n seiliedig ar un Irenaeus godi amheuon am hollraslonrwydd Duw os tyfu drwy ddioddef yw pwrpas bywyd.
- Siawns na fyddai Duw o'r fath yn dod o hyd i fecanwaith mwy trugarog i ganiatáu i'r greadigaeth dyfu a datblygu tuag at Dduw?
- Nid yw'r theodiciaeth hon yn cyd-fynd â hanesion y Creu, y Cwymp a'r Iawn yn y Beibl.
- Does dim lle i bŵer achubol iachawdwriaeth drwy Grist.
- Nid yw'r syniad o ddioddefaint sy'n arwain at ddatblygiad moesol/ysbrydol yn brofiad hollgynhwysol.
- Mae modd i rai unigolion ddatblygu ac i eraill beidio.
- Mae rhai mathau o ddioddefaint yn achosi marwolaeth yn hytrach na datblygiad.
- Mae eraill yn datblygu rhinweddau moesol ac aeddfedrwydd ysbrydol heb ddioddefaint gormodol.
- Nid yw'r theodiciaeth yn rhoi cyfrif am y dioddefaint/drygioni eithafol mae rhai yn ei brofi.
- Hefyd mae'n methu ag esbonio dosbarthiad anghyfartal dioddefaint.
- Mae'r cysyniad o iachawdwriaeth hollgyffredin yn foesol anghyson – os bydd pawb yn mynd i'r nefoedd yn y diwedd, does dim cymhelliant i wneud daioni yn hytrach na drygioni.
- Fodd bynnag, gall rhai esbonwyr ystyried bod theodiciaeth sy'n seiliedig ar un Irenaeus yn rhoi pwrpas i ddioddefaint.
- Yn wahanol i Awstin, mae cysyniad Irenaeus o ddatblygiad yn cyd-fynd â safbwynt gwyddonol am esblygiad.
- Mae'r theodiciaeth hefyd yn cynnwys cyfrifoldeb dynol gwirioneddol, sydd felly'n parchu athrawiaeth ewyllys rydd wirioneddol.
- Mae'r theodiciaeth yn hyrwyddo twf/datblygiad dynol wrth ymgyrraedd at rinwedd foesol fel y prif nod mewn bywyd, ac mae'n annog ymddygiad cadarnhaol gan unigolion mewn cymdeithas.
- Mae'r theodiciaeth hefyd yn cynnal cred mewn bywyd ar ôl marwolaeth a phwrpas ar ei gyfer.

Sgiliau allweddol

Mae dadansoddi'n ymwneud â nodi materion sy'n cael eu codi gan y deunyddiau yn adran AA1, ynghyd â'r rhai a nodwyd yn adran AA2, ac mae'n cyflwyno safbwyntiau cyson a chlir, naill ai gan ysgolheigion neu safbwyntiau personol, yn barod i'w gwerthuso.

Mae hyn yn golygu ei fod yn nodi pethau allweddol i'w trafod a'r dadleuon sy'n cael eu cyflwyno gan eraill neu o safbwynt personol.

Mae gwerthuso'n ymwneud ag ystyried goblygiadau amrywiol y materion sy'n cael eu codi, yn seiliedig ar y dystiolaeth a gafwyd wrth ddadansoddi ac mae'n rhoi dadl fanwl eang gyda chasgliad clir.

Mae hyn yn golygu bod yr ateb yn pwyso a mesur y dadleuon amrywiol a gwahanol a gafodd eu dadansoddi drwy roi sylwadau ac ymateb unigol, gan ddod i gasgliad drwy broses rhesymu clir.

Th4 Profiad crefyddol (rhan 1)

Mae'r adran hon yn cwmpasu cynnwys a sgiliau AA1

Cynnwys y fanyleb

Natur profiad crefyddol gan gyfeirio'n benodol at weledigaethau – synhwyraidd; deallusol; breuddwydion.

Termau allweddol

Breuddwydion: o ran gweledigaethau, y cyflwr anymwybodol lle y ceir gwybodaeth neu ddealltwriaeth drwy gyfres o ddelweddau neu naratif-freuddwyd, na fyddai fel arfer ar gael i'r unigolyn yn y cyflwr ymwybodol

Corfforol: o natur faterol, ffisegol

Deallusol: o ran gweledigaethau, yr hyn sy'n dod â gwybodaeth a dealltwriaeth i'r derbynnydd/derbynwyr

Gweledigaethau: y gallu i 'weld' rhywbeth y tu hwnt i brofiadau normal – e.e. gweledigaeth o angel; mae gweledigaethau o'r fath fel arfer yn cyfleu gwybodaeth neu ddirnadaeth o draddodiad crefyddol penodol

Synhwyraidd: gweledigaeth lle mae gwrthrychau/synau neu ffigyrau allanol yn cyfleu gwybodaeth a dealltwriaeth i'r derbynnydd

A: Natur profiad crefyddol

Natur profiad crefyddol gan gyfeirio'n benodol at weledigaethau – synhwyraidd; deallusol; breuddwydion

Gall gweledigaeth gael ei diffinio fel rhywbeth sy'n cael ei weld mewn rhyw ffordd sy'n wahanol i olwg cyffredin, h.y. golwg goruwchnaturiol neu broffwydol sy'n cael ei brofi wrth fod yn effro neu'n cysgu, ac yn arbennig un sy'n cyfleu datguddiad neu neges o ryw fath.

Mae yna wahanol fathau o weledigaethau. Fel mathau eraill o brofiadau crefyddol, maen nhw wedi cael eu dosbarthu a'u grwpio'n wahanol gan wahanol ysgolheigion. Yn y bôn, o ran eu natur, maen nhw naill ai'n **synhwyraidd** neu'n **seiliedig ar freuddwydion** ac yn aml maen nhw'n gallu cynnwys agwedd **ddeallusol**.

Mae gan weledigaeth nodwedd synhwyraidd os yw'n ymwneud â phrofiad un o'r synhwyrau. Mewn geiriau eraill mae gwrthrychau, synau neu ffigyrau allanol yn ymddangos o flaen y derbynnydd. Gall fod nodwedd ddeallusol i weledigaeth hefyd os daw'r weledigaeth â neges o ysbrydoliaeth, mewnwelediad neu gyfarwyddyd i'r derbynnydd/derbynwyr. Gall hefyd gynnwys rhybuddion! Gall rhai breuddwydion gynnwys gweledigaethau lle mae'r cyflwr anymwybodol yn profi cyfres o ddelweddau neu naratif-freuddwyd, na fyddai fel arfer ar gael i'r unigolyn yn y cyflwr ymwybodol.

Yn amlwg, mae'r dosbarthiadau hyn yn amhendant a gall gweledigaeth benodol feddu ar fwy nag un nodwedd – er enghraifft gall gweledigaethau synhwyraidd yn aml gyfleu rhyw fath o wybodaeth a dealltwriaeth i'r person neu'r bobl sy'n profi'r weledigaeth.

Mae'n bosibl crynhoi gweledigaethau synhwyraidd mewn tair ffordd. Mae gweledigaethau grŵp yn cael eu gweld gan fwy nag un person, er enghraifft Angylion Mons lle, yn ystod y Rhyfel Byd Cyntaf, gwnaeth gweledigaeth o Sant Siôr a saethwr rhithiol stopio milwyr y Kaiser. Roedd eraill yn honni bod angylion wedi taflu llen amddiffynnol o amgylch y milwyr Prydeinig i'w hachub rhag trychineb. Gall gweledigaethau synhwyraidd fod yn rhai unigol hefyd, yn cael eu gweld gan un person yn unig, er enghraifft Bernadette o Lourdes a honnodd iddi gael ei gorchymyn gan ymddangosiad o'r Forwyn Fair i balu twll ac y byddai ffynnon iachaol yn ymddangos yno. Y lle oedd Lourdes. Amrywiad bach yw y gall gweledigaeth synhwyraidd fod yn **gorfforol** ei natur a gall gynnwys gwrthrych sy'n allanol ac sy'n ymddangos yn ffisegol ei natur, ond mae'n weladwy i rai pobl yn unig, er enghraifft ymddangosiad angylion.

Fodd bynnag, mae gweledigaethau unigol yn aml yn ddychmygol neu'n seiliedig ar freuddwyd. Gweledigaethau mewnol yw'r rhain lle mae'r ddelwedd yn cael ei chynhyrchu yn nychymyg yr unigolyn a does dim bodolaeth y tu allan i'r unigolyn hwnnw, er enghraifft gweledigaethau Ioan o greaduriaid hynod yn Llyfr y Datguddiad. Roedd y gweledigaethau hyn hefyd yn dod â neges i'w deall. Felly, fel uchod, yn ogystal â meddu ar nodwedd benodol o fod yn seiliedig ar freuddwyd, gall hefyd fod yn ddeallusol. Enghraifft arall o brofiad crefyddol mewn breuddwyd fyddai pan gafodd y tri gŵr doeth eu rhybuddio mewn breuddwyd i beidio â dychwelyd at Herod (Mathew 2:12).

Gall union gynnwys gweledigaethau fod yn amrywiol iawn. Er enghraifft, gallai fod delwedd neu ddigwyddiad sy'n cynnwys neges, er enghraifft gweledigaeth Pedr o'r hwyl fawr yn disgyn (Actau 10:9-16). Roedd yr hwyl yn cynnwys pob math o anifeiliaid ac ymlusgiaid ac adar. Dywedodd llais wrth Pedr am ladd a bwyta. Pan wrthododd, dywedodd y llais wrtho na ddylai alw unrhyw beth yn halogedig y mae Duw wedi ei lanhau. Yna sylweddolodd Pedr y gallai fwyta gyda Chenedl-ddyn.

Dyfyniad allweddol

Pan welais i'r weledigaeth o'i ben yn gwaedu, dangosodd ein Harglwydd hefyd i'm henaid ddull gwylaidd ei gariad. Gwelais ei fod i ni yn bopeth sy'n dda, yn gysurlon ac yn gymorth. Ef yw'n dillad sy'n ein lapio a'n dal ni'n dynn i'n caru ... a gyda'r ddirnadaeth hon dangosodd hefyd rywbeth bach i mi, maint cneuen gollen, yn gorwedd yng nghledr fy llaw. Roedd yn edrych mor grwn â phêl i mi. Syllais arni a meddwl, 'Beth gall hon fod?' Daeth yr ateb fel hyn, 'Mae'n bopeth a gafodd ei wneud.' Synnais at sut gallai hyn fod, oherwydd ei bod mor fach roedd yn edrych fel pe gallai ddisgyn yn sydyn i ddiddymdra. Yna clywais yr ateb, 'Mae'n para, a bydd yn para am byth, oherwydd bod Duw yn ei charu. Mae gan bob peth eu bod fel hyn drwy ras Duw.' (Julian o Norwich)

Gall gweledigaeth gynnwys ffigyrau crefyddol hefyd. Er enghraifft un enwocaf Santes Teresa o Avila oedd angel yn dal gwaywffon hir ac ar ben y waywffon roedd rhywbeth fel tân. Roedd yn ymddangos bod y waywffon yn trywanu ei chalon sawl gwaith a phan gafodd ei thynnu, gadawyd Teresa 'yn gwbl ar dân gyda chariad mawr at Dduw'.

Gallai'r weledigaeth gynnwys lle arwyddocaol hefyd, er enghraifft gweledigaeth Guru Nanak o lys Duw lle cafodd ei hebrwng i bresenoldeb Duw a'i orchymyn i yfed cwpanaid o neithdar.

Gall gweledigaethau hefyd gynnwys creaduriaid neu ffigyrau rhyfeddol, er enghraifft gweledigaeth Eseciel o bedwar creadur byw (Eseciel 1:6-14). Roedd gan y pedwar ohonynt wyneb dyn, ac yna wyneb llew ar yr ochr dde, ac wyneb ych ar yr ochr chwith; roedd gan bob un ohonynt wyneb eryr hefyd.

Fel rydyn ni wedi ei weld, gallai gweledigaeth gyflwyno neges benodol, er enghraifft y farn derfynol a'r delweddau o ddiwedd y byd yn Llyfr y Datguddiad (Datguddiad 20:12-15). Mae hyn yn disgrifio'r meirw'n cael eu barnu yn ôl yr hyn roedden nhw wedi ei wneud. Roedd unrhyw un nad oedd â'i enw yn llyfr y bywyd yn cael ei fwrw i'r llyn tân.

Dyfyniad allweddol

... aeth yn ddwfn i mewn i'm hymysgaroedd. Pan dynnodd y waywffon allan, roedd fel pe bai'n eu tynnu nhw allan gyda hi, gan fy ngadael i ar dân gyda chariad rhyfeddol at Dduw. (Teresa o Avila)

Awgrym astudio

Peidiwch ag adrodd yn unig, ond defnyddiwch yr enghreifftiau i nodi a thrafod nodweddion math a ffurf y weledigaeth. Byddwch yn ymwybodol y gall gweledigaethau fod yn rhan o dröedigaeth, neu'n brofiad cyfriniol, ond bod gweledigaethau hefyd yn fath ar wahân o brofiad crefyddol.

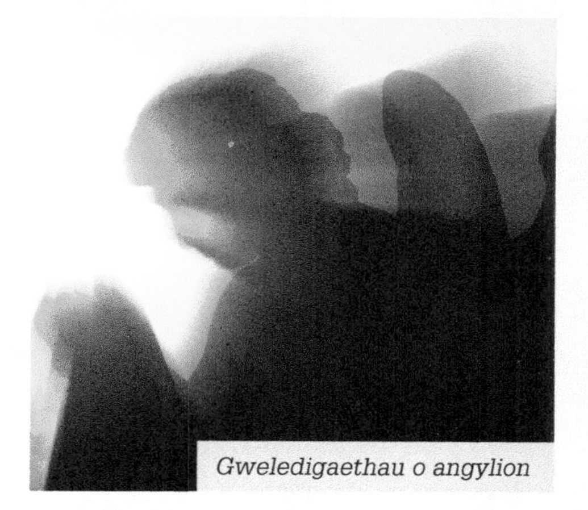

Gweledigaethau o angylion

Dyfyniad allweddol

Yn y flwyddyn y bu farw'r Brenin Usseia, gwelais yr Arglwydd. Yr oedd yn eistedd ar orsedd uchel, ddyrchafedig, a godre'i wisg yn llenwi'r deml. Uwchlaw yr oedd seraffiaid i weini arno, pob un â chwech adain, dwy i guddio'r wyneb, dwy i guddio'r traed, a dwy i ehedeg. Yr oedd y naill yn datgan wrth y llall, "Sanct, Sanct, Sanct yw Arglwydd y Lluoedd; y mae'r holl ddaear yn llawn o'i ogoniant." Ac fel yr oeddent yn galw, yr oedd sylfeini'r rhiniogau'n ysgwyd, a llanwyd y tŷ gan fwg. Yna dywedais, "Gwae fi! Y mae wedi darfod amdanaf! Dyn a'i wefusau'n aflan ydwyf, ac ymysg pobl a'u gwefusau'n aflan yr wyf yn byw; ac eto, yr wyf â'm llygaid fy hun wedi edrych ar y brenin, Arglwydd y Lluoedd." Ond ehedodd un o'r seraffiaid ataf, a dwyn yn ei law farworyn a gymerodd mewn gefel oddi ar yr allor; ac fe'i rhoes i gyffwrdd â'm genau, a dweud, "Wele, y mae hwn wedi cyffwrdd â'th enau; aeth dy anwiredd ymaith, a maddeuwyd dy bechod." Yna clywais yr Arglwydd yn dweud, "Pwy a anfonaf? Pwy a â drosom ni?" Atebais innau, "Dyma fi; anfon fi". (Eseia 6:1–8)

Cynnwys y fanyleb

Natur profiad crefyddol gan gyfeirio'n benodol at dröedigaeth – unigol/cymunedol; sydyn/graddol.

Term allweddol

Tröedigaeth: yn y cyd-destun crefyddol, y newid cyflwr o un ffurf ar fywyd i un arall

cwestiwn cyflym

4.1 Nodwch dair ffordd y gellir profi gweledigaeth.

Dyfyniad allweddol

Does dim angen cymryd mwy na chipolwg ar hanes i weld egni anferth a phwysigrwydd profiad yn ffurfiad a datblygiad traddodiadau crefyddol. Ystyriwch weledigaethau'r Proffwyd Muhammad, tröedigaeth Paul, goleuedigaeth y Bwdha. Roedd y rhain yn ddigwyddiadau arloesol yn hanes bodau dynol. Ac mae'n amlwg mai emosiynau a phrofiadau dynion a menywod yw'r bwyd y mae dimensiynau eraill crefydd yn bwydo arno: mae defod heb deimlad yn oer, mae athrawiaethau heb barchedig ofn neu dosturi yn sych, ac mae chwedlau nad ydyn nhw'n cyffwrdd y rhai sy'n gwrando yn wan. (Smart)

Natur profiad crefyddol gan gyfeirio'n benodol at dröedigaeth – unigol/cymunedol, sydyn/graddol

Mae'r gair '**tröedigaeth**' yn golygu 'newid cyfeiriad' neu 'droi rownd'. Mae'n broses o newid sy'n effeithio ar safbwynt rhywun am y byd a'i le ynddo.

Mae tröedigaeth fel arfer yn brofiad personol ond ddim bob amser. Mae llawer o enghreifftiau o dröedigaethau cymunedol. Mae'r enghraifft glasurol o dröedigaeth gymunedol neu dorfol i'w chael yn Actau'r Apostolion pennod 2. Roedd y disgyblion wedi dod ynghyd mewn ystafell ac fe dderbynion nhw'r Ysbryd Glân:

'Ar ddydd cyflawni cyfnod y Pentecost yr oeddent oll ynghyd yn yr un lle, yn sydyn fe ddaeth o'r nef sŵn fel gwynt grymus yn rhuthro, ac fe lanwodd yr holl dŷ lle'r oeddent yn eistedd. Ymddangosodd iddynt dafodau fel o dân yn ymrannu ac yn eistedd un ar bob un ohonynt; a llanwyd hwy oll â'r Ysbryd Glân, a dechreusant lefaru â thafodau dieithr, fel yr oedd yr Ysbryd yn rhoi lleferydd iddynt.'
(Actau 2: 1–4)

Er bod hwn ynddo'i hun yn brofiad crefyddol torfol dramatig, yr hyn a ddigwyddodd nesaf sy'n berthnasol yma. Yna ymwrolodd Pedr ac annerch y dyrfa, gan bregethu iddyn nhw a'u hannog i edifarhau. Ymatebodd y dyrfa a chafodd llawer dröedigaeth:

'Pan glywsant hyn, fe'u dwysbigwyd yn eu calon, a dywedasant wrth Pedr a'r apostolion eraill, "Beth a wnawn ni, frodyr?" Meddai Pedr wrthynt, "Edifarhewch, a bedyddier pob un ohonoch yn enw Iesu Grist er maddeuant eich pechodau, ac fe dderbyniwch yr Ysbryd Glân yn rhodd. Oherwydd i chwi y mae'r addewid, ac i'ch plant, ac i bawb sydd ymhell, pob un y bydd i'r Arglwydd ein Duw ni ei alw ato." Ac â geiriau eraill lawer y pwysodd arnynt, a'u hannog, "Dihangwch rhag y genhedlaeth wyrgam hon." Felly bedyddiwyd y rhai a dderbyniodd ei air, ac ychwanegwyd atynt y diwrnod hwnnw tua thair mil o bersonau.' (Actau 2:37-41)

Nodweddion tröedigaeth

Roedd y seicolegydd a'r athronydd William James yn deall tröedigaeth yn nhermau seicolegol yn unig; ond, trafododd nifer o brif nodweddion tröedigaeth sydd wedi aros yn bwysig i ysgolheigion heddiw.

Gall tröedigaeth fod naill ai'n raddol neu'n sydyn. Fodd bynnag, gall hyd yn oed tröedigaethau sydyn fod wedi datblygu ymlaen llaw yn yr isymwybod. Roedd Billy Graham yn cytuno nad oedd rhaid i dröedigaeth fod yn brofiad y gellid rhoi dyddiad arno'n syth.

Yn aml mae tröedigaeth yn ewyllysiol (yn wirfoddol) neu'n hunanildiol. Ystyr hyn yw gallai'r dröedigaeth gynnwys ildio'r ewyllys bersonol, naill ai'n rhydd (ewyllysiol) neu gyda gwrthsafiad a brwydr fewnol (hunanildiol).

Gall tröedigaeth fod yn oddefol neu'n weithredol, sy'n golygu naill ai bod y profiad yn dod fwy neu lai yn annisgwyl heb i rywun fynd i chwilio amdano, neu gall rhywun chwilio'n benodol am brofiad ysbrydol drwy fynd i gyfarfod efengylaidd.

Mae tröedigaethau'n aml yn drawsnewidiol yn yr ystyr y gallai'r dröedigaeth olygu trawsnewidiad llwyr i greu 'person newydd' neu, fel mae Paul yn ei ysgrifennu, 'creadigaeth newydd' (2 Corinthiaid 5:17).

Gwahanol ddisgrifiadau ac esboniadau am dröedigaethau

Mae sawl ffordd o esbonio profiad o dröedigaeth, a gall rhai ohonynt orgyffwrdd â'i gilydd.

Mae tröedigaeth yn golygu uno'r hunan mewnol. Dyma sut roedd y seicolegydd a'r athronydd o America, William James (*The Varieties of Religious Experience*, 1902), yn deall tröedigaeth. Roedd e'n ei hystyried mewn termau seicolegol yn hytrach na fel digwyddiad gwyrthiol. Ymwybyddiaeth o fod yn anghyflawn oedd yr hunan rhanedig.

Weithiau mae tröedigaeth yn gallu bod yn fater o argyhoeddiad deallusol; mae hyn yn golygu gwrthdaro rhwng dwy system o feddwl lle y gwelir yr un newydd fel yr un 'gywir'. Mae'n gallu bod yn fater o drawsnewidiad moesol hefyd; dyma pan fydd rhywun yn newid sut maen nhw'n byw eu bywyd, a phan mai'r ffactor allweddol yw'r newid yn y ffordd o fyw.

Gall tröedigaeth olygu mynd o fod heb grefydd i gael ffydd. Er enghraifft, un o'r prif feddylwyr yn natblygiad yr Eglwys Gristnogol oedd Awstin, a ddaeth yn Esgob Hippo yn 395 OCC. Ysgrifennodd ef am ei dröedigaeth, 'Wrth i mi ddod i ddiwedd y frawddeg, roedd fel pe bai goleuni hyder yn llifo drwy fy nghalon a holl dywyllwch amheuaeth wedi cael ei wasgaru.' Mae hefyd yn gallu golygu mynd o un ffydd i ffydd arall. Er enghraifft, roedd Sundar Singh, a gafodd ei fagu'n Sikh pybyr, yn anfodlon â Sikhiaeth ac fe geisiodd ystyr gwaelodol mewn Hindŵaeth a Christnogaeth. Wedi ei ddadrithio gan y ddau, penderfynodd ladd ei hun oni bai fod Duw yn ei ddatgelu ei hun. Yna cafodd weledigaeth o Iesu, a daeth e'n Gristion gweithgar am weddill ei fywyd.

Saul o Darsus – profiad tröedigaeth y Ffordd i Ddamascus

Mae tröedigaeth yn gallu golygu hyd yn oed mynd o ffydd (credu) i ffydd (ymddiried), neu fel byddai rhai'n dweud, 'o'r meddwl i'r galon'. Er enghraifft, roedd John Wesley yn ymwybodol nad oedd ganddo ffydd yng Nghrist fel gwaredwr personol ond roedd e'n gweld ei bod gan eraill. Yna, yn 1738, cofnododd sut roedd e'n teimlo ei galon yn cael ei chynhesu'n rhyfedd. 'Teimlais fy mod i yn ymddiried ffydd yng Nghrist, Crist yn unig, am iachawdwriaeth, a rhoddwyd sicrwydd i mi ei fod wedi cymryd ymaith fy mhechodau, hyd yn oed fy rhai i ...'

Weithiau mae tröedigaethau'n cael eu dosbarthu o dan y penawdau 'deallusol' a 'moesol'. Enghraifft o dröedigaeth ddeallusol fyddai C. S. Lewis, awdur straeon Narnia ac Athro ym Mhrifysgol Rhydychen. Mae'n adrodd sut y bu'n cerdded a siarad am oriau yn 1931 â'r awdur J. R. R. Tolkein ynghylch myth a Christnogaeth, a daeth yn argyhoeddedig mai Iesu oedd Mab Duw. Mae Awstin yn enghraifft o dröedigaeth foesol. Cafodd ei fywyd anwadal ef ei herio pan ddarllenodd y geiriau o'r Rhufeiniaid sy'n annog y darllenydd i roi heibio bywyd y cnawd a chael ei wisgo â Christ.

Awgrym astudio

Yn amlwg, nid yw pob un o'r nodweddion sy'n ymddangos yn y gwahanol restri yn digwydd ym mhob enghraifft o brofiad crefyddol. Felly, gall fod angen nifer o enghreifftiau er mwyn egluro a thrafod y nodweddion.

Gweithgaredd AA1

Ysgrifennwch gyfres o gardiau adolygu sy'n rhoi manylion enghreifftiau penodol o weledigaethau crefyddol neu ddisgrifiadau o dröedigaethau crefyddol. Bydd hyn yn rhoi deunydd cyfeirio defnyddiol i chi i baratoi ar gyfer cwestiynau arholiad sy'n canolbwyntio ar yr elfen hon o'r fanyleb.

Dyfyniad allweddol

A phan dderbyniais y llyfr, canllaw fyddai'n esbonio popeth i mi – pwy oeddwn i; beth oedd pwrpas bywyd; beth oedd y realiti a beth fyddai'r realiti; ac o ble roeddwn i'n dod – sylweddolais mai dyma oedd y gwir grefydd. (Yusuf Islam, Cat Stevens yn flaenorol)

Dyfyniad allweddol

Gyda'r hwyr, es i yn gyndyn iawn i gymdeithas yn Aldersgate Street, lle roedd rhywun yn darllen Rhagarweiniad Luther i'r Llythyr at y Rhufeiniaid. Tua chwarter i naw, tra oedd yn disgrifio'r newid mae Duw yn ei beri yn y galon drwy ffydd yng Nghrist, teimlais fy nghalon yn cynhesu'n rhyfedd. Teimlais fy mod i yn ymddiried yng Nghrist, Crist yn unig am iachawdwriaeth, a rhoddwyd sicrwydd i mi ei fod wedi cymryd ymaith fy mhechodau, hyd yn oed fy rhai i, a'm hachub rhag cyfraith pechod a marwolaeth. (Wesley)

cwestiwn cyflym

4.2 Beth yw nodwedd ddiffiniol tröedigaeth grefyddol ym marn rhai?

Cynnwys y fanyleb

Natur profiad crefyddol gan gyfeirio'n benodol at gyfriniaeth – trosgynnol; ecstatig ac unol.

Natur profiad crefyddol gan gyfeirio'n benodol at gyfriniaeth – trosgynnol; ecstatig ac unol

Un gwyriad o safbwynt rhesymegol am grefydd yw'r profiad a ddisgrifir gan gredinwyr crefyddol mewn cyfriniaeth. Mae'r term wedi cael ei drosi'n llac yn ddiweddar i olygu nifer o brofiadau, yn aml yn cael eu priodoli'n anghywir i fath annelwig o ymagwedd 'oes newydd' at arferion a phrofiadau crefyddol. Er efallai fod olion o brofiadau cyfriniol i'w cael mewn meysydd o'r fath, mae hanes profiadau o'r fath gryn dipyn yn hŷn. Mae profiadau cyfriniol yn cael eu disgrifio yn y traddodiadau crefyddol mwyaf hynafol rydyn ni'n gwybod amdanyn nhw. O destunau hynafol fel y *Bhagavad Gita* mewn Hindŵaeth i hanesion cyfrinwyr canoloesol fel Julian o Norwich a Meister Eckhart, mae gan gyfriniaeth hanes cyfoethog ac amrywiol.

Beth felly yw *natur* profiad cyfriniol? Mae nifer o atebion i'r cwestiwn hwn ond mae rhai themâu yn mynd drwyddyn nhw i gyd. Mae Ed Miller yn ei ystyried fel '*chwilio am brofiad trosgynnol sy'n unol â'r realiti absoliwt*' (*Questions that Matter*, Miller, 1995) ac mae'n crynhoi fel hyn:

1. **Trosgynnol:** ni ellir ei leoli mewn gofod nac amser
2. **Anhraethol:** ni ellir ei fynegi mewn geiriau
3. **Noëtig:** yn cyfleu goleuad, gwirionedd
4. **Ecstatig:** yn llenwi'r enaid â dedwyddwch a heddwch
5. **Unol:** yn uno'r enaid â realiti.

Nid Miller yw'r unig un i ddefnyddio'r termau arbennig hyn i ddiffinio profiadau cyfriniol. Mae esbonwyr fel William James (sy'n defnyddio sawl un o'r categorïau uchod) a Walter Stace yn diffinio profiadau cyfriniol mewn ffyrdd gwahanol ond yn derbyn bod yna gyfres o nodweddion cyffredin sy'n rhan o bob profiad o'r fath.

Mae cyfrinwyr crefyddol yn aml yn sôn am esgyniad cyfriniol. Mae hyn yn debyg mewn rhai ffyrdd i safbwynt Platon am realiti, lle i bob golwg y mae ysgol neu risiau. Mae'r camau hyn yn dechrau yn y byd daearol, cyffredin ond, gydag ymarfer rheolaidd a chymorth dwyfol, gall yr unigolyn drosgynnu ei realiti ei hun a dringo'r ysgol hon i ennill undod â'r realiti terfynol. Yn aml mae hyn yn cael ei ddisgrifio mewn trosiad fel taith o dywyllwch i oleuni.

Mae **cyfriniaeth drosgynnol** yn cael ei chysylltu â'r profiadau cyfriniol sy'n mynd â'r ymarferwr 'y tu hwnt' i fyd y profiad arferol pob dydd. Mae realiti trosgynnol yn aml yn cael ei ddisgrifio mewn iaith sy'n cyfeirio at 'arallfydol' neu 'ddimensiynau gwahanol' – dau ddisgrifiad annelwig o'r teimlad o symud y tu hwnt i'r byd ffisegol hwn i fyd 'yr arall', byd yr ysbryd. Mae profiadau o'r fath yn cynnwys mathau eraill o brofiad cyfriniol fel ecstasi a phrofiad unol. Bydd y crediniwr yn teimlo ei fod wedi dod yn un â'r realiti trosgynnol wrth iddo, i bob pwrpas, dorri i ffwrdd am gyfnod o fyd amseryddol a ffisegol y synhwyrau empirig. Mae'r rhan fwyaf o draddodiadau crefyddol yn cynnwys agweddau o gyfriniaeth drosgynnol. Un o'r rhai amlycaf o'r rhain yw Sufiaeth, y grŵp cyfriniol o fewn Islam sy'n canolbwyntio ar uniad dwyfol ag Allah drwy fyfyrdod, dawns ac arferion cyfriniol eraill. Dyma'r traddodiad roedd Rumi, bardd Persiaidd o'r 13eg ganrif a chyfriniwr enwocaf y traddodiad Islamaidd yn ôl rhai, yn gysylltiedig ag ef.

Roedd Rumi'n credu bod gan bob unigolyn ddyhead y tu mewn iddo o ganlyniad i'r teimlad o wahaniad mae pob bod dynol yn ei deimlo'n reddfol. Roedd yn cydnabod, er bod Allah yn uchel yn y nefoedd ac eto'n nes at ddyn na gwythïen ei wddf ei hun, roedd y ddynoliaeth yn dal wedi'i gwahanu oddi wrth Allah a dim ond drwy buro ysbrydol drwy gariad y byddai uniad â Duw (*tawhid*) wir yn cael ei gyflawni. Credai Rumi fod yr ysbryd dynol wedi'i lunio ar gyfer yr un pwrpas sylfaenol o ddatblygu perthynas ddyfnach â Duw. Datblygodd e'r arfer o'r enw Sema, dawns

Termau allweddol

Anhraethol: yr hyn na all person siarad amdano gan nad oes geiriau i ddisgrifio'r profiad

Cyfriniaeth: profiad crefyddol lle mae uniad â Duw neu'r realiti absoliwt yn cael ei geisio neu ei brofi

Ecstatig: teimlad ysgubol o ddedwyddwch neu heddwch

Noëtig: gwybodaeth a geir drwy brofiad cyfriniol na fyddai ar gael i'r derbynnydd fel arall drwy ffyrdd cyffredin

Trosgynnol: yr hyn sy'n gorwedd y tu hwnt i fyd pob dydd y synhwyrau corfforol

Unol: y teimlad o uniad llwyr â'r dwyfol

Ysgol i'r nefoedd

sanctaidd lle mae pobl Sufi yn troi'n gyson ar y droed chwith. (Mae'r troi, yn ôl Rumi, yn drosiad am '*gyflwr cysegredig lle mae pob ffibr o fod unigolyn yn troi ar echelyn y creawdwr trugarog a thosturiol a chynhaliwr pob peth*'.) Mae'r troi hwn i fod i ysgogi esgyniad ysbrydol at Allah. Y syniad hwn o hiraethu am gael uno ag Allah yw'r neges ganolog yn ei gerdd *Cân Ffliwt y Brwyn*. Yma mae Rumi'n gwahodd y darllenydd i ddeall cyfrinach bodolaeth ddynol drwy wrando ar y neges sy'n cuddio yn seiniau cwynfanus ffliwt y brwyn. Yn ôl Rumi, os pwrpas mwyaf sylfaenol yr ysbryd dynol yw rhoi person mewn perthynas â'r dwyfol, yna mae'r holl berthnasoedd eraill yn y drefn greëdig, yn enwedig y rheini â bodau dynol eraill, yn fynedfeydd cyfriniol i berthynas agosach â'r creawdwr. Cafodd y rhan arwyddocaol hon o brofiad cyfriniol Rumi ei gweld yn ei berthynas ef ei hun â'i fentor Shams. Sylwodd sut, drwy'r berthynas agos hon, roedd e'n teimlo iddo ddod yn agosach yn ei berthynas ag Allah. Credai Rumi fod barddoniaeth, cerddoriaeth a dawns i gyd yn fynedfeydd uniongyrchol i'r dwyfol ac, oherwydd yr argyhoeddiadau hyn, ffurfiodd ef urdd Sufi Mevlevi, sy'n enwog am eu Derfisiaid Chwyrlïol.

Derfisiaid Chwyrlïol

Mae'r profiad **ecstatig** cyfriniol wedi cael ei gofnodi a'i drafod yn helaeth yng ngwaith amrywiaeth o gyfrinwyr, athronwyr ac ysgolheigion o draddodiadau eraill. Mae Teresa o Avila yn ystyried ecstasi fel atal y synhwyrau allanol: 'Mae rhywun yn teimlo bod gwres naturiol y corff yn bendant yn is; mae'r oerfel yn cynyddu, er bod llawenydd a melyster eithriadol yn digwydd yr un pryd.' (Hunangofiant Teresa.) Mae eraill yn y traddodiad Cristnogol yn ei ddisgrifio fel yr agosaf y gall bod meidrol ddod at y teimlad o sut brofiad yw bod ym mhresenoldeb Duw i'r enaid ymadawedig. Mae dilynwyr traddodiadau crefyddol Dwyreiniol hefyd yn disgrifio teimladau o ecstasi cyfriniol. Yn aml, canolbwynt y rhain yw arferion myfyrdodol dwys fel y rheini yng nghamau olaf myfyrdod Vipissana mewn Bwdhaeth ac arferion Yoga mewn Hindŵaeth. Yn gyffredinol, gellir dweud bod gan ecstasi ddau gyflwr mewn gwirionedd. Mae un yn ymwneud â theimlad mewnol lle mae'r meddwl yn canolbwyntio'n llwyr ar wrthrych (fel arfer yn grefyddol ei natur), a'r ail elfen yw atal gweithgaredd arferol y synnwyr yn y corff, fel bod yr unigolyn yn ymddangos fel pe bai mewn cyflwr o lesmair ac nid yw'n hawdd ei ysgwyd ohono. Fodd bynnag, wedi deffro, mae'r rhan fwyaf yn gallu disgrifio dwyster eu profiad i ryw raddau, er bod hynny mewn iaith symbolaidd iawn.

Mae'r math **unol** o brofiad cyfriniol yn tueddu i ymwneud ag amrywiaeth o fathau tebyg o brofiadau, yn hytrach na disgrifio un profiad y gellir ei adnabod. Mae'r cysyniad o uniad yn golygu cael gwared ar y gwahanu rhwng yr unigolyn a Duw. Mae nifer o gyfrinwyr Cristnogol wedi honni iddynt gael profiadau o'r fath, gan gynnwys Sant Bernard o Clairvaux, yr Abad Sistersaidd o Ffrainc a ddisgrifiodd y profiad fel 'cydymddibyniaeth o gariad'; a'r cyfriniwr o'r Almaen (a myfyriwr i Meister Eckhart), Henry Suso, a ddywedodd fod y profiad fel dyn sydd: '... wedi ymgolli yn llwyr yn Nuw, wedi pasio i mewn iddo, ac wedi dod yn un ysbryd ag ef i bob pwrpas, fel diferyn o ddŵr sy'n cael ei arllwys i mewn i gyfran fawr o win. Fel y mae hwn yn cael ei golli o ran ei hun, ac yn tynnu ato ac i mewn iddo flas a lliw y gwin, felly y mae'n digwydd i'r rheini sy'n meddu'n llwyr ar ddedwyddwch.'

Dyfyniad allweddol

Cewch wrando arnaf i a'm cân a'm cwyn, am dorri calon alltud ffliwt y brwyn:

ers imi gael fy rhwygo i ffwrdd o'm crud, mae 'nghân fach innau'n llawn o boen y byd.

Y rhai a'u bron sydd wedi'i rhwygo'n ddwy a geisiaf, i gael rhannu 'mhoen â hwy,

a'r sawl sydd ar wahân, dyheu o hyd a wnawn am ddydd pan ddown drachefn ynghyd.

(Rumi)

Dyfyniad allweddol

Y nodwedd bwysicaf a chanolog y mae profiadau cyfriniol llawn ddatblygedig i gyd yn cytuno arni, ac sydd yn y pen draw yn eu diffinio ac yn eu gwneud yn wahanol i fathau eraill o brofiadau, yw eu bod nhw'n golygu canfod undod ansynhwyrus eithaf ym mhob peth – unoliaeth neu Un lle dydy'r synhwyrau na'r rheswm ddim yn gallu treiddio iddo. Mewn geiriau eraill, mae'n mynd y tu hwnt i'n hymwybyddiaeth synhwyraidd-deallusol yn llwyr. (Stace)

Dyfyniad allweddol

Mae'r profiad cyfriniol yn brofiad byrhoedlog, anghyffredin sy'n cael ei nodi gan deimladau o fod mewn undod, perthynas gytûn â'r dwyfol a phopeth sy'n bodoli, yn ogystal â theimladau gorfoleddus, gwybyddiad (*noesis*), colli'r ego, newidiadau yn y syniad o amser a gofod, a'r teimlad o golli rheolaeth dros y digwyddiad. (Lukoff)

Cynnwys y fanyleb

Natur profiad crefyddol gan gyfeirio'n benodol at weddïo – mathau a chamau gweddïo yn ôl Teresa o Avila.

Natur profiad crefyddol gan gyfeirio'n benodol at weddïo – mathau a chamau gweddïo yn ôl Teresa o Avila

Cafodd ei geni ar 15 Mawrth 1515 yn Sbaen. Cafodd y Teresa ifanc ei hysbrydoli gan ei theulu i gymryd ei bywyd crefyddol o ddifrif, ac yn 1535 ymunodd ag urdd o leianod Carmelaidd. Wedi salwch difrifol a adawodd Teresa wedi'i pharlysu'n rhannol am dair blynedd, dechreuodd gael ei dadrithio gan ei harferion crefyddol, yn enwedig gweddïo. Fodd bynnag, gwnaeth weledigaeth o'r 'Crist â chlwyfau enbyd' roi egni newydd i daith ysbrydol Teresa a'i hysgogi i ysgrifennu ei gweithiau mawr am weddïo.

Ymagwedd Teresa at brofiad cyfriniol oedd drwy ei phedwar cam gweddïo. Roedd hi'n credu mai'r unig ffordd o gael gwir uniad â Duw oedd drwy ganolbwyntio dwys a'ch disgyblu eich hun drwy fywyd o weddïo a fyddai, mewn cyfres o gamau, yn galluogi unigolyn i gyrraedd yr uniad hwnnw:

'I ddweud rhywbeth, felly, am brofiadau cynnar y rheini sy'n benderfynol o fynd ar drywydd y fendith hon ac i lwyddo yn y fenter hon ... yn y camau cynnar hyn y mae eu gwaith caletaf, oherwydd mai nhw eu hunain sy'n llafurio a'r Arglwydd sy'n rhoi'r cynnydd. Yn y graddau eraill o weddïo y prif beth yw gwireddiad, er, p'un ai ar ddechrau, ar ganol neu ar ddiwedd y ffordd, mae gan bob un eu croesau, a gall y rhain fod yn dra gwahanol. Oherwydd mae'n rhaid i'r rheini sy'n dilyn Crist gymryd y ffordd a gymerodd Ef, oni bai eu bod nhw eisiau mynd ar goll.' *(Hunangofiant)*

cwestiwn cyflym

4.3 Sut disgrifiodd Teresa o Avila ecstasi crefyddol?

Yr olwyn ddŵr fel trosiad am weddïo

Roedd Teresa'n credu'n gryf nad oedd yn bosibl i unigolyn gyrraedd yr uniad hwnnw ar ei ben ei hun ond mai drwy ras Duw yn unig y gallai rhywun symud drwy'r gwahanol gamau:

'Mae'n rhaid i'r dechreuwr feddwl amdano'i hun fel un sy'n dechrau gwneud gardd y bydd yr Arglwydd yn cymryd pleser ynddi, er bod y pridd yn anffrwythlon ac yn llawn chwyn. Mae Ei Ogoniant yn tynnu'r chwyn ac yn plannu planhigion da yn eu lle. Gadewch i ni gymryd bod hyn wedi cael ei wneud yn barod – bod enaid wedi penderfynu ymarfer gweddïo ac wedi dechrau gwneud hynny. Mae'n rhaid i ni nawr, gyda chymorth Duw, fel garddwyr da, wneud i'r planhigion hyn dyfu, a'u dyfrhau'n ofalus, fel na fyddan nhw'n gwywo, ond yn cynhyrchu blodau fydd yn taenu arogleuon melys i roi adfywiad i'n Harglwydd ni, fel y bydd yn dod i'r ardd yn aml i gael Ei bleser a'i lawenydd ymhlith y rhinweddau hyn. *(Hunangofiant)*

Mae Teresa'n aml yn cael ei chysylltu ag athrawiaeth am wahanol gamau gweddïo. Mae'n cymharu'r camau hyn â'r ffyrdd mae gardd yn cael ei thrin (y trosiad mae hi eisoes wedi ei ddefnyddio i gynrychioli cyflwr ysbrydol person):

'Gellir dyfrhau'r ardd mewn pedair ffordd: drwy gymryd dŵr o ffynnon, sy'n llafurus iawn i ni; neu drwy olwyn ddŵr a bwcedi, lle mae'r dŵr yn cael ei dynnu gan winsh ...; neu drwy nant neu ffrwd, sy'n dyfrhau'r tir yn llawer gwell, oherwydd mae'n ei drwytho yn fwy trwyadl a does dim angen dyfrhau'r ardd mor aml, ac felly mae llafur y garddwr yn llawer llai; neu drwy law trwm, pan fydd yr Arglwydd yn ei dyfrhau heb ddim llafur i ni, ffordd sydd cymaint yn well nag unrhyw un o'r rhai a ddisgrifiwyd.' (*Hunangofiant*)

Er bod ei diffiniadau o weddïo yn ei hunangofiant yn bwysig iawn, mae llawer yn credu bod y gwir fewnwelediad i'r profiad cyfriniol i'w gael yng ngwaith olaf Teresa, *Y Castell Mewnol*. Gan symud ymlaen o'i chydweddiad o ardd yn cael ei dyfrhau, mae Teresa nawr yn ystyried bod yr enaid fel castell sy'n cynnwys saith ystafell neu blasty (y term Sbaeneg gwreiddiol, a ddefnyddir yn aml wrth drafod dysgeidiaethau Teresa yw *las moradas*). Mae'r tri phlasty cyntaf yn cyfeirio at y math o weddïo mae Teresa'n sôn amdano'n fanwl mewn gweithiau cynharach fel ei *Hunangofiant*. Er bod y gweddïau hyn yn galluogi'r unigolyn i ddod yn nes at Dduw, dydyn nhw ddim yn rhoi'r un lefel o uniad ag y gellir ei gyrraedd yn y pen draw. Mae'r uniad hwn i'w gael yn y pedwerydd i'r seithfed plasty, lle mae Teresa'n cynrychioli'r gwahanol raddau o weddïo cyfriniol.

Y cyntaf o'r rhain, a welir yn y pedwerydd plasty, yw gweddi cysuron gan Dduw, sy'n cael ei hadnabod yn well fel Gweddi Tawelwch. Mae Teresa'n disgrifio hyn fel cyflwr lle mae'r ewyllys ddynol wedi'i swyno'n llwyr gan Gariad Duw. Erbyn hyn mae'r unigolyn yn gweithredu ar y lefel gyfriniol ac, oherwydd hynny, mae'n profi heddwch a llawenydd ysbrydol. Weithiau mae'r profiad mor ddwys fel y gall yr unigolyn lewygu neu ymddangos yn lled-ymwybodol. Yn ôl Santes Teresa dyma 'y cyneddfau yn cysgu'.

Yn y pumed plasty mae Teresa'n disgrifio'r cam nesaf fel gweddi uniad syml: 'Mae Duw yn ei blannu ei hun y tu mewn i'r enaid yn y fath fodd, fel pan fydd yn dychwelyd ato'i hun, nid yw'n bosibl iddo amau bod Duw wedi bod ynddo a'i fod yntau wedi bod yn Nuw.'

Mae'r chweched plasty yn cynnwys disgrifiad cyfriniol hiraf Teresa ac weithiau mae anghytundeb ynghylch beth yn union oedd yn cael ei ddisgrifio. Cam priodas ysbrydol yw'r term cyffredin amdano. Gall y prif brofiadau a gysylltir â'r cam hwn gynnwys perlewyg, teimladau o hiraeth poenus, ecstasi ysbrydol a gweledigaethau. Y nodwedd bwysicaf yw'r teimlad o eisiau gallu treulio pob eiliad posibl ar eich pen eich hun gyda'r 'priod' dwyfol a gwrthod yn llwyr pob peth a all rwystro eiliadau o'r fath.

Ystyrir mai'r seithfed plasty a'r un olaf yw'r cyflwr uchaf posibl o weddïo y gellir ei gyrraedd ar y ddaear. Credir bod yr enaid wedi cyrraedd cyflwr o uniad trawsnewidiol neu, fel mae'n cael ei alw'n fwy cyffredin, cam 'priodas gyfriniol'. Dyma'r cyflwr lle y teimlir undod llwyr â'r dwyfol, i'r fath raddau lle y teimlir yn sythweledol ymwybyddiaeth, gwybodaeth a dealltwriaeth agos a threiddgar o berson y dwyfol.

Gweithgaredd AA1

Lluniwch boster yn cynnwys saith cylch consentrig – ym mhob cylch labelwch y disgrifiad o weddïo roddodd Teresa ar gyfer y Plasty Mewnol. Bydd hyn yn rhoi ffordd weledol i'ch atgoffa am y saith plasty ac yn helpu i hybu eich gallu i ddangos 'Gwybodaeth a dealltwriaeth drylwyr, gywir a pherthnasol o grefydd a chred'. (Disgrifydd Lefel 5 AA1)

Teresa o Avila (1515–1582)

Dyfyniadau allweddol

Mae Teresa'n dweud y dylai dechreuwyr ddefnyddio grym penderfyniad fel nad yw eu sylw'n cael ei dynnu wrth iddyn nhw weddïo a myfyrio'n daer am Grist. Yn yr ail gam, mae'r enaid wedi tawelu ac mae'n cael mwy o eglurder. Mae'r ewyllys wedi ymgolli yn Nuw, ond mae'r cyneddfau dynol eraill, fel dychymyg, yn dal i grwydro. Yn y trydydd cam, Crist yw'r garddwr; mae'r enaid yn cael ei roi i Dduw yn ddedwydd ond mae'r uniad â Duw yn dal yn anghyflawn. Y pedwerydd cam yw llesmair. Mae'r uniad â Duw yn gyflawn; mae'r synhwyrau'n stopio ac mae ymwybyddiaeth o'r corff yn pylu. (Lapointe)

Dylen ni ddymuno gweddïo ac ymroi iddo, nid er ein mwynhad ond er mwyn cael y cryfder sy'n ein gwneud ni'n addas i wasanaethu. ... Credwch fi, mae'n rhaid i Martha a Mair weithio gyda'i gilydd. ... Diweddaf drwy ddweud na ddylen ni adeiladu tyrrau heb seiliau, ac nad yw'r Arglwydd yn edrych cymaint ar faint unrhyw beth rydyn ni'n ei wneud ond ar y cariad sydd gennym wrth ei wneud. Os cyflawnwn ni'r hyn y gallwn ni, bydd Ei Ogoniant yn sicrhau y byddwn ni'n gallu gwneud mwy bob dydd. (Teresa o Avila)

Term allweddol

Gweddi: yn syml, cyfathrebu â'r dwyfol

cwestiwn cyflym

4.4 Pa drosiad mae Teresa o Avila'n ei ddefnyddio i ddisgrifio gwahanol gamau gweddïo?

Sgiliau allweddol

Mae gwybodaeth yn ymwneud â:

Dewis ystod o wybodaeth (drylwyr) gywir a pherthnasol sydd â chysylltiad uniongyrchol â gofynion penodol y cwestiwn.

Mae hyn yn golygu eich bod yn dewis y wybodaeth gywir sy'n berthnasol i'r cwestiwn a osodwyd NID y maes pwnc. Bydd angen i chi feddwl a chanolbwyntio ar ddewis gwybodaeth allweddol ac NID ysgrifennu popeth yr ydych chi'n ei wybod am y maes pwnc.

Mae dealltwriaeth yn ymwneud ag:

Esboniad helaeth, gan ddangos dyfnder a/neu ehangder gyda defnydd rhagorol o dystiolaeth ac enghreifftiau gan gynnwys (lle y bo'n briodol) defnydd trylwyr a chywir o destunau cysegredig, ffynonellau doethineb a geirfa arbenigol.

Mae hyn yn golygu y gallwch ddangos eich bod yn deall rhywbeth drwy egluro ac ehangu eich pwyntiau gan ddefnyddio enghreifftiau/tystiolaeth gefnogol mewn ffordd bersonol ac NID ailadrodd darnau o werslyfr (sef dysgu ar y cof).

Cymhwyso sgiliau ymhellach:

Ewch drwy'r meysydd pwnc yn yr adran hon a lluniwch rai rhestri bwled o bwyntiau allweddol o feysydd allweddol. Ar gyfer pob un, rhowch fwy o fanylion ac esboniwch fwy drwy ddefnyddio tystiolaeth ac enghreifftiau.

Datblygu sgiliau AA1

Nawr mae'n bryd ystyried y wybodaeth sydd wedi'i chyflwyno hyd yma. Hefyd mae'n bwysig ystyried sut mae'r hyn rydych chi wedi'i ddysgu hyd yma'n gallu cael ei ddefnyddio ar gyfer atebion arholiad drwy ymarfer y sgiliau sy'n gysylltiedig ag AA1.

Mae Amcan Asesu 1 (AA1) yn ymwneud â dangos gwybodaeth a dealltwriaeth. Mae'r termau 'gwybodaeth' a 'dealltwriaeth' yn amlwg ond mae'n hanfodol eich bod yn gyfarwydd â sut mae sgiliau penodol yn dangos y rhain, a hefyd, sut bydd eich perfformiad ym mhob un o'r sgiliau hyn yn cael ei fesur (gweler disgrifyddion band cyffredinol Band 5 ar gyfer AA1 UG).

▶ **Dyma eich tasg newydd:** isod mae rhestr o gynnwys dangosol y gallech ei defnyddio'n ymateb i gwestiwn sy'n gofyn am archwilio disgrifiadau Teresa o Avila o weddïo. Y broblem yw nad yw hi'n rhestr lawn iawn ac mae angen ei chwblhau! Bydd yn ddefnyddiol i chi weithio mewn grŵp ac ystyried beth sydd ar goll o'r rhestr. Bydd angen i chi ychwanegu o leiaf bum pwynt er mwyn gwella'r rhestr a/neu roi mwy o fanylion i bob pwynt sydd ar y rhestr yn barod. Wedyn, gweithiwch mewn grŵp i gytuno ar eich rhestr derfynol ac ysgrifennwch eich rhestr newydd o gynnwys dangosol, gan gofio egwyddorion esbonio gyda thystiolaeth a/neu enghreifftiau.

Yna, os ewch chi ati i roi'r rhestr hon yn y drefn y byddech chi'n cyflwyno'r wybodaeth mewn traethawd, bydd gennych eich cynllun eich hun ar gyfer ateb delfrydol.

Rhestr o gynnwys dangosol:

- Mae angen gras Duw i gael gweddïo buddiol.
- Mae gweddïo'n datblygu mewn camau.
- Mae gweddïo fel dyfrhau gardd.
- Mae dysgeidiaeth Teresa ar weddïo yn cael ei disgrifio yn Y Castell Mewnol.
- Mae'r ewyllys ddynol yn cael ei dal gan Dduw.
- Gall rhywun fynd i gyflwr lled-ymwybodol i bob golwg.
- Ecstasi ysbrydol.
- Priodas gyfriniol.
- *Ychwanegu eich cynnwys chi*
- *Ychwanegu eich cynnwys chi*
- Ac yn y blaen

Materion i'w dadansoddi a'u gwerthuso

Effaith profiadau crefyddol ar gredoau ac arferion crefyddol

Gallai rhai ddadlau nad yw profiadau crefyddol yr un peth â phrofiadau synhwyraidd. Nid yw Duw yn faterol. Nid oes gan Dduw leoliad pendant. Sut byddech chi'n gwybod mai profiad o Dduw roeddech chi'n ei gael? Fodd bynnag, yn yr un ffordd ag y mae pobl yn adnabod ei gilydd drwy fath o ymwybyddiaeth a dealltwriaeth o'r meddwl yn hytrach na thrwy'r corff materol, felly yn yr un ffordd mae pobl yn honni eu bod yn profi Duw, sy'n anfaterol, ac mae hyn yn cael effaith fawr ar gredoau ac arferion crefyddol.

Un ffordd o asesu effaith profiadau crefyddol ar gredoau ac arferion crefyddol yw gyda phrofiad tröedigaeth. Mae tröedigaeth yn ei hanfod yn rhoi cychwyn ar ddau beth: i ddechrau, y gred ym modolaeth Duw neu yng ngwirionedd crefydd arall; ac yn ail, newid ymddygiad yn yr un tröedig newydd. Er enghraifft, un o'r prif feddylwyr yn natblygiad yr Eglwys Gristnogol oedd Awstin, a ddaeth yn Esgob Hippo yn 395 OCC. Trodd ef o fod yn atheist i fod yn grediniwr a chafodd effaith sylweddol ar gredoau ac arferion pobl eraill. Yn yr un modd, cafodd Sundar Singh ei fagu'n Sikh pybyr, ond cafodd weledigaeth o Iesu a daeth yn Gristion gweithgar am weddill ei oes.

Mae graddau'r newid yn amrywio ond mae'r effaith ar yr unigolyn yn aros. At hynny, gall yr effaith hon ddylanwadu ar eraill.

Cynigiodd Swinburne egwyddorion hygoeledd a thystiolaeth. Roedd hyn yn datgan ei bod yn rhesymol credu bod y byd, yn fwy na thebyg, fel rydyn ni'n ei brofi. Mae e'n dadlau bod tystiolaeth pobl eraill o brofiadau crefyddol yn rhoi rheswm da dros gredu bod Duw yn bodoli. Mae llawer o bobl, ar sail profiadau uniongyrchol ymddangosiadol o Dduw, yn cymryd bod Duw yn bodoli. Mae hyn hefyd wedi effeithio ar eraill, sydd hefyd o bosibl yn seilio eu cred yn Nuw ar dderbyn profiad crefyddol rhywun arall. Mae pob un o sylfaenwyr ffydd y byd wedi cael yr effaith hon ar eraill. Mae crefydd, yn seiliedig ar brofiadau ei sylfaenwyr, wedi bod yn rym pwerus mewn hanes, ac mae ymchwilwyr modern fel David Hay yn awgrymu bod y grym hwnnw yn eang.

Roedd diddordeb arbennig gan William James yn effeithiau profiad crefyddol ar fywydau pobl, ac roedd e'n credu bod dilysrwydd y profiad yn dibynnu ar yr effeithiau a ddaw ohono. Cofnododd lawer o enghreifftiau o brofiadau crefyddol yn ei lyfr, *The Varieties of Religious Experience*, a gwelodd fod effeithiau'r profiadau hyn yn bwerus a chadarnhaol. Roedden nhw'n newid bywydau cymunedau ac unigolion cymaint fel y gwelodd hyn fel tystiolaeth bwerus dros gredu yn Nuw a dilysrwydd cred o'r fath. Fodd bynnag, mae rhai'n dadlau bod James yn rhy oddrychol gan ei fod yn canolbwyntio'n fwy ar wirionedd y profiad i'r unigolyn, yn hytrach nag ystyried a yw hyn yn cysylltu â'r syniad am Dduw sy'n bodoli yn y 'byd real' neu beidio.

Yn gyffredinol, mae profiad crefyddol yn anochel yn cael effaith ar gredoau ac arferion, ond ystod yr effaith hon sy'n wahanol – o'r unigolyn yn unig, i gymunedau ar draws y byd fel yn achos sylfaenwyr crefyddau.

Er bod grym pwerus profiad crefyddol yn cael ei ddefnyddio'n aml gan lawer i awgrymu bod cred yn Nuw yn opsiwn ymarferol ac yn bosibilrwydd, neu mewn rhai achosion, yn dystiolaeth gadarn dros fodolaeth Duw, dylid cofio nad yw pawb yn derbyn effaith profiad crefyddol i'r fath raddau. Byddai eraill, fel Bertrand Russell, yn dadlau: 'nid yw'r ffaith fod cred yn cael effaith foesol dda ar ddyn yn unrhyw dystiolaeth o gwbl ei bod yn wir.' Er enghraifft, gall rhywun gael ei ddylanwadu gan gymeriad mewn stori dda ond nid yw hynny'n golygu bod y cymeriad yn real.

I gloi, mae'n debygol ei bod yn well cydnabod, er bod profiad crefyddol yn anochel yn cael effaith rymus ar gredoau ac arferion crefyddol, fod ei effaith wedi'i chyfyngu i'r rheini sy'n credu ac na all ymestyn i brawf cryf a chadarn fod gwrthrych y profiad crefyddol hwnnw'n real mewn gwirionedd.

Mae'r adran hon yn cwmpasu cynnwys a sgiliau AA2

Cynnwys y fanyleb

Effaith profiadau crefyddol ar gredoau ac arferion crefyddol.

Gweithgaredd AA2
Dadleuon posibl

Wedi'u rhestru isod mae rhai casgliadau y byddai'n bosibl dod iddynt ar sail rhesymeg AA2 yn y testun cysylltiedig:

1. Mae profiad crefyddol yn cael effaith fawr ar gredoau ac arferion.
2. Mae profiad crefyddol yn cael effaith fawr ar gred unigolyn ond nid bob amser ar gred pobl eraill.
3. Mae profiad crefyddol yn cael yr effaith fwyaf ar arferion unigolion gan ei fod yn newid eu bywydau.
4. Mae profiad crefyddol yn cael effaith fawr ar gredoau ac arferion ond nid yw hyn yn dystiolaeth ei fod yn wir neu fod Duw yn bodoli.
5. Mae profiad crefyddol yn cael effaith fawr ar gredoau ac arferion a gellid dadlau ei fod yn dystiolaeth gref, neu'n brawf, fod Duw yn bodoli.

Ystyriwch bob un o'r casgliadau sy'n cael eu gwneud uchod a chasglwch dystiolaeth ac enghreifftiau i gefnogi pob dadl o'r deunydd AA1 ac AA2 a astudiwyd yn yr adran hon. Dewiswch un casgliad sy'n argyhoeddi fwyaf yn eich barn chi ac esboniwch pam mae hyn yn wir. Nawr cyferbynnwch hyn â'r casgliad gwannaf ar y rhestr, gan gyfiawnhau eich dadl gyda rhesymu clir a thystiolaeth.

Cynnwys y fanyleb

A ellir derbyn bod gwahanol fathau o brofiadau crefyddol yr un mor ddilys â'i gilydd o ran cyfleu dysgeidiaeth a chredoau crefyddol.

A ellir derbyn bod gwahanol fathau o brofiadau crefyddol yr un mor ddilys â'i gilydd o ran cyfleu dysgeidiaeth a chredoau crefyddol

Y prif fater yma yw a oes gan bob profiad crefyddol yr un gwerth ar gyfer cyfleu credoau crefyddol a dysgeidiaethau penodol neu gynnig tystiolaeth ohonynt.

Yn sicr mae diffyg cysondeb yn gyffredinol mewn profiadau crefyddol. Mae cynifer o wahanol fathau, pob un ag effaith wahanol. Hefyd, o ran y dysgeidiaethau crefyddol, gellid dadlau bod y negeseuon, y gweledigaethau, y wybodaeth a'r credoau sy'n cael eu cyflwyno i bob golwg mewn profiadau crefyddol mor amrywiol ac yn gwrth-ddweud ei gilydd, fel ei bod yn amhosibl i fwyafrif y profiadau crefyddol fod yn real a chywir, ac felly nid ydynt yn offeryn dilys ar gyfer cyfleu gwirioneddau crefyddol.

Er enghraifft, mewn Bwdhaeth Zen, dydy profiadau crefyddol ddim yn arwain at honiadau gan Fwdhyddion am Dduw sy'n greawdwr, ond yn hytrach fod myfyrdod yn eich rhoi mewn cysylltiad llawn â gwir natur realiti. Yn groes i hyn y mae honiad rhai Cristnogion eu bod nhw'n cwrdd â Duw neu Iesu yn eu profiadau crefyddol. Mae'n ymddangos, felly, y gallai profiadau crefyddol awgrymu bod Duw, neu'r profiad ysbrydol amhersonol, yn ymwneud â, ac yn dibynnu ar, gredoau diwylliannol y gallwn ni eu deall a'u dehongli.

Fodd bynnag, dydy cael disgrifiadau gwahanol o brofiadau ddim yn golygu eu bod nhw i gyd yn anghywir. Efallai mai dim ond un grefydd sy'n gywir fel bod y profiadau crefyddol eraill i gyd yn ffug, ond bod rhai'r un grefydd hynny'n wir. Mae hon yn ddadl fwy mewnol rhwng crefyddau. Efallai bydd rhai'n dweud bod eu profiad crefyddol nhw yn eu galluogi i fagu agwedd blwralaidd, er enghraifft Hick a Gandhi. Bydd gan eraill ymagwedd fwy neilltuolaidd a byddan nhw'n honni mai eu profiad crefyddol nhw yw'r unig wirionedd.

Ar wahân i'r broblem hon, mae mater arall i'w drafod. Dyma broblem allweddol anhraetholdeb. Mae llawer o brofiadau crefyddol y tu hwnt i ddisgrifiad mewn geiriau. Does dim geiriau a all ddisgrifio'r profiad, ac felly does dim modd i bobl eraill ei ddeall. Mae'r profiad yn oddrychol a phreifat, ac nid yw'n agored i unrhyw un arall. Mae'r profiad yn bersonol, a does dim modd ei ddeall yn llawn oni bai i ni gael y profiad. Os yw hyn i gyd yn wir, yna sut gall profiadau crefyddol anhraethol fod yr un mor ddilys â ffurfiau eraill o brofiadau crefyddol o ran cyfleu credoau crefyddol a dysgeidiaethau penodol neu gynnig tystiolaeth ohonynt?

Yn yr un modd dylen ni ystyried beth yw prif bwrpas profiad crefyddol. Ai rhywbeth i'r unigolyn yn unig ydyw? Ai dyfnhau ffydd yw ei bwrpas neu a yw yno i'w ddefnyddio fel esiampl i ddysgu eraill a rhannu'r profiad? Beth os bydd pobl eraill yn camddeall y profiad? Ydy hynny'n lleihau'r gwerth gwreiddiol i'r derbynnydd? Dylid cofio hefyd y gall rhai mathau o brofiad crefyddol gael eu hystyried yn 'well' nag eraill mewn traddodiad ffydd oherwydd y gwerth honedig sydd ganddynt o ran cyfleu neu atgyfnerthu cred neu draddodiad ffydd benodol. Drwy hynny maen nhw'n gwneud i'r rhai sydd ddim yn profi hyn deimlo'n israddol neu'n annheilwng.

Er gwaethaf hyn, gallwn ddod i'r casgliad fod profiadau crefyddol yn ffordd ddilys i gredinwyr crefyddol o gyfleu credoau crefyddol a dysgeidiaethau penodol neu gynnig tystiolaeth ohonynt. Fodd bynnag, mae'r cwestiwn pennaf, sef a ydyn nhw i gyd yn cael yr un effaith o ran y pwrpas hwn, yn amlwg yn dibynnu ar y math o brofiad crefyddol dan sylw.

Gweithgaredd AA2
Dadleuon posibl

Wedi'u rhestru isod mae rhai casgliadau y byddai'n bosibl dod iddynt ar sail rhesymeg AA2 yn y testun cysylltiedig:

1. Mae gan bob profiad crefyddol yr un gwerth ar gyfer cyfleu credoau crefyddol a dysgeidiaethau penodol neu gynnig tystiolaeth ohonynt.
2. Mae gan bob profiad crefyddol ryw werth ar gyfer cyfleu credoau crefyddol a dysgeidiaethau penodol neu gynnig tystiolaeth ohonynt, ond mae'n dibynnu ar y math o brofiad.
3. Mae rhai profiadau crefyddol yn well ar gyfer cyfleu credoau crefyddol a dysgeidiaethau penodol neu gynnig tystiolaeth ohonynt.
4. Ni all pob profiad crefyddol gyfleu credoau crefyddol a dysgeidiaethau penodol neu gynnig tystiolaeth ohonynt.
5. Nid yw'n fwriad fod gan brofiadau crefyddol yr un gwerth ar gyfer cyfleu credoau crefyddol a dysgeidiaethau penodol neu gynnig tystiolaeth ohonynt.

Ystyriwch bob un o'r casgliadau sy'n cael eu gwneud uchod a chasglwch dystiolaeth ac enghreifftiau i gefnogi pob dadl o'r deunydd AA1 ac AA2 a astudiwyd yn yr adran hon. Dewiswch un casgliad sy'n argyhoeddi fwyaf yn eich barn chi ac esboniwch pam mae hyn yn wir. Nawr cyferbynnwch hyn â'r casgliad gwannaf ar y rhestr, gan gyfiawnhau eich dadl gyda rhesymu clir a thystiolaeth.

Datblygu sgiliau AA2

Nawr mae'n bryd ystyried y wybodaeth sydd wedi'i chyflwyno hyd yma. Hefyd mae'n bwysig ystyried sut mae'r hyn rydych chi wedi'i ddysgu hyd yma'n gallu cael ei ddefnyddio ar gyfer atebion arholiad drwy ymarfer y sgiliau sy'n gysylltiedig ag AA2.

Mae Amcan Asesu 2 (AA2) yn ymwneud â 'dadansoddi' a 'gwerthuso'. Efallai fod ystyr y termau'n amlwg ond mae'n hanfodol eich bod yn gyfarwydd â sut mae sgiliau penodol yn dangos y rhain, a hefyd, sut bydd eich perfformiad ym mhob un o'r sgiliau hyn yn cael ei fesur (gweler disgrifyddion band cyffredinol Band 5 ar gyfer AA2 UG).

Yn amlwg mae ateb yn cael ei osod mewn disgrifydd band priodol, yn ôl pa mor dda yw'r ateb, gan amrywio o ragorol, da, boddhaol, sylfaenol/cyfyngedig i gyfyngedig iawn.

▶ **Dyma eich tasg newydd:** isod mae rhestr o gynnwys dangosol y gallech ei defnyddio'n ymateb i gwestiwn sy'n gofyn am werthuso effaith profiad crefyddol ar gredoau ac arferion. Y broblem yw nad yw hi'n rhestr lawn iawn ac mae angen ei chwblhau! Bydd yn ddefnyddiol i chi weithio mewn grŵp ac ystyried beth sydd ar goll o'r rhestr. Bydd angen i chi ychwanegu o leiaf chwe phwynt (tri o blaid a thri yn erbyn) er mwyn gwella'r rhestr a/neu roi mwy o fanylion i bob pwynt sydd ar y rhestr yn barod. Cofiwch, y ffordd rydych chi'n defnyddio'r pwyntiau yw'r ffactor pwysicaf. Defnyddiwch egwyddorion gwerthuso gan wneud yn siŵr eich bod: yn nodi'r materion yn glir; yn cyflwyno safbwyntiau eraill yn gywir, gan wneud yn siŵr eich bod yn gwneud sylwadau ar y safbwyntiau rydych yn eu cyflwyno; yn dod i farn bersonol gyffredinol. Gallwch ychwanegu rhagor o'ch awgrymiadau eich hun, ond ceisiwch drafod fel grŵp a blaenoriaethu'r pethau pwysicaf i'w hychwanegu.

Wedyn, gweithiwch mewn grŵp i gytuno ar eich rhestr derfynol ac ysgrifennwch eich rhestr newydd o gynnwys dangosol, gan gofio egwyddorion esbonio gyda thystiolaeth a/neu enghreifftiau.

Yna, os ewch chi ati i roi'r rhestr hon yn y drefn y byddech chi'n cyflwyno'r wybodaeth mewn traethawd, bydd gennych eich cynllun eich hun ar gyfer ateb delfrydol.

Rhestr o gynnwys dangosol:

O blaid

- Mwy o effaith na ffactorau ymenyddol
- Yn dechrau a/neu yn dyfnhau ymrwymiad i gredoau ac arferion crefyddol mewn ffordd unigryw
- *Ychwanegu eich cynnwys chi*
- *Ychwanegu eich cynnwys chi*
- Ac yn y blaen

Yn erbyn

- Mae magwraeth grefyddol yn cael mwy o effaith
- Mae gweithiau cysegredig yn bwysicach na phrofiadau crefyddol ar gyfer credoau ac arferion
- *Ychwanegu eich cynnwys chi*
- *Ychwanegu eich cynnwys chi*
- Ac yn y blaen

Sgiliau allweddol

Mae dadansoddi'n ymwneud â nodi materion sy'n cael eu codi gan y deunyddiau yn adran AA1, ynghyd â'r rhai a nodwyd yn adran AA2, ac mae'n cyflwyno safbwyntiau cyson a chlir, naill ai gan ysgolheigion neu safbwyntiau personol, yn barod i'w gwerthuso.

Mae hyn yn golygu ei fod yn nodi pethau allweddol i'w trafod a'r dadleuon sy'n cael eu cyflwyno gan eraill neu o safbwynt personol.

Mae gwerthuso'n ymwneud ag ystyried goblygiadau amrywiol y materion sy'n cael eu codi, yn seiliedig ar y dystiolaeth a gafwyd wrth ddadansoddi ac mae'n rhoi dadl fanwl eang gyda chasgliad clir.

Mae hyn yn golygu bod yr ateb yn pwyso a mesur y dadleuon amrywiol a gwahanol a gafodd eu dadansoddi drwy roi sylwadau ac ymateb unigol, gan ddod i gasgliad drwy broses rhesymu clir.

Mae'r adran hon yn cwmpasu cynnwys a sgiliau AA1

Cynnwys y fanyleb

Pedair nodwedd William James o brofiad cyfriniol: anhraethol, noëtig, byrhoedlog a goddefol.

B: Profiad cyfriniol

Pedair nodwedd William James o brofiad cyfriniol

Ystyrir gwaith William James *Varieties of Religious Experience* (1902) o hyd yn un o'r astudiaethau mwyaf arwyddocaol a dylanwadol o grefydd yn yr 20fed ganrif. Ymhlith pynciau eraill, mae James yn manylu ar ddosbarthiad cyfriniaeth yn narlithoedd 16 ac 17 y gwaith. Mae'r rhain yn sylwadau dylanwadol iawn am y profiad cyfriniol ac ni ellir astudio'r pwnc o ddifrif heb fyfyrio ar gyfraniadau James.

Dyma esboniadau am y dosbarthiadau yng ngeiriau James ei hun (daw'r dyfyniadau i gyd o waith James *Varieties of Religious Experience*):

1. 'Anhraetholdeb – Mae'r nod mwyaf defnyddiol rydw i'n ei ddefnyddio i ddosbarthu cyflwr o feddwl fel cyfriniol yn negyddol. Mae'r person sy'n ei brofi yn dweud yn syth nad oes modd ei fynegi, ac na ellir disgrifio ei gynnwys yn ddigonol mewn geiriau. Mae'n dilyn o hyn fod yn rhaid i'w natur gael ei phrofi'n uniongyrchol; ni ellir ei chyflwyno neu ei throsglwyddo i eraill. Yn yr hynodrwydd hwn mae cyflyrau cyfriniol yn fwy tebyg i gyflyrau o deimlad na chyflyrau o ddeall. Ni all neb ei wneud yn glir i rywun arall sydd erioed wedi cael teimlad penodol, beth yw ei natur neu ei werth. Mae'n rhaid i chi gael clust gerddorol i ddeall gwerth symffoni. Mae'n rhaid eich bod chi wedi bod mewn cariad eich hun i ddeall cyflwr meddwl un sydd mewn cariad. Heb y galon neu'r glust, ni allwn ni ddehongli'r cerddor neu'r cariad yn iawn, ac rydyn ni hyd yn oed yn debygol o'i ystyried yn wan neu'n wirion. Mae'r cyfriniwr yn gweld bod y mwyafrif ohonon ni'n trin ei brofiadau ef mewn ffordd yr un mor analluog.'

Dosbarth cyntaf James o brofiad cyfriniol yw'r un sy'n cael ei ddisgrifio fwyaf aml gan gyfrinwyr fel Teresa o Avila, Eckhart, Rumi ac eraill. Mae'n nodweddiadol o brofiad cyfriniol ei fod mor ddwfn na all iaith bob dydd ei fynegi. Mae hefyd yn cynrychioli, fel mae James yn ei gydnabod, yr her fwyaf i ddilysrwydd y profiad. Fodd bynnag, medd James, dim ond oherwydd na ellir ei 'brofi' ni ddylai hynny dynnu oddi ar ei werth; yn wir, mae'n awgrymu, mae'r ffaith na ellir disgrifio'r profiad yn ymwneud yn fwy â diffyg ar ran yr empirydd nag ag unrhyw ddiffyg ar ran y cyfriniwr.

2. 'Natur noëtig – Er eu bod mor debyg i gyflyrau o deimlad, mae cyflyrau cyfriniol hefyd yn ymddangos i'r rheini sy'n eu profi i fod yn gyflyrau o wybodaeth. Maen nhw'n gyflyrau o fewnwelediad i ddyfnderoedd gwirionedd nad yw'r deall ymresymiadol yn gallu eu cyrraedd. Maen nhw'n oleuadau, datguddiadau, yn llawn arwyddocâd a phwysigrwydd, er eu bod mor aneglur; ac fel rheol maen nhw'n cario gyda nhw ymdeimlad rhyfedd o awdurdod ar gyfer yr amser sydd i ddod.'

Mae ennill math arbennig o wybodaeth, neu fewnwelediad, yn arwydd arall o waith cyfrinwyr ar hyd yr oesoedd, a dyma beth mae James yn cyfeirio ato wrth ystyried *noesis* (ennill gwybodaeth) o brofiadau'r cyfrinwyr.

3. 'Byrhoedledd – Ni ellir cynnal cyflyrau cyfriniol yn hir. Heblaw am achosion prin, mae'n ymddangos mai hanner awr, neu awr neu ddwy ar y mwyaf, yw'r terfyn ac ar ôl hynny maen nhw'n pylu'n ôl i olau dydd arferol. Yn aml, ar ôl i'r profiad bylu, mae'n bosibl atgynhyrchu ei natur yn amherffaith yn unig yn y cof; ond pan fyddan nhw'n ailddigwydd maen nhw'n cael eu hadnabod; ac o un ailddigwyddiad i'r llall mae'n bosibl cael datblygiad parhaus yn yr hyn sy'n cael ei deimlo fel cyfoeth a phwysigrwydd mewnol.'

Yn y trydydd dosbarthiad, mae James yn sôn am natur fyrhoedlog y profiad cyfriniol ac mae'n dangos, drwy'r dystiolaeth mae'n ei chasglu, y gall profiadau o'r fath fod yn ddwys iawn a chael canlyniadau parhaol i'r derbynnydd, ac eto o ran yr amser maen nhw'n eu cymryd, maen nhw'n gymharol fyr.

Dyfyniad allweddol

Gall rhywun ddweud o ddifrif, fe gredaf, fod gwraidd a chanolbwynt profiad crefyddol personol mewn cyflyrau cyfriniol o ymwybyddiaeth. Yn wir nid oes gan gyflyrau cyfriniol unrhyw awdurdod am y rheswm syml eu bod yn gyflyrau cyfriniol. Ond mae'r rhai uchaf yn eu plith yn pwyntio i gyfeiriadau y mae teimladau crefyddol, hyd yn oed rhai dynion anghyfriniol, yn tueddu tuag atynt. Maen nhw'n sôn am oruchafiaeth y delfrydol, am aruthredd, am uniad, am ddiogelwch, ac am orffwys. Maen nhw'n cynnig rhagdybiaethau i ni, rhagdybiaethau y gallwn ni eu hanwybyddu os dymunwn, ond fel meddylwyr ni allwn ni eu drysu. Efallai wedi'r cyfan mai'r mewnwelediad mwyaf gwir i ystyr y bywyd hwn yw'r oruwchnaturiolaeth a'r optimistiaeth yr hoffen nhw ein hargyhoeddi ohonynt, o'u dehongli'r naill ffordd na'r llall. (James)

4. 'Goddefoldeb – Er y gall dyfodiad cyflyrau cyfriniol gael ei hwyluso gan weithredoedd gwirfoddol rhagarweiniol, fel drwy hoelio'r sylw, neu fynd drwy berfformiadau corfforol penodol, neu mewn ffyrdd eraill y mae llawlyfrau cyfriniaeth yn eu pennu, eto ar ôl i'r math nodweddiadol o ymwybyddiaeth ddechrau, mae'r cyfriniwr yn teimlo fel pe bai ei ewyllys ei hun yn peidio, ac yn wir weithiau fel pe bai'n cael ei gydio a'i ddal gan bw^er uwch. Mae'r hynodrwydd olaf hwn yn cysylltu cyflyrau cyfriniol â ffenomenau pendant penodol o bersonoliaeth eilaidd neu amgen, fel siarad yn broffwydol, ysgrifennu awtomatig, neu fynd i berlewyg cyfryngiaethol. Pan fydd yr amodau hyn yn amlwg iawn, fodd bynnag, efallai na fydd unrhyw atgof o'r ffenomen o gwbl ac na fydd ganddo unrhyw arwyddocâd i fywyd mewnol arferol y person – prin, fel petai, y bydd yn aflonyddu arno o gwbl. Nid yw cyflyrau cyfriniol gwirioneddol byth yn bethau sy'n aflonyddu'n unig. Mae rhyw gof am eu cynnwys yn aros bob amser, a theimlad dwfn am eu pwysigrwydd. Maen nhw'n newid bywyd mewnol y person rhwng y troeon maen nhw'n digwydd. Wedi dweud hynny, mae'n anodd gwneud rhaniadau amlwg yn y maes hwn, ac rydyn ni'n dod ar draws pob math o raddiad a chymysgedd o'r cyflyrau hyn.'

Mae'r pedwerydd dosbarthiad a'r un olaf yn nodi'r nodwedd bwysig fod y profiad yn tueddu i fod yn rhywbeth sy'n 'cael ei wneud' i'r derbynnydd, a hyd yn oed os yw'r derbynnydd yn mynd i chwilio am y profiad, mae'r union eiliad ei hun yn cael ei rheoli gan fod neu rym sydd y tu allan i ewyllys y cyfriniwr. Yr awgrym hefyd yw bod y digwyddiadau hyn yn cael effaith drawsnewidiol ar yr unigolyn, a bydd ei fywyd yn aml iawn yn cael ei newid ar ôl y profiad.

Gweithgaredd AA1

Mewn parau, cymerwch eich tro i brofi'ch gilydd ar y diffiniadau o bob un o bedair nodwedd William James o brofiad cyfriniol. Mewn arholiad gall fod yn hawdd cymysgu syniadau, termau a diffiniadau, ac felly gall profi eich cof yn rheolaidd gyda phartner helpu i osgoi hyn. Dylai hyn hefyd eich helpu i sicrhau bod eich deunydd yn yr ateb arholiad yn '... ateb perthnasol sy'n bodloni gofynion penodol y cwestiwn a osodwyd'.

Unigolyn allweddol

William James: cafodd ei eni i deulu cefnog yng Ngogledd America yn 1842, ac roedd yn frawd i'r nofelydd Americanaidd enwog Henry James. Bu William yn ymhél â sawl maes academaidd yn ystod rhan gyntaf ei fywyd cyn setlo ar seicoleg, oedd yn bwnc cymharol newydd. Roedd ei waith yn ysbrydoliaeth i lawer o feddylwyr mwyaf yr 20fed ganrif, gan gynnwys Ludwig Wittgenstein (dywedir mai'r unig lyfr wedi'i ysgrifennu gan athronydd modern byddai Wittgenstein yn ei gadw ar ei silff lyfrau oedd *Varieties of Religious Experience* gan James!). Roedd James yn bragmatydd athronyddol, ond mynegodd ei gred fod profiad crefyddol yn y pen draw y tu hwnt i fyd gwyddoniaeth empirig fel na ellir byth profi ei fod yn 'wir'. Dywedodd am brofiad o'r fath: mae terfynau eithaf ein bod yn plymio, mae'n ymddangos i mi, i ddimensiwn bodolaeth arall yn llwyr i ffwrdd o'r byd synhwyrol a 'dealladwy' yn unig.

William James (1842–1910)

Termau allweddol

Byrhoedlog: profiad nad yw'n para'n hir ond eto mae ganddo oblygiadau pellgyrhaeddol a/neu sy'n para'n hir

Goddefol: yn y cyd-destun hwn, lle mae'r profiad cyfriniol yn 'cael ei wneud' i'r derbynnydd. Nid yw'n cael ei symbylu gan yr unigolyn neu'r grŵp ond yn hytrach mae'n ganlyniad i ryw fath o rym neu ddylanwad allanol.

cwestiwn cyflym

4.5 Beth yw pedair nodwedd ddiffiniol profiad cyfriniol yn ôl William James?

Cynnwys y fanyleb

Rudolf Otto – cysyniad y nwminaidd; *mysterium tremendum*; rhagdueddiad bodau dynol at brofiad crefyddol.

Termau allweddol

Anthropoleg: astudiaeth o fodau dynol, eu diwylliant a'u datblygiad cymdeithasol

Naturoliaeth: yr hyn sy'n deillio o fywyd go iawn neu fyd natur

Profiad nwminaidd?

Dyfyniad allweddol

Mae 'sancteiddrwydd' – 'y sanctaidd' – yn gategori o ddehongli a rhoi gwerth sy'n perthyn yn arbennig i fyd crefydd ... er ei fod yn gymhleth, mae'n cynnwys elfen eithaf penodol neu 'foment', sy'n ei osod ar wahân i'r 'Rhesymegol' ... ac sy'n aros y tu hwnt i eiriau. **(Otto)**

cwestiwn cyflym

4.6 Beth, yn syml, y mae Otto'n ei olygu gan yr ymadrodd *mysterium tremendum*?

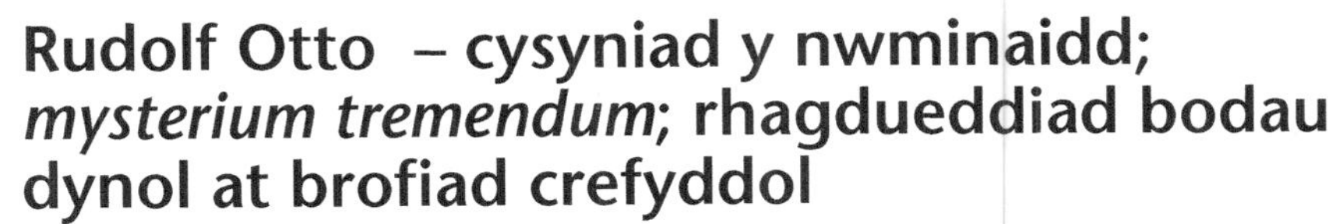

Rudolf Otto – cysyniad y nwminaidd; *mysterium tremendum*; rhagdueddiad bodau dynol at brofiad crefyddol

Dull Otto, yn ei waith *Syniad y Sanctaidd*, oedd edrych ar yr agweddau o brofiad crefyddol oedd y tu hwnt i gwmpas rhesymu rhesymegol ac empirig. Yn hytrach mae'n canolbwyntio ar 'deimladau' y derbynnydd ac, mewn sawl ffordd, hwn oedd y tro cyntaf i rywun geisio defnyddio dull o'r fath i astudio profiad crefyddol. Tynnodd Otto ar hanes crefydd, gan ei fod yn gyfarwydd ag ef. Drwy ei gyfuno â'i ddiddordeb mewn **anthropoleg** a **naturoliaeth**, gwnaeth archwiliad i faes goddrychol profiadau crefyddol a chyfriniol.

I Otto, roedd gan y gair 'sanctaidd' sawl cynodiad eang, ac nid oedd pob un ohonyn nhw o gymorth iddo wrth geisio disgrifio'r teimladau yn y profiad crefyddol neu gyfriniol. Felly defnyddiodd y term **nwminaidd.** Mae'r gair hwn yn tarddu o'r gair Lladin 'numen', sy'n cyfeirio at bŵer dwyfol goruwchnaturiol. Mae hyn yn ei osod ar wahân i'r cynodiadau moesegol a moesol y gall fod i'r gair sanctaidd hefyd. Felly, yr unigolyn sy'n profi'r nwminaidd yw un sy'n teimlo presenoldeb pŵer dwyfol goruwchnaturiol fel rhan o'u profiad crefyddol neu gyfriniol.

I Otto, mae'r syniad fod bodau dynol yn gallu derbyn y nwminaidd yn rhan o duedd naturiol dynoliaeth tuag at y byd ysbrydol. Er y disgrifir profiad dynol yn aml yn nhermau'r rhesymegol, yn arbennig wrth ddelio ag agweddau pob dydd bodolaeth ddynol, credai Otto fod yna hefyd ddimensiwn sylweddol o fodolaeth ddynol oedd yn dyheu am yr hyn roedd e'n ei alw'n 'an-rhesymegol' – h.y. yr hyn na allai gael ei esbonio'n hawdd drwy gyfeirio at ddulliau empirig safonol. Nid yw Otto drwy hyn yn dweud bod profiadau o'r nwminaidd yn afresymol – sy'n awgrymu diffyg rheswm neu ymwybyddiaeth, diffyg sefydlogrwydd yn y rhyngweithio a'r profiad – ond yn hytrach fod yr an-rhesymegol yn gwbl sefydlog fel profiad, ond ddim yn rhywbeth y gellid ei ddiffinio mewn termau rhesymegol.

Ym mhennod 4 *Syniad y Sanctaidd*, mae Otto'n disgrifio'r profiad nwminaidd fel 'yr elfen ddyfnaf a mwyaf sylfaenol ym mhob emosiwn crefyddol sy'n cael ei deimlo'n gryf ac yn ddidwyll'. Mae'n dweud bod hyn yn cael effaith arbennig o ddwfn ar yr unigolyn sy'n derbyn y profiad nwminaidd ac mai'r unig ffordd i grynhoi dwyster y profiad yw drwy ddefnyddio'r ymadrodd Lladin *mysterium tremendum*. Yn ôl Otto, 'ar adegau gall y teimlad ohono ysgubo i mewn fel llanw tyner, yn llenwi'r meddwl ag ymdeimlad heddychlon o'r addoliad dyfnaf. Gall symud ymlaen i agwedd fwy sefydlog a pharhaus o'r enaid, yn parhau, fel petai, yn gynhyrfus o deimladwy a soniarus nes, yn y diwedd, mae'n diflannu ac mae'r enaid yn dychwelyd i'w ymdeimlad bydol anghrefyddol o brofiad pob dydd.'

Wrth iddo barhau i ddisgrifio dwyster y *mysterium tremendum*, mae Otto'n ceisio disgrifio'r dwyster hynod sy'n gysylltiedig â phrofiad crefyddol sy'n cael ei deimlo'n ddwfn. Drwy wneud hyn mae'n rhoi mwy o oleuni ar ein dealltwriaeth o'i gysyniad o'r nwminaidd fel mynegiant o barchedig ofn a rhyfeddod crefyddol ym mhresenoldeb y pŵer dwyfol goruwchnaturiol.

Gweithgaredd AA1

Gan ddefnyddio enghraifft o'r brif grefydd y byd sydd yn eich cwrs astudio, cofnodwch sut gallai profiad crefyddol yn y traddodiad hwnnw gael ei ystyried yn 'nwminaidd'. Yna dylech chi ddefnyddio'r enghraifft hon rydych chi wedi ei chofnodi mewn unrhyw ateb sy'n trafod cysyniad Otto o'r nwminaidd – bydd hyn yn helpu i hybu 'Defnydd rhagorol o dystiolaeth ac enghreifftiau' (ymateb AA1 Lefel 5) yn eich ateb.

Datblygu sgiliau AA1

Nawr mae'n bryd ystyried y wybodaeth sydd wedi'i chyflwyno hyd yma. Hefyd mae'n bwysig ystyried sut mae'r hyn rydych chi wedi'i ddysgu hyd yma'n gallu cael ei ddefnyddio ar gyfer atebion arholiad drwy ymarfer y sgiliau sy'n gysylltiedig ag AA1.

Mae Amcan Asesu 1 (AA1) yn ymwneud â dangos gwybodaeth a dealltwriaeth. Mae'r termau 'gwybodaeth' a 'dealltwriaeth' yn amlwg ond mae'n hanfodol eich bod yn gyfarwydd â sut mae sgiliau penodol yn dangos y rhain, a hefyd, sut bydd eich perfformiad ym mhob un o'r sgiliau hyn yn cael ei fesur (gweler disgrifyddion band cyffredinol Band 5 ar gyfer AA1 UG).

Rydych chi bellach yn nesáu at ddiwedd yr adran hon o'r cwrs. O hyn allan dim ond cyfarwyddiadau fydd gan y dasg, heb enghreifftiau; ond, gan ddefnyddio'r sgiliau yr ydych wedi'u datblygu wrth gwblhau'r tasgau cynharach, dylech allu cymhwyso'r hyn rydych chi wedi dysgu ei wneud a chyflawni hyn yn llwyddiannus.

▶ **Dyma eich tasg newydd:** bydd rhaid i chi ysgrifennu ymateb o dan amodau wedi'u hamseru i gwestiwn sy'n gofyn am archwilio nodweddion profiad cyfriniol. Bydd angen i chi ganolbwyntio er mwyn gwneud hyn a chymhwyso'r sgiliau yr ydych chi wedi'u datblygu hyd yma:

1. Dechreuwch gyda rhestr o gynnwys dangosol. Trafodwch hon fel grŵp, efallai. Does dim rhaid i'r rhestr fod mewn unrhyw drefn.

2. Datblygwch y rhestr gan ddefnyddio enghreifftiau.

3. Nawr ystyriwch ym mha drefn yr hoffech chi esbonio'r wybodaeth.

4. Yna ysgrifennwch eich cynllun, o dan amodau wedi'u hamseru, gan gofio egwyddorion esbonio gyda thystiolaeth a/neu enghreifftiau.

Defnyddiwch y dechneg hon er mwyn adolygu pob un o'r meysydd pwnc rydych chi wedi'u hastudio. Mae techneg sylfaenol cynllunio atebion yn helpu hyd yn oed pan fydd amser yn brin ac rydych chi'n methu cwblhau pob traethawd.

Sgiliau allweddol

Mae gwybodaeth yn ymwneud â:

Dewis ystod o wybodaeth (drylwyr) gywir a pherthnasol sydd â chysylltiad uniongyrchol â gofynion penodol y cwestiwn.

Mae hyn yn golygu eich bod yn dewis y wybodaeth gywir sy'n berthnasol i'r cwestiwn a osodwyd NID y maes pwnc. Bydd angen i chi feddwl a chanolbwyntio ar ddewis gwybodaeth allweddol ac NID ysgrifennu popeth yr ydych chi'n ei wybod am y maes pwnc.

Mae dealltwriaeth yn ymwneud ag:

Esboniad helaeth, gan ddangos dyfnder a/neu ehangder gyda defnydd rhagorol o dystiolaeth ac enghreifftiau gan gynnwys (lle y bo'n briodol) defnydd trylwyr a chywir o destunau cysegredig, ffynonellau doethineb a geirfa arbenigol.

Mae hyn yn golygu y gallwch ddangos eich bod yn deall rhywbeth drwy egluro ac ehangu eich pwyntiau gan ddefnyddio enghreifftiau/tystiolaeth gefnogol mewn ffordd bersonol ac NID ailadrodd darnau o werslyfr (sef dysgu ar y cof).

Cymhwyso sgiliau ymhellach:

Ewch drwy'r meysydd pwnc yn yr adran hon a lluniwch rai rhestri bwled o bwyntiau allweddol o feysydd allweddol. Ar gyfer pob un, rhowch fwy o fanylion ac esboniwch fwy drwy ddefnyddio tystiolaeth ac enghreifftiau.

Mae'r adran hon yn cwmpasu cynnwys a sgiliau AA2

Cynnwys y fanyleb

Pa mor ddigonol yw pedair nodwedd *James* o ran diffinio profiad cyfriniol.

Materion i'w dadansoddi a'u gwerthuso

Pa mor ddigonol yw pedair nodwedd *James* o ran diffinio profiad cyfriniol

Ers blynyddoedd bellach mae nodweddion William James o brofiadau cyfriniol wedi cael eu derbyn fel y ffordd safonol o'u dosbarthu. Mae llawer o ysgolheigion wedi eu defnyddio, eu trafod, eu derbyn, eu herio neu eu datblygu. Y cwestiwn yw, a all y nodweddion wedi'u nodi gan James gael eu hystyried i fod yn ddigonol yng ngoleuni gwaith ysgolheigion eraill?

Fel y gwyddom, roedd James wedi nodi pedair nodwedd cyfriniaeth. Y nodwedd gyntaf yw bod y profiad yn anhraethol. Mae hyn yn golygu na ellir rhoi adroddiad digonol o'r profiad mewn geiriau. Mae'n amhosibl ei fynegi. Nid yw ymadroddion fel 'ymddatod yr ego personol' yn golygu dim i'r rheini sydd heb brofi pethau o'r fath. Yr ail nodwedd yw ei natur noëtig, hynny yw, mewnwelediad ymddangosiadol i ddyfnderoedd gwirioneddau dydy'r meddwl ar ei ben ei hun ddim yn gallu eu cyrraedd. Mae ganddyn nhw rym pendantrwydd a realiti. Mae profiadau cyfriniol hefyd yn fyrhoedlog, sy'n golygu na ellir cynnal y cyflyrau am gyfnodau hir o amser. Er bod rhywun yn cofio'r cyflyrau, nid yw'n gallu eu cofio'n gyflawn. Fel arfer maen nhw'n gadael y derbynnydd â theimlad dwys am bwysigrwydd y profiad. Yn olaf, mae gan brofiadau cyfriniol y nodwedd o oddefoldeb lle mae teimlad fod rhywun yn cael ei gymryd drosodd gan bŵer uwch.

Mae'r rhain i gyd yn ymddangos yn hollol gadarn ond mae p'un ai eu bod yn ddigonol neu beidio yn dibynnu ar a oes unrhyw sylwadau ysgolheigaidd eraill wedi ychwanegu atynt, eu disodli neu eu herio nhw. Os ydyn ni'n cymharu dosbarthiad nwminaidd Otto o brofiad crefyddol fel yr elfen gyfriniol, yna gallwn ni weld nad oes dim byd newydd wedi'i ychwanegu at nodweddion profiad cyfriniol James mewn gwirionedd. Nododd Otto nifer o elfennau fel parchedig ofn (rhyw fath o anesmwythyd dwfn), teimlad o gael eich llethu (sy'n gwneud rhywun yn wylaidd), egni neu frys (cymhellol), hollol arall (yn llwyr y tu allan i brofiad arferol) a chyfareddiad (yn achosi i'r gwrthrych gael ei ddal yn llwyr ynddo). Mae'r rhan fwyaf o'r rhain mewn gwirionedd yn ymhelaethu ar bedair nodwedd James, neu'n cynnig diffiniadau gwahanol ohonyn nhw.

Mewn ffordd gellid dweud yr un peth am yr athronydd F. C. Happold a nododd dair nodwedd arall o'r profiad cyfriniol: ymwybyddiaeth o unoliaeth popeth; ymdeimlad nad yw amser yn bodoli; a'r syniad nad y gwir 'fi' yw'r ego ond bod yna rywbeth sy'n gorwedd y tu ôl i'r profiad arferol o'r hunan. Mae'n ymdddangos bod tebygrwydd rhwng y rhain a'r nwminaidd yn ogystal â phedair nodwedd James.

Fodd bynnag, os ydyn ni'n edrych ar waith y diwinydd ac athronydd canoloesol o'r Eidal, Sant Bonaventure, gallwn ni weld safbwynt gwahanol am brofiadau cyfriniol, un sy'n canolbwyntio ar broses cyfriniaeth yn hytrach na dadansoddi ei nodweddion cyffredin. Nododd Bonaventure dri cham i brofiad cyfriniol: y cam ysgarthol pan fydd y cyfriniwr yn cael ei buro a'i baratoi ar gyfer y profiad drwy fyfyrdod; y cam goleuol pan geir effaith ar ddeall a theimladau y cyfriniwr, sy'n cael ei oleuo yn wybyddol ac yn emosiynol; a'r cam unol pan fydd y cyfriniwr yn dod i uniad parhaus â Duw.

I gloi, mae'n ymddangos bod pedair nodwedd James o ran diffinio profiad cyfriniol yn ddigon da gan eu bod nhw wedi sefyll prawf amser. Serch hynny, dydy hyn ddim yn golygu eu bod nhw'n ddiffiniol ac, fel rydyn ni wedi ei weld, mae disgrifiadau eraill, mwy cymhleth, o brofiad cyfriniol. Heyfd, mae'n amlwg o waith Bonaventure mai dim ond un agwedd ar astudio profiadau cyfriniol yw adnabod nodweddion. Mae yna agweddau eraill, fel proses profiad cyfriniol, sydd hefyd yn haeddu cael eu dadansoddi a'u gwerthuso.

Gweithgaredd AA2
Dadleuon posibl

Wedi'u rhestru isod mae rhai casgliadau y byddai'n bosibl dod iddynt ar sail rhesymeg AA2 yn y testun cysylltiedig:

1. Mae pedair nodwedd James yn ddigonol ar gyfer diffinio profiad cyfriniol.
2. Dim ond un o nifer o wahanol ffyrdd o astudio profiad cyfriniol yw pedair nodwedd James o ran diffinio profiad cyfriniol.
3. Mae pedair nodwedd James yn fwy na digonol ar gyfer diffinio profiad cyfriniol gan mai dyma'r set safonol mewn astudiaeth o brofiadau cyfriniol.
4. Mae pedair nodwedd James o ran diffinio profiad cyfriniol wedi cael eu datblygu a'u mynegi'n well gan eraill.
5. Mae pedair nodwedd James o ran diffinio profiad cyfriniol yn ddigonol ond ddim yn ddiffiniol.

Ystyriwch bob un o'r casgliadau sy'n cael eu gwneud uchod a chasglwch dystiolaeth ac enghreifftiau i gefnogi pob dadl o'r deunydd AA1 ac AA2 a astudiwyd yn yr adran hon. Dewiswch un casgliad sy'n argyhoeddi fwyaf yn eich barn chi ac esboniwch pam mae hyn yn wir. Nawr cyferbynnwch hyn â'r casgliad gwannaf ar y rhestr, gan gyfiawnhau eich dadl gyda rhesymu clir a thystiolaeth.

Cynnwys y fanyleb

Pa mor ddigonol yw diffiniad *Otto* o 'nwminaidd'.

Pa mor ddigonol yw diffiniad *Otto* o 'nwminaidd'

Ceisiodd Rudolf Otto, diwinydd Protestannaidd, yn ei lyfr *Syniad y Sanctaidd*, nodi a disgrifio'r hyn sy'n gwneud profiad crefyddol yn unigryw grefyddol, yn hytrach na phrofiad cyffredin yn unig. Nid diffiniad Otto yn unig yw'r prif fater yma ond sail y diffiniad hwnnw a'r goblygiadau sy'n dod yn ei sgil. Dywedodd Rudolf Otto am y profiad nwminaidd, 'does dim crefydd nad yw'n byw ynddo fel y craidd dyfnaf, a hebddo ni fyddai unrhyw grefydd yn deilwng o'r enw'. Mewn geiriau eraill, honiad y nwminaidd yw mai dyma'r unig brofiad crefyddol *hanfodol* a dilys yn hytrach na phrofiad yn unig.

Fodd bynnag, yn ganolog i'r archwiliad hwn oedd y dybiaeth a'r argyhoeddiad gwaelodol fod cyfarfyddiad personol â Duw yn bosibl ar gyfer pob crediniwr crefyddol. Unwaith eto, roedd Otto yn argyhoeddedig y gallai pob un gael cyfarfyddiad personol â'r ysbrydol neu'r dwyfol ac nad yw o reidrwydd yn gorfod golygu profiadau synhwyraidd neu freuddwydion dramatig. Roedd nwminaidd Otto yn brofiad unigol a phersonol iawn.

Er gwaethaf hyn, roedd Otto'n credu bod natur ddramatig y profiad yn dibynnu ar yr hyn roedd y profiad crefyddol yn ei godi yn yr unigolyn, sef bod y *mysterium tremendum* hefyd yn ysgogi'r *fascinans* – hynny yw, diddordeb dwys yn y profiad ei hun. Byddai hyn wedyn yn darparu platfform ac o hwnnw byddai'r crediniwr crefyddol yn dehongli'r byd o'i gwmpas.

Y broblem gyda'r disgrifiad hwn o'r nwminaidd yw does ganddo fawr ddim i'w ddweud am natur Duw na manylion penodol am gred grefyddol benodol. Nid yw'n cynnig cyfarwyddwyd na hyfforddiant heblaw teimlad o fod yn ymwybodol o'r 'arall'. Yn wir, roedd Otto ei hun yn mynnu na ellir adnabod Duw drwy'r synhwyrau na thrwy broses meddwl rhesymegol; roedd Duw yn 'hollol arall'.

Mae gwrthwynebiadau eraill yn cynnwys y ffaith ei fod yn rhy annelwig, a byddai rhywun yn amau sut gallai unrhyw syniadau diwinyddol ddod yn sgil y profiad oherwydd y *fascinans* yn y modd roedd Otto'n ei gynnig. Yn yr ystyr hwn mae'n ymddangos yn gyfyngedig, yn enwedig gan fod mathau o brofiad â chryn dystiolaeth iddyn nhw sy'n hollol wahanol i'r nwminaidd.

Beirniadaeth arall yw awgrymu bod Otto'n lleihau'r cysyniad o brofiad crefyddol i 'deimlad' syml pan mae'n amlwg fod yna lawer mwy i brofiadau crefyddol na hynny.

Ond mae'r feirniadaeth gryfaf o nwminaidd Otto yn ymwneud â beth y penderfynodd ei ddangos – sef y gall pob unigolyn gael profiad o'r dwyfol. Fodd bynnag y gwir gwestiwn yw, oherwydd bod y nwminaidd yn ddisgrifiad mor gyffredinol a gwanedig o'r profiad crefyddol, sut rydyn ni'n gwybod mai Duw yw gwrthrych y profiad hwn?

I gloi, byddai'n ymddangos bod nwminaidd Otto yn ddigonol ar gyfer disgrifio sut gall rhai os nad yr holl brofiadau crefyddol 'deimlo' ond, y tu hwnt i hynny, mae ganddo derfynau amlwg fel y byddai'r beirniadaethau uchod yn ei gadarnhau. Nid yw'n wir yn dweud dim mwy wrthym. Fodd bynnag, gall fod modd defnyddio'r diffiniad o nwminaidd ochr yn ochr â phrofiadau crefyddol eraill fel sail i astudiaeth, ac mae'n amlwg mai dim ond mor bell â hyn y gellir dweud ei fod yn ddigonol.

Gweithgaredd AA2
Dadleuon posibl

Wedi'u rhestru isod mae rhai casgliadau y byddai'n bosibl dod iddynt ar sail rhesymeg AA2 yn y testun cysylltiedig:

1. Mae diffiniad Otto o'r nwminaidd yn ddigonol ar gyfer disgrifio pob profiad crefyddol.
2. Mae diffiniad Otto o'r nwminaidd yn ddigonol ar gyfer disgrifio rhai profiadau crefyddol.
3. Mae diffiniad Otto o'r nwminaidd yn annigonol gan ei fod yn llawer rhy annelwig.
4. Mae diffiniad Otto o'r nwminaidd yn annigonol oherwydd nad yw'n dweud unrhyw beth o bwys am y gwirioneddau y tu ôl i brofiad o'r fath.
5. Mae pa mor ddigonol yw diffiniad Otto o'r nwminaidd wedi'i gyfyngu i'r unigolyn a dim byd arall.

Ystyriwch bob un o'r casgliadau sy'n cael eu gwneud uchod a chasglwch dystiolaeth ac enghreifftiau i gefnogi pob dadl o'r deunydd AA1 ac AA2 a astudiwyd yn yr adran hon. Dewiswch un casgliad sy'n argyhoeddi fwyaf yn eich barn chi ac esboniwch pam mae hyn yn wir. Nawr cyferbynnwch hyn â'r casgliad gwannaf ar y rhestr, gan gyfiawnhau eich dadl gyda rhesymu clir a thystiolaeth.

Sgiliau allweddol

Mae dadansoddi'n ymwneud â nodi materion sy'n cael eu codi gan y deunyddiau yn adran AA1, ynghyd â'r rhai a nodwyd yn adran AA2, ac mae'n cyflwyno safbwyntiau cyson a chlir, naill ai gan ysgolheigion neu safbwyntiau personol, yn barod i'w gwerthuso.

Mae hyn yn golygu ei fod yn nodi pethau allweddol i'w trafod a'r dadleuon sy'n cael eu cyflwyno gan eraill neu o safbwynt personol.

Mae gwerthuso'n ymwneud ag ystyried goblygiadau amrywiol y materion sy'n cael eu codi, yn seiliedig ar y dystiolaeth a gafwyd wrth ddadansoddi ac mae'n rhoi dadl fanwl eang gyda chasgliad clir.

Mae hyn yn golygu bod yr ateb yn pwyso a mesur y dadleuon amrywiol a gwahanol a gafodd eu dadansoddi drwy roi sylwadau ac ymateb unigol, gan ddod i gasgliad drwy broses rhesymu clir.

Datblygu sgiliau AA2

Nawr mae'n bryd ystyried y wybodaeth sydd wedi'i chyflwyno hyd yma. Hefyd mae'n bwysig ystyried sut mae'r hyn rydych chi wedi'i ddysgu hyd yma'n gallu cael ei ddefnyddio ar gyfer atebion arholiad drwy ymarfer y sgiliau sy'n gysylltiedig ag AA2.

Mae Amcan Asesu 2 (AA2) yn ymwneud â 'dadansoddi' a 'gwerthuso'. Efallai fod ystyr y termau'n amlwg ond mae'n hanfodol eich bod yn gyfarwydd â sut mae sgiliau penodol yn dangos y rhain, a hefyd, sut bydd eich perfformiad ym mhob un o'r sgiliau hyn yn cael ei fesur (gweler disgrifyddion band cyffredinol Band 5 ar gyfer AA2 UG).

Yn amlwg mae ateb yn cael ei osod mewn disgrifydd band priodol, yn ôl pa mor dda yw'r ateb, gan amrywio o ragorol, da, boddhaol, sylfaenol/cyfyngedig i gyfyngedig iawn.

Rydych chi bellach yn nesáu at ddiwedd yr adran hon o'r cwrs. O hyn allan dim ond cyfarwyddiadau fydd gan y dasg, heb enghreifftiau; ond, gan ddefnyddio'r sgiliau yr ydych wedi'u datblygu wrth gwblhau'r tasgau cynharach, dylech allu cymhwyso'r hyn rydych chi wedi dysgu ei wneud a chyflawni hyn yn llwyddiannus.

▶ **Dyma eich tasg newydd:** bydd rhaid i chi ysgrifennu ymateb o dan amodau wedi'u hamseru i gwestiwn sy'n gofyn am werthuso a yw diffiniad Otto o'r nwminaidd yn ddisgrifiad digonol o'r profiad crefyddol. Bydd angen i chi ganolbwyntio er mwyn gwneud hyn a chymhwyso'r sgiliau yr ydych chi wedi'u datblygu hyd yma:

1. **Dechreuwch gyda rhestr o gynnwys dangosol. Trafodwch hon fel grŵp, efallai. Does dim rhaid i'r rhestr fod mewn unrhyw drefn. Cofiwch, gwerthuso yw hyn, felly mae angen gwahanol ddadleuon arnoch chi. Y ffordd hawsaf yw defnyddio'r penawdau 'o blaid' ac 'yn erbyn'.**

▼

2. **Datblygwch y rhestr gan ddefnyddio enghreifftiau.**

▼

3. **Nawr ystyriwch ym mha drefn yr hoffech chi esbonio'r wybodaeth.**

▼

4. **Yna ysgrifennwch eich cynllun, o dan amodau wedi'u hamseru, gan gofio cymhwyso egwyddorion gwerthuso drwy wneud yn siŵr eich bod: yn nodi'r materion yn glir; yn cyflwyno safbwyntiau eraill yn gywir, gan wneud yn siŵr eich bod yn gwneud sylwadau ar y safbwyntiau rydych yn eu cyflwyno; yn dod i farn bersonol gyffredinol.**

Defnyddiwch y dechneg hon er mwyn adolygu pob un o'r meysydd pwnc rydych chi wedi'u hastudio. Mae techneg sylfaenol cynllunio atebion yn helpu hyd yn oed pan fydd amser yn brin ac rydych chi'n methu cwblhau pob traethawd.

C: Heriau i wrthrychedd a dilysrwydd profiad crefyddol

Heriau i wrthrychedd a dilysrwydd profiad crefyddol: gan gyfeirio at Caroline Franks Davis

Yn ei gwaith *The Evidential Force of Religious Experience* (1989), rhestrodd Caroline Franks Davis dri math gwahanol o her i ddilysrwydd honiadau am brofiadau crefyddol (cyfriniol).

Heriau'n ymwneud â disgrifiadau

Pan ddisgrifir unrhyw ddigwyddiad sy'n honni bod yn brofiad o 'Dduw' neu 'Y Dwyfol', mae honiad yn cael ei wneud sydd heb brawf. Dydy'r disgrifiad hwn ddim yn ddilys felly. Ar ben hynny mae'r honiad yn groes i, ac yn anghyson â, phrofiad bywyd pob dydd ac, am y rheswm hwn, dylai gael ei wrthod. Nid yw'n honiad sy'n ddilys ar unrhyw ystyr – dim ond camddealltwriaeth o'r profiad ar ran y derbynnydd.

Heriau'n ymwneud â'r goddrych

Yn yr her hon, caiff derbynnydd (goddrych) y profiad crefyddol ei roi dan amheuaeth. Gall rhai honni bod y goddrych yn annibynadwy fel ffynhonnell. Efallai credir bod y goddrych yn dioddef o salwch meddwl neu iddo ddioddef rhithdybiau o ganlyniad i ryw fath o gamddefnyddio sylweddau. Mewn achosion fel hyn dydy'r goddrych ddim mewn sefyllfa i ddeall yn iawn beth mae wedi ei brofi ac, felly, mae'n rhaid diystyru ei honiadau.

Heriau'n ymwneud â'r gwrthrych

Mae'r math olaf o her yn edrych ar wrthrych honedig y profiad. Yr her yw bod cael profiad o rywbeth sy'n debyg i'r hyn mae'r derbynnydd yn ei honni mor annhebygol mae'n rhaid ei fod yn hollol anghywir. Mae'r awgrym fod rhywun wedi cael profiad o Dduw (y gwrthrych) yr un mor annhebygol â honiad o weld aliwn gwyrdd wyth troedfedd neu antelop yn hedfan. Gan ein bod ni'n annhebygol o gredu neb oedd yn honni cael profiad o'r ddau beth olaf, yna pam dylen ni gredu honiad rhywun sy'n dweud iddyn nhw gael profiad o Dduw?

Gweithgaredd AA1

Mewn grŵp o dri, dysgwch gategori penodol o her gan Franks Davis. Ar ôl gwneud hyn, dylech chi ymchwilio i ragor o wybodaeth am eich her ac yna rhannwch eich casgliadau â gweddill y grŵp. Drwy wneud hyn byddwch chi'n datblygu'ch dealltwriaeth o'r deunydd ac yn gallu dangos 'gwybodaeth a dealltwriaeth drylwyr, gywir a pherthnasol o grefydd a chred' (ateb Lefel 5 AA1) yn eich atebion ysgrifenedig.

Mae union natur profiadau cyfriniol (beth bynnag eu math a phwy bynnag sy'n eu cael) fel pe bai'n perthyn i'r oes o'r blaen. Mae'n ymddangos yn gwbl naturiol darllen disgrifiadau o brofiadau cyfriniol mewn hen destunau crefyddol, yn ogystal ag ystyried profiadau'r cyfrinwyr enwog o draddodiadau crefyddau gwahanol y byd. Fodd bynnag, wrth wynebu honiadau o'r fath mewn oes sy'n llawn empiriaeth, gwyddoniaeth, rhesymoledd a phrofion tystiolaethol, mae sgeptigaeth yn codi ei phen, ac amheuaeth am y digwyddiadau, neu o leiaf dilysrwydd profiadau o'r fath, yw'r ymateb awtomatig i bob golwg.

Mae'r adran hon yn cwmpasu cynnwys a sgiliau AA1

Cynnwys y fanyleb

Heriau i wrthrychedd a dilysrwydd profiad crefyddol: gan gyfeirio at Caroline Franks Davis (heriau'n ymwneud â disgrifiadau, â'r goddrych ac â'r gwrthrych). Honiadau o brofiad crefyddol yn cael eu gwrthod ar sail camddealltwriaeth; honiadau rhithdybiol – o bosibl yn ymwneud â chamddefnyddio sylweddau, honiadau ffantasi sy'n groes i brofiadau pob dydd.

Dyfyniad allweddol

Gan fod dadleuon yn erbyn hygrededd athrawiaethau crefyddol a disgrifiadau lleihaol am brofiadau crefyddol yn cael eu derbyn yn eang bellach, a hefyd gan fod llawer o bobl yn byw bywydau atheistig ... dydy unigolion crefyddol ddim yn gallu cymryd mwyach bod profiadau sy'n 'ddilys' ym marn cyd-gredinwyr yn rhydd rhag ymosodiad pellach. Maen nhw'n cael eu herio ar bob ochr, gan athronwyr, seicolegwyr, cymdeithasegwyr, anthropolegwyr, aelodau o draddodiadau crefyddol eraill a hyd yn oed gan aelodau o'u traddodiad eu hunain sydd â safbwyntiau gwahanol iawn. **(Franks Davis)**

cwestiwn cyflym

4.7 Beth yw tri chategori her Caroline Franks Davis?

Cynnwys y fanyleb

Heriau: profiadau unigol sy'n ddilys er na ellir eu gwirio; gallai'r honiadau fod yn ddilys – hygrededd yr unigolyn; gall profiadau unwaith fod yn ddilys o hyd er na chânt eu hailadrodd.

Y ddau fforiwr

Dadleuon eraill am yr heriau

Wrth geisio penderfynu a yw unrhyw brofiad cyfriniol yn ddibynadwy, i ddechrau mae'n rhaid cytuno ar feini prawf i gadarnhau'r gwirionedd. Ond, oherwydd natur profiadau cyfriniol, mae'r mwyafrif o athronwyr yn cytuno ei bod bron yn amhosibl gwirio meini prawf o'r fath. Mae hyn oherwydd bod profiadau cyfriniol yn eu hanfod yn oddrychol ac nid yn wrthrychol.

Os yw rhywbeth yn wrthrychol ac yn bosibl ei wirio, mae'n rhywbeth sy'n ymwneud â ffeithiau allanol gall yr arsylwyr gytuno arnyn nhw. Mae modd ei brofi drwy un neu fwy o'r pum synnwyr; mae'n rhywbeth gallwch chi ei ddisgrifio; a bydd nifer o arsylwyr yn dod i'r un casgliad am yr un peth, e.e. coch yw lliw y car.

Os yw rhywbeth yn oddrychol yna mae'n tueddu i fod yn seiliedig ar safbwynt, barn bersonol, cred neu ragdybiaeth ac mae'n fwy anodd ei wirio. Mae'n debygol o gael ei ddehongli mewn ffyrdd gwahanol gan nifer o arsylwyr, a gall y safbwyntiau hyn newid yn ôl amser a chyd-destun, e.e. dyma'r car gorau yn y byd i'w yrru.

Oherwydd bod cyfleu profiadau cyfriniol yn dibynnu'n llwyr ar ganfyddiad y profiad gan y derbynnydd – neu mewn rhai achosion tystion i'r derbynnydd – mae'n cael ei ystyried yn brofiad goddrychol. Gan fod empiriaeth wyddonol yn tueddu i wrthod disgrifiadau goddrychol yn syth, mae hyn yn her ddifrifol i 'wirionedd' unrhyw brofiad cyfriniol. Ond, yn yr un modd, mae'r profiad yn dal yn ddilys i'r unigolyn, neu'r grŵp o unigolion, hyd yn oed os yw mor oddrychol nad yw'n bosibl ei wirio. Byddai hyn yn ymestyn hefyd i'r syniad fod yr honiad o gael profiad unwaith yn unig yn gallu bod yn ddilys o hyd. Does dim rhaid i'r digwyddiad gael ei ailadrodd iddo gadw ei ddilysrwydd.

Gwnaeth gwaith Cylch Wien a'r positifiaethwyr lawer i helpu i oleuo ein dealltwriaeth o sut mae iaith yn cael ei defnyddio i gyfleu gwybodaeth a syniadau, yn ogystal â'r amodau lle y gellid ystyried bod iaith naill ai'n ystyrlon neu'n ddiystyr. Gall unrhyw honiad mae crediniwr crefyddol yn ei wneud am brofiad cyfriniol ymddangos fel honiad cyffredin am ei ganfyddiad o realiti (pa realiti bynnag mae'n cyfeirio ato). Ond, oherwydd nad oes unrhyw dystiolaeth empirig i gefnogi ei honiad ac nad yw profiadau o'r fath yn ddadansoddol *a priori* neu'n synthetig *a posteriori*, mae'r positifiaethwyr rhesymegol yn ei ystyried yn ddiystyr.

Mae egwyddor anwirio Anthony Flew yn cyflwyno anhawster pellach. Roedd hon yn dweud y gallai gosodiadau gael eu gwneud yn ystyrlon pe bai rhyw dystiolaeth ar gael a allai gyfrif yn eu herbyn. Fodd bynnag, yn ôl Flew, gan nad yw credinwyr crefyddol yn gadael i ddim gyfrif yn erbyn eu credoau, yna roedd pob gosodiad crefyddol, yn cynnwys rhai'r cyfriniwr, yn ddiystyr yn y diwedd. Defnyddiodd ddameg John Wisdom am y Garddwr i gefnogi ei bwynt:

'Unwaith daeth dau fforiwr ar draws llannerch yn y jyngl. Yn y llannerch roedd llawer o flodau a llawer o chwyn yn tyfu. Meddai un fforiwr, "Mae'n rhaid bod garddwr yn gofalu am y darn hwn." Mae'r llall yn anghytuno, "Does dim garddwr." Felly maen nhw'n gosod eu pebyll ac yn dechrau gwylio. Nid oes garddwr i'w weld byth. "Ond efallai mai garddwr anweledig ydyw." Felly dyma nhw'n codi ffens o weiren bigog. Maen nhw'n ei thrydaneiddio. Maen nhw'n patrolio gyda chŵn ffyrnig. (Oherwydd maen nhw'n cofio sut roedd Dyn Anweledig H. G. Wells yn gallu cael ei arogleuo a'i gyffwrdd er na allai gael ei weld.) Ond nid oes sgrechiadau byth i awgrymu bod rhyw dresmaswr wedi cael sioc. Nid oes symudiad yn y weiren sy'n bradychu dringwr anweledig. Nid yw'r cŵn byth yn udo. Eto mae'r Crediniwr yn dal heb ei argyhoeddi. "Ond mae yna arddwr, anweledig, anghyffwrdd, sydd ddim yn dioddef siociau trydan, garddwr heb arogl a heb sŵn, garddwr sy'n dod yn y dirgel i edrych ar ôl yr ardd y mae'n ei charu." Yn y diwedd mae'r Amheuwr yn anobeithio, "Ond beth sydd ar ôl o dy honiad gwreiddiol? Sut mae'r hyn rwyt ti'n ei alw'n arddwr anweledig, anghyffwrdd, byth yn cael ei ddal yn wahanol i arddwr dychmygol neu hyd yn oed i ddim garddwr o gwbl?"'

Garddwr

Yn ôl Flew byddai crediniwr crefyddol bob amser yn cynnig rheswm pam na fyddai'n bosibl cael tystiolaeth i gyfrif yn erbyn ei gredoau ei hun. Gan fod profiadau crefyddol yn eu hanfod yn rhai lle does dim meini prawf clir, wedi'u cytuno a allai gael eu defnyddio i gyfrif yn eu herbyn, mae'n rhaid hefyd eu hystyried nhw yn ddiystyr, yn ôl meini prawf Flew.

Dydy defnyddio esboniadau amgen, yn seiliedig ar fydoedd gwrthrychol gwyddoniaeth a natur, ddim yn newydd o ran beirniadu digwyddiadau sydd yn y maes crefyddol a chyfriniol. Wrth ystyried y posibilrwydd fod gwyrthiau'n gallu digwydd, dywedodd David Hume yn *An Enquiry Concerning Human Understanding* (1748), nad oedd yn amhosibl i wyrthiau ddigwydd, dim ond yn amhosibl profi byth fod un wedi digwydd mewn gwirionedd. Wrth drosglwyddo'r safbwynt naturiolaidd hwn i brofiadau crefyddol, wynebir problem ddigon tebyg. Oherwydd eu natur hynod o unigolyddol (ar y cyfan) dydy profiadau crefyddol ddim yn agored i ymchwiliad rhesymegol, ac felly maen nhw'n cael eu trin ag amheuaeth ar y gorau a dirmyg ar y gwaethaf.

Mae meysydd gwyddonol cymdeithaseg, seicoleg ac anthropoleg i gyd wedi gwneud datblygiadau mawr o ran deall y cyflwr dynol yn y ganrif ddiwethaf. Wrth wneud hynny, maen nhw i gyd wedi archwilio dimensiwn crefyddol bodolaeth y ddynoliaeth ac wedi ceisio cynnig damcaniaethau amgen ynghylch beth yn union sy'n cael ei brofi.

Er enghraifft, mae astudiaethau gan yr anthropolegydd Ioan Lewis wedi dangos cysylltiad agos a chlir mewn cymdeithasau cyn-ddiwydiannol rhwng achosion o ecstasi crefyddol ac angen unigolion a grwpiau i gyfreithloni honiadau sydd wedi cael eu gwneud yn y gymdeithas yn gyffredinol. Roedd Sigmund Freud o'r farn fod profiadau crefyddol i gyd yn ddim mwy na chanlyniad atal dyheadau rhywiol. Mae'n hawdd iawn ailddehongli gweledigaeth Teresa o angel yn trywanu ei henaid yng ngoleuni delweddaeth Freud, ond mae hyn hefyd wedi cael ei feirniadu am fod yn rhy leihaol. Mae eraill wedi nodi bod nodweddion profiadau crefyddol yn hynod o debyg i'r effeithiau a deimlir gan y rheini sy'n defnyddio alcohol a chyffuriau fel LSD, a all ysgogi'r ymennydd i weld rhithiau ac i brofi'r hyn a elwir yn realiti amgen.

Roedd Freud (1856–1939) yn wfftio cred grefyddol fel rhyw fath o niwrosis.

Er gwaetha'r heriau hyn, cynigiodd Richard Swinburne, yr athronydd o Brydain, egwyddor hygoeledd. Dadl Swinburne yw bod yr hyn mae rhywun yn honni iddo'i ganfod yn fwy na thebyg yn wir oni bai fod rhesymau arbennig dros feddwl bod y profiad yn ffug. Yna rhestrodd bedwar rheswm arbennig a allai fwrw amheuaeth ar ddilysrwydd y digwyddiad. Y rhesymau arbennig (egwyddor hygoeledd) yw:

- Os nad yw'r unigolyn yn ddibynadwy (e.e. ar gyffuriau)
- Os gellir dangos bod canfyddiadau tebyg yn rhai ffug (e.e. dylanwad cyffuriau fel LSD)
- Os oes tystiolaeth bendant doedd gwrthrych y profiad ddim yn bresennol, neu ddim yn bodoli (e.e. rhithlun)
- Os gellir esbonio mewn ffyrdd eraill y profiad a gafwyd fel realiti ac nid rhywbeth yn eich dychymyg yn unig.

Os yw pob trywydd ymchwilio uchod yn ddiffrwyth, yna sut rydyn ni'n esbonio profiad crefyddol? Unwaith eto, craidd y ddadl yw bod profiad crefyddol yn ymwneud â pha mor ddibynadwy yw profiadau ein synhwyrau. Ond, os bydd rhywun yn dweud wrthym am eu profiad nhw yn hytrach na'n bod ni'n cael y profiad ein hunain, a ddylen ni eu credu nhw?

Mae Swinburne yn defnyddio egwyddor hygoeledd i ddatblygu ei egwyddor tystiolaeth. Mae'n dadlau bod tystiolaeth pobl eraill o brofiadau crefyddol yn rhoi rheswm da dros gredu bod eu profiad crefyddol nhw'n ddilys, ac mae'n rhan o'i ddadl gyffredinol fod Duw yn bodoli.

Mewn geiriau eraill, yn absenoldeb ystyriaethau arbennig, mae'n rhesymol credu bod profiadau pobl eraill yn fwy na thebyg yn union fel maen nhw'n ei ddweud. Dyma egwyddor tystiolaeth Swinburne. Felly, mae profiadau crefyddol yn cael eu dilysu ac yn gweithredu fel tystiolaeth gadarn dros fodolaeth Duw, yn ôl Swinburne. Mae gonestrwydd yr unigolyn yn cael ei gynnal ac yn ôl y ddadl hon, gall profiadau unwaith yn unig fod yn ddilys hyd yn oed os nad ydyn nhw'n digwydd eto.

cwestiwn cyflym

4.8 Pam gallai profiad crefyddol unigolyn fod yn ddilys, hyd yn oed os nad oes modd ei wirio?

Gweithgaredd AA1

Lluniwch restr o'r prif heriau i wrthrychedd a dilysrwydd profiadau crefyddol a rhowch enghraifft ar gyfer pob her sydd ar eich rhestr, e.e. yr her gan anwirio – dameg Wisdom am y Garddwr. Bydd hyn yn eich helpu i ddatblygu dealltwriaeth ddyfnach o'r deunydd pwnc ac yn cefnogi'ch gallu i ddatblygu sgiliau ar gyfer cynhyrchu 'dyfnder a/neu ehangder sylweddol' (ateb Lefel 5 AA1) yn eich atebion.

Sgiliau allweddol

Mae gwybodaeth yn ymwneud â:

Dewis ystod o wybodaeth (drylwyr) gywir a pherthnasol sydd â chysylltiad uniongyrchol â gofynion penodol y cwestiwn.

Mae hyn yn golygu eich bod yn dewis y wybodaeth gywir sy'n berthnasol i'r cwestiwn a osodwyd NID y maes pwnc. Bydd angen i chi feddwl a chanolbwyntio ar ddewis gwybodaeth allweddol ac NID ysgrifennu popeth yr ydych chi'n ei wybod am y maes pwnc.

Mae dealltwriaeth yn ymwneud ag:

Esboniad helaeth, gan ddangos dyfnder a/neu ehangder gyda defnydd rhagorol o dystiolaeth ac enghreifftiau gan gynnwys (lle y bo'n briodol) defnydd trylwyr a chywir o destunau cysegredig, ffynonellau doethineb a geirfa arbenigol.

Mae hyn yn golygu y gallwch ddangos eich bod yn deall rhywbeth drwy egluro ac ehangu eich pwyntiau gan ddefnyddio enghreifftiau/tystiolaeth gefnogol mewn ffordd bersonol ac NID ailadrodd darnau o werslyfr (sef dysgu ar y cof).

Cymhwyso sgiliau ymhellach:

Ewch drwy'r meysydd pwnc yn yr adran hon a lluniwch rai rhestri bwled o bwyntiau allweddol o feysydd allweddol. Ar gyfer pob un, rhowch fwy o fanylion ac esboniwch fwy drwy ddefnyddio tystiolaeth ac enghreifftiau.

Datblygu sgiliau AA1

Nawr mae'n bryd ystyried y wybodaeth sydd wedi'i chyflwyno hyd yma. Hefyd mae'n bwysig ystyried sut mae'r hyn rydych chi wedi'i ddysgu hyd yma'n gallu cael ei ddefnyddio ar gyfer atebion arholiad drwy ymarfer y sgiliau sy'n gysylltiedig ag AA1.

Mae Amcan Asesu 1 (AA1) yn ymwneud â dangos gwybodaeth a dealltwriaeth. Mae'r termau 'gwybodaeth' a 'dealltwriaeth' yn amlwg ond mae'n hanfodol eich bod yn gyfarwydd â sut mae sgiliau penodol yn dangos y rhain, a hefyd, sut bydd eich perfformiad ym mhob un o'r sgiliau hyn yn cael ei fesur (gweler disgrifyddion band cyffredinol Band 5 ar gyfer AA1 UG).

Rydych chi bellach yn nesáu at ddiwedd yr adran hon o'r cwrs. O hyn allan dim ond cyfarwyddiadau fydd gan y dasg, heb enghreifftiau; ond, gan ddefnyddio'r sgiliau yr ydych wedi'u datblygu wrth gwblhau'r tasgau cynharach, dylech allu cymhwyso'r hyn rydych chi wedi dysgu ei wneud a chyflawni hyn yn llwyddiannus.

▶ **Dyma eich tasg newydd:** bydd rhaid i chi ysgrifennu ymateb arall o dan amodau wedi'u hamseru i gwestiwn sy'n gofyn am archwilio'r heriau i wrthrychedd a dilysrwydd profiad crefyddol. Bydd angen i chi wneud yr un peth â'ch tasg Datblygu sgiliau AA1 ddiwethaf ond gyda pheth datblygiad pellach. Y tro hwn mae pumed pwynt i'ch helpu i wella ansawdd eich atebion.

1. Dechreuwch gyda rhestr o gynnwys dangosol. Trafodwch hon fel grŵp, efallai. Does dim rhaid i'r rhestr fod mewn unrhyw drefn.

2. Datblygwch y rhestr gan ddefnyddio enghreifftiau.

3. Nawr ystyriwch ym mha drefn yr hoffech chi esbonio'r wybodaeth.

4. Yna ysgrifennwch eich cynllun, o dan amodau wedi'u hamseru, gan gofio egwyddorion esbonio gyda thystiolaeth a/neu enghreifftiau.

5. Defnyddiwch y disgrifyddion band i farcio eich ateb eich hun, gan ystyried y disgrifyddion yn ofalus. Yna gofynnwch i rywun arall ddarllen eich ateb ac edrychwch i weld a allan nhw eich helpu i'w wella mewn unrhyw ffordd.

Defnyddiwch y dechneg hon er mwyn adolygu pob un o'r meysydd pwnc rydych chi wedi'u hastudio. Cyfnewidiwch a chymharwch atebion er mwyn gwella eich ateb chi.

Mae'r adran hon yn cwmpasu cynnwys a sgiliau AA2

Cynnwys y fanyleb

I ba raddau y mae'r heriau i brofiadau crefyddol yn ddilys.

Materion i'w dadansoddi a'u gwerthuso

I ba raddau y mae'r heriau i brofiadau crefyddol yn ddilys

Yr her gyntaf i brofiadau crefyddol yw nad ydyn nhw yr un peth â phrofiadau synhwyraidd mewn gwirionedd, hyd yn oed os oes elfennau synhwyraidd iddyn nhw. Fodd bynnag, gellid dadlau, fel rydyn ni'n adnabod ein gilydd drwy ryw fath o ddealltwriaeth uniongyrchol yn hytrach nag yn gorfforol, felly yn yr un modd mae'n bosibl y gallwn ni brofi Duw sydd yn anghorfforol. Felly mae cyfyngiadau amlwg i'r her honno.

Her arall yw bod profiad uniongyrchol o Dduw yn amhosibl fel yr awgrymodd yr athronydd empirig David Hume. Sut gall rhywbeth sy'n 'hollol arall' gael ei ddatgelu'n rhannol? Os oes rhywbeth 'hollol arall' ni allai fod yn bosibl i ni gael gwybodaeth amdano neu brofiad ohono. Dydy'r honiad hwn o brofiad uniongyrchol o Dduw ddim yn gwneud synnwyr i lawer o bobl. Fodd bynnag, efallai ymateb credinwyr crefyddol fyddai y gall fod yn bosibl i Dduw fynd i mewn i amser a gofod, a'i bod hefyd yn ddadl resymol i gredu y byddai Duw yn ceisio rhyngweithio â'r greadigaeth.

Dadl y positifiaethwyr rhesymegol yw nad yw'n bosibl gwirio profiad crefyddol. Oherwydd natur profiadau crefyddol, mae ganddyn nhw eu lefel neu eu 'realiti' neu eu 'ffantasi' eu hunain sydd yn gwbl ar wahân i ddadansoddiad rhesymegol ystyrlon. Ond yn erbyn y ddadl hon, mae'n ymddangos bod rhai profiadau crefyddol yn cael eu rhannu gan lawer o bobl ac felly ni allan nhw fod yn ffug neu'n 'ffantasi'. Yn wir, gall fod meini prawf y tu allan i'r profiad a fyddai'n cryfhau ei ddilysrwydd, er enghraifft os yw'r profiad yn gwneud gwahaniaeth amlwg i fywyd crefyddol y person hwnnw. At hyn mae Swinburne yn ychwanegu mai'r amheuwr sy'n gyfrifol am ddangos bod y profiad yn dwyllodrus.

Er y gall rhai profiadau gael eu profi gan fwy nag un person, mae diffyg unffurfiaeth gyffredinol o ran profiadau crefyddol yn dal yn broblem. Maen nhw mor wahanol ac weithiau'n gwrth-ddweud ei gilydd. Pa un sy'n ddilys a pha un sy'n gywir? Fodd bynnag, gall Duw ei ddatgelu ei hun yn nhermau credoau diwylliannol y byddwn ni'n eu deall a'u dehongli, a dydy'r ffaith fod profiadau gwahanol yn cael eu disgrifio ddim yn golygu eu bod nhw i gyd yn anghywir. Efallai mai dim ond un grefydd sy'n gywir ac felly mae'r profiadau crefyddol eraill yn ffug, ond mae rhai'r un grefydd honno'n gywir.

Mae gwyddoniaeth wedi cynnig heriau i brofiadau crefyddol; er enghraifft ym maes ffisioleg a niwroleg a'r arbrofion gan Persinger. Mae heriau o'r fath yn dod i'r casgliad unwaith eto fod gan brofiadau crefyddol esboniadau materolaidd amlwg. Ond, gellid dadlau bod y newidiadau niwrolegol sy'n gysylltiedig â phrofiadau crefyddol yn golygu bod gweithgaredd o'r fath yn wir yn canfod realiti ysbrydol, yn hytrach na'r esboniad mai dim ond yr ymennydd sy'n achosi'r profiadau hynny. Mae'n bosibl nad ysgogi llabedau'r arlais, fel yn Helmed Persinger, sy'n cymell (hynny yw, achosi'r) profiad crefyddol, ond yn hytrach dyma'r broses a all ei hwyluso. Yn amlwg mae'n anodd penderfynu beth yw'r achos a beth yw'r effaith.

Yn olaf, ceir esboniadau seicolegol fel niwrosis cyffredinol, y llu gwreiddiol a Chymhleth Oedipus a awgrymwyd gan Freud, a dadleuon Jung sy'n cynnig disgrifiad cadarnhaol, ond materolaidd o brofiadau crefyddol. Fodd bynnag, dylid nodi nad oedd damcaniaethau o'r fath, yn enwedig rhai Jung, erioed wedi'u bwriadu i drafod dilysrwydd honiadau am wirionedd profiadau crefyddol. Yn hytrach maen nhw'n cynnig esboniad addas o'r broses sy'n digwydd pan fydd pobl yn cael profiadau o'r fath. Yn wir, gellir esbonio damcaniaeth Jung am archdeipiau yn symlach drwy'r ffaith fod pob bod dynol yn rhannu profiadau tebyg.

Richard Dawkins, a gafodd ei eni yn 1941

Roedd Richard Dawkins yn credu bod y rheini oedd yn honni iddyn nhw gael profiadau crefyddol yn gyfeiliornus ar y gorau. Wrth gymryd rhan yn arbrawf Helmed Persinger, dywedodd Dawkins iddo gael dim mwy na rhyw deimlad gogleisiol.

I gloi, mae cwestiynau allweddol yn aros er gwaetha'r heriau. Er enghraifft, os oes yna Dduw, pam nad yw'n ei ddatgelu ei hun i bawb, yn enwedig os ei ddymuniad yw i ni gredu ynddo? Ond eto, er bod rhai wedi honni y gallai profiadau crefyddol gael eu hesbonio drwy achosion naturiol, a yw'n rhesymol meddwl bod pob profiad crefyddol a honnir yn anghywir? Gwnaeth Richard Dawkins ei hun ddefnyddio Helmed Persinger a dywedodd na theimlodd ef unrhyw fath o brofiad crefyddol. Felly pa gasgliad gallwn ni ei dynnu? A yw hyn yn gwanhau neu'n cryfhau'r her i brofiad crefyddol? Er bod yr heriau yn amlwg yn ddilys, mae'r atebion ymhell o gael eu cadarnhau.

Gweithgaredd AA2 *Dadleuon posibl*

Wedi'u rhestru isod mae rhai casgliadau y byddai'n bosibl dod iddynt ar sail rhesymeg AA2 yn y testun cysylltiedig:

1. Mae heriau i brofiadau crefyddol yn ddilys ac maen nhw'n gallu eu disgrifio'n gywir.
2. Mae heriau i brofiadau crefyddol yn ddilys ond mae ganddyn nhw eu cyfyngiadau.
3. Nid yw heriau i brofiadau crefyddol yn ddilys oherwydd nid yw pobl wedi ymateb yn ddigonol iddyn nhw.
4. Mae heriau i brofiadau crefyddol yn ddilys ond mae gwrthddadleuon posibl yn ddilys hefyd.
5. Mae heriau i brofiadau crefyddol yn ddilys ond mae'r atebion i ffenomen profiadau crefyddol a'r esboniadau ohonynt yn dal yn ansicr.

Ystyriwch bob un o'r casgliadau sy'n cael eu gwneud uchod a chasglwch dystiolaeth ac enghreifftiau i gefnogi pob dadl o'r deunydd AA1 ac AA2 a astudiwyd yn yr adran hon. Dewiswch un casgliad sy'n argyhoeddi fwyaf yn eich barn chi ac esboniwch pam mae hyn yn wir. Nawr cyferbynnwch hyn â'r casgliad gwannaf ar y rhestr, gan gyfiawnhau eich dadl gyda rhesymu clir a thystiolaeth.

Cynnwys y fanyleb

Grym perswâd heriau gwahanol Franks Davis.

Grym perswâd heriau gwahanol Franks Davis

Cyflwynodd Franks Davis dair her wahanol i ddilysrwydd profiadau crefyddol. Er mwyn asesu grym perswâd yr heriau, mae angen i ni ystyried pob her yn ei thro.

(1) Yr her gyntaf yw'r her sy'n gysylltiedig â disgrifiad. Mae hon yn dadlau, os disgrifir unrhyw ddigwyddiad sy'n honni ei fod yn brofiad o 'Dduw' neu o'r 'Dwyfol', fod honiad yn cael ei wneud pan nad oes prawf ar ei gyfer. Mae hyn yn tanseilio dilysrwydd y disgrifiad oherwydd bod yr honiad yn groes i, ac yn anghyson â, phrofiad bywyd pob dydd. Dim ond camddealltwriaeth o'r profiad ar ran y derbynnydd yw profiad crefyddol felly.

Er bod yr her hon yn ymddangos yn rhesymol, mae un diffyg mawr yn y rhesymu. Ar wahân i'r mater o 'brawf', y mae ganddo ei broblemau ei hun mewn athroniaeth, y gwir broblem gyda'r her hon yw'r ddealltwriaeth gyfyng o 'brofiad'. Mae'n amlwg fod hon yn dybiaeth sy'n seiliedig ar fateroliaeth, yn debyg i empiriaeth Hume. Does dim rhaid i brofiad fod yn fater o brofiad arferol pob dydd. Yn wir, yr hyn sy'n gwneud profiad crefyddol yn wahanol yw y byddai'n bosibl dadlau ei fod yn brofiad o 'annormaledd' byd ysbrydol posibl sy'n treiddio i mewn i'r normal.

(2) Mae'r ail her yn ymwneud â'r goddrych. Mae'r her hon yn amau bod derbynnydd (goddrych) y profiad crefyddol yn annibynadwy fel ffynhonnell, a'i fod yn dioddef o salwch meddwl neu rithdybiau o ganlyniad i ryw fath o gamddefnyddio sylweddau. Mae canfyddiadau a dealltwriaeth ddiffygiol yn golygu felly fod yn rhaid diystyru honiadau'r derbynnydd.

Eto, mae'r her hon yn ymddangos yn eithaf rhesymegol. Fodd bynnag, ar wahân i'r gwrthwynebiadau i esboniadau gwyddonol a seicolegol, mae gwaith Richard Swinburne, sy'n defnyddio ei egwyddorion hygoeledd a thystiolaeth, yn amddiffyniad cryf o'r rheini sy'n honni iddyn nhw gael profiad crefyddol. Cynigiodd Swinburne egwyddor hygoeledd, gan ddatgan ei bod yn rhesymol credu bod y byd yn fwy na thebyg fel rydyn ni'n ei brofi, oni bai fod rhesymau arbennig dros gredu bod y profiad yn ffug. Yng ngoleuni rhai heriau i'r gwrthwynebiadau, mae'n dadlau bod profiadau crefyddol yn gallu cael eu gwirio. Os yw hyn yn wir felly, mae Swinburne yn defnyddio egwyddor hygoeledd fel rhan o'i ddadl i ddeillio ei egwyddor tystiolaeth. Mae egwyddor tystiolaeth yn dadlau wedyn fod tystiolaeth pobl eraill o brofiadau crefyddol yn cynnig rheswm da dros gredu bod Duw'n bodoli oherwydd bod yr hyn mae'n ymddangos bod rhywun yn ei ganfod yn debygol o fod yn wir (egwyddor hygoeledd). Mae hyn oherwydd bod llawer o bobl, ar sail profiadau uniongyrchol ymddangosiadol (canfyddiadol yn hytrach na chasgliadol) o Dduw, yn cymryd bod Duw'n bodoli. Hefyd, yn absenoldeb ystyriaethau arbennig, mae'n rhesymol credu bod profiadau pobl eraill yn fwy na thebyg fel maen nhw'n eu disgrifio (egwyddor tystiolaeth). Er bod Swinburne yn defnyddio hyn fel rhan o'i ddadl gyffredinol dros fodolaeth Duw, mae'r pwyntiau mae'n eu gwneud yn herio grym perswâd heriau Franks Davis sy'n ymwneud â'r goddrych.

(3) Yn olaf, mae'r heriau'n ymwneud â'r gwrthrych yn canolbwyntio ar y ffaith fod profi rhywbeth sy'n debyg i'r hyn mae'r derbynnydd yn ei honni mor annhebygol fel ei fod yn hollol anghywir. Fodd bynnag, gellid dadlau bod natur y profiad yn wahanol iawn i brofiad damcaniaethol o weld antelop yn hedfan. Byddai rhai'n cynnig hefyd nad yw'n awgrymu ond y posibilrwydd fod rhywbeth arall yn gallu 'bodoli' mewn ffordd wahanol i'r hyn rydyn ni'n ei ganfod fel arfer, hynny yw, mewn ystyr ysbrydol.

I gloi, er bod yr heriau a gyflwynir gan Franks Davis yn ymddangos yn berswadiol, mae'n amlwg os yw'r heriau hyn yn cael eu herio eu hunain, yna mae eu grym perswâd hefyd dan amheuaeth.

Richard Swinburne, a gafodd ei eni yn 1934

Dadleuodd Richard Swinburne yn groes i'r syniad y gallai profiadau crefyddol gael eu diystyru'n hawdd. Gyda'i egwyddorion tystiolaeth a hygoeledd, dywedodd y dylid credu pobl sy'n honni iddyn nhw gael profiad a allai gael ei ddisgrifio fel un crefyddol, oni bai fod seiliau cadarn i'w hamau.

Sgiliau allweddol

Mae dadansoddi'n ymwneud â nodi materion sy'n cael eu codi gan y deunyddiau yn adran AA1, ynghyd â'r rhai a nodwyd yn adran AA2, ac mae'n cyflwyno safbwyntiau cyson a chlir, naill ai gan ysgolheigion neu safbwyntiau personol, yn barod i'w gwerthuso.

Mae hyn yn golygu ei fod yn nodi pethau allweddol i'w trafod a'r dadleuon sy'n cael eu cyflwyno gan eraill neu o safbwynt personol.

Mae gwerthuso'n ymwneud ag ystyried goblygiadau amrywiol y materion sy'n cael eu codi, yn seiliedig ar y dystiolaeth a gafwyd wrth ddadansoddi ac mae'n rhoi dadl fanwl eang gyda chasgliad clir.

Mae hyn yn golygu bod yr ateb yn pwyso a mesur y dadleuon amrywiol a gwahanol a gafodd eu dadansoddi drwy roi sylwadau ac ymateb unigol, gan ddod i gasgliad drwy broses rhesymu clir.

Gweithgaredd AA2 *Dadleuon posibl*

Wedi'u rhestru isod mae rhai casgliadau y byddai'n bosibl dod iddynt ar sail rhesymeg AA2 yn y testun cysylltiedig:

1. Mae heriau gwahanol Franks Davis yn berswadiol oherwydd eu bod yn disgrifio rhai o broblemau canolog profiadau crefyddol ac yn tynnu sylw atynt.
2. Nid yw heriau gwahanol Franks Davis yn berswadiol o gwbl gan fod llawer o ymatebion wedi cael eu rhoi iddynt.
3. Mewn gwirionedd, cyfuniad o heriau cyffredinol i brofiadau crefyddol sydd eisoes wedi cael eu trafod yn drwyadl yw heriau gwahanol Franks Davis.
4. Mae heriau gwahanol Franks Davis yn berswadiol i'r rheini sy'n tybio'n barod nad oes dim byd y tu hwnt i'r real materol, hynny yw materolwyr ydyn nhw.
5. Nid yw heriau gwahanol Franks Davis yn berswadiol oherwydd bod ganddynt sail faterolaidd glir a dydyn nhw ddim yn cydnabod y posibilrwydd o brofiad crefyddol yn y lle cyntaf.

Ystyriwch bob un o'r casgliadau sy'n cael eu gwneud uchod a chasglwch dystiolaeth ac enghreifftiau i gefnogi pob dadl o'r deunydd AA1 ac AA2 a astudiwyd yn yr adran hon. Dewiswch un casgliad sy'n argyhoeddi fwyaf yn eich barn chi ac esboniwch pam mae hyn yn wir. Nawr cyferbynnwch hyn â'r casgliad gwannaf ar y rhestr, gan gyfiawnhau eich dadl gyda rhesymu clir a thystiolaeth.

Datblygu sgiliau AA2

Nawr mae'n bryd ystyried y wybodaeth sydd wedi'i chyflwyno hyd yma. Hefyd mae'n bwysig ystyried sut mae'r hyn rydych chi wedi'i ddysgu hyd yma'n gallu cael ei ddefnyddio ar gyfer atebion arholiad drwy ymarfer y sgiliau sy'n gysylltiedig ag AA2.

Mae Amcan Asesu 2 (AA2) yn ymwneud â 'dadansoddi' a 'gwerthuso'. Efallai fod ystyr y termau'n amlwg ond mae'n hanfodol eich bod yn gyfarwydd â sut mae sgiliau penodol yn dangos y rhain, a hefyd, sut bydd eich perfformiad ym mhob un o'r sgiliau hyn yn cael ei fesur (gweler disgrifyddion band cyffredinol Band 5 ar gyfer AA2 UG).

Yn amlwg mae ateb yn cael ei osod mewn disgrifydd band priodol, yn ôl pa mor dda yw'r ateb, gan amrywio o ragorol, da, boddhaol, sylfaenol/cyfyngedig i gyfyngedig iawn.

Rydych chi bellach yn nesáu at ddiwedd yr adran hon o'r cwrs. O hyn allan dim ond cyfarwyddiadau fydd gan y dasg, heb enghreifftiau; ond, gan ddefnyddio'r sgiliau yr ydych wedi'u datblygu wrth gwblhau'r tasgau cynharach, dylech allu cymhwyso'r hyn rydych chi wedi dysgu ei wneud a chyflawni hyn yn llwyddiannus.

▶ **Dyma eich tasg newydd:** bydd rhaid i chi ysgrifennu ymateb arall o dan amodau wedi'u hamseru i gwestiwn sy'n gofyn am werthuso i ba raddau y mae'r heriau i brofiadau crefyddol yn ddilys. Bydd angen i chi wneud yr un peth â'ch tasg Datblygu sgiliau AA2 ddiwethaf ond gyda pheth datblygiad pellach. Y tro hwn mae pumed pwynt i'ch helpu i wella ansawdd eich atebion.

1. Dechreuwch gyda rhestr o gynnwys dangosol. Trafodwch hon fel grŵp, efallai. Does dim rhaid i'r rhestr fod mewn unrhyw drefn. Cofiwch, gwerthuso yw hyn, felly mae angen gwahanol ddadleuon arnoch chi. Y ffordd hawsaf yw defnyddio'r penawdau 'o blaid' ac 'yn erbyn'.

2. Datblygwch y rhestr gan ddefnyddio enghreifftiau.

3. Nawr ystyriwch ym mha drefn yr hoffech chi esbonio'r wybodaeth.

4. Yna ysgrifennwch eich cynllun o dan amodau wedi'u hamseru, gan gofio cymhwyso egwyddorion gwerthuso drwy wneud yn siŵr eich bod: yn nodi'r materion yn glir; yn cyflwyno safbwyntiau eraill yn gywir, gan wneud yn siŵr eich bod yn gwneud sylwadau ar y safbwyntiau rydych yn eu cyflwyno; yn dod i farn bersonol gyffredinol.

5. Defnyddiwch y disgrifyddion band i farcio eich ateb eich hun, gan ystyried y disgrifyddion yn ofalus. Yna gofynnwch i rywun arall ddarllen eich ateb ac edrychwch i weld a allan nhw eich helpu i'w wella mewn unrhyw ffordd.

Defnyddiwch y dechneg hon er mwyn adolygu pob un o'r meysydd pwnc rydych chi wedi'u hastudio. Cyfnewidiwch a chymharwch atebion er mwyn gwella eich ateb chi.

Th1 Meddylfryd moesegol

Mae'r adran hon yn cwmpasu cynnwys a sgiliau AA1

Cynnwys y fanyleb

Damcaniaeth feta-foesegol.

Termau allweddol

Meta-foeseg: y dadleuon sy'n codi pan gaiff *natur* moeseg ei hystyried

Moeseg: daw'r gair Saesneg *'ethics'* o'r Groeg *'ethike'* sy'n golygu arfer neu ymddygiad ac sy'n perthyn yn agos i'r gair *ethos*. Mae'n astudiaeth o'r fframwaith o egwyddorion arweiniol sy'n cyfeirio gweithred.

Moeseg gymhwysol: y dadleuon sy'n codi pan gaiff *materion* moesegol eu hystyried

Moeseg normadol: y dadleuon sy'n codi pan gaiff *damcaniaethau* moesegol eu hystyried

Moesol: term a ddefnyddir i ddisgrifio ymddygiad moesegol

Dyfyniadau allweddol

Nid yw'r bywyd sydd heb ei archwilio yn werth ei fyw. (Socrates)

Mae dau beth yn fy rhyfeddu: yr awyr serog uwchben a'r ddeddf foesol oddi mewn. (Kant)

Gellir diffinio ein dyletswydd fel y weithred honno fydd yn achosi i fwy o ddaioni fodoli yn y bydysawd nag unrhyw beth arall posibl. (Moore)

Mae dyn heb foeseg yn fwystfil gwyllt sy'n cael ei adael yn rhydd i'r byd hwn. (Camus)

cwestiwn cyflym

1.1 Beth mae meta-foeseg yn ei astudio? Rhowch enghraifft.

A: Damcaniaeth Gorchymyn Dwyfol

Cyflwyniad i foeseg

Mae astudio **moeseg** yn archwilio'r egwyddorion arweiniol sy'n cyfeirio gweithred. Moeseg fel pwnc yw astudiaeth o'r gwahanol systemau o werthoedd **moesol** sy'n bodoli heddiw. Mae moeseg nid yn unig yn dadansoddi sut mae'r gwerthoedd hyn yn cyfeirio gweithredoedd rhywun os yw'n dymuno bod yn foesol dda, ond hefyd mae'n dangos y rhwymedigaethau y tu ôl i bwrpas gwneud y peth cywir yn hytrach na'r peth anghywir.

Mae'r fframwaith o egwyddorion arweiniol sy'n cael ei adnabod drwy astudiaeth o foeseg yn cael ei alw'n ddamcaniaeth foesegol. I rai, gweithredu'n foesol yw gweithredu'n gyson o fewn y fframwaith hwn, ac weithiau cyfeirir ato fel ymddygiad cywir. Weithiau gall unigolyn, neu 'asiant moesol' yn ôl moeseg, ddewis gweithredu'n groes i fframwaith arbennig ac felly dywedir ei fod yn gweithredu'n anfoesol neu'n anghywir. Mewn moeseg, mae ystyron cryfach i'r geiriau cywir ac anghywir na dim ond gwall neu gamfarnu. Yn aml maen nhw'n awgrymu bod rhywun yn gwneud rhywbeth sy'n 'mynd yn erbyn ei gymeriad' neu'n methu â bod y math o berson sy'n ofynnol yn ôl disgwyliadau pendant – safon y mae'r asiant moesol wedi methu â'i chyrraedd. Mae yna arwydd fod yr asiant moesol wedi gwneud rhywbeth mae'n rhaid iddo *beidio* â'i wneud.

Damcaniaeth feta-foesegol

Wrth astudio moeseg mae yna wahaniaeth rhwng meta-foeseg a moeseg normadol. **Meta-foeseg** yw'r astudiaeth o natur meddwl moesegol, er enghraifft ystyried pam rydyn ni'n gweithredu fel y gwnawn ni, neu p'un ai bod 'cywir' ac 'anghywir' yn dibynnu ar hunan-les, barn oddrychol neu safonau gwrthrychol neu beidio. **Moeseg normadol** yw'r astudiaeth o gynnwys damcaniaeth foesegol benodol neu o'r egwyddorion sy'n sail iddi. **Moeseg gymhwysol** yw'r term a ddefnyddir i ddisgrifio'r dadleuon sy'n codi pan gaiff damcaniaethau moeseg normadol eu cymhwyso at faterion sy'n digwydd yn y byd go iawn.

Mae moeseg, felly, yn ystyried yr ystyr y tu ôl i dermau fel 'moesol' a 'chywir', yn astudio damcaniaethau sydd wedi'u cynnig ac sy'n amlinellu'r hyn a ystyrir yn ymddygiad 'moesol' a 'chywir', ac yn ystyried sut mae damcaniaethau o'r fath yn gweithio'n ymarferol.

Bydd thema gyntaf eich cwrs yn ystyried tri chwestiwn meta-foesegol:

ADRAN A: A yw ymddygiad moesegol yn annibynnol ar fod dwyfol neu beidio?

ADRAN B: A yw ymddygiad moesegol yn ymwneud â rhinweddau yn fwy na rheolau?

ADRAN C: A yw ymddygiad moesegol yn tarddu o hunan-les neu beidio?

Termau allweddol a ddefnyddir er mwyn grwpio damcaniaethau moesegol

Mae athronwyr wedi nodi cysylltiadau cyffredin rhwng y gwahanol ddamcaniaethau moesegol ac wedi eu rhoi mewn grwpiau. Mae'n bwysig i chi ddeall y termau hyn gan y byddan nhw'n codi drwy gydol y cwrs Safon Uwch.

Mae **absoliwtwyr** yn credu bod safon cywir ac anghywir yn bodoli sy'n rhwymo pob bod dynol yn llwyr ac yn gyfan. Efallai bydd y rheini sy'n grefyddol yn teimlo bod y safon absoliwt hon yn dod o feddwl ac ewyllys bod goruchaf. Efallai bydd y rheini nad ydyn nhw'n grefyddol yn credu bod y safon yn bodoli beth bynnag.

Mae **perthynolwyr** yn credu nad oes cywir neu anghywir absoliwt. Dydyn nhw ddim yn gweld moesoldeb fel rhywbeth sy'n gosod rhwymedigaeth orfodol ar fodau dynol i ymddwyn mewn ffordd benodol. Maen nhw'n gweld moesoldeb fel ymateb cymunedau dynol i faterion ynghylch sut mae ymddwyn mewn perthynas â'i gilydd. Does dim rheolau absoliwt, ond mae normau ymddygiad sy'n hybu ewyllys dda a hapusrwydd neu ryw amcan dymunol arall.

Mae perthynolydd yn gallu meddwl bod gweithredu mewn ffordd benodol yn anghyfiawn neu'n foesol anghywir, ond mae'n anodd iddo ddod i'r casgliad y dylai rhywun arall deimlo bod y weithred hon yn anghywir. I'r absoliwtydd, mae gweithredu'n anghywir yn rhywbeth y maen nhw o dan rwymedigaeth lwyr a chyfan i *beidio* â'i wneud.

Byddai'n rhaid i'r absoliwtydd ddweud: 'Mae hyn yn anghywir i mi ac i chi ac i bawb,' ond gallai'r perthynolydd ddweud: 'Mae hyn yn anghywir i mi ond gallai fod yn gywir i chi,' ac mae hyn yn rhywbeth na allai'r absoliwtydd ei ddweud byth.

Mae rhywfaint o amwysedd yn y termau absoliwtiaeth a pherthynoliaeth gan nad ydynt bob amser yn gydanghynhwysol ond maen nhw'n gallu gorgyffwrdd; er enghraifft, gall fod gan systemau perthynolaidd elfen absoliwtaidd. Felly, gallai perthynolwyr moesol gytuno ar werthoedd dynol sylfaenol iawn, megis parch at eiddo, er efallai byddan nhw'n dehongli hyn yn wahanol iawn.

Mewn moeseg, mae damcaniaeth yn cael ei disgrifio fel **goddrychol** os yw ei gwirionedd yn ddibynnol ar safbwynt yr unigolyn. Mae Mackie yn nodi: 'Yr hyn sy'n cael ei alw'n aml yn oddrychiaeth foesol yw'r athrawiaeth fod, er enghraifft, "Mae'r weithred hon yn gywir" yn golygu "Rydw i'n cymeradwyo'r weithred hon," neu'n fwy cyffredin fod barnau moesol yn adlewyrchu teimladau neu agweddau'r siaradwr ei hun.'

Mae damcaniaeth yn cael ei disgrifio fel **gwrthrychol** os yw ei gwirionedd yn annibynnol ar safbwynt unigolyn. Weithiau cyfeirir at hyn fel realaeth foesol a'r syniad yw bod gwerthoedd moesol yn debyg i rifau mathemategol. Yn ôl Julia Driver: 'Gall gwirionedd moesol fod â sail debyg i wirionedd mathemategol. Ni allaf weld 2 + 2 = 4; ond eto i gyd rydw i'n gwybod ei fod yn wir. Pan ydw i'n gweld pedwar afal gyda'i gilydd yn y byd, rydw i'n gwybod bod "Mae pedwar afal" yn wir, er dydw i ddim yn gweld arwydd "4" mawr yn fflachio drostyn nhw. Oes gen i le i gredu mewn ffeithiau moesol? Os oes gen i le i gredu mewn rhifau, yn ôl y rhesymeg hon, yna oes.'

Mae'n ymddangos yn naturiol i gysylltu goddrychol â pherthynolaidd, gan fod y ddau derm yn awgrymu dewis rhydd yr unigolyn: does dim byd sy'n sefydlog a disymud. Fodd bynnag, mae hefyd yn bosibl cysylltu goddrychol ag absoliwtaidd. Er enghraifft, gallech chi ddod i'r casgliad na all unrhyw ddamcaniaeth foesegol fod yn absoliwtaidd gan fod ein gwerthoedd yn deillio o'n teimladau a'n dewisiadau ni'n hunain. Fodd bynnag, gallech chi feddwl hefyd fod rhai o'r teimladau a'r dewisiadau hyn yn gyffredin i bob bod dynol, ac felly eu bod yn wir am bawb. Mae hyn yn awgrymu nad yw'n gwrth-ddweud os oes gan ddamcaniaeth foesegol sail oddrychol ond ei bod hefyd yn dal at werthoedd absoliwt.

cwestiwn cyflym

1.2 Beth yw asiant moesol?

Termau allweddol

Absoliwtiaeth: system foesegol sy'n credu bod safon cywir ac anghywir yn bodoli sy'n rhwymo pob bod dynol yn llwyr ac yn gyfan

Goddrychol: damcaniaeth sy'n ddibynnol ar safbwynt personol

Gwrthrychol: damcaniaeth sy'n annibynnol ar safbwynt personol

Perthynoliaeth: system foesegol sy'n credu nad oes cywir nac anghywir absoliwt

Dyfyniad allweddol

Ar y lefel ddisgrifiadol, yn sicr, byddech chi'n disgwyl i ddiwylliannau gwahanol ddatblygu mathau gwahanol o foeseg ac mae'n amlwg fod hyn wedi digwydd; nid yw hynny'n golygu na allwch chi feddwl am egwyddorion moesegol cyffredinol y byddech chi eisiau i bobl eu dilyn mewn pob math o leoedd. **(Singer)**

Termau allweddol

Canlyniadaeth: damcaniaeth foesegol sy'n seiliedig ar ystyried canlyniadau

Deontolegol: damcaniaeth sy'n archwilio rhwymedigaeth neu ddyletswydd

Teleolegol: damcaniaeth sy'n ymwneud â diben neu nod gweithred

Dyfyniad allweddol

Mae dilema moesol yn codi pan efallai byddai modd cyfiawnhau dau achos ymddwyn, neu fwy, mewn amgylchiadau penodol, o bosibl yn arwain at ganlyniadau sy'n hollol groes i'w gilydd. (Mason a Laurie)

Socrates 469–399 CCC

Cynnwys y fanyleb

Duw fel tarddiad a rheoleiddiwr moesoldeb; mae cywir ac anghywir yn wirioneddau gwrthrychol sy'n seiliedig ar ewyllys/gorchymyn Duw, cyflawnir daioni moesol drwy gydymffurfio â Gorchymyn Dwyfol; Gorchymyn Dwyfol fel un o ofynion natur hollalluog Duw; Gorchymyn Dwyfol fel sylfaen fetaffisegol wrthrychol ar gyfer moesoldeb.

Mae dilema moesegol yn aml yn codi cwestiynau am ganlyniadau'r gwahanol weithredoedd a allai gael eu gwneud. Mae'n aml yn wir bod meddwl am nod gweithred benodol yn ein perswadio i wneud y weithred honno neu beidio. Mae ymagwedd o'r fath sy'n canolbwyntio ar y canlyniadau yn cael ei galw'n ddamcaniaeth foesegol **deleolegol**.

Mae teleolegol yn dod o air Groeg, ac mae'n golygu diben neu bwrpas. Mewn damcaniaethau o'r fath, mae cywirdeb neu anghywirdeb gweithred yn cael ei benderfynu gan y canlyniadau sy'n dilyn. Pe bai'r ddamcaniaeth yn dweud mai'r maen prawf ar gyfer penderfynu'r weithred gywir fyddai'r un sy'n arwain orau at 'les y mwyafrif', yna'r weithred gywir fyddai'r un sy'n cynhyrchu'r lles mwyaf i'r mwyafrif. Y canlyniad, ac nid y weithred, sy'n cyfeirio'r hyn sy'n gywir i'w wneud. **Canlyniadaeth** yw'r term am yr ymagwedd hon, gan iddi honni bod gwerth canlyniadau ein gweithredoedd yn penderfynu ar eu statws moesol fel cywir neu anghywir.

Mae **deontolegol** yn dod o air Groeg, ac mae'n golygu rhwymedigaeth neu ddyletswydd. Mewn damcaniaethau o'r fath mae perthynas rhwng dyletswydd a moesoldeb gweithredoedd dynol. Felly, mae damcaniaethau moesegol deontolegol yn ymwneud â'r gweithredoedd eu hunain, beth bynnag yw canlyniadau'r gweithredoedd hynny. Er enghraifft, gallai deontolegydd ddadlau bod llofruddio yn anghywir beth bynnag yw'r sefyllfa neu'r canlyniad, ac felly fod ewthanasia yn foesol anghywir.

Mae astudio moeseg gymhwysol yn gymhleth ac yn anodd oherwydd dyma'r pwynt lle mae egwyddorion yn cael eu profi yn y byd go iawn. Mae moeseg gymhwysol yn aml yn cynnwys dilema moesol, hynny yw y natur wrthdrawiadol bosibl mewn cyfres o egwyddorion. Mae hyn weithiau yn herio person i ailarchwilio ac ailddehongli'r egwyddorion hyn.

Gweithgaredd AA1

Lluniwch gardiau astudio gyda rhai termau allweddol rydych chi wedi dysgu amdanyn nhw yn yr adran hon.

Awgrym astudio

Wrth ysgrifennu ateb i gwestiwn moeseg, mae'n bwysig defnyddio'r termau cywir wrth gyfeirio at ddamcaniaethau moesegol.

Damcaniaeth Gorchymyn Dwyfol: Duw fel tarddiad a rheoleiddiwr moesoldeb

Ysgrifennodd Platon ddeialog o'r enw *Euthyphro*, lle mae cymeriad o'r enw Euthyphro yn mynd â'i dad i'r llys, a'i gyhuddo o lofruddiaeth. Methodd ei dad o ran gofal a sylw a gadawodd i weithiwr farw. Mae Socrates, athronydd, yn y llys yn disgwyl ei dreial ei hun, ac felly mae'n dechrau deialog ag Euthyphro am ddaioni moesol. Yn y ddeialog mae Socrates yn gofyn y cwestiwn rydyn ni'n ei adnabod erbyn hyn fel dilema Euthyphro:

Euthyphro: "Wel, byddwn i'n sicr yn dweud mai'r hyn sy'n sanctaidd yw beth bynnag y mae'r Duwiau'n ei gymeradwyo, a bod ei wrthwyneb, yr hyn y mae'r Duwiau'n ei anghymeradwyo, yn ansanctaidd ..."

Socrates: "Cyn bo hir byddwn ni mewn gwell sefyllfa i farnu, 'machgen i. Ystyriwch y pwynt canlynol: a yw'r sanctaidd yn cael ei gymeradwyo gan y Duwiau oherwydd ei fod yn sanctaidd, neu a yw'n sanctaidd oherwydd ei fod yn cael ei gymeradwyo?" (Platon)

Neu, mae Socrates yn gofyn a yw Duw yn gorchymyn pethau gan eu bod nhw'n dda ynddynt eu hunain, neu a yw pethau'n dda gan fod Duw yn eu gorchymyn a'u cymeradwyo? Yn syml, a yw daioni'n bodoli'n annibynnol, ac ar wahân i gymeradwyaeth, neu o ganlyniad i'r ffaith ei fod wedi'i gymeradwyo?

Dyma'r cwestiwn meta-foesegol cyntaf i'w ystyried.

Mae damcaniaeth Gorchymyn Dwyfol, a elwir hefyd yn wirfoddoliaeth ddiwinyddol, yn cynnig bod Duw wedi sefydlu egwyddorion moesoldeb sy'n dragwyddol a gwrthrychol. Fel mae Frankena'n ei ddweud, 'safon cywir ac anghywir yw ewyllys neu gyfraith Duw'.

Mae dilynwyr y Gorchymyn Dwyfol yn derbyn bod yna safon wrthrychol ar gyfer moeseg. Fodd bynnag, nid yw'r safon y tu allan i Dduw, ond yn hytrach mae'n tarddu o Dduw. Yn syml, mae'r hyn sy'n dda yn ôl Duw yn dod yn dda. Mae cywir neu anghywir fel gwirioneddau gwrthrychol yn seiliedig ar ewyllys a gorchymyn Duw. Mae hyn yn codi problem.

Pe bai Duw'n cymeradwyo pethau oherwydd eu bod nhw'n dda, yna mae hyn yn awgrymu bod safon o ddaioni sy'n annibynnol ar Dduw. Byddai hyn yn golygu, felly, nad Duw bellach yw creawdwr pob peth. Byddai yna safon o werthoedd y tu allan i'w reolaeth a'i greadigrwydd. Fodd bynnag, mae Gorchymyn Dwyfol yn cynnig bod y templed moesegol i'r hyn sy'n dda yn tarddu o Dduw ac nid yw'n gallu bod y tu allan i Dduw. Mae'r syniad o Orchymyn Dwyfol yn un o ofynion hollalluogrwydd Duw.

Mae J. A. T. Robinson yn crynhoi'r safbwynt hwn yn dda yn ei lyfr *Honest to God*: 'Y rhain yw'r gorchmynion mae Duw yn eu rhoi, y cyfreithiau mae'n eu gosod ... Maen nhw'n dod i lawr yn syth o'r nefoedd, ac yn ddilys am byth ar gyfer ymddygiad dynol ... Mae rhai pethau bob amser yn "anghywir" ac "ni all dim eu gwneud nhw'n gywir", ac mae rhai pethau bob amser yn "bechodau", p'un ai bod cymdeithasau dynol gwahanol yn eu barnu yn "droseddau" neu beidio.'

'Damcaniaeth Gorchymyn Dwyfol wedi'i Haddasu' gan Robert Adams

Mae'r problemau oherwydd y farn hon yn niferus. Ond mae problem arall sy'n gysylltiedig â dilema Euthyphro, sef, os yw rhywbeth yn dda oherwydd bod Duw yn ewyllysio iddo fod yn dda, yna a all Duw ewyllysio i fod yn dda yr hyn rydyn ni efallai'n ei ystyried yn ddrwg? Fel mae Frankena'n ei ddweud: 'Pe bai Duw'n gorchymyn yn hollol groes i'r hyn rydyn ni'n tybio iddo ei orchymyn neu i'r hyn rydyn ni'n tybio sy'n gywir, yna, drwy'r rhagdybiaeth dan sylw, dyma beth dylen ni ei wneud.' Cyfeirir at hon yn aml fel problem mympwyoldeb.

Yn sicr, mae rhai wedi dadlau bod hyn yn cyd-fynd yn union â'r disgrifiadau o Dduw a'i ddilynwyr yn y Beibl, fel mae Baggini'n esbonio: 'Mae testunau Cristnogol fel pe baen nhw'n cynnig tystiolaeth mai dyma'n union y mae eu Duw wedi ei wneud'. Caiff hyn ei gyfiawnhau ymhellach yng ngwaith William o Ockham sy'n dadlau bod Duw'n gallu gwneud gweithredoedd sydd, yn ôl y gyfraith gyffredin, yn ddrwg, ond heb gynnwys unrhyw ddrygioni. Mae hyn yn ymestyn hyd yn oed i'r rheini sydd ar y ddaear ac yn dod o dan y 'Gorchymyn Dwyfol'.

Dyfyniadau allweddol

Rydw i'n ateb y gall casáu, lladrata, godinebu a'u tebyg olygu drygioni yn ôl y gyfraith gyffredin, cyn belled â'u bod yn cael eu gwneud gan rywun sy'n rhwymedig gan Orchymyn Dwyfol i wneud y gwrthwyneb. O ran popeth absoliwt yn y gweithredoedd hyn, fodd bynnag, mae Duw'n gallu eu cyflawni heb gynnwys unrhyw ddrygioni. A gallan nhw hyd yn oed gael eu gwneud yn glodwiw gan rywun ar y ddaear pe bai'n dod o dan Orchymyn Dwyfol, yn union fel yn awr, mae'r gwrthwyneb i'r rhain, mewn gwirionedd, yn dod o dan Orchymyn Dwyfol. (William o Ockham)

Serch hynny, mae yna rai eithriadau i'r gyfraith yn erbyn lladd, wedi'u gwneud gan awdurdod Duw ei hun. Mae yna rai y mae Duw yn gorchymyn eu lladd, naill ai drwy gyfraith, neu drwy orchymyn pendant i berson penodol ar adeg benodol. (Awstin)

Dyfyniad allweddol

Mae'r rhai sy'n cynnig y farn hon weithiau'n mynnu bod 'cywir' ac 'anghywir' yn golygu, yn eu tro, wedi'u gorchymyn ac wedi'u gwahardd gan Dduw. Hyd yn oed os nad ydyn nhw'n diffinio 'cywir' ac 'anghywir' yn y ffordd hon, maen nhw i gyd yn mynnu bod gweithred neu fath o weithred yn gywir neu'n anghywir os, a dim ond os ac oherwydd, yw'n cael ei gorchymyn neu ei gwahardd gan Dduw. Mewn geiriau eraill, yr hyn sy'n gwneud gweithred yn gywir neu'n anghywir yn y pen draw yw'r ffaith iddi gael ei gorchymyn neu ei gwahardd gan Dduw a dim byd arall. (Frankena)

Dyfyniad allweddol

Duw sy'n gosod y rheolau moesol ac mae rheolau Duw yn gymwys i bawb, beth bynnag yw'r amser a'r lle. Y broblem yma mewn gwirionedd yw bod rhesymau dros gredu mai Duw, os yw'n bodoli, yw'r perthynolydd mwyaf ohonyn nhw i gyd. (Baggini)

Cynnwys y fanyleb

'Damcaniaeth Gorchymyn Dwyfol wedi'i Haddasu' gan Robert Adams (Gorchymyn Dwyfol yn seiliedig ar hollraslonrwydd Duw).

Robert Adams, a gafodd ei eni yn 1937

Mae prif broblem damcaniaeth Gorchymyn Dwyfol – sy'n golygu bod unrhyw system foesegol mae'n ei chynnig yn fympwyol, hynny yw yn ddibynnol ar fympwy Duw sy'n greawdwr – wedi arwain at ddatblygu a mireinio damcaniaeth Gorchymyn Dwyfol, fel a gynigiwyd gan Robert Adams.

Dadl Adams oedd oherwydd mai sail moesoldeb yw cymeriad Duw, sy'n berffaith dda, yna mae gorchmynion Duw wedi eu gwreiddio yng nghymeriad Duw. Gan mai un o nodweddion Duw yw ei **hollraslonrwydd**, yna bydd beth bynnag mae Duw'n ei orchymyn yn anochel yn adlewyrchu hyn, cymeriad Duw. Nid yw hyn yr un peth â dweud bod Duw a daioni yn union yr un fath. Nid yw Duw yn union yr un peth â daioni. Mae daioni yn un o nodweddion hanfodol Duw, a chymeriad Duw sy'n sail iddo. Mae moesoldeb, felly, bob amser yn adlewyrchu natur hollraslon Duw.

Mae hyn yn golygu, felly, na all moesoldeb fod yn fympwyol oherwydd mai natur hollraslon ddigyfnewid Duw sy'n sail iddo. Yn yr un ffordd felly ni all Duw ddod o dan gyfraith foesol sy'n bodoli y tu allan iddo ef chwaith.

cwestiwn cyflym

1.3 Beth yw damcaniaeth foesegol absoliwtaidd?

Dyfyniad allweddol

Mae unrhyw weithred yn foesegol anghywir os, a dim ond os, yw'n groes i orchmynion Duw cariadus. (Adams)

Term allweddol

Hollraslonrwydd: natur Duw sy'n caru popeth

cwestiwn cyflym

1.4 Rhowch derm arall am ganlyniadaeth.

cwestiwn cyflym

1.5 Pa un o nodweddion Duw yw'r pwysicaf yn ôl damcaniaeth Gorchymyn Dwyfol?

Dyfyniad allweddol

Yng nghyd-destun damcaniaeth Gorchymyn Dwyfol wedi'i Haddasu, mae'r gyfraith foesol yn nodwedd o natur Duw. O dderbyn bod y gyfraith foesol yn bodoli yn fewnol i Dduw, yn yr ystyr hwn, nid yw Duw yn dod o dan gyfraith foesol allanol, ond yn hytrach *ef* yw'r gyfraith foesol honno. Mae Duw felly yn cadw ei statws moesol a metaffisegol goruchaf. I'r damcaniaethwr Gorchymyn Dwyfol wedi'i Haddasu, sail moesoldeb yn y pen draw yw natur berffaith Duw. (Austin)

Heriau i ddamcaniaeth Gorchymyn Dwyfol

Cynnwys y fanyleb

Heriau: dilema Euthyphro (wedi'i ysbrydoli gan Platon); problem mympwyoldeb (mae damcaniaeth Gorchymyn Dwyfol yn cyfleu moesoldeb fel rhywbeth hollol fympwyol); gwrthwynebiad plwraliaeth (crefyddau gwahanol yn honni Gorchmynion Dwyfol gwahanol).

Yn draddodiadol ystyrir bod dwy agwedd ar yr her amlwg gan ddilema Euthyphro. Yn gyntaf, a yw moesoldeb yn fympwyol os yw'n dibynnu ar orchymyn bod dwyfol? Yn ail, os yw Duw'n penderfynu beth sy'n dda, yna a yw hyn yn awgrymu bod Duw yn gwneud hyn oherwydd bod y pethau hyn yn gywir ac yn dda yn annibynnol ar Dduw? Mewn geiriau eraill, efallai fod damcaniaeth Gorchymyn Dwyfol draddodiadol yn awgrymu bod moesoldeb yn wir yn fater sy'n allanol i Dduw.

Mae Robert Adams, yn ei ddamcaniaeth Gorchymyn Dwyfol wedi'i Haddasu, wedi mynd i'r afael â'r mater hwn drwy ddweud bod problemau mympwyoldeb a gwrthrychedd allanol yn colli eu gwerth pan fydd rhywun yn ystyried Gorchymyn Dwyfol fel mynegiant o hollraslonrwydd Duw. Serch hynny, nid yw pawb wedi'u perswadio. I rai athronwyr dim ond ymestyn y broblem mae hyn ac nid yw'n ei datrys. Er enghraifft, mae Julian Baggini yn gwneud y sylw craff, 'Ond nid yw hyn fel pe bai'n gweithio, oherwydd dim ond ailddatgan y dilema sydd ei angen: a yw natur Duw yn dda oherwydd ei bod yn dda neu'n dda oherwydd mai natur Duw ydyw?'! Mae'r ddadl am ddamcaniaeth Gorchymyn Dwyfol wedi'i Haddasu gan Robert Adams yn parhau.

Dyfyniad allweddol

Mae'r syniad y gallai Duw ddyfarnu yn sydyn fod popeth oedd yn ddrwg yn ein barn ni mewn gwirionedd yn dda, ac fel arall, yn gwneud difrifoldeb moeseg yn destun sbort. Mae'n gwneud cywir ac anghywir yn fympwyol yn y pen draw. (Baggini)

Dyfyniad allweddol

Er mwyn osgoi atchwel, rhaid i foesoldeb beidio â bod â'i sail eithaf mewn ufudd-dod i orchmynwyr annibynnol: mae'n rhaid bod Duw yn meddu ar nodweddion moesol nad oes arnynt angen awdurdod pellach ... pam ystyrir bod angen gosodwr cyfraith allanol ar foesoldeb, pan, yn y pen draw, caiff cwningen foesol ei thynnu o het ddwyfol, cwningen nad oes arni angen unrhyw beth allanol? (Cave)

Mae problemau amlwg hefyd gyda damcaniaeth Gorchymyn Dwyfol wrth iddi ystyried y berthynas rhwng crefydd a moesoldeb, gan fod systemau ac egwyddorion moesegol gwahanol iawn i'w cael o fewn crefyddau'r byd. Mae'r cwestiynau mae hyn yn eu codi yn cynnwys: 'pa system sy'n gywir?' ac 'ydy'r systemau hyn yn gweddu i'w gilydd?' Mae'n gwbl amlwg, er bod rhai syniadau moesol cyffredin rhwng crefyddau, fod gwahaniaethau hefyd.

Yn ychwanegol, nid yn unig y mae gennym systemau gwahanol ond mae gennym hefyd y broblem o adnabod moeseg grefyddol benodol o fewn un grefydd ac yna yr amrywiaeth o ddehongliadau sydd ohoni. Er enghraifft, ystyriwch y dehongliadau croes i'w gilydd o Shari'a sydd i'w cael yn ysgolion gwahanol y gyfraith mewn Islam, neu'r amrywiol ffyrdd o ddeall a chymhwyso'r gofynion (*precepts*) mewn Bwdhaeth, neu'r safbwyntiau gwahanol am gyfraith yr Hen Destament mewn Cristnogaeth. Mae llawer o wrthdaro'n codi rhwng egwyddorion parchus a rhinweddol iawn: er enghraifft, mae 'Na ladd' yn cael ei herio'n uniongyrchol gan egwyddor *agape* wrth ystyried materion erthyliad ac ewthanasia. A all dealltwriaeth a defnydd Gandhi o *ahimsa* fel egwyddor absoliwt weithio mewn adeg o ryfel?

Mae gwrthdaro yn fwy dadleuol pan fydd grŵp lleiafrifol bach mewn rhyw grefydd yn cynnig dehongliadau penodol o egwyddorion moesegol, yn seiliedig ar ddarlleniad arbennig o destunau crefyddol fel Gorchymyn Dwyfol, a bydd grwpiau eraill yn yr un grefydd yn anghytuno â nhw. Mae nifer o enghreifftiau o hyn, yn amrywio o hawliau menywod i faterion ynghylch cosbau am gyfunrywioldeb.

Er enghraifft, mae rhai Cristnogion yn dal i gondemnio cyfunrywioldeb, p'un ai o ran rhywioldeb neu'r gweithredoedd dan sylw. Maen nhw'n aml yn cyfeirio at destunau yn y Beibl, o'r Hen Destament a'r Testament Newydd. Fodd bynnag, mae problem os ystyrir Lefiticus 20:13, sy'n dweud 'Os bydd dyn yn gorwedd gyda dyn fel gyda gwraig, y mae'r ddau wedi gwneud ffieidd-dra; y maent i'w rhoi i farwolaeth, ac y maent yn gyfrifol am eu gwaed eu hunain.' Mae hyn yn codi sawl problem i ddamcaniaethwyr Gorchymyn Dwyfol.

Os yw Duw'n gorchymyn hyn yna dylid dilyn llythyren y ddeddf a dylai dynion cyfunrywiol gael y gosb eithaf. Ond mae hyn yn groes i ddeddf yr 21ain ganrif. Hefyd, sut mae'r Beibl felly'n mynd i'r afael â menywod cyfunrywiol? Er bod Rhufeiniaid 1:26–28 yn cydnabod cyfunrywioldeb benywaidd, nid yw'n rhagnodi'r gosb eithaf iddyn nhw fel y mae i ddynion yn Lefiticus 20:13. Yn ychwanegol, beth am y dysgeidiaethau ehangach o oddefgarwch a maddeuant a ddysgodd Iesu? A yw dysgeidiaethau ehangach o'r fath yn disodli'r testun hwn? Os felly, a yw hynny'n golygu y gall y Gorchymyn Dwyfol fod yn berthynol i gyd-destun hanesyddol a chymdeithasol arbennig? Os na, yna mae'n rhaid bod Gorchymyn Dwyfol yn cefnogi caethwasiaeth fel rhywbeth derbyniol gan nad yw'n cael ei gondemnio yn y Beibl, ynghyd â llawer o safbwyntiau eraill rydyn ni'n eu hystyried yn annerbyniol heddiw. Y brif her, felly, i'r Gorchymyn Dwyfol, yw nad oes ganddo hyblygrwydd i addasu i'r safbwyntiau newidiol am foesoldeb sy'n cael eu derbyn gan y rhan fwyaf o bobl heddiw.

Gweithgaredd AA1

Ysgrifennwch sgwrs y byddai Socrates wedi ei chael â Robert Adams am natur moesoldeb. Dylech gyfeirio at ddilema Euthyphro, natur daioni, tarddiad daioni, a natur Duw.

Dyfyniad allweddol

Os oes rhesymau pam mae Duw yn barnu bod gweithred yn 'gywir' neu'n 'anghywir', yna mewn gwirionedd y rhesymau hynny sy'n dweud beth sy'n 'gywir' ac 'anghywir' ac nid ewyllys Duw. (Driver)

cwestiwn cyflym

1.6 Esboniwch un broblem sy'n gysylltiedig â damcaniaeth Gorchymyn Dwyfol.

Awgrym astudio

Wrth ysgrifennu ateb i gwestiwn moeseg, ceisiwch bob amser gefnogi'r pwynt rydych chi'n ei wneud ag enghreifftiau clir neu gyfeiriad at dystiolaeth, neu ddyfyniadau, wedi'u cymryd o waith ysgolheigion.

Sgiliau allweddol

Mae gwybodaeth yn ymwneud â:

Dewis ystod o wybodaeth (drylwyr) gywir a pherthnasol sydd â chysylltiad uniongyrchol â gofynion penodol y cwestiwn.

Mae hyn yn golygu eich bod yn dewis y wybodaeth gywir sy'n berthnasol i'r cwestiwn a osodwyd NID y maes pwnc. Bydd angen i chi feddwl a chanolbwyntio ar ddewis gwybodaeth allweddol ac NID ysgrifennu popeth yr ydych chi'n ei wybod am y maes pwnc.

Mae dealltwriaeth yn ymwneud ag:

Esboniad helaeth, gan ddangos dyfnder a/neu ehangder gyda defnydd rhagorol o dystiolaeth ac enghreifftiau gan gynnwys (lle y bo'n briodol) defnydd trylwyr a chywir o destunau cysegredig, ffynonellau doethineb a geirfa arbenigol.

Mae hyn yn golygu y gallwch ddangos eich bod yn deall rhywbeth drwy egluro ac ehangu eich pwyntiau gan ddefnyddio enghreifftiau/tystiolaeth gefnogol mewn ffordd bersonol ac NID ailadrodd darnau o werslyfr (sef dysgu ar y cof).

Cymhwyso sgiliau ymhellach:

Ewch drwy'r meysydd pwnc yn yr adran hon a lluniwch rai rhestri bwled o bwyntiau allweddol o feysydd allweddol. Ar gyfer pob un, rhowch fwy o fanylion ac esboniwch fwy drwy ddefnyddio tystiolaeth ac enghreifftiau.

Datblygu sgiliau AA1

Nawr mae'n bryd ystyried y wybodaeth sydd wedi'i chyflwyno hyd yma. Hefyd mae'n bwysig ystyried sut mae'r hyn rydych chi wedi'i ddysgu hyd yma'n gallu cael ei ddefnyddio ar gyfer atebion arholiad drwy ymarfer y sgiliau sy'n gysylltiedig ag AA1.

Mae Amcan Asesu 1 (AA1) yn ymwneud â dangos gwybodaeth a dealltwriaeth. Mae'r termau 'gwybodaeth' a 'dealltwriaeth' yn amlwg ond mae'n hanfodol eich bod yn gyfarwydd â sut mae sgiliau penodol yn dangos y rhain, a hefyd, sut bydd eich perfformiad ym mhob un o'r sgiliau hyn yn cael ei fesur (gweler disgrifyddion band cyffredinol Band 5 ar gyfer AA1 UG).

Yn amlwg mae ateb yn cael ei osod mewn disgrifydd band priodol, yn ôl pa mor dda yw'r ateb, gan amrywio o ragorol, da, boddhaol, sylfaenol/cyfyngedig i gyfyngedig iawn.

I ddechrau, ceisiwch ddefnyddio'r fframwaith / ffrâm ysgrifennu sydd wedi'i roi i'ch helpu i ymarfer y sgiliau hyn er mwyn ateb y cwestiwn isod.

Wrth i'r unedau ym mhob adran o'r llyfr ddatblygu, bydd faint o gymorth a gewch yn cael ei leihau'n raddol er mwyn eich annog i ddod yn fwy annibynnol a pherffeithio eich sgiliau AA1.

YMARFER ARHOLIAD: FFRÂM YSGRIFENNU

Ffocws ar archwilio'r gwahanol fersiynau o ddamcaniaeth Gorchymyn Dwyfol.

Mae damcaniaeth Gorchymyn Dwyfol yn cynnig bod ...

Mae hyn yn golygu ei bod yn wrthrychol oherwydd ...

Mae'r ddamcaniaeth yn awgrymu nad yw moesoldeb yn allanol i Dduw oherwydd ...

Y problemau gyda'r math cyntaf o ddamcaniaeth Gorchymyn Dwyfol ...

Datblygodd Robert Adams ...

Mae gan ddamcaniaeth Adams y fantais ...

Nid yw pob athronydd wedi ei argyhoeddi gan Adams oherwydd ...

I gloi, mae damcaniaeth Gorchymyn Dwyfol ...

Materion i'w dadansoddi a'u gwerthuso

Ai moesoldeb yw'r hyn y mae Duw yn ei orchymyn

Y mater yma yw a ydyn ni'n gallu derbyn y safbwyntiau a gyflwynir gan ddamcaniaeth Gorchymyn Dwyfol sef bod moesoldeb yn tarddu o Dduw. Yn ôl damcaniaeth Gorchymyn Dwyfol, mae moesoldeb yn tarddu o ewyllys Duw ond, fel rydyn ni wedi'i weld, mae Socrates yn herio hyn. Mae e'n gofyn i Euthyphro a yw Duw yn gorchymyn pethau oherwydd eu bod yn dda ynddynt eu hunain, neu a yw pethau'n dda oherwydd bod Duw yn eu gorchymyn ac yn eu cymeradwyo? Daw dwy broblem yn sgil hyn: i ddechrau, y gwrthwynebiad fod moesoldeb yn fympwyol; ac yn ail, hyd yn oed os yw Duw'n gorchymyn yr hyn sy'n dda, gallai fod oherwydd eu bod nhw eisoes yn dda ac yn annibynnol ar Dduw.

Ar y naill law, rydyn ni wedi gweld sut mae Robert Adams yn amddiffyn damcaniaeth Gorchymyn Dwyfol yn ei fersiwn wedi'i addasu. Mae'n dweud, gan mai Duw yw sail moesoldeb, ni all fod yn fympwyol oherwydd ei fod yn ddibynnol ar gymeriad hollraslon Duw, ac felly mae beth bynnag mae Duw yn ei orchymyn yn adlewyrchiad o hyn. Hefyd, os cymeriad Duw yw sail moesoldeb, yna ni all fod yn allanol.

Fel rydyn ni wedi'i weld, mae Julian Baggini yn gwrthod ymateb Adams gan nad yw ond yn ymestyn y broblem, ac mae e'n dweud, 'Ond nid yw hyn fel pe bai'n gweithio, oherwydd dim ond ailddatgan y dilema sydd ei angen: a yw natur Duw yn dda oherwydd ei bod yn dda neu'n dda oherwydd mai natur Duw ydyw?'

Mae cryfderau amlwg gan ddamcaniaeth Gorchymyn Dwyfol. Mae'n cyd-fynd â chred grefyddol ac mae'n cymryd pob cyfrifoldeb oddi wrth fodau dynol o ran gwneud penderfyniadau hollbwysig. Mae ei batrwm yn arweiniad sicr a chyson ar gyfer bywyd.

Ond, mae gwendidau amlwg. I ddechrau, mae anghysondebau. Yn wir, mae rhai athronwyr wedi dadlau bod damcaniaeth Gorchymyn Dwyfol yn cadarnhau bod moesoldeb yn fympwyol os yw rhywun yn edrych ar yr Hen Destament ac ymyriadau Duw. Mae Awstin a William o Ockham wedi cadarnhau bod Duw'n gallu ewyllysio unrhyw beth o ran moesoldeb. Ond mae hyn wedyn yn codi'r cwestiwn am hollraslonrwydd Duw.

Eto, un feirniadaeth wrth dderbyn bod damcaniaeth Gorchymyn Dwyfol yn esboniad addas o darddiad moesoldeb yw bod gormod o anghysondebau rhwng crefyddau, ac oddi mewn iddynt, i dderbyn bod moesoldeb yn tarddu o Dduw. Er enghraifft, gallen ni ystyried materion erthyliad ac ewthanasia a'r holl ymatebion gwahanol iddyn nhw.

Yn olaf, mae rhai athronwyr yn ystyried bod esboniadau eraill yn fwy addas o ran esbonio tarddiad moesoldeb. Mae gan yr esboniadau hyn gyfiawnhad mwy naturiolaidd neu resymegol, er enghraifft damcaniaeth rhinwedd.

I gloi, mae'n ymddangos ei bod yn amlwg mai cred grefyddol sy'n rhoi'r ateb i lawer. Fodd bynnag, mae gennym broblem o hyd – os Duw yw cychwynnwr moesoldeb, sut mae meddylwyr crefyddol yn cyfiawnhau'r heriau sy'n cael eu cyflwyno yn erbyn natur hollraslon Duw?

Mae hon yn broblem yn arbennig wrth i ni ystyried materion fel cyfunrywioldeb a chaethwasiaeth, a'r cwestiynau a'r anghysondebau sy'n codi. Sut mae adnod fel Lefiticus 20:13 (sy'n dweud 'Os bydd dyn yn gorwedd gyda dyn fel gyda gwraig, y mae'r ddau wedi gwneud ffieidd-dra; y maent i'w rhoi i farwolaeth, ac y maent yn gyfrifol am eu gwaed eu hunain') yn cyd-fynd â Duw hollraslon?

Mae'r adran hon yn cwmpasu cynnwys a sgiliau AA2

Cynnwys y fanyleb

Ai moesoldeb yw'r hyn y mae Duw yn ei orchymyn.

Gweithgaredd AA2
Dadleuon posibl

Wedi'u rhestru isod mae rhai casgliadau y byddai'n bosibl dod iddynt ar sail rhesymeg AA2 yn y testun cysylltiedig:

1. Mae damcaniaeth Gorchymyn Dwyfol yn dderbyniol fel esboniad o darddiad moesoldeb.
2. Mae damcaniaeth Gorchymyn Dwyfol wedi'i Haddasu yn datrys unrhyw broblemau sy'n gysylltiedig â'r syniad mai moesoldeb yw'r hyn y mae Duw yn ei orchymyn.
3. Mae dilema Euthyphro yn ormod o broblem i unrhyw ddamcaniaeth sy'n awgrymu bod moesoldeb yn tarddu o Dduw.
4. Mae gormod o anghysondebau rhwng crefyddau, ac oddi mewn iddynt, i dderbyn bod moesoldeb yn tarddu o Dduw.
5. Mae gwell esboniadau meta-foesegol o darddiad moesoldeb na'i fod yn tarddu o Dduw.

Ystyriwch bob un o'r casgliadau sy'n cael eu gwneud uchod a chasglwch dystiolaeth ac enghreifftiau i gefnogi pob dadl o'r deunydd AA1 ac AA2 a astudiwyd yn yr adran hon. Dewiswch un casgliad sy'n argyhoeddi fwyaf yn eich barn chi ac esboniwch pam mae hyn yn wir. Nawr cyferbynnwch hyn â'r casgliad gwannaf ar y rhestr, gan gyfiawnhau eich dadl gyda rhesymu clir a thystiolaeth.

Cynnwys y fanyleb

A yw damcaniaeth Gorchymyn Dwyfol yn well na damcaniaeth rhinwedd neu fyfi'aeth foesegol.

A yw damcaniaeth Gorchymyn Dwyfol yn well na damcaniaeth rhinwedd neu fyfi'aeth foesegol

Mae'n amlwg fod sawl rheswm da dros ddadlau bod damcaniaeth Gorchymyn Dwyfol yn well na'r esboniadau eraill o darddiad moesoldeb.

Yn gyntaf mae'r ddamcaniaeth yn gyson oherwydd ei bod yn absoliwtaidd a chyffredinol. Mae prif egwyddorion moesoldeb wedi eu mynegi'n glir mewn testunau crefyddol. Hefyd mae o gymorth i lawer gan ei bod yn cymryd cyfrifoldeb oddi wrth fodau dynol ac yn eu harwain drwy eu bywydau mewn materion moesol. Mae damcaniaeth Gorchymyn Dwyfol, yn ei hanfod, hefyd wedi sefyll prawf amser ac er bod rhai mân broblemau ac anghysondebau, mae'n cynnwys cred greiddiol gyffredinol am ewyllys Duw mewn perthynas â moesoldeb rhwng traddodiadau crefyddol ac oddi mewn iddynt.

Fodd bynnag, mae ganddi broblemau y gallai rhywun awgrymu sy'n ei gwneud yn israddol i ddamcaniaethau eraill am darddiad moeseg. I ddechrau, mae'n anhyblyg iawn o'i chymharu â'r ddwy ddamcaniaeth arall wrth ei chymhwyso at foeseg. Hefyd dylid ystyried ei bod yn llai rhinweddol yn gyffredinol, ac mae'n ymddangos bod hyd yn oed Cristnogaeth drwy ddysgeidiaeth Iesu yn hyrwyddo datblygiad rhinwedd yn fwy na'r syniad fod safon bendant sefydlog o godau moesol i lynu wrthi. Mae damcaniaeth rhinwedd yn gryfach na damcaniaeth Gorchymyn Dwyfol yn y modd hwn.

Nid yw damcaniaeth Gorchymyn Dwyfol yn egluro gwahaniaethau sy'n codi, ac nid yw'n ymdopi'n dda â phroblemau'r byd modern nad oes cyfeiriad penodol atyn nhw mewn testunau crefyddol. Yma gwelir cyhuddiadau posibl o anoddefgarwch cudd tuag at ffyrdd gwahanol o ddelio â phroblemau, er enghraifft gyda barn sefydlog ddigyfnewid am 'na ladd' wrth wynebu materion fel embryoleg, erthyliad ac ewthanasia. Mae damcaniaeth rhinwedd a myfi'aeth foesegol yn caniatáu gwahaniaethau, a byddai myfi'aeth foesegol yn annog gwahaniaethau ac yn hybu goddefgarwch tuag at weithredoedd unigolion mewn materion preifat.

Yn olaf, nid yw damcaniaeth Gorchymyn Dwyfol yn caniatáu twf unigol person, yn wahanol i'r ddwy ddamcaniaeth arall o foeseg. Mae hyn oherwydd nad yw damcaniaeth Gorchymyn Dwyfol yn mynd i'r afael â materion bwriadau a rhinweddau yng nghyd-destun penderfyniadau moesegol. Nid yw'n caniatáu i unigolyn fyfyrio ar y rhesymeg y tu ôl i weithredoedd, na chwaith yn caniatáu i unigolyn gymryd cyfrifoldeb dros ei benderfyniadau. Mae'n ymddangos bod damcaniaeth Gorchymyn Dwyfol yn golygu dilyn rheolau yn rhy syml ac yn ddall heb unrhyw ddealltwriaeth o'u natur a'u pwrpas nac, yn y pen draw, o ddilysrwydd rheolau o'r fath.

I gloi, byddai'n bosibl dadlau bod barn am y ddamcaniaeth orau yn amlwg yn fater o bersbectif mewn perthynas â phwrpas moesoldeb. Er enghraifft, fel rydyn ni wedi ei weld o'r uchod, i'r crediniwr crefyddol sy'n dyheu am gysondeb, symlrwydd a sicrwydd, efallai mai damcaniaeth Gorchymyn Dwyfol fyddai'r ddamcaniaeth orau i'w mabwysiadu. O ran cael ymagwedd fwy unigolyddol, hyblyg a phersonol at foesoldeb yn y byd modern, mae yna bobl, crefyddol ac anghrefyddol, efallai byddai'n well ganddyn nhw ganolbwyntio ar ddatblygu ymddygiad rhinweddol. Ar lefel fwy unigol mae yna bobl sy'n teimlo bod moesoldeb yn fater o ddewis personol ac efallai mai'r opsiwn gorau fyddai ymwneud â materion moesol wrth fynd ar drywydd yr hunan-les y mae myfi'aeth foesegol yn ei ffafrio.

Gweithgaredd AA2
Dadleuon posibl

Wedi'u rhestru isod mae rhai casgliadau y byddai'n bosibl dod iddynt ar sail rhesymeg AA2 yn y testun cysylltiedig:

1. Mae damcaniaeth Gorchymyn Dwyfol yn well na damcaniaethau eraill.
2. Mae damcaniaeth rhinwedd yn well oherwydd ei bod yn hybu cyfrifoldeb.
3. Mae myfi'aeth foesegol yn fwy addas a hyblyg fel esboniad ar gyfer heddiw ac felly mae'n well na naill ai damcaniaeth rhinwedd neu ddamcaniaeth Gorchymyn Dwyfol.
4. Nid pa ddamcaniaeth yw'r un orau sy'n bwysig, ond pa un sy'n fwy ymarferol i'n cymdeithas heddiw.
5. Dydy un ddamcaniaeth ddim yn well nag un arall gan fod problemau ganddyn nhw i gyd.

Ystyriwch bob un o'r casgliadau sy'n cael eu gwneud uchod a chasglwch dystiolaeth ac enghreifftiau i gefnogi pob dadl o'r deunydd AA1 ac AA2 a astudiwyd yn yr adran hon. Dewiswch un casgliad sy'n argyhoeddi fwyaf yn eich barn chi ac esboniwch pam mae hyn yn wir. Nawr cyferbynnwch hyn â'r casgliad gwannaf ar y rhestr, gan gyfiawnhau eich dadl gyda rhesymu clir a thystiolaeth.

Datblygu sgiliau AA2

Nawr mae'n bryd ystyried y wybodaeth sydd wedi'i chyflwyno hyd yma. Hefyd mae'n bwysig ystyried sut mae'r hyn rydych chi wedi'i ddysgu hyd yma'n gallu cael ei ddefnyddio ar gyfer atebion arholiad drwy ymarfer y sgiliau sy'n gysylltiedig ag AA2.

Mae Amcan Asesu 2 (AA2) yn ymwneud â 'dadansoddi' a 'gwerthuso'. Efallai fod ystyr y termau'n amlwg ond mae'n hanfodol eich bod yn gyfarwydd â sut mae sgiliau penodol yn dangos y rhain, a hefyd, sut bydd eich perfformiad ym mhob un o'r sgiliau hyn yn cael ei fesur (gweler disgrifyddion band cyffredinol Band 5 ar gyfer AA2 UG).

Yn amlwg mae ateb yn cael ei osod mewn disgrifydd band priodol, yn ôl pa mor dda yw'r ateb, gan amrywio o ragorol, da, boddhaol, sylfaenol/cyfyngedig i gyfyngedig iawn.

I ddechrau, ceisiwch ddefnyddio'r fframwaith / ffrâm ysgrifennu sydd wedi'i roi i'ch helpu i ymarfer y sgiliau hyn er mwyn ateb y cwestiwn isod.

Wrth i'r unedau ym mhob adran o'r llyfr ddatblygu, bydd faint o gymorth a gewch yn cael ei leihau'n raddol er mwyn eich annog i ddod yn fwy annibynnol a pherffeithio eich sgiliau AA2.

Rhowch gynnig ar ateb y cwestiwn hwn drwy ddefnyddio'r ffrâm ysgrifennu isod.

YMARFER ARHOLIAD: FFRÂM YSGRIFENNU

Ffocws ar werthuso a yw moesoldeb yn tarddu o'r hyn y mae Duw yn ei orchymyn.

Mae'r materion i'w trafod yma yn ymwneud â ...

Ar y naill law gallech chi ddadlau bod moesoldeb yn tarddu o Dduw oherwydd ...

Mantais damcaniaeth Gorchymyn Dwyfol yw ...

Ar y llaw arall, mae yna broblemau'n ymwneud â damcaniaeth Gorchymyn Dwyfol fel mae Euthyphro yn eu hamlinellu ...

Er bod Robert Adams wedi mynd i'r afael â rhai o'r problemau cychwynnol sy'n gysylltiedig â dilema Euthyphro ...

Mae problemau eraill yn gysylltiedig â damcaniaeth Gorchymyn Dwyfol hefyd fel ...

Yn ogystal ...

I gloi, yn seiliedig ar y drafodaeth hon, gellir gweld bod ...

Sgiliau allweddol

Mae dadansoddi'n ymwneud â nodi materion sy'n cael eu codi gan y deunyddiau yn adran AA1, ynghyd â'r rhai a nodwyd yn adran AA2, ac mae'n cyflwyno safbwyntiau cyson a chlir, naill ai gan ysgolheigion neu safbwyntiau personol, yn barod i'w gwerthuso.

Mae hyn yn golygu ei fod yn nodi pethau allweddol i'w trafod a'r dadleuon sy'n cael eu cyflwyno gan eraill neu o safbwynt personol.

Mae gwerthuso'n ymwneud ag ystyried goblygiadau amrywiol y materion sy'n cael eu codi, yn seiliedig ar y dystiolaeth a gafwyd wrth ddadansoddi ac mae'n rhoi dadl fanwl eang gyda chasgliad clir.

Mae hyn yn golygu bod yr ateb yn pwyso a mesur y dadleuon amrywiol a gwahanol a gafodd eu dadansoddi drwy roi sylwadau ac ymateb unigol, gan ddod i gasgliad drwy broses rhesymu clir.

Mae'r adran hon yn cwmpasu cynnwys a sgiliau AA1

Cynnwys y fanyleb

System foesegol yn seiliedig ar ddiffinio'r rhinweddau personol sy'n achosi i berson fod yn foesol; y ffocws ar gymeriad person yn hytrach na'i weithredoedd penodol.

B: Damcaniaeth rhinwedd

System foesegol yn seiliedig ar rinweddau personol

Gyda damcaniaeth rhinwedd (damcaniaeth moeseg rhinwedd), rydyn ni'n gweld symudiad clir i ffwrdd o adnabod damcaniaeth foesegol fel rhywbeth sydd i'w gael mewn 'rheolau' neu 'egwyddorion', tuag at rinwedd, dull cywir neu natur (*hexis*) bod dynol. Nid yw cywir neu anghywir felly yn fater o reolau ond o gymeriad a rhinweddau personol y mae unigolyn yn eu dangos yn ei ymddygiad. Mae damcaniaeth rhinwedd i gyd yn ymwneud â sut gall unigolyn ddatblygu'r 'cymeriad' (*ethos*) cywir er mwyn ymddwyn yn rhinweddol, ac felly, mewn ffordd sy'n foesol gywir.

Dyfyniadau allweddol

Mae gan bobl resymau amlwg dros wneud yr hyn sy'n gywir, oherwydd gellir dadlau bod gwneud yr hyn sy'n gywir yn fwy tebygol o arwain at eu hapusrwydd. Mae moesoldeb a hapusrwydd personol wedi eu plethu gyda'i gilydd. (Cave)

Mae Aristotle yn dweud wrthym fod y llesiant neu'r *eudaimonia* sy'n dda i ddyn yn weithgaredd sy'n cyd-fynd â rhinwedd ... gall rhywun wneud neu ddangos rhy ychydig neu ormod o rywbeth, gall rhywun fynd yn rhy bell neu ddim yn ddigon pell; mae'r hyn sy'n gwneud y swm cywir, y dewis rhinweddol, yn cael ei bennu fel byddai'r dyn o ddoethineb ymarferol yn ei bennu; ac ef yw'r dyn sy'n dda am ddewis y modd o gyrraedd diben *eudaimonia*. (Mackie)

Termau allweddol

Arete: gair Groeg sy'n golygu rhinwedd

Ethos: gair Groeg mae Aristotle yn ei ddefnyddio am gymeriad person

Eudaimonia: gair Groeg mae Aristotle yn ei ddefnyddio i ddiffinio diben bywyd dynol, sef hapusrwydd, ffyniant neu foddhad

Hexis: gair Groeg mae Aristotle yn ei ddefnyddio am ffordd person o ymddwyn

Cynnwys y fanyleb

Rhinweddau moesol Aristotle (yn seiliedig ar brinder; gormodedd a'r cymedr).

Rhinweddau moesol Aristotle

Mae'r gair Groeg *eudaimonia* yn allweddol ar gyfer deall damcaniaeth rhinwedd. I Aristotle, roedd y gair yn golygu hapusrwydd neu 'lesiant' yn yr ystyr o fod yn llwyddiannus neu'n fodlon. Fodd bynnag, nid yw'n natur fel rhinwedd ond yn hytrach yn weithgaredd gan y person rhinweddol. *Eudaimonia* yw'r hyn a gynhyrchir yn y diwedd, canlyniad bod yn rhinweddol.

Nod damcaniaeth rhinwedd, felly, yw creu'r bywyd da, bod yn hapus ac yn fodlon drwy feithrin rhinweddau (*arete*). Weithiau mae hyn yn cael ei alw yn foeseg aretaig. Mae *eudaimonia* yn rhan annatod o bopeth rhinweddol rydyn ni'n ei wneud yn ein bywydau. Yn hytrach na bod yn rhyw fath o sylwedd haniaethol i'w ddefnyddio, 'mae hapusrwydd yn weithgaredd o'r enaid sy'n cyd-fynd â rhinwedd' yn ôl yr athronydd Roger Scruton; hynny yw, mae'n ymwneud fwy â 'gwneud' nag â 'bod'. Mae hyn yn arwyddocaol iawn oherwydd bod y natur orau ar gyfer *eudaimonia* yn cyd-fynd ag ymddygiad rhinweddol. Nod damcaniaeth rhinwedd yw meithrin natur rinweddol sy'n arwain at *eudaimonia* drwy weithredoedd rhinweddol.

Sail damcaniaeth rhinwedd yw llyfr Aristotle *The Nicomachean Ethics*, ond mae tarddiad y ddamcaniaeth ynghlwm wrth olwg gyfan Aristotle am y bydysawd, y pedwar achos a'r syniad o deleoleg (nod eithaf).

Mae *eudaimonia*, felly, yn cynnwys y syniad o lesiant, 'heddwch', ac ewyllys da i bawb ond hefyd mae'n cynnwys y bywyd da corfforol. Mae damcaniaeth rhinwedd Aristotle yn athroniaeth holistig y mae'n rhaid bod ganddi gyd-destun cymdeithasol a'r canlyniad terfynol o alluogi pobl i fyw gyda'i gilydd.

Yn gyffredinol, mae tair agwedd ar hapusrwydd yn ôl Aristotle: (1) bywyd o fwynhad, (2) bywyd gyda rhyddid, a (3) bod yn athronydd (bywyd o fyfyrio a meddwl). Y rhinwedd bwysicaf oll, doethineb, yw prif nodwedd person sy'n gallu

Dyfyniad allweddol

Credir bod pob celfyddyd a phob ymchwiliad, ac yn yr un modd pob gweithred a chais, yn anelu at ryw ddaioni; ac am y rheswm hwn dywedwyd yn gywir mai daioni yw'r hyn y mae pob peth yn anelu ato. (Aristotle)

Dyfyniad allweddol

Mae hapusrwydd yn golygu'r cyflwr cyffredinol o foddhad neu 'lwyddiant'. Mae'n wirion gofyn pam dylen ni fynd ar ei drywydd, gan mai llwyddiant neu foddhad yw bwriad pob gweithred. (Scruton)

Dyfyniad allweddol

Mae hapusrwydd, felly, yn rhywbeth terfynol a hunangynhaliol, a dyma yw diben gweithred. (Aristotle)

cynnal y tair agwedd. Nid yw'n hawdd ennill doethineb o'r fath ac nid yw cyflawni bywyd da yn hawdd na chyflym. Fel mae Aristotle yn ei ddweud, 'Ond mae'n rhaid i ni ychwanegu "mewn bywyd cyflawn". Oherwydd un wennol ni wna wanwyn, ac nid un diwrnod chwaith; ac felly hefyd nid yw un diwrnod, neu gyfnod byr, yn gwneud dyn yn ddedwydd nac yn hapus.'

Gweithgaredd AA1

Rhowch gynnig ar ysgrifennu disgrifiad byr o dref ddychmygol o'r enw *Eudaimonia*. Yn eich disgrifiad ysgrifennwch y nodweddion delfrydol sy'n sicrhau ei bod yn *Eudaimonia*!

Awgrym astudio

Dylai unrhyw ateb mewn arholiad ddewis y pwyntiau perthnasol allweddol bob tro, hynny yw y wybodaeth addas sy'n berthnasol i ffocws y cwestiwn. Ceisiwch esbonio'r pwyntiau yn eich geiriau eich hun. Mae hyn yn dangos dealltwriaeth fwy personol neu 'berchnogaeth' o'r wybodaeth.

cwestiwn cyflym

1.7 Beth mae damcaniaeth rhinwedd yn ymwneud ag ef?

cwestiwn cyflym

1.8 Pam nad yw damcaniaeth rhinwedd yn ymwneud â rheolau?

cwestiwn cyflym

1.9 Pam mae'r gair *eudaimonia* yn bwysig?

cwestiwn cyflym

1.10 Ble gallwn ni ddod o hyd i syniadau Aristotle am ddamcaniaeth rhinwedd?

Rhinweddau moesol a deallusol

Aristotle 384–322 CCC

Ysgrifennodd Aristotle, 'Gan fod hapusrwydd yn weithgaredd yr enaid yn unol â rhinwedd berffaith, rhaid i ni ystyried natur rhinwedd; oherwydd drwy hynny efallai byddwn ni'n gweld natur hapusrwydd yn well.' Mae'r term Groeg '*arete*' yn golygu 'rhinwedd' ond mae hefyd yn cyfleu ystyr rhagoriaeth foesol, rhagoriaeth ddeallusol a hefyd rhagoriaeth gorfforol. Rhinwedd yw'r syniad o sut dylen ni fod neu fod yn 'addas i bwrpas'.

Yn ôl Aristotle, mae yna ddau fath o rinwedd: moesol a deallusol. Rydyn ni'n cael y rhinweddau moesol drwy arfer ac yn eu datblygu drwy ymarfer. Mewn cyferbyniad, rydyn ni'n datblygu'r rhinweddau deallusol drwy addysg.

Y rhinweddau moesol sy'n cael eu trafod gan Aristotle yw:

1. Dewrder
2. Cymedroldeb
3. Rhyddfrydedd
4. Haelioni
5. Balchder (uchelfrydig, yn gysylltiedig ag anrhydedd)
6. Uchelgais gywir neu briodol
7. Amynedd
8. Gonestrwydd
9. Ffraethineb
10. Cyfeillgarwch
11. Gwyleidd-dra
12. Dicter cyfiawn.

Mae'r rhinweddau deallusol sy'n cael eu trafod gan Aristotle yn cynnwys:

1. Deallusrwydd neu fewnwelediad
2. Gwybodaeth wyddonol drwy ddangos a dod i gasgliad
3. Doethineb
4. Ymdrech artistig drwy arweiniad rheswm
5. Pwyll, h.y. dealltwriaeth o ddaioni, neu synnwyr cyffredin i wneud y dewis cywir.

Unwaith eto, mae'n bwysig nodi nad yw rhinweddau o'r fath yn hawdd eu dysgu ond yn hytrach rhaid eu meithrin yn ofalus. Mae Aristotle yn cymharu datblygu rhinweddau o'r fath â 'braslun' sy'n datblygu'n raddol yn ddarlun.

Dyfyniad allweddol

Mae rhinwedd hefyd yn gallu cael ei dosbarthu yn fathau yn unol â'r gwahaniaeth hwn; oherwydd rydyn ni'n dweud bod rhai o'r rhinweddau yn ddeallusol ac eraill yn foesol. Mae doethineb a dealltwriaeth athronyddol a doethineb ymarferol yn ddeallusol, ond mae rhyddfrydedd a chymedroldeb yn foesol. (Aristotle)

Dyfyniad allweddol

Mae dau fath o rinwedd felly, deallusol a moesol. Mae rhinwedd ddeallusol yn y bôn yn ddyledus am ei eni a'i dwf i addysgu (ac oherwydd hyn y mae angen profiad ac amser), ond mae rhinwedd foesol yn dod o ganlyniad i arfer. Ac mae ei enw (*ethike*) yn un a ffurfir drwy amrywiad bach ar y gair *ethos* (arfer). (Aristotle)

Mantol cyfiawnder

Mae Aristotle hefyd yn neilltuo un bennod o'i lyfr i rinwedd 'cyfiawnder', ond mae'n amlwg, er ei fod yn gyflwr rhinweddol, ei fod yn fwy o ganlyniad cyffredinol i ymddygiad rhinweddol fel y cyfryw. Mae'n ysgrifennu: 'Nid yw cyfiawnder yn yr ystyr hwn, felly, yn rhan o rinwedd ond yn rhinwedd yn ei chyfanrwydd, ac nid yw'r gwrthwyneb, anghyfiawnder, chwaith yn rhan o ddrygioni ond yn ddrygioni yn ei gyfanrwydd. Mae'r gwahaniaeth rhwng rhinwedd a chyfiawnder yn yr ystyr hwn yn amlwg o'r hyn rydyn ni wedi ei ddweud. Yr un peth ydyn nhw, ond nid yr un peth yw eu hanfod; yr hyn, mewn perthynas â'ch cymydog, sy'n gyfiawnder yw, fel rhyw fath o gyflwr heb amod, rhinwedd.'

cwestiwn cyflym

1.11 Esboniwch sut mae rhinwedd foesol yn wahanol i rinwedd ddeallusol.

cwestiwn cyflym

1.12 Pam mae cyfiawnder yn rhinwedd bwysig i Aristotle?

Awgrym astudio

Mae'r adran hon yn llawn o gysyniadau newydd. Wrth adolygu, yn hytrach na dim ond gwneud rhestr o eiriau allweddol, ceisiwch newid y rhestr yn siart llif sy'n cysylltu pob agwedd ar y pwnc gyda'i gilydd. Weithiau mae ymgeiswyr yn dechrau esbonio un peth ac yna'n mynd ar grwydr ac yn symud i ffwrdd o ffocws y cwestiwn. Cadwch eich meddwl ar y cwestiwn.

Dyfyniad allweddol

Mae rhinwedd, felly, yn gyflwr cymeriad sy'n ymwneud â dewis, yn gorwedd mewn cymedr ... Yn awr mae'n gymedr rhwng dau ddrygioni, yr un sy'n dibynnu ar ormodedd a'r llall sy'n dibynnu ar brinder; ac eto mae'n gymedr gan fod y pethau drwg yn syrthio'n brin neu'n mynd y tu hwnt i'r hyn sy'n gywir mewn nwydau a gweithredoedd, ond mae rhinwedd yn dod o hyd i ac yn dewis yr hyn sy'n ganolraddol. Felly o safbwynt ei sylwedd a'r diffiniad sy'n datgan ei hanfod, cymedr yw rhinwedd, o ran yr hyn sydd orau a chywir ac eithafol. (Aristotle)

Dysgeidiaeth Aristotle am y cymedr

I Aristotle, roedd meithrin rhinweddau yn golygu cydbwyso'r ddau eithaf, sef gormodedd a phrinder. Roedd pob eithaf yn dod â rhyw ddrygioni cysylltiedig. Nid yw cydbwyso'r rhinweddau a chyrraedd y cymedr yn dasg hawdd: 'Felly hefyd nid yw bod yn dda yn dasg hawdd. Oherwydd ym mhopeth nid tasg hawdd yw dod o hyd i'r canol' (Aristotle).

Mae dysgeidiaeth Aristotle am y cymedr yn cynhyrchu tri math o berson:

1. Y ***sophron*** sy'n byw'n naturiol yn y cymedr heb ymdrech.
2. Yr ***enkrates*** sy'n cael ei demtio ond sy'n meddu ar ewyllys ddigon cryf i fyw yn y cymedr.
3. Yr ***akrates*** ('person heb ewyllys neu berson dibenderfyniad') sy'n wan ac sy'n methu â byw yn y cymedr drwy oresgyn temtasiwn y pethau drwg. Mae cymeriad o'r fath yn ôl Aristotle yn anymataliol (***akrasia***).

Mae'n bosibl crynhoi disgrifiad Aristotle o'r cymedr yn y tabl canlynol:

Drygioni sy'n gysylltiedig â gormodedd	Cymedr (rhinwedd)	Drygioni sy'n gysylltiedig â phrinder
Byrbwylltra	Dewrder	Llwfrdra
Anlladrwydd	Cymedroldeb	Diffyg teimlad
Afradlondeb	Rhyddfrydedd	Culni
Fwlgariaeth	Haelioni	Bychandra
Rhodres	Balchder/Uchelfrydedd	Gostyngeiddrwydd
Gor-uchelgais	Uchelgais briodol	Diffyg uchelgais
Ymffrost	Gonestrwydd	Dweud rhy ychydig
Gwylltineb	Amynedd	Diffyg ysbryd
Ffwlbri	Ffraethineb	Anfoesgarwch
Gwaseidd-dra	Cyfeillgarwch	Natur groes
Swildod	Gwyleidd-dra	Digywilydd-dra
Cenfigen/malais	Dicter cyfiawn	Mwynhad maleisus/ dideimladrwydd

Termau allweddol

Akrasia: anymataliol, hynny yw, diffyg ymatal ac yn ddi-reolaeth

Akrates: rhywun sy'n ddibenderfyniad ac yn cael ei oresgyn gan bethau drwg

Enkrates: rhywun sy'n cael ei demtio ond sy'n gryf, ac yn byw yn y cymedr

Sophron: rhywun sy'n byw yn y cymedr yn ddiymdrech

Pythagoras tua 570–tua 495 CCC

Yn ôl nifer o esbonwyr Aristotle, mae pedair prif rinwedd sydd fwyaf pwysig i Aristotle: cymedroldeb; dewrder; ynghyd â chyfiawnder; a doethineb. Roedd y rhinweddau hyn yn cael eu hystyried fel y rhai pwysicaf er mwyn i gymeriad ddatblygu. Doethineb yw'r rhinwedd sy'n eu rheoli a'u gyrru i gyd, gan gynhyrchu canlyniad moesol rinweddol neu 'gyfiawn' yn naturiol.

Nid yw'n syndod, felly, mai pleidiwr mwyaf rhinwedd, yn ôl Aristotle, yw'r athronydd (*philosopher* yn Saesneg), sef yr un sy'n mynd ar drywydd y 'cariadus' (*philos*) a'r 'doeth' (*sophos*). Defnyddiwyd yr ymadrodd hwn gyntaf gan Pythagoras, yr athronydd a'r mathemategwr o'r Hen Roeg, i'w ddisgrifio ei hun.

Dyfyniad allweddol

Ni fydd doethineb, o'i ddysgu'n drwyadl, byth yn cael ei anghofio. (Pythagoras)

Dyfyniad allweddol

Mae'n well bod yn ddistaw na dadlau â'r Anwybodus. (Pythagoras)

Dyfyniad allweddol

Peidiwch â dweud ychydig mewn llawer o eiriau ond dywedwch lawer mewn ychydig o eiriau. (Pythagoras)

Gweithgaredd AA1

Mae'r tabl rhinweddau gyferbyn yn cynnwys rhai geiriau technegol iawn i ddisgrifio nodweddion penodol. Ceisiwch ddod o hyd i eiriau eraill, symlach i ddisgrifio pob un. Bydd hyn yn eich helpu i ddod yn gyfarwydd â nhw. Er na fydd yn rhaid i chi wybod pob un ohonynt, mae'n werth bod yn gyfarwydd â rhai er mwyn eu defnyddio fel enghreifftiau mewn ateb.

Awgrym astudio

Wrth drafod damcaniaeth rhinwedd, peidiwch â rhestru'r rhinweddau yn unig, ond byddwch yn ddetholus gan ddefnyddio tri chymeriad Aristotle i'w henghreifftio. Mae rhai ymgeiswyr yn cymysgu'r rhinweddau a'r pethau drwg, yn enwedig gan fod Aquinas yn rhestru balchder fel un o'r saith pechod.

Dysgeidiaeth Iesu ar rinweddau

Cynnwys y fanyleb

Dysgeidiaeth Iesu ar rinweddau (y Gwynfydau).

Ceir hanes hir o annog rhinweddau yn y traddodiad Cristnogol, a gellir olrhain llawer ohono yn ôl i'r Hen Destament a gweithiau fel Llyfr y Pregethwr yn arbennig. Er bod llawer o bobl yn draddodiadol yn cysylltu Cristnogaeth a'i dysgeidiaeth â rheolau a gorchmynion, yn y Bregeth ar y Mynydd, sydd i'w chael yn Efengyl Mathew penodau 5–7, mae'r adran gyntaf yn dechrau gyda Iesu'n hyrwyddo rhinweddau mewnol penodol.

Term allweddol

Gwynfyd: bendith wedi ei rhoi gan Iesu am rai rhinweddau personol

Dyfyniad allweddol

Wrth edrych arno yn erbyn cefndir moeseg Roegaidd, mae'r gwerth cadarnhaol y mae Cristnogaeth yn ei roi i rinweddau fel addfwynder a gostyngeiddrwydd, mewn cyferbyniad ag ymwthgarwch a llwyddiant bydol, yn fwy trawiadol byth. Dyma thema ganolog y Bregeth ar y Mynydd gan Iesu, sy'n dechrau gyda'r Gwynfydau. **(Norman)**

Dyfyniad allweddol

Y mae ysbryd yr Arglwydd Dduw arnaf, oherwydd i'r Arglwydd fy eneinio i gyhoeddi newyddion da i'r tlodion, a chysuro'r toredig o galon; i gyhoeddi rhyddid i'r caethion, a rhoi gollyngdod i'r carcharorion; i gyhoeddi blwyddyn ffafr yr Arglwydd a dydd dial ein Duw ni; i ddiddanu pawb sy'n galaru, a gofalu am alarwyr Seion; a rhoi iddynt goron yn lle lludw, olew llawenydd yn lle galar, mantell moliant yn lle digalondid. Gelwir hwy yn brennau cyfiawnder wedi eu plannu gan yr Arglwydd i'w ogoniant. **(Eseia 61:1–3)**

Dyfyniad allweddol

Chwe pheth sy'n gas gan yr Arglwydd, saith peth sy'n ffiaidd ganddo: llygaid balch, tafod ffals, dwylo'n tywallt gwaed dieuog, calon yn cynllunio oferedd, traed yn prysuro i wneud drwg, gau dyst yn dweud celwydd, ac un sy'n codi cynnen rhwng perthnasau. **(Diarhebion 6:16–19)**

Mae pob rhinwedd yn cael ei hystyried yn 'wynfydedig' ac mae iddi wobr ysbrydol gyfatebol. Mae Iesu'n bendithio drwy roi clod a chadarnhad gan gydnabod y natur rinweddol sy'n cael ei dangos. Mae'r testun yn darllen:

'Gwyn eu byd y rhai sy'n dlodion yn yr ysbryd, oherwydd eiddynt hwy yw teyrnas nefoedd. Gwyn eu byd y rhai sy'n galaru, oherwydd cânt hwy eu cysuro. Gwyn eu byd y rhai addfwyn, oherwydd cânt hwy etifeddu'r ddaear. Gwyn eu byd y rhai sy'n newynu a sychedu am gyfiawnder, oherwydd cânt hwy eu digon. Gwyn eu byd y rhai trugarog, oherwydd cânt hwy dderbyn trugaredd. Gwyn eu byd y rhai pur eu calon, oherwydd cânt hwy weld Duw. Gwyn eu byd y tangnefeddwyr, oherwydd cânt hwy eu galw'n blant Duw. Gwyn eu byd y rhai a erlidiwyd yn achos cyfiawnder, oherwydd eiddynt hwy yw teyrnas nefoedd.'

(Mathew 5:3–12)

Felly y rhinweddau a nodir gan Iesu yw: tlawd yn yr ysbryd; yn galaru; addfwyn; yn newynu a sychedu am gyfiawnder; trugaredd; pur eu calon; tangnefeddwyr; a'r rhai sy'n cael eu herlid yn achos cyfiawnder.

Bu'r rhinweddau yn destun cryn dipyn o drafodaeth ddiwinyddol dros y canrifoedd. Mae rhai ysgolheigion yn eu gweld fel adleisiau o Eseia 61:1–3 sy'n cyfeirio at ryddid o dlodi, torcalon, caethiwed a galar, ac yn datgan gobaith i'r cyfiawn sy'n anobeithio a chysur i'r rhai sy'n galaru. Neu, gellir eu hystyried fel y gwrthwyneb i Ddiarhebion 6:16–19 sy'n disgrifio'r cymeriad anghyfiawn. Mae llawer o ffyrdd gwahanol o ddeall y rhain, ond dyma grynodeb cyffredinol o safbwyntiau am ystyr pob un.

Rhinwedd	Ystyr
Tlawd yn yr ysbryd	Mae'r term tlawd yn yr ysbryd yn cael ei ddehongli'n aml fel dealltwriaeth o dlodi mewn perthynas â'r person cyfan; hynny yw, corfforol, meddyliol ac ysbrydol. Er enghraifft, y rheini sydd o dan orthrwm, wedi'u caethiwo, neu â'u hawliau wedi'u cymryd oddi wrthynt. Mae pobl felly yn wylaidd gerbron Duw. Mae hyn hefyd yn cynnwys y rheini sy'n 'dlawd yn yr ysbryd' drwy ymwybyddiaeth o'u diffyg pwysigrwydd, eu hanobaith a'u diymadferthedd gerbron Duw.
Galaru	Mae'r syniad o 'alaru' yn ymestyn y tu hwnt i'r pryder uniongyrchol am golli rhywun annwyl i gynnwys colli eiddo, statws, neu hyd yn oed iechyd. Dyma'r cyflwr o gydnabod pryder a gofid am y sefyllfa bresennol o fod wedi'ch gwahanu oddi wrth Dduw. Mae hefyd yn 'alaru' am gyflwr yr holl fyd yn gyffredinol.
Addfwyn	Nid gwendid yw addfwynder ond yn hytrach ddisgrifiad o ddisgyblaeth a hunanreolaeth gan ddangos natur dyner tuag at eraill.
Newynu a sychedu am gyfiawnder	Mae hyn yn cael ei ddeall yn aml fel awydd am ganlyniad rhinweddol cyfiawnder mewn bywyd mewn perthynas â theyrnas Dduw. Mae'n aml yn cael ei ddeall fel disgrifio'r rhinwedd o chwilio am gyfiawnder neu degwch mewn ystyr personol, ysbrydol, cymdeithasol a byd-eang.
Trugaredd	Drwy ostyngeiddrwydd ac ymwybyddiaeth o drugaredd Duw, caiff Cristnogion eu hannog i ddangos trugaredd at eraill, nid oherwydd bod hyn yn dod â thrugaredd Duw yn wobr, ond oherwydd ei bod yn natur rinweddol ynddi'i hun.

Rhinwedd	Ystyr
Pur eu calon	Mae'n cael ei ddeall yn aml fel didwylledd cymeriad sy'n ewyllysio ac yn pennu'r dewisiadau a'r penderfyniadau cywir mewn bywyd heb eu llygru gan ddymuniadau hunanol.
Tangnefeddwyr	Wedi'i briodoli'n draddodiadol i rôl y Meseia, mae'r rheini sy'n ei ddilyn ac yn gweithio dros heddwch mewn byd o wrthdaro yn gwir werthfawrogi natur teyrnas Dduw.
Wedi'u herlid yn achos cyfiawnder	Mae cymeriad o'r fath yn dangos parodrwydd i ddioddef dros egwyddorion crefyddol a moesol ond ar yr un pryd yn dangos penderfyniad sylfaenol i oroesi a sefyll dros yr hyn sy'n gywir er gwaetha'r rhwystrau.

cwestiwn cyflym

1.13 Ble yn yr Hen Destament gallwn ni ddod o hyd i enghreifftiau o annog rhinweddau?

Gweithgaredd AA1

Edrychwch ar rinweddau Aristotle a'r rheini a roddwyd gan Iesu. A oes unrhyw debygrwydd? A oes gwahaniaethau? Ysgrifennwch rai ohonyn nhw.

Awgrym astudio

Mae bob amser yn dda gallu dyfynnu o destunau crefyddol mewn ateb i gefnogi eich esboniad neu'ch dadl. Mae'r Gwynfydau'n eithaf hir ond ceisiwch eu byrhau fel eu bod nhw'n fwy defnyddiol fel dyfyniadau.

Iesu'n traddodi'r Bregeth ar y Mynydd (darlun gan Carl Heinrich Bloch)

Cynnwys y fanyleb

Heriau: nid canllaw ymarferol ar gyfer ymddygiad moesol yw rhinweddau; materion yn ymwneud â pherthynoliaeth ddiwylliannol (nid yw'r syniadau ynglŷn â rhinweddau da yn rhai byd-eang); gellir defnyddio rhinweddau ar gyfer gweithredoedd anfoesol.

Dyfyniad allweddol

Mae ganddo'r holl rinweddau rwy'n eu casáu a dim un o'r beiau rwy'n eu hedmygu. (Churchill)

Dyfyniad allweddol

Rydyn ni'n rhoi gwerth i rinwedd ond dydyn ni ddim yn ei thrafod. Mae'r cyfrifydd gonest, y wraig ffyddlon, y myfyriwr diwyd yn cael ychydig iawn o'n sylw ni o'u cymharu â'r embeslwr, y trempyn, y twyllwr. (Steinbeck)

Arwr rhyfel yn gwisgo ei fedalau

Heriau i ddamcaniaeth rhinwedd

Mae'n bosibl gweld damcaniaeth rhinwedd fel ffordd amgen a deniadol o fynd ar drywydd safonau moesegol. Er bod y rhinweddau yn canolbwyntio ar yr hunan, maen nhw mewn gwirionedd yn 'ystyried pobl eraill'. Er iddi ddechrau gyda'r hunan, mae damcaniaeth rhinwedd yn symud ymlaen wedyn i ddatblygu cymeriad sy'n ymateb orau i eraill ac felly yn adeiladu cymuned ddelfrydol. Mae cyd-destun cymdeithasol cryf, felly, i ddamcaniaeth rhinwedd ac yn y ffordd hon mae'n bosibl ei hystyried yn system ymarferol iawn. Mae'n canolbwyntio ar y ffordd rydyn ni'n ymddwyn ac nid yn syml ar yr hyn rydyn ni'n credu y dylen ni ei wneud!

Yn ychwanegol, mae'r person rhinweddol yn esiampl o gymeriad da, ac felly mae gan ddamcaniaeth rhinwedd egwyddorion arweiniol clir. Mae hefyd yn cydnabod y ffaith fod esiamplau o'r fath (athronwyr) yn gallu bod yn fodelau rôl da. Yn wir, dadleuodd Aristotle fod y doethineb a ddefnyddir i weithredu a chyflwyno cyfiawnder ar gyfer cymdeithas yn sicrhau ei fod yn gweithio ac nad yw'n oddrychol.

Gallai damcaniaeth rhinwedd hefyd apelio at feddylwyr ffeministaidd fel dull amgen i'r rheolau a'r dyletswyddau sydd, yn ôl rhai, yn ffordd ystrydebol wrywaidd o edrych ar fywyd. Mae'r rhan fwyaf o'r systemau sydd ar waith wedi cael eu dyfeisio gan ddynion, ar gyfer dynion.

Er gwaethaf amrywiol agweddau atyniadol damcaniaeth rhinwedd, mae heriau hefyd wedi cael eu codi.

Y brif broblem gyda damcaniaeth rhinwedd fel system yw nad yw'n syrthio'n gyfleus i mewn i gategori 'deontolegol' neu 'deleolegol' oherwydd ei ffocws ar nodweddion person. Serch hynny, mae ei chysylltiadau ag Aristotle ac Aquinas wedi arwain rhai i holi ai math o'r Ddeddf Naturiol ydyw mewn gwirionedd. Mae eraill yn ei hystyried yn fwy 'teleolegol' o ganlyniad i'w ffocws ar gyrraedd *eudaimonia*.

Ceir heriau mwy penodol hefyd.

Nid canllaw ymarferol ar gyfer ymddygiad moesol yw rhinweddau

Fel system, mae'n bosibl dadlau bod damcaniaeth rhinwedd yn fympwyol, amwys ac annelwig oherwydd bod ganddi ddiffyg ffocws ar ymddygiad go iawn mewn sefyllfaoedd pob dydd. Mae angen mwy o arweiniad os yw'n mynd i fod yn effeithiol fel system foesol.

Mae damcaniaeth rhinwedd hefyd yn dibynnu'n ormodol ar ddaioni posibl pobl eraill. Mae'n ddiniwed yn hyn o beth, ac mae ganddi ymddiriedaeth ddiamod nad yw'n caniatáu rheoli cyffredinol na rheoli ansawdd gan unigolyn. Yn y bôn, mae'n rhy unigolyddol oherwydd ei bod yn delio'n bennaf â'r unigolyn ac felly nid yw'n ymarferol i'r gymdeithas gyfan.

Yn gyffredinol, mae'n ymddangos yn rhy gymhleth i lawer o fodau dynol ei chymhwyso; roedd hyd yn oed Aristotle yn cydnabod nad oes gan bawb yr un gallu i wrthsefyll drygioni.

Perthynoliaeth ddiwylliannol a defnyddio rhinweddau ar gyfer gweithredoedd anfoesol

A yw rhinweddau'n bodoli mewn gwirionedd? Er enghraifft, mae amrywiol raddau o ymddygiad, ac mae enghreifftiau amlwg yn hanes y byd pan gaiff rhinwedd un gymdeithas ei hystyried yn ddrygioni cymdeithas arall.

Er enghraifft, ystyriwch ddewrder fel rhinwedd. Gallai dewrder olygu goddef anghyfiawnder ac erledigaeth mewn un gymdeithas neu system gred, ond mewn cymdeithas arall gallai olygu cymryd rhan weithredol wrth herio'r gormes er mwyn amddiffyn eich hawliau eich hun. Mae rhyfelwyr wedi cael eu canmol yn aml am eu dewrder. Mae nifer mawr o enghreifftiau eraill sy'n gysylltiedig â rhinweddau eraill.

Fel system gall damcaniaeth rhinwedd ei gwrth-ddweud ei hun – os oes gwahaniaethau wrth fynegi rhinwedd, yna pa un yw'r un gywir i'w dewis? Mae'n oddrychol iawn.

Yn wir, mae rhai wedi dadlau bod damcaniaeth rhinwedd yn hunanganolog; er enghraifft, gellir deall y syniad o lesiant fel hunan-les neu, o leiaf, mae'r potensial yno i'w ddehongli fel hyn. Yng ngoleuni hyn does dim sicrwydd y bydd canlyniad moesol i weithred un asiant gan nad yw wir yn ystyried y canlyniadau i bobl eraill.

Datblygu sgiliau AA1

Nawr mae'n bryd ystyried y wybodaeth sydd wedi'i chyflwyno hyd yma. Hefyd mae'n bwysig ystyried sut mae'r hyn rydych chi wedi'i ddysgu hyd yma'n gallu cael ei ddefnyddio ar gyfer atebion arholiad drwy ymarfer y sgiliau sy'n gysylltiedig ag AA1.

Mae Amcan Asesu 1 (AA1) yn ymwneud â dangos gwybodaeth a dealltwriaeth. Mae'r termau 'gwybodaeth' a 'dealltwriaeth' yn amlwg ond mae'n hanfodol eich bod yn gyfarwydd â sut mae sgiliau penodol yn dangos y rhain, a hefyd, sut bydd eich perfformiad ym mhob un o'r sgiliau hyn yn cael ei fesur (gweler disgrifyddion band cyffredinol Band 5 ar gyfer AA1 UG).

▶ **Dyma eich tasg newydd:** o'r rhestr o ddeg pwynt allweddol isod, dewiswch y chwe phwynt pwysicaf yn eich barn chi wrth ateb y cwestiwn uwchben y rhestr. Rhowch eich pwyntiau yn nhrefn blaenoriaeth, gan esbonio pam mai dyma'r chwe agwedd bwysicaf ar y pwnc hwnnw y dylech sôn amdanyn nhw. Bydd y sgìl hwn, sef blaenoriaethu a dewis deunydd priodol, yn eich helpu wrth ateb cwestiynau arholiad ar gyfer AA1.

Ffocws ar amlinellu'r heriau i ddamcaniaeth rhinwedd.

1. Y brif broblem gyda damcaniaeth rhinwedd fel system yw nad yw'n syrthio'n gyfleus i mewn i gategori 'deontolegol' neu 'deleolegol' oherwydd ei ffocws ar nodweddion person.
2. Mae ei chysylltiadau ag Aristotle ac Aquinas wedi arwain rhai i holi ai math o'r Ddeddf Naturiol ydyw mewn gwirionedd ac felly a yw'n system deleolegol yn ei hanfod neu beidio.
3. Mae damcaniaeth rhinwedd yn 'deleolegol' oherwydd ei ffocws ar gyrraedd *eudaimonia* ac mae hyn o bosibl yn ei gwneud yn oddrychol.
4. Gellir dadlau bod damcaniaeth rhinwedd yn fympwyol, amwys ac annelwig oherwydd bod ganddi ddiffyg ffocws ar ymddygiad go iawn mewn sefyllfaoedd pob dydd.
5. Ychydig iawn o arweiniad ymarferol sydd gan ddamcaniaeth rhinwedd.
6. Ychydig iawn o reoli ansawdd sydd gan ddamcaniaeth rhinwedd o ran penderfynu beth sy'n ymddygiad cywir, ac felly'n ymddygiad da.
7. Mae damcaniaeth rhinwedd yn rhy ddibynnol ar ddaioni pobl eraill.
8. Mae damcaniaeth rhinwedd yn gosod gormod o ffocws ar yr unigolyn ac mae'n bosibl ei chyhuddo o fod yn rhy hunanganolog.
9. Mae'n system rhy gymhleth a deallus i bawb a dim ond i'r athronydd mae'n berthnasol.
10. A oes y fath beth â rhinweddau mewn gwirionedd?

Sgiliau allweddol

Mae gwybodaeth yn ymwneud â:

Dewis ystod o wybodaeth (drylwyr) gywir a pherthnasol sydd â chysylltiad uniongyrchol â gofynion penodol y cwestiwn.

Mae hyn yn golygu eich bod yn dewis y wybodaeth gywir sy'n berthnasol i'r cwestiwn a osodwyd NID y maes pwnc. Bydd angen i chi feddwl a chanolbwyntio ar ddewis gwybodaeth allweddol ac NID ysgrifennu popeth yr ydych chi'n ei wybod am y maes pwnc.

Mae dealltwriaeth yn ymwneud ag:

Esboniad helaeth, gan ddangos dyfnder a/neu ehangder gyda defnydd rhagorol o dystiolaeth ac enghreifftiau gan gynnwys (lle y bo'n briodol) defnydd trylwyr a chywir o destunau cysegredig, ffynonellau doethineb a geirfa arbenigol.

Mae hyn yn golygu y gallwch ddangos eich bod yn deall rhywbeth drwy egluro ac ehangu eich pwyntiau gan ddefnyddio enghreifftiau/tystiolaeth gefnogol mewn ffordd bersonol ac NID ailadrodd darnau o werslyfr (sef dysgu ar y cof).

Cymhwyso sgiliau ymhellach:

Ar ôl i chi wneud eich dewisiadau a dewis eich gwybodaeth, cymharwch nhw â myfyriwr arall. Edrychwch i weld a allwch chi ar y cyd benderfynu ar chwech a'u trefn gywir, y tro hwn, yn ddilyniant ar gyfer ateb cwestiwn.

Mae'r adran hon yn cwmpasu cynnwys a sgiliau AA2

Cynnwys y fanyleb

A yw bod yn berson da yn well na gwneud gweithredoedd da yn unig.

Gweithgaredd AA2
Dadleuon posibl

Wedi'u rhestru isod mae rhai casgliadau y byddai'n bosibl dod iddynt ar sail rhesymeg AA2 yn y testun cysylltiedig:

1. Gall unrhyw un wneud gweithredoedd da ond nid yw pawb yn ddiffuant.
2. Mae datblygu cymeriad da yn bwysicach na gwneud gweithredoedd da.
3. Nid yw'n bosibl gwahanu gweithredoedd da a chymeriad da.
4. Gwneud gweithredoedd da yw'r flaenoriaeth ac eilbeth i hyn yw datblygu cymeriad da.
5. Datblygu rhinweddau yw'r unig ffordd o wneud gweithredoedd da yn gyson.

Ystyriwch bob un o'r casgliadau sy'n cael eu gwneud uchod a chasglwch dystiolaeth ac enghreifftiau i gefnogi pob dadl o'r deunydd AA1 ac AA2 a astudiwyd yn yr adran hon. Dewiswch un casgliad sy'n argyhoeddi fwyaf yn eich barn chi ac esboniwch pam mae hyn yn wir. Nawr cyferbynnwch hyn â'r casgliad gwannaf ar y rhestr, gan gyfiawnhau eich dadl gyda rhesymu clir a thystiolaeth.

Materion i'w dadansoddi a'u gwerthuso

A yw bod yn berson da yn well na gwneud gweithredoedd da yn unig

Y prif fater i'w drafod yma yw'r her mae'r honiad hwn yn ei chyflwyno i safbwyntiau traddodiadol am foesoldeb – hynny yw, y safbwynt mai moesoldeb yw dilyn cyfres o gyfarwyddiadau a chodau ymddygiad i ddod yn foesol a bod yn berson da. Yn ôl damcaniaeth rhinwedd, mae hyn yn gor-symleiddio pethau ac mae bod yn berson da yn golygu llawer mwy na hyn.

Y broblem ganolog gyda'r syniad fod gwneud gweithredoedd da yn gwneud rhywun yn berson da yw nad yw dilyn rheolau yn unig yn llesol i 'gymeriad'. Mewn geiriau eraill, mae dealltwriaeth mor syml o ddaioni yn gwbl arwynebol gan ei bod wedi'i seilio yn y weithred ac nid yn y person. Er enghraifft, gallai gweithred dda gael ei gwneud gyda chymhellion amhur, heb fwriad da. Efallai fydd rhywun sy'n flin ac eisiau bod yn dreisgar tuag eraill ddim yn ymddwyn fel hynny oherwydd rheolau, ond a yw hynny'n ei wneud yn 'dda' ei gymeriad os yw'n llawn casineb a bwriadau drwg? Yn yr un ffordd, gall person roi i elusen ond os yw'n gwneud hyn dim ond o ddyletswydd anfoddog neu i ymddangos yn dda i bobl eraill, a yw hynny'n golygu ei fod yn dda?

Serch hynny, dadl arall fyddai fod person yn dal i ddewis cywir yn lle anghywir, da yn lle drwg. Felly, hyd yn oed gyda bwriadau ffals, a yw hynny'n ei wneud yn llai da na pherson arall sy'n gwneud pethau yn raslon? Wedi'r cyfan, yr un peth yw'r canlyniad yn y pen draw.

Byddai damcaniaeth rhinwedd yn gwrthddadlau hyn drwy ddweud bod datblygu rhinweddau'n galluogi pobl i ddysgu i fod yn fodau moesol, ac yn hybu newid a datblygiad mewn cymeriad fydd yn para. Dydy dilyn rheolau yn unig ddim yn gwneud rhywun yn dda yn ei hanfod, dim ond dangos bod person wedi gwneud y peth cywir. I ddamcaniaeth rhinwedd, mae'r syniad o ddatblygu rhinwedd yn broses o hunanddatblygiad lle mae person yn tyfu o ran cymeriad moesol, o ran daioni neu *arete* (rhinwedd) ac yn adnabod 'daioni' y tu hwnt i'r weithred ei hun ac fel rhan annatod o'r person.

Yn ôl damcaniaeth rhinwedd mae bod yn berson da yn golygu datblygu annibyniaeth a chyfrifoldeb er mwyn gwneud gweithredoedd da yn naturiol a heb orfod cael strwythurau dibynnol, allanol.

Hefyd, mae'r person rhinweddol yn esiampl ac felly mae'r egwyddorion arweiniol clir yn codi oddi mewn yn hytrach na chael eu gosod o'r tu allan. Mae hefyd yn cydnabod y ffaith y gall y fath esiamplau (athronwyr) fod yn fodelau rôl da ac felly helpu eraill wrth iddyn nhw fynd ar drywydd cymeriad da. Felly, mae damcaniaeth rhinwedd yn wir yn cytuno â'r farn fod bod yn berson da yn well na gwneud gweithredoedd da yn unig.

Serch hynny, mae problemau gyda'r farn fod bod yn berson da yn well na gwneud gweithredoedd da yn unig. Y brif broblem yw os does dim gweithredoedd da'n cael eu gwneud yna sut gall person fod yn dda? Mae gweithredoedd da yn tanlinellu cymeriad da ac yn ei ddiffinio.

I gloi, mae llawer i'w ddweud am y ddadl fod daioni yn fwy na gweithredoedd da yn unig; fodd bynnag, mae'n bwysig hefyd ystyried bod gweithredoedd da yn arwydd cryf o gymeriad da.

A yw damcaniaeth rhinwedd yn ddefnyddiol pan fydd dilema moesol yn codi

Diffiniad dilema moesol, yn ôl ysgolheigion, yw sefyllfa pan fyddai'n bosibl cyfiawnhau dwy neu fwy o ffyrdd o ymddwyn mewn rhyw amgylchiadau penodol, o bosibl yn arwain at ganlyniadau sy'n hollol groes i'w gilydd. Y broblem, wedyn, i ddamcaniaeth rhinwedd yw a yw'n bosibl ei chymhwyso'n ystyrlon wrth wynebu, er enghraifft, achos o anghyfiawnder fel erledigaeth.

O ran ymateb Cristnogol, gallai rhai ddadlau bod y Gwynfydau fel pe baen nhw'n osgoi ymladd dros gyfiawnder ond yn derbyn anghyfiawnder gan eu bod yn dweud 'gwyn eu byd y rhai a erlidiwyd yn achos cyfiawnder, oherwydd eiddynt hwy yw teyrnas nefoedd'. Yng nghyd-destun rhinweddau Aristotle, mae'n bosibl deall dewrder mewn ffyrdd gwahanol. Gallai, ar y naill law, gefnogi'r gwynfyd uchod neu, fel arall, gallai dewrder olygu sefyll ac ymladd yn erbyn erledigaeth.

Yn achos damcaniaeth rhinwedd, gellid dadlau bod yna ryw syniad o 'ddyletswydd' a 'gwneud y peth cywir'; ond, nid yw hyn yn cael ei ddatgan yn benodol o safbwynt sut mae angen cymhwyso'r rhinweddau. Yn wir, gellid gofyn y cwestiwn, 'a yw'r rhinweddau wir yn absoliwtiau moesol?'. Mae'r broblem hon, felly, yn gwneud damcaniaeth rhinwedd yn ansicr i rai. O ganlyniad i'r ffaith fod damcaniaeth rhinwedd yn gweld pob dilema moesol fel un cyd-destunol, mae'n agored i ddehongliad a thrafodaeth, ac felly gall fod yn ddryslyd.

Y broblem gyda pheidio â chael rheolau i'w dilyn yw y gallai hybu cymdeithas 'caniatáu unrhyw beth', ac yn sicr dydy hyn ddim yn gyson â chrefydd nac ag athroniaeth Aristotle. Yn wir, mae agwedd ryddfrydol a pherthynol damcaniaeth rhinwedd yn golygu na fydd yn apelio at y dilynwyr crefyddol mwy traddodiadol a cheidwadol, na'r rheini sy'n dymuno cael ymagwedd fwy strwythuredig at foeseg. Gall y pwynt hwn hefyd awgrymu bod systemau moesegol eraill y mae'n fwy deniadol eu dilyn wrth wynebu dilema moesol – systemau sy'n fwy strwythuredig ac absoliwt.

Fodd bynnag, mae rhai meddylwyr yn ystyried mai dim ond estyniad o'r Ddeddf Naturiol neu ddysgeidiaeth Iesu yw damcaniaeth rhinwedd. Felly i gael arweiniad mewn achosion penodol mae'n bosibl cyfeirio at egwyddorion sylfaenol pob un o'r rhain ynghyd ag ystyriaethau o gymeriad ac ymddygiad rhinweddol.

Byddai'n bosibl dadlau mai un o gryfderau mawr damcaniaeth rhinwedd yw ei bod yn pwysleisio allgaredd, hynny yw, gofal am lesiant pobl eraill. Mae'r ddysgeidiaeth hon yn gyson â'r holl fathau o grefydd ac athroniaeth ac mae'n egwyddor ddefnyddiol wrth wynebu dilemâu moesol. Mae'r rhinweddau yn canolbwyntio ar yr hunan ond maen nhw mewn gwirionedd yn 'ystyried pobl eraill'. Er ei bod yn dechrau gyda'r hunan, mae'n symud ymlaen wedyn i ddatblygu cymeriad sy'n ymateb yn well i eraill ac felly mae'n adeiladu cymuned ddelfrydol sy'n gallu wynebu dilemâu moesol.

Yn wir, byddai'n bosibl dadlau pe na byddai damcaniaeth rhinwedd yn ddefnyddiol yna ni fyddai pobl fel Aquinas wedi datblygu'r ddamcaniaeth nes ymlaen ar y cyd â'r Ddeddf Naturiol. Ar ben hynny, mae cyd-destun cymdeithasol amlwg i ddamcaniaeth rhinwedd yng ngweithiau Aristotle ac yn y ffordd hon mae'n system ymarferol iawn. Mae'n canolbwyntio ar y ffordd rydyn ni'n ymddwyn ac nid yn syml ar yr hyn rydyn ni'n credu y dylen ni ei wneud!

Gan fod y person rhinweddol yn esiampl i eraill, gall ef neu hi fod yn fodel rôl da i eraill sy'n wynebu dilemâu moesol. Mae'n bosibl dadlau bod y doethineb a ddefnyddir i weithredu a chyflwyno cyfiawnder ar gyfer cymdeithas yn sicrhau ei fod yn gweithio ac nad yw'n oddrychol.

I gloi, gallwn weld bod damcaniaeth rhinwedd yn bendant yn ddefnyddiol wrth wynebu dilemâu moesol, er y dylid sylweddoli bod cyfyngiadau. Os bydd rhywun yn chwilio am ateb mwy absoliwtaidd i ddilemâu moesol, yna efallai na fydd damcaniaeth rhinwedd yn addas.

Cynnwys y fanyleb

A yw damcaniaeth rhinwedd yn ddefnyddiol pan fydd dilema moesol yn codi.

Gweithgaredd AA2

Dadleuon posibl

Wedi'u rhestru isod mae rhai casgliadau y byddai'n bosibl dod iddynt ar sail rhesymeg AA2 yn y testun cysylltiedig:

1. Mae damcaniaeth rhinwedd yn ffordd dda o ddatrys dilemâu moesol.
2. Mae yna berygl fod damcaniaeth rhinwedd, sy'n seiliedig i raddau helaeth ar gymeriad yr unigolyn, yn oddrychol ac felly nid yw bob amser yn ddibynadwy wrth ddatrys dilemâu moesol.
3. Mae gwell damcaniaethau a systemau o foesoldeb i'w defnyddio na damcaniaeth rhinwedd wrth wynebu dilemâu moesol.
4. Mae angen defnyddio damcaniaeth rhinwedd ar y cyd â dulliau eraill o wneud penderfyniadau moesol er mwyn iddi fod yn effeithiol.
5. Mae damcaniaeth rhinwedd mewn gwirionedd wedi'i seilio mewn damcaniaethau absoliwtaidd, mwy diriaethol ac felly nid yw ynddi'i hun yn ddefnyddiol wrth fynd i'r afael â dilemâu moesol.

Ystyriwch bob un o'r casgliadau sy'n cael eu gwneud uchod a chasglwch dystiolaeth ac enghreifftiau i gefnogi pob dadl o'r deunydd AA1 ac AA2 a astudiwyd yn yr adran hon. Dewiswch un casgliad sy'n argyhoeddi fwyaf yn eich barn chi ac esboniwch pam mae hyn yn wir. Nawr cyferbynnwch hyn â'r casgliad gwannaf ar y rhestr, gan gyfiawnhau eich dadl gyda rhesymu clir a thystiolaeth.

Sgiliau allweddol

Mae dadansoddi'n ymwneud â nodi materion sy'n cael eu codi gan y deunyddiau yn adran AA1, ynghyd â'r rhai a nodwyd yn adran AA2, ac mae'n cyflwyno safbwyntiau cyson a chlir, naill ai gan ysgolheigion neu safbwyntiau personol, yn barod i'w gwerthuso.

Mae hyn yn golygu ei fod yn nodi pethau allweddol i'w trafod a'r dadleuon sy'n cael eu cyflwyno gan eraill neu o safbwynt personol.

Mae gwerthuso'n ymwneud ag ystyried goblygiadau amrywiol y materion sy'n cael eu codi, yn seiliedig ar y dystiolaeth a gafwyd wrth ddadansoddi ac mae'n rhoi dadl fanwl eang gyda chasgliad clir.

Mae hyn yn golygu bod yr ateb yn pwyso a mesur y dadleuon amrywiol a gwahanol a gafodd eu dadansoddi drwy roi sylwadau ac ymateb unigol, gan ddod i gasgliad drwy broses rhesymu clir.

Datblygu sgiliau AA2

Nawr mae'n bryd ystyried y wybodaeth sydd wedi'i chyflwyno hyd yma. Hefyd mae'n bwysig ystyried sut mae'r hyn rydych chi wedi'i ddysgu hyd yma'n gallu cael ei ddefnyddio ar gyfer atebion arholiad drwy ymarfer y sgiliau sy'n gysylltiedig ag AA2.

Mae Amcan Asesu 2 (AA2) yn ymwneud â 'dadansoddi' a 'gwerthuso'. Efallai fod ystyr y termau'n amlwg ond mae'n hanfodol eich bod yn gyfarwydd â sut mae sgiliau penodol yn dangos y rhain, a hefyd, sut bydd eich perfformiad ym mhob un o'r sgiliau hyn yn cael ei fesur (gweler disgrifyddion band cyffredinol Band 5 ar gyfer AA2 UG).

Yn amlwg mae ateb yn cael ei osod mewn disgrifydd band priodol, yn ôl pa mor dda yw'r ateb, gan amrywio o ragorol, da, boddhaol, sylfaenol/cyfyngedig i gyfyngedig iawn.

▶ **Dyma eich tasg**: o'r rhestr o 12 pwynt isod, dewiswch chwech sy'n berthnasol i'r dasg werthuso isod. Rhowch eich dewis yn y drefn y byddech chi'n ei defnyddio i wneud y dasg sydd wedi'i rhoi. Wrth esbonio pam rydych wedi dewis y chwe phwynt hwn i ateb y dasg, fe welwch eich bod yn datblygu proses rhesymu. Bydd hyn yn eich helpu i ddatblygu dadl i benderfynu i ba raddau y mae moesoldeb yn fater o wneud gweithredoedd da yn unig.

Ffocws ar werthuso a oes mwy i foesoldeb na gwneud pethau da yn unig.

1. Mae dilyn rheolau yn rhy syml.
2. Dydy rheolau ddim yn gwneud person yn dda, dim ond yn ufudd ac yn rhwym wrth ddeddf.
3. Mae gwneud pethau da yn nodwedd o foesoldeb ond nid dyma'r unig nodwedd.
4. Mae bod yn berson da yn golygu datblygu rhinweddau.
5. Mae bod yn berson da yn golygu gwybod beth sy'n gywir ac anghywir.
6. Nid yw gwneud gweithredoedd da yn unig yn dweud dim wrthym am y person heblaw ei fod wedi gwneud gweithred dda.
7. Dylai moesoldeb gynnwys gwerthfawrogiad o'r cymhellion a'r bwriadau y tu ôl i weithredoedd da.
8. Mae datblygu rhinweddau yn bwysicach na chyflawni gweithredoedd da.
9. Mae gweithredoedd da yn nodwedd bwysig o foesoldeb a dyma sut mae moesoldeb yn cael ei fesur.
10. Mae moesoldeb yn cynnwys llawer mwy na gweithredoedd yn unig.
11. Heb weithredoedd da, ni all moesoldeb fodoli.
12. Gweithredoedd da yw hanfod moesoldeb.

C: Myfïaeth foesegol

Mae myfïaeth foesegol yn ymchwiliad meta-foesegol sy'n canolbwyntio ar yr asiant, hynny yw y cymeriad unigol, i roi dealltwriaeth o 'norm' neu ymddygiad. Wrth edrych ar y cymeriad unigol, a'r cymhellion y tu ôl i weithredoedd unigolyn, mae cwestiwn pwysig iawn yn codi.

Ydyn ni'n ymddwyn mewn ffordd sy'n cael ei gyrru'n llwyr gan ein hunan-les?

Mae'r adran hon yn cwmpasu cynnwys a sgiliau AA1

Cynnwys y fanyleb

Moeseg asiant-ganolog normadol yn seiliedig ar hunan-les yn hytrach nag allgaredd; damcaniaeth foesegol sy'n cyd-fynd â chyflwr seicolegol yr asiant moesol (myfïaeth seicolegol); canolbwyntio ar hunan-les tymor hir yn hytrach na buddiannau tymor byr.

Myfïaeth foesegol: moeseg asiant-ganolog normadol yn seiliedig ar hunan-les yn hytrach nag allgaredd

Yn 1928, cyflwynodd H. A. Pritchard ddarlith o'r enw '*Duty and Interest*' lle roedd yn cwestiynu'r gwir gymhelliant y tu ôl i weithred ufudd. Mae Richard Norman yn ysgrifennu, 'Dyma ddadl ganolog Pritchard: os yw cyfiawnder yn cael ei argymell ar y sail ei fod yn fanteisiol i'r person cyfiawn, mae felly'n cael ei leihau i fath o hunan-les.' Mewn geiriau eraill, 'nid yw dyletswydd yn ddyletswydd go iawn oni bai iddi gael ei gwneud er mwyn dyletswydd'.

Os ydyn ni'n gweithredu oherwydd bod y canlyniad terfynol o fantais i ni, p'un ai ein bod ni'n ymwybodol o'r ffaith honno neu beidio, rydyn ni, yn y bôn, yn gweithredu o hunan-les. Dyma'r pwynt ffocws meta-foesegol allweddol ar gyfer yr hyn a elwir yn **fyfïaeth foesegol**.

Termau allweddol

Allgaredd: gofal anhunanol am lesiant pobl eraill

Myfïaeth foesegol: y safbwynt normadol sy'n dal y dylai pob gweithred gael ei chymell gan hunan-les

Myfïaeth seicolegol: y safbwynt disgrifiadol fod pob gweithred ddynol yn cael ei chymell gan hunan-les

Y gwahaniaeth rhwng myfïaeth foesegol a myfïaeth seicolegol

I'r rheini sy'n argymell unrhyw fath o fyfïaeth foesegol fel damcaniaeth foesol, y syniad o 'hunan-les' yw prif destun eu hymchwiliad athronyddol. Myfïaeth foesegol yw'r astudiaeth o hunan-les fel un esboniad posibl o rai gweithredoedd moesol. Mae myfïaeth foesegol fel damcaniaeth yn awgrymu mai dyma'r ffordd orau o weithredu.

Dyfyniad allweddol

Mae myfïaeth seicolegol yn ddamcaniaeth am y natur ddynol sy'n honni ei bod yn disgrifio beth sy'n cymell pobl i weithredu. Mae myfïaeth foesegol, ar y llaw arall, yn normadol. Mae'n honni ei bod yn dweud wrthym sut dylai pobl weithredu. **(Driver)**

Fodd bynnag, mae gwahaniaeth rhwng myfïaeth foesegol a **myfïaeth seicolegol**. Mae Peter Cave yn ysgrifennu, 'Mae rhai yn wfftio moesoldeb. Maen nhw'n dadlau ein bod ni bob amser yn gweithredu er ein mwyn ein hunain, er ein hunan-les, neu yn gywirach, er yr hyn sy'n hunan-les yn ein barn ni.' Dyma fyfïaeth seicolegol. Mae Cave yn parhau, 'Myfïaeth wahanol, myfïaeth foesegol, yw y dylen ni bob amser weithredu er ein hunan-les'. Mae Julia Driver yn nodi, 'Nid yw myfïaeth foesegol wedi ymrwymo i wirionedd myfïaeth seicolegol'.

Mewn geiriau eraill, nid yw dweud ein bod ni bob amser yn gweithredu oherwydd hunan-les (myfïaeth seicolegol) yr un peth â dadlau y dylen ni bob amser weithredu oherwydd hunan-les (myfïaeth foesegol). Yn eu hanfod, maen nhw'n ddau honiad gwahanol iawn.

Felly, myfïaeth foesegol yw moeseg asiant-ganolog normadol yn seiliedig ar hunan-les yn hytrach nag **allgaredd**, a dylai fod yn ganllaw ar gyfer sut i ymddwyn.

Mae Julia Driver yn ysgrifennu, 'Gweithredoedd allgarol yw'r rheini sy'n cael eu gwneud er mwyn pobl eraill – a dim ond er mwyn pobl eraill. Mae'r myfiwr seicolegol yn gwadu bod gweithredoedd o'r fath.' Mae ymateb y myfiwr seicolegol

Dyfyniad allweddol

Yn ein diwylliant moesol ni'n hunain, yn bennaf oherwydd y traddodiad Cristnogol, caiff gofal allgarol am bobl eraill ei weld fel gwerth aruchel neu hyd yn oed y gwerth goruchaf. Fodd bynnag, wrth ofalu am bobl eraill, os ydw i'n gwneud hynny oherwydd fy mod i'n meddwl y bydd yn gwneud fy mywyd i fy hun yn hapusach, yna byddai'n ymddangos nad gofal am bobl eraill sy'n fy nghymell, ond gofal amdanaf fi fy hun. **(Norman)**

Dyfyniad allweddol

Mae myfïaeth seicolegol yn cynnig disgrifiad o natur ddynol ac nid yw'n normadol. Mae'n ymwneud â sut mae pobl yn ymddwyn mewn gwirionedd, nid sut dylen nhw ymddwyn. Os ydyn ni'n dal bod pob gweithred ddynol yn cael ei chymell gan hunan-les, rydyn ni'n gwneud honiad cyffredinol cryf. Rydyn ni'n gwadu bod unrhyw weithredoedd allgarol byth yn cael eu cyflawni. **(Driver)**

yn ddiddorol yng nghyd-destun rhoi arian i elusen. Byddai'n awgrymu mai'r cymhelliant fyddai edrych yn dda o flaen pobl eraill, cefnogi system foesol y mae wedi ymrwymo iddi, neu osgoi cywilydd a phoen meddwl personol pe bai'n penderfynu peidio â rhoi dim. Mae esboniadau fel hyn yn datgelu mai hunan-les yw sail pob bwriad.

Dyfyniad allweddol

Safbwynt myfïol yw un sydd naill ai'n esbonio neu'n cyfiawnhau rhywbeth yn nhermau hunan-les yr asiant. Er enghraifft, myfïaeth seicolegol yw'r safbwynt disgrifiadol fod pob gweithred ddynol yn cael ei chymell gan hunan-les. Myfïaeth foesegol, ar y llaw arall, yw'r safbwynt normadol sy'n dal y dylai pob gweithred gael ei chymell gan hunan-les. (Driver)

Dyfyniad allweddol

Gall myfïwyr moesegol ddal unrhyw fath o ddamcaniaeth ynghylch beth sy'n dda a beth sy'n ddrwg, neu beth mae lles yr unigolyn yn ei olygu. (Frankena)

Dyfyniad allweddol

Yma mae'n rhaid i ni ddeall dydy'r myfïwr moesegol ddim yn unig yn cymryd egwyddor fyfïol gweithredu a barnu fel ei wireb breifat ei hun. (Frankena)

cwestiwn cyflym

1.14 Beth yw'r gwahaniaeth rhwng myfïaeth foesegol a myfïaeth seicolegol?

Hunan-les tymor hir a hunan-les tymor byr

Nid yw myfi'aeth foesegol yn golygu o reidrwydd, fodd bynnag, ein bod ni bob amser yn gweithredu'n hunanol yn ystyr cul y gair. Gall gweithredu oherwydd hunan-les gael ei gyfuno â gweithred sy'n dangos gofal am bobl eraill, fel rydyn ni wedi ei weld eisoes yn syniad Pritchard am 'ddyletswydd'.

I rai, dyma beth sy'n gwneud myfi'aeth foesegol yn wahanol i fyfi'aeth seicolegol, oherwydd byddai'n bosibl dadlau bod gweithredu er eich hunan-les eich hun yn fwy na bod yn hunanol yn unig. Yn hytrach mae'n golygu ystyriaeth lawer mwy cymhleth o fanteision tymor byr a thymor hir. Wedi'r cyfan, gall gweithred sydd o fudd amlwg i rywun arall yn y tymor byr fod â'r pwrpas cudd o fod o fudd i'r hunan yn y tymor hir.

Mae Frankena'n ysgrifennu, 'Dylid nodi nad yw myfi'wr moesegol o reidrwydd yn fyfi'wr neu hyd yn oed yn ddyn myfi'ol a hunanol yn ystyr arferol y termau hyn. Damcaniaeth foesegol yw myfi'aeth foesegol, nid patrwm o weithredu neu nodwedd cymeriad, ac mae'n gydnaws â bod yn ostyngedig ac yn anhunanol yn ymarferol.'

Gallai canlyniad hunan-les fod yn dymor byr, er enghraifft drwy roi i elusen neu aberthu amser drwy ymweld â pherthynas oedrannus. Mae buddiannau yn cael eu bodloni'n syth drwy wneud i rywun deimlo'n dda am wneud y peth cywir. Fel arall, gellid ystyried buddiannau i fod yn rhan o gynllun tymor hir fel datblygu cymeriad neu ennill teilyngdod er mwyn achos uwch fel bywyd ar ôl marwolaeth yn achos crefyddau.

Yn yr un ffordd, gellir gweld gweithredu oherwydd hunan-les fel rhywbeth sy'n hybu buddiannau tymor hir. Mae Peter Cave yn dyfynnu'r economegydd o'r 18fed ganrif, Adam Smith, a sylweddolodd 'nid drwy raslonrwydd y cigydd, y bragwr, neu'r pobydd rydyn ni'n disgwyl ein cinio, ond o'u sylw nhw at eu lles eu hunain.' Does dim ond angen meddwl am y sloganau, 'gwasanaethu'r cwsmer' a'r 'cwsmer sydd bob amser yn gywir' i sylweddoli bod archfarchnadoedd yn poeni am y cwsmer dim ond oherwydd bod gwneud hynny er eu hunan-les tymor hir nhw eu hunain.

Rhoi i'r tlawd

Max Stirner

Cafodd Max Stirner ei eni yn yr Almaen yn 1806. Ei enw iawn oedd Johann Caspar Schmidt ond roedd e'n defnyddio Stirner fel ei ffugenw llenyddol. Bu'n astudio mewn tair prifysgol yn yr Almaen a gwyddom iddo fynychu darlithoedd gan Hegel am athroniaeth crefydd. Yn fyr, dyma ddyn heb fri academaidd amlwg yn ei ddydd. Gweithiodd fel athro cyffredin ond yn ddiweddarach yn ei fywyd bu'n gyfieithydd academaidd a newyddiadurwr, dim un ohonyn nhw'n swyddi oedd yn talu'n dda. Gwaith allweddol Max Stirner oedd ei lyfr o'r enw *Yr Ego a Pherchen ei Hunan* a gyhoeddwyd yn 1844 yn Almaeneg (*Der Einzige und sein Eigentum*). Fodd bynnag, ni chyhoeddwyd llawer o gopïau, ac er iddo gael canmoliaeth gan rai beirniaid ac ennyn ymateb gan yr athronydd Feuerbach, nid oedd yn llwyddiant mawr yn ariannol nac yn academaidd. Treuliodd Stirner lawer o'i fywyd wedyn mewn amgylchiadau tlawd, yn aml gyda chredydwyr yn ei erlid, a bu farw o'r dwymyn yn 1856.

Er gwaethaf hyn, mae syniadau Stirner wedi dylanwadu ar lawer o bobl. Mae ei syniadau hefyd wedi cael eu dehongli mewn nifer o ffyrdd. I rai, ef oedd rhagflaenydd Friedrich Nietzsche o ran arddull a sylwedd ei ysgrifennu. I eraill, roedd yn arloesi'r math o ddirfodaeth sydd i'w gweld yng ngwaith Sartre. Cafodd ddylanwad mawr hefyd ar syniadau cynnar Karl Marx. Heddiw, mae pobl yn aml yn ei ystyried fel hyrwyddwr rhesymegol y mudiad anarchaidd wrth iddo gydnabod honiadau anghyfreithlon y wladwriaeth.

Yn fyr, mae pethau wedi eu hysgrifennu am Max Stirner ac yna mae'r pethau a ysgrifennodd Max Stirner ei hun. Mewn ffordd, mae gwaith Stirner yn rhyfedd o anachronistig gan nad oedd pobl yn ei ddeall yn iawn yn ei ddydd, a dim ond oherwydd diddordeb newydd diweddar yn ei waith ymhlith academyddion y mae'n bosibl gwerthfawrogi cymhlethdod ei syniadau.

Yn y bôn, roedd Stirner yn derbyn safbwynt myfïaeth seicolegol dim ond cyn belled ag yr oedd yn cydnabod rôl yr hyn roedd pobl eraill yn ei alw'n hunan-les wrth wneud penderfyniadau moesol. Fodd bynnag, dadleuodd ef mai'r eironi yw bod y syniad o hunan-les yn gamarweiniol oherwydd ei fod yn camddehongli gwir natur yr 'hunan'. Ar ôl i'r gwir hunan gael ei gydnabod, mae'r honiadau am fyfïaeth seicolegol yn gwanhau a daw darlun cliriach i'r amlwg o beth mae hunan-les pur yn ei olygu mewn gwirionedd. Roedd Stirner yn cytuno y dylai gweithredoedd gael eu gyrru gan hunan-les, ond dim ond pan ydyn ni'n deall beth yn union yw'r hunan y gallwn ni fod yn gwbl rydd i weithredu felly.

Nid yw gwaith Stirner yn arbennig o drefnus. Mae'n ymddangos yn ddiamcan ar adegau, mae'n anhrefnus ac yn ailadrodd ei hun. Yn ôl y *Stanford Encyclopedia*, 'mae ei arddull anarferol yn adlewyrchu cred fod iaith a rhesymoledd yn gynhyrchion dynol sydd wedi dod i gyfyngu a gorthrymu eu creawdwyr.' Ond, gydag amynedd a darllen gofalus, mae'n bosibl adnabod rhai prif themâu. Yn fyr, mae Stirner yn dadlau ei achos mewn dilyniant drwy sawl cam fel hyn:

- Bod hunan-les, fel mae'n cael ei ddeall yn gyffredin, bob amser yn gaeth i rywbeth heblaw'r 'hunan' (*self*) neu'r ego ac felly nid yw'n 'hunan-les' go iawn.
- Ei bod yn gamarweiniol meddwl ein bod ni mewn gwirionedd yn rhydd i wneud penderfyniadau moesol mewn perthynas â systemau crefyddol neu athronyddol o ymddygiad moesol oherwydd bod systemau o'r fath yn ein rheoli ni.
- Bod gwir fyfïaeth yn fater o sylweddoli beth yw 'perchen yr hunan' (*own*) a 'hunanberchenrwydd' (*ownness*) drwy beidio â chael eich gyrru gan fframweithiau crefyddol, athronyddol neu faterol sy'n ein caethiwo, ond ennill meistrolaeth drosoch chi'ch hun.
- Bod angen i'r gwir hunan fod yn rhydd rhag cyfyngiadau unrhyw ideolegau allanol a heb gael ei reoli o'r tu mewn gan y synhwyrau, fel ei fod yn wir yn 'hunan', ac felly, yn unigryw.
- Yr unig ffordd o ddefnyddio eich natur unigryw yn y byd yw drwy gydweithredu ag unigolion unigryw eraill drwy fod yn rhan o undeb o fyfïwyr.

Cynnwys y fanyleb

Max Stirner, hunan-les sydd wrth wraidd pob gweithred ddynol hyd yn oed os yw'n ymddangos yn allgarol; gwrthod myfïaeth er mwyn elwa'n faterol; undeb y myfïwyr.

cwestiwn cyflym

1.15 Beth yw gweithred allgarol?

Dyfyniad allweddol

Mae'n ymddangos bod cyferbyniad llwyr rhwng tôn felodramataidd gwaith enwocaf Stirner ar y naill law, a digwyddiadau tipyn llai cyffrous ei fywyd ei hun ar y llall. (*Stanford Encyclopedia*)

Max Stirner 1806–1856

Dyfyniad allweddol

Byddai'n gamgymeriad hefyd i feddwl bod Stirner yn argymell cynnig normadol am werth gweithredu oherwydd hunan-les fel mae'n cael ei ddeall fel arfer. Mae angen gwahaniaethu myfïaeth Stirner o'r syniad traddodiadol o'r unigolyn yn mynd ar drywydd hunan-les. (*Stanford Encyclopedia*)

Term allweddol

Einzige: ego

cwestiwn cyflym

1.16 Pam roedd Stirner yn dadlau nad ydyn ni wir yn rhydd yn ein dewisiadau moesol?

Dyfyniad allweddol

Yn hollol wahanol i'r meddwl *rhydd* hwn yw eich meddwl *eich hun*, fy meddwl *i*, meddwl nad yw'n fy arwain ond sy'n cael ei arwain, ei barhau neu ei dorri i ffwrdd, gennyf fi yn ôl fy nymuniad. Mae'r gwahaniaeth rhwng y meddwl fy hun hwn a meddwl rhydd yn debyg i fy nghnawdolrwydd fy hun, y gallaf ei foddhau fel y dymunaf, yn wahanol i gnawdolrwydd rhydd, afreolus yr wyf yn ildio iddo. (Stirner)

Dyfyniad allweddol

Does dim pechadur a does dim myfïaeth bechadurus! (Stirner)

Dyfyniad allweddol

Fi sy'n penderfynu ai hwn yw'r *peth cywir* ynof fi; does dim cywir *y tu allan* i mi. (Stirner)

Rhithdyb y gorffennol a gwir natur hunan-les: yr ego (*Einzige*)

Mae myfi'aeth seicolegol yn gweld hunan-les fel gwraidd pob gweithred ddynol, hyd yn oed os yw'n ymddangos yn allgarol. Mae Stirner yn cydnabod yr esboniad hwn ond yn amau ei wirionedd. Roedd Stirner yn dadlau bod gennym syniad ffug am ryddid yn ein hymagwedd at feddwl. Mae'n gwadu bod y fath beth yn bodoli oherwydd bod dealltwriaeth gonfensiynol o hunan-les bob amser yn gaeth i rywbeth, p'un ai ei fod yn ddyletswydd neu'n rhwymedigaeth foesol grefyddol amlwg, neu'n un sy'n fwy cynnil a heb fod yn grefyddol, ond eto'n golygu dyletswydd neu rwymedigaeth foesol. Mae'n ysgrifennu, 'Pan ydyn ni'n edrych i *waelod* unrhyw beth, h.y. yn chwilio am ei *hanfod*, rydyn ni'n aml yn darganfod rhywbeth sy'n wahanol i'r hyn mae'n *ymddangos*.' Mae Stirner yn cyfeirio at y datguddiadau hynny o 'hanfod' fel 'bwganod' neu 'ysbrydion'.

Mae'r *Stanford Encyclopedia* yn cefnogi'r ddealltwriaeth hon o Stirner: 'Caiff Stirner ei bortreadu weithiau fel myfi'wr seicolegol, hynny yw fel rhywun sy'n cynnig yr honiad disgrifiadol fod pob gweithred (fwriadol) yn cael ei chymell gan ofal am hunan-les yr asiant. Fodd bynnag, mae'n bosibl cwestiynu'r disgrifiad hwn o safbwynt Stirner ... Ymhellach, ar un adeg mae Stirner yn amlwg yn ystyried mabwysiadu y safbwynt esboniadol o fyfi'aeth seicolegol, dim ond i'w wrthod wedyn.'

Yn hytrach, mae Stirner yn galw ar fodau dynol i gydnabod eu bod yn gaeth i'r ddyletswydd a'r rhwymedigaeth mae fframweithiau moesol fel hyn yn eu gosod, ac i ailganolbwyntio ar yr hyn y mae'r hunan neu'r ego yn ei ddymuno a'i ewyllysio. Mae'n ysgrifennu, 'Beth am ymwroli nawr i sicrhau mai *chi eich hunain* yw'r pwynt canolog a'r prif beth yn llwyr?' Felly, mae unrhyw un sy'n meddwl ei fod yn gweithredu'n annibynnol wrth wneud dewisiadau moesol yn twyllo'i hun, oherwydd nid yr asiant sy'n cyfeirio'r ymddygiad moesol ond yn hytrach y ddelfryd sy'n ei reoli. Mae Stirner yn ychwanegu, 'Mae arfer y ffordd grefyddol o feddwl wedi troi ein meddwl cymaint fel bod arnon ni ofn ein hunain yn ein noethni a'n naturioldeb; mae wedi ein hiselhau fel ein bod ni'n ystyried ein bod ni'n llygredig yn ein natur, wedi ein geni'n ddiafoliaid.'

Mewn ymosodiad beirniadol ar grefydd ac athroniaeth, mae Stirner yn wfftio'r syniad y bydd mabwysiadu systemau cred a fframweithiau moesol yn arwain at hunanddatblygiad a gwelliant moesol. I Stirner, dim ond caethiwo'r hunan neu'r ego oedd canlyniad mabwysiadu'r fath fframweithiau moesegol normadol. Mae'n cyfeirio at enghraifft athronydd neu feddyliwr rhydd sy'n 'meddwl ei fod wedi gorffen gyda Duw ac yn diosg Cristnogaeth fel rhywbeth o'r oes o'r blaen'. Byddai'r meddyliwr hwnnw, yn ôl Stirner, yn dal i wrthod llosgach a godineb gyda 'ias foesol' oherwydd bod yr athronydd neu'r meddyliwr rhydd yn dal yn rhwym wrth gred mewn fframwaith moesol.

Os ydyn ni'n ystyried y sefyllfa ganlynol, gallwn ni weld sut mae meddwl Max Stirner yn gweithio. Mae rhai pobl dlawd yn gofyn am arian. Dyma rai ymatebion posibl:

'Rydw i'n dewis rhoi arian iddyn nhw; ond, mae pob rheswm pam rydw i'n gwneud hyn yn ymwneud â'm hunan-les fy hun.'

Mewn geiriau eraill, mae'n ymddangos fy mod i'n rhydd ac wedi dewis ffordd o weithredu oherwydd ei bod er fy lles fy hun. Mae myfi'aeth seicolegol yn cynnig hyn. Fodd bynnag, mae Stirner yn cwestiynu'r casgliad hwn mai hunan-les yw'r cymhelliant gwaelodol. Er enghraifft, byddai Stirner yn gweld rhwymedigaeth waelodol:

'Rydw i'n rhoi arian iddyn nhw oherwydd mae'n fy ngwneud i'n hapus OND hefyd mae'n ddyletswydd arnaf.'

Byddai Stirner yn dadlau nad ydw i'n rhydd oherwydd, er gwaethaf fy hunan-les yn mynd ar drywydd hapusrwydd, rydw i'n dal yn gaeth gan fod y teimlad hwn o hapusrwydd yn ymwneud dim ond â'r hyn mae fy nghydwybod i'n dweud wrthyf yw fy nyletswydd. Mae Stirner yn gwrthod myfi'aeth seicolegol oherwydd ei bod yn ymddangos bod yr hunan yn rhwym wrth y ddyletswydd 'y dylai rhywun helpu'r rheini mewn angen'. Eto:

'Dydw i ddim yn rhoi arian iddyn nhw (rydw i'n cyfiawnhau fy mhenderfyniad mewn sawl ffordd i wneud i mi deimlo'n well).'

Byddai Stirner yn dadlau nad ydw i'n rhydd oherwydd fy mod i'n teimlo'n euog gan fy mod i'n dal yn gaeth i'r hyn mae fy nghydwybod yn dweud wrthyf y dylwn ei wneud. Rydw i wedi cyfiawnhau fy ngweithredoedd ac mae gen i resymau da dros fynd yn erbyn rheol gyffredinol cydwybod, er enghraifft drwy ddadlau bod elusennau a system les i helpu'r tlawd. Eto mae Stirner yn gwrthod myfiaeth seicolegol oherwydd bod yr hunan yn dal yn gaeth i ryw rwymedigaeth: heblaw bod rheswm da dros beidio â'i wneud, dylai rhywun helpu'r rheini mewn angen.

'Rydw i'n rhoi arian iddyn nhw yn anfoddog.'

Ymateb Stirner fyddai nad ydw i'n rhydd oherwydd dydw i ddim ond yn gwneud yr hyn mae fy nghydwybod yn ei ddweud wrthyf yw fy rhwymedigaeth, er nad ydw i eisiau gwneud hyn. Caiff myfiaeth seicolegol ei gwrthod unwaith eto oherwydd bod yr hunan yn dal yn gaeth i rwymedigaeth cydwybod: byddai peidio â helpu'r rheini mewn angen yn golygu fy mod i'n ddrwg a ddim yn cyflawni fy nyletswydd i helpu'r rheini mewn angen.

Mae rhai wedi awgrymu bod Stirner yn argymell difoesegedd, hynny yw gwrthod moesoldeb yn gyfan gwbl. Nid yw hyn yn gwbl wir ac mae'n rhaid i ni fod yn ofalus yma i beidio â dod i'r casgliad anghywir. Mae'n ymddangos bod Stirner yn gwrthod rhwymedigaethau moesol sefydlog, ond nid gwerthoedd. Fel mae'r *Stanford Encyclopedia* yn ei ddweud: 'Mae moesoldeb, o safbwynt Stirner, yn golygu tybosod gorfodaeth i ymddwyn mewn rhai ffyrdd sefydlog. O ganlyniad, mae'n gwrthod moesoldeb gan nad yw'n cyd-fynd â myfiaeth sy'n cael ei deall yn iawn. Fodd bynnag, nid yw'r gwrthod moesoldeb hwn yn seiliedig ar wrthod gwerthoedd fel y cyfryw, ond ar gadarnhau yr hyn a allai gael eu galw'n bethau da nad ydynt yn foesol ... ni ddylid cymysgu'r ffaith iddo wrthod dilysrwydd honiadau moesol â gwadu priodoldeb barn normadol i gyd.'

Dyfodol yr hunan yw sylweddoli hunanberchenrwydd (*Eigenheit*; *ownness*)

Gwnaeth Stirner wahaniaeth pwysig rhwng yr hyn a ystyrir fel yr hunan a'r hunanberchenrwydd. Mae angen i'r athronydd sy'n meddwl ei fod yn rhydd ac annibynnol gydnabod, er mwyn bod felly mewn gwirionedd, fod yn rhaid iddo fod yn rhydd rhag pob rhwymedigaeth i unrhyw ddelfryd ymwybodol neu isymwybodol. Mae'n rhaid iddo sylweddoli ei 'hunanberchenrwydd' (*Eigenheit*): 'Mae gen i *hunanberchenrwydd arnaf fi fy hun* dim ond pan ydw i'n feistr arnaf fi fy hun, yn hytrach na chael fy rheoli naill ai gan gnawdolrwydd neu gan unrhyw beth arall (Duw, dyn, awdurdod, cyfraith, y Wladwriaeth, yr Eglwys ac yn y blaen); mae fy hunanoldeb yn mynd ar drywydd yr hyn sydd o ddefnydd i mi, sef yr un hwn mae'r hunan yn berchen arno neu sy'n gweddu i'r hunan.'

Felly, mewn cysylltiad â'r enghraifft o roi i'r tlawd (uchod) byddai Stirner yn dadlau:

'Rydw i'n gwneud fel y mynnaf/dymunaf.'

Mewn geiriau eraill, rydw i'n rhydd oherwydd nad yw rhoi arian i berson tlawd yn ymwneud ag a yw'n beth da neu ddrwg, ond yn hytrach oherwydd mai fi yw fy mherson fy hun (hunanberchenrwydd) a heb fod yn gaeth i unrhyw rwymedigaeth. Dadleuodd Max Stirner mai dyma beth yw gwir ryddid a gwir hunan-les.

Dyfyniad allweddol

I ffwrdd, felly, ag unrhyw gonsyrn nad yw'n gonsyrn i mi yn gyfan gwbl! Rydych chi'n meddwl y dylai o leiaf yr 'achos da' fod yn gonsyrn i mi? Beth sy'n dda, beth sy'n ddrwg? Debyg iawn, fi fy hun yw fy nghonsyrn i, ac nid ydw i'n dda nac yn ddrwg. Nid yw'r un ohonyn nhw'n golygu dim i mi. **(Stirner)**

Dyfodol yr hunan yw symbylu unigrywiaeth (*Einzig*)

Mae ymwybyddiaeth o hunanberchenrwydd yn un peth, ond ni allwch chi wir sylweddoli goblygiadau union ystyr hunanberchenrwydd heb werthfawrogiad o'ch hunan fel rhywbeth unigryw (*Einzig*). Dyma werthusiad Stirner o'r gwir hunan,

Dyfyniad allweddol

Mae miloedd o flynyddoedd o wareiddiad wedi cuddio'r hyn ydych chi rhagoch, wedi gwneud i chi gredu nad ydych chi'n fyfiwyr ond wedi'ch galw i fod yn ddelfrydwyr ('dynion da'). Ysgydwch hynny i ffwrdd! Peidiwch â cheisio rhyddid, sy'n wir yn eich amddifadu o'ch hunain, mewn 'hunanaberth'; ond ceisiwch er eich mwyn eich hunain, byddwch yn fyfiwyr, byddwch bob un ohonoch yn ego anferthol. Neu, yn gliriach: dewch i adnabod eich hunain eto, adnabod yr hyn ydych chi mewn gwirionedd, a gadewch lonydd i'ch ymdrechion rhagrithiol, eich obsesiwn ffôl i fod yn rhywbeth gwahanol i'r hyn ydych chi. **(Stirner)**

Dyfyniad allweddol

Nid yw'r dyn sy'n cael ei adael yn rhydd yn ddim mwy na dyn a ryddhawyd, *libertinus*, ci yn llusgo darn o'r gadwyn gydag ef: mae'n ddyn caeth sy'n gwisgo mantell rhyddid, fel yr asyn yng nghroen y llew. **(Stirner)**

Term allweddol

Eigenheit: hunanberchenrwydd, y syniad o feistroli'r hunan

Cwestiwn cyflym

1.17 Yn ôl Stirner, beth sy'n ein gwneud ni'n gwbl rydd i wneud dewisiadau?

Dyfyniad allweddol

Mae hunanberchenrwydd yn cynnwys ynddo'i hun bopeth yn ymwneud â pherchen yr hunan, ac mae'n dwyn anrhydedd eto i'r hyn mae iaith Gristnogol wedi ei ddianrhydeddu. Ond does gan hunanberchenrwydd ddim safon estron chwaith, gan nad yw mewn unrhyw ffordd yn *syniad* fel rhyddid, moesoldeb, dynoliaeth, ac yn y blaen: dim ond disgrifiad o'r *perchennog* ydyw. **(Stirner)**

o'r gwir fyfiwr. Yn fyr, mae bod yn unigryw yn golygu rhyddid unigol rhag yr holl ddamcaniaethau cysyniadol allanol a allai gael eu gosod. Ysgrifennodd Stirner, 'Fi sy'n *berchen* ar fy ngrym, ac rydw i felly pan ydw i'n gwybod fy mod i'n *unigryw*.'

Fodd bynnag, nid yw bod yn unigolyn unigryw, a phawb yn dod yn unigryw, yr un peth â bod pawb yn gyfartal; dim ond un fframwaith cysyniadol ac idealistig arall i'r ddynoliaeth gyfan benlinio o'i flaen yw cydraddoldeb. Mae Stirner yn ysgrifennu, 'Ond nid ego yn ogystal ag egos eraill ydw i, ond yr unig ego: rydw i'n unigryw. Felly mae fy chwenychiadau i hefyd yn unigryw; a'm gweithredoedd i; mewn gair, mae popeth amdanaf fi yn unigryw.' Mae gan y myfiwr unigryw go iawn werthfawrogiad gwirioneddol o'i hunan. Gan fod yr hunan hwnnw'n unigryw, mae'n anochel nad yw'n bosibl ei gymharu ag un arall.

Hefyd, mae angen i'r weithred o actifadu unigrywiaeth fod yn rhydd rhag chwantau synhwyrus gormodol neu, a bod yn fwy cywir, ni ddylai'r hunan gael ei reoli gan y chwantau hyn na bod o dan unrhyw rwymedigaeth iddyn nhw. Mae'r *Stanford Encyclopedia* yn dweud, 'Mae Stirner nid yn unig yn gwrthod cyfreithlondeb unrhyw ddarostwng i ewyllys rhywun arall, ond hefyd mae'n argymell bod unigolion yn meithrin delfryd o arwahanrwydd emosiynol tuag at eu chwantau a'u syniadau eu hunain.'

O ran yr enghraifft o roi arian i berson tlawd, gallwn ni ddatblygu myfiaeth Stirner ymhellach:

'Ar ôl i mi sylweddoli mai fi sy'n berchen ar fy hunan a dydw i ddim yn atebol i unrhyw rwymedigaeth, rydw i'n dod yn ymwybodol o'm gwir hunan unigryw. Yna gallaf farnu'n gywir pa ffordd o weithredu fydd yn gwasanaethu fy natur unigryw fy hun, ac felly byddaf yn penderfynu rhoi, neu beidio, yn ôl hyn.'

Rydw i wir yn rhydd ac yn gweithredu yn ôl fy hunan-les sydd ddim wedi'i bennu gan unrhyw synnwyr o ddyletswydd neu orfodaeth, na chwaith wedi'i yrru gan drachwant neu awydd am elw materol. Dyma'r ffordd orau o ymddwyn, i mi, nid oherwydd y dylwn ei wneud (ac ni ddylai chwaith fod yn rheol sy'n fy rhwymo), ond oherwydd mai dyna a ddymunaf. Mae hyn hefyd yn cysylltu â'r syniad fod Stirner yn gwrthod myfiaeth fel ffordd o gael elw materol, ac yn arwain at y syniad nad yw, yn ei hanfod, yn wrthgymdeithasol.

Dyfyniad allweddol

Nid yw myfïaeth yn meddwl am aberthu dim, na rhoi i ffwrdd unrhyw beth mae ei eisiau; mae'n penderfynu'n syml, yr hyn rydw i ei eisiau, rhaid i mi ei gael a byddaf yn ei gael. (Stirner)

Term allweddol

Einzig: unigrywiaeth, y rhyddid rhag pob baich sy'n gadael unigoliaeth bur

Dyfyniad allweddol

Fi sy'n *berchen* ar fy ngrym, ac rydw i felly pan ydw i'n gwybod fy mod i'n *unigryw*. Yn yr *un unigryw* mae'r perchennog ei hun yn dychwelyd i'w ddiddymdra creadigol, y cafodd ei eni ohono. Mae pob hanfod uwch sydd uwch fy mhen, boed yn Dduw, boed yn ddyn, yn gwanhau'r teimlad o fy unigrywiaeth, ac yn pylu gerbron haul yr ymwybyddiaeth hon yn unig. (Stirner)

Undeb y myfiwyr

Mae dadl Stirner, felly, yn awgrymu bod perthnasoedd â phobl eraill, a sut mae rhywun yn ymddwyn fel y gwir fyfiwr, i gyd yn dibynnu ar eich natur unigryw eich hun. Er nad yw hyn yn arwain at rwymedigaeth fod pob unigolyn yn gyfartal, yn sicr nid yw'n argymell trachwant am elw materol. Yn yr un ffordd, nid yw myfiaeth Stirner yn wrthgymdeithasol, ac mae e'n awyddus i argymell cydweithredu rhwng egos.

Mae llawer o waith Stirner yn *Yr Ego a Pherchen ei Hunan* yn ymwneud â'r syniad o'r wladwriaeth ac ideolegau gwleidyddol seciwlar. Roedd perchnogaeth yn bwnc mawr i Stirner ac yn ei farn ef ni ddylai unrhyw asiant allanol neu lywodraeth ei rheoli. Ond ar yr un pryd roedd e'n ymarferol ac yn sylweddoli mai'r unig ffordd ymlaen fyddai datblygu cymuned arbennig oedd yn ddiegwyddor. Yr unig beth fyddai'n gyffredin ynddi fyddai cydnabyddiaeth o unigrywiaeth y myfiwr. Undeb y myfiwyr oedd ei enw ar hyn, a hyrwyddodd e'r syniad y dylai cymdeithas gael ei llunio mewn ffordd lle mai'r syniad o gydweithredu sydd bwysicaf wrth gydnabod eich unigrywiaeth er mwyn i'ch gwir hunaniaeth gael ei derbyn. Er bod hwn yn ddelfryd ynddo'i hun, roedd Stirner yn ymwybodol o rym dadadeiladol y cysyniad o undeb a'r cyflwr o unigrywiaeth, a hefyd yr anawsterau ymarferol gallai hyn fod wedi'u golygu.

Mae'r *Stanford Encyclopedia* yn dweud, 'Dywedir bod y dyfodol myfiol yn cynnwys nid unigolion sy'n llwyr ynysig ond yn hytrach berthnasoedd sy'n "uno", hynny yw cysylltiadau dros dro rhwng unigolion sydd eu hunain yn aros yn annibynnol ac yn

Gweithgaredd AA1

Ysgrifennwch hysbyseb ar gyfer cyfarfod o undeb y myfiwyr. Sut byddech chi'n ei ddisgrifio? Beth fyddai'n digwydd yn y cyfarfod hwnnw?

Awgrym astudio

Wrth ateb cwestiwn mae'n bwysig iawn gallu esbonio beth yw myfiaeth foesegol, myfiaeth seicolegol a dadleuon Max Stirner. Ceisiwch lunio tabl tair colofn ac ysgrifennwch bwyntiau allweddol ar gyfer pob un. Defnyddiwch liwiau i ddangos unrhyw gymariaethau neu i bwysleisio gwahaniaethau penodol pob un.

penderfynu drostynt eu hunain.' Byddai undeb y myfiwyr yn parchu unigrywiaeth pob aelod, ac yn eu cefnogi wrth iddyn nhw fynd ar drywydd eu nodau unigol er na fyddai ganddyn nhw ddibenion cyffredin. Dyma'n wir gydweithredu rhwng egos.

Dyfyniad allweddol

Beth am ymwroli nawr i sicrhau mai chi eich hunain yw'r pwynt canolog a'r prif beth yn llwyr? (Stirner)

Heriau i fyfïaeth foesegol

Yn fyr, mae llawer o heriau i fyfïaeth foesegol. O ran Stirner, yr un fwyaf amlwg yw ei bod yn anodd deall ei waith. Fel mae'r *Stanford Encyclopedia* yn ei ddweud, 'Mae'n bosibl fod y dehongliadau niferus o'i waith ei hun wedi difyrru Stirner a'i annog yn ei farn nad yw'n bosibl cael unrhyw gyfyngiadau cyfiawn ar ystyr testun.'

Cynnwys y fanyleb

Heriau: mae'n dinistrio ethos cymuned; gallai anghyfiawnderau cymdeithasol ddigwydd gan fod unigolion yn blaenoriaethu eu buddiannau eu hunain; math o ragfarn (pam mae un asiant moesol yn bwysicach nag unrhyw asiant moesol arall?).

Dinistrio ethos cymuned

Un feirniadaeth yw bod myfïaeth foesegol yn gallu dinistrio **ethos cymuned** wrth hyrwyddo ewyllys yr unigolyn dros ewyllys y bobl. Mae'r wladwriaeth a'r cyfreithiau yno er budd y mwyafrif ac fel amddiffynfa yn erbyn ecsbloetio unrhyw unigolyn gan un arall.

Mewn ymateb, byddai Stirner yn dadlau mai'r nod hwn i ryddhau pobl ynddo'i hun yw'r fformiwla sy'n eu caethiwo. Mae llawer wedi dehongli'r honiad hwn fel un sy'n argymell anarchiaeth a gwrthwynebiad swyddogol i'r wladwriaeth, ynghyd â'r frwydr i'w dileu.

Mae'n wir fod unrhyw wladwriaeth neu system yn annilys yn ôl myfïaeth foesegol Stirner, gan fod hyn yn ei hanfod yn achos gwrthdaro rhwng unigrywiaeth yr unigolyn a rhwymedigaeth i ufuddhau i'r gyfraith. I Stirner, nid yw gofynion y wladwriaeth yn rhwymo'r unigolyn ond nid yw hyn yn golygu o gwbl ymgais weithgar i wrthwynebu neu ddileu system y wladwriaeth. Mae'n rhaid i bob unigolyn benderfynu p'un ai i gytuno â gofynion y wladwriaeth neu beidio. Dyma safbwynt Stirner, yn ôl y *Stanford Encyclopedia*: 'er nad oes gan unigolion ddyletswydd i ddisodli'r wladwriaeth, mae Stirner yn credu bydd y wladwriaeth yn dymchwel yn y pen draw o ganlyniad i ledaeniad myfïaeth.'

Termau allweddol

Ethos cymuned: cymeriad neu ysbryd cymuned

Rhagfarn: anoddefgarwch a meddwl cul

Gallai anghyfiawnderau cymdeithasol a rhagfarn ddigwydd gan fod unigolion yn blaenoriaethu eu buddiannau eu hunain

Y feirniadaeth nesaf o fyfïaeth foesegol yw'r un fwyaf amlwg, sef wrth fynd ar drywydd eich buddiannau eich hun, yn anochel bydd gwrthdaro â buddiannau pobl eraill. Gallai hyn arwain yn anochel at anghyfiawnderau cymdeithasol a **rhagfarn**.

Mae'n bosibl gweld sut gallai hyn godi dim ond drwy ystyried geiriau Stirner: 'Ydw i, sydd yn alluog iawn, o bosibl i beidio â chael mantais dros y llai galluog? Rydyn ni i gyd yng nghanol digonedd; oni fyddaf i'n fy helpu fy hun cymaint ag y gallaf, yn lle dim ond aros i weld faint sydd ar ôl i mi drwy rannu'n gyfartal?'

Mae hyn yn syth yn arwain at gyhuddiadau o anghyfartaledd ym mhob agwedd ar fywyd cymdeithasol, gweithredoedd moesegol a gweinyddiaeth wleidyddol. Yn wir, sut gall un gymdeithas fyw yn ôl y gofynion a'r anghenion sy'n benodol i nifer diddiwedd o unigolion heb anghyfiawnder a rhagfarn?

Gweithgaredd AA1

Rydych chi wedi darllen y rhesymau uchod dros yr heriau i fyfïaeth foesegol. Ar gyfer pob un o'r ddwy brif her, meddyliwch am rai enghreifftiau ymarferol o 'ddinistrio ethos cymuned' a 'rhagfarn' a fyddai'n cefnogi'r esboniadau uchod.

Sgiliau allweddol

Mae gwybodaeth yn ymwneud â:

Dewis ystod o wybodaeth (drylwyr) gywir a pherthnasol sydd â chysylltiad uniongyrchol â gofynion penodol y cwestiwn.

Mae hyn yn golygu eich bod yn dewis y wybodaeth gywir sy'n berthnasol i'r cwestiwn a osodwyd NID y maes pwnc. Bydd angen i chi feddwl a chanolbwyntio ar ddewis gwybodaeth allweddol ac NID ysgrifennu popeth yr ydych chi'n ei wybod am y maes pwnc.

Mae dealltwriaeth yn ymwneud ag:

Esboniad helaeth, gan ddangos dyfnder a/neu ehangder gyda defnydd rhagorol o dystiolaeth ac enghreifftiau gan gynnwys (lle y bo'n briodol) defnydd trylwyr a chywir o destunau cysegredig, ffynonellau doethineb a geirfa arbenigol.

Mae hyn yn golygu y gallwch ddangos eich bod yn deall rhywbeth drwy egluro ac ehangu eich pwyntiau gan ddefnyddio enghreifftiau/tystiolaeth gefnogol mewn ffordd bersonol ac NID ailadrodd darnau o werslyfr (sef dysgu ar y cof).

Cymhwyso sgiliau ymhellach:

Ewch drwy'r meysydd pwnc yn yr adran hon a lluniwch rai rhestri bwled o bwyntiau allweddol o feysydd allweddol. Ar gyfer pob un, rhowch fwy o fanylion ac esboniwch fwy drwy ddefnyddio tystiolaeth ac enghreifftiau.

Datblygu sgiliau AA1

Nawr mae'n bryd ystyried y wybodaeth sydd wedi'i chyflwyno hyd yma. Hefyd mae'n bwysig ystyried sut mae'r hyn rydych chi wedi'i ddysgu hyd yma'n gallu cael ei ddefnyddio ar gyfer atebion arholiad drwy ymarfer y sgiliau sy'n gysylltiedig ag AA1.

Mae Amcan Asesu 1 (AA1) yn ymwneud â dangos gwybodaeth a dealltwriaeth. Mae'r termau 'gwybodaeth' a 'dealltwriaeth' yn amlwg ond mae'n hanfodol eich bod yn gyfarwydd â sut mae sgiliau penodol yn dangos y rhain, a hefyd, sut bydd eich perfformiad ym mhob un o'r sgiliau hyn yn cael ei fesur (gweler disgrifyddion band cyffredinol Band 5 ar gyfer AA1 UG).

▶ **Dyma eich tasg newydd:** mae angen i chi ddatblygu pob un o'r pwyntiau allweddol isod drwy ychwanegu tystiolaeth ac enghreifftiau er mwyn esbonio pob pwynt yn llawn. Mae'r un cyntaf wedi'i wneud i chi. Bydd hyn yn eich helpu wrth ateb cwestiynau ar gyfer AA1 drwy allu 'dangos dyfnder a/neu ehangder sylweddol' gyda 'defnydd rhagorol o dystiolaeth ac enghreifftiau' (Disgrifydd Band 5 AA1).

Ffocws y cwestiwn ar fyfiaeth foesegol a seicolegol

1. Mae myfiaeth seicolegol yn ymwneud â'r esboniad fod pob penderfyniad moesol sy'n cael ei wneud yn tarddu o hunan-les.

DATBLYGIAD: *Mae'n dadlau nad yw moesoldeb yn cael ei osod arnon ni gan systemau allanol ond ein bod ni'n dewis pa systemau i'w defnyddio o ran beth sydd orau i ni.*

2. Mae myfiaeth foesegol a myfiaeth seicolegol yn esbonio bod gan hyd yn oed weithredoedd allgarol gymhellion hunanol.
3. Mae myfiaeth foesegol yn ymwneud â'r syniad y dylen ni seilio ein penderfyniadau moesegol ar hunan-les.
4. Dadleuodd Max Stirner mai myfiaeth foesegol oedd y ffordd y dylen ni wneud penderfyniadau moesegol.
5. Un o'r prif feirniadaethau o fyfiaeth foesegol yw ei bod yn fympwyol.
6. Beirniadaeth arall o fyfiaeth foesegol yw bod ganddi'r posibilrwydd o arwain at weithredoedd drwg.
7. Byddai myfiaeth foesegol, pe bai pawb yn ei mabwysiadu, yn golygu cael cymdeithas anarchaidd.
8. Mae myfiaeth seicolegol yn herio allgaredd.
9. Nid yw myfiaeth foesegol o reidrwydd yn golygu ei bod yn gwbl hunanol yn ei chanlyniadau.
10. Mae canlyniad myfiaeth foesegol yn gallu bod naill ai'n dymor byr neu'n dymor hir.

Materion i'w dadansoddi a'u gwerthuso

I ba raddau y mae myfiaeth foesegol yn anochel yn arwain at ddrygioni moesol

Y brif broblem bosibl gyda myfiaeth foesegol yw'r ffaith nad oes dim absoliwt; fel mae Max Stirner yn ei ysgrifennu, 'Fi sy'n penderfynu ai hwn yw'r *peth cywir* ynof fi; does dim cywir *y tu allan* i mi'. Mae hyn wedi arwain at y feirniadaeth y bydd myfiaeth foesegol yn arwain yn anochel at berson yn gwneud gweithredoedd anfoesol ar draul pobl eraill. Ond a yw hon yn feirniadaeth ddilys?

Yn sicr does dim rheolaeth heblaw'r ewyllys unigol, a byddai'n rhaid i ddamcaniaeth myfiaeth foesegol, pe bai'n cael ei derbyn, ymddiried mewn person i fod yn wir ddisgybledig. Ond gellid dadlau nad yw unigolion yn ddigon cyfrifol i wneud hyn. Yn wir, nid yw unigolion yn driw iddyn nhw'u hunain, gan fod Stirner yn nodi bod llawer yn meddwl eu bod nhw'n rhydd ac yn unigol ond, mewn gwirionedd, maen nhw wedi'u caethiwo a'u cyfeirio gan ryw fath o fframwaith maen nhw wedi ei dderbyn. Mae Stirner yn ysgrifennu, 'Nid yw'r dyn sy'n cael ei adael yn rhydd yn ddim mwy na dyn a ryddhawyd ... mae'n ddyn caeth sy'n gwisgo mantell rhyddid, fel yr asyn yng nghroen y llew,' ac eto, 'Y mwyaf rhydd yw'r bobl, y mwyaf rhwymedig yw'r unigolyn.'

Cafodd myfiaeth foesegol ei chyhuddo hefyd o annog rhagfarn drwy hyrwyddo hunan-les ar draul pobl eraill a gweld yr hunan yn bwysicach. Byddai hyn yn arwain yn anochel at wrthdaro buddiannau ac anghytundeb. Hefyd, mae'n creu'r posibilrwydd o anarchiaeth mewn cymdeithas, a gallai canlyniadau hynny fod yn annymunol iawn.

Er gwaethaf hyn, gellid dadlau bod gweledigaeth Stirner o'r hunan yn arwain at hunan-les rhinweddol, ac felly dydy hyn ddim o reidrwydd yn arwain at ddrygioni moesol. Mae'n ysgrifennu, 'Rydw i'n caru pobl hefyd – nid unigolion yn unig, ond pob un. Ond rydw i'n eu caru gyda'r ymwybyddiaeth o fyfiaeth; rydw i'n eu caru oherwydd bod cariad yn fy ngwneud *i* yn hapus; rydw i'n eu caru oherwydd bod caru yn naturiol i mi, oherwydd ei fod yn fy mhlesio. Dydw i ddim yn gwybod unrhyw "orchymyn am garu".'

Yn wir, mae myfiaeth seicolegol a myfiaeth foesegol fel ei gilydd yn cefnogi'r syniad fod canolbwyntio ar hunan-les yn gallu arwain at ddaioni moesol, ac yn aml mae'n gwneud felly. Mewn gwirionedd, mae pob system heddiw, yn ôl myfiaeth seicolegol a Max Stirner, yn dibynnu ar fath o hunan-les wrth wneud penderfyniadau, er gwaethaf ildio i fframwaith y cytunwyd arno.

I gloi, er bod nifer o bobl sy'n beirniadu myfiaeth foesegol yn rhagweld problemau posibl, ac er y byddai'n bosibl awgrymu ei bod yn arwain yn anochel at ddrygioni moesol, mae'n ymddangos nad yw hyn yn wir o reidrwydd os yw rhywun yn deall y cymhlethdod y tu ôl i fyfiaeth foesegol Stirner. Ond er gwaethaf datblygiad Stirner o'r ddamcaniaeth, mae'r prif broblemau'n aros, a'r posibilrwydd y gallai arwain at ddrygioni moesol sy'n poeni pobl fwyaf. Yr allwedd i'r ateb yw i ba raddau y gall pobl weithredu'n unigol ac eto gyda'i gilydd yr un pryd. Yn y diwedd, mae'r system mae myfiaeth foesegol yn ei hargymell a sut mae honno'n datblygu'n iawn yn dibynnu ar gydweithredu ag eraill, a'u cynnwys, fel undeb o fyfiwyr.

Serch hynny, rydyn ni wedi gweld yn barod fod y syniad o undeb o fyfiwyr yn dod â'i broblemau ei hun wrth geisio cadw cydbwysedd gofalus rhwng ewyllys yr unigolyn sy'n cael ei gyfrifo'n gywir, ac anghenion unigolion eraill. Byddai rhai'n mynd mor bell â dweud bod hyn yn amhosibl i gymdeithas yn gyffredinol, ac yn sicr ddim yn ateb ymarferol.

Mae'r adran hon yn cwmpasu cynnwys a sgiliau AA2

Cynnwys y fanyleb

I ba raddau y mae myfiaeth foesegol yn anochel yn arwain at ddrygioni moesol.

Gweithgaredd AA2
Dadleuon posibl

Wedi'u rhestru isod mae rhai casgliadau y byddai'n bosibl dod iddynt ar sail rhesymeg AA2 yn y testun cysylltiedig:

1. Mae unrhyw system foesol sy'n dibynnu ar hunan-les yn anochel yn arwain at ddrygioni moesol.
2. Does dim rhaid i hunan-les arwain at ddrygioni moesol ond gall wneud.
3. Mae gwir hunan-les yn sail i bob system foesol ac felly mae'r dystiolaeth yn awgrymu nad yw hunan-les yn arwain at ddrygioni moesol.
4. Mae hunan-les yn gwneud rhywun yn fwy parod i gydweithredu.
5. Mae myfiaeth foesegol yn dda mewn egwyddor, ond nid yw'n ymarferol a bydd yn anochel yn arwain at ddrygioni moesol.

Ystyriwch bob un o'r casgliadau sy'n cael eu gwneud uchod a chasglwch dystiolaeth ac enghreifftiau i gefnogi pob dadl o'r deunydd AA1 ac AA2 a astudiwyd yn yr adran hon. Dewiswch un casgliad sy'n argyhoeddi fwyaf yn eich barn chi ac esboniwch pam mae hyn yn wir. Nawr cyferbynnwch hyn â'r casgliad gwannaf ar y rhestr, gan gyfiawnhau eich dadl gyda rhesymu clir a thystiolaeth.

Cynnwys y fanyleb

I ba raddau mai hunan-les sy'n sail i bob gweithred foesol.

I ba raddau mai hunan-les sy'n sail i bob gweithred foesol

Mae'r cwestiwn hwn yn ymwneud â'r ddadl rhwng myfi'aeth seicolegol, myfi'aeth foesegol a'r dehongliadau gwahanol o'r term hunan-les.

Safbwynt myfi'aeth seicolegol yw ein bod ni i gyd yn cael ein gyrru gan hunan-les, p'un ai ein bod ni'n hoffi hyn neu beidio. Yr enghraifft glasurol, yng ngeiriau Richard Norman, yw 'wrth ofalu am bobl eraill, os ydw i'n gwneud hynny oherwydd fy mod i'n meddwl y bydd yn gwneud fy mywyd i fy hun yn hapusach, yna byddai'n ymddangos nad gofal am bobl eraill sy'n fy nghymell, ond gofal amdanaf fi fy hun'. Os felly, mae'n bosibl olrhain ein holl weithredoedd yn ôl i gymhellion hunan-les.

Mae rhai athronwyr yn herio'r farn hon. Mae Peter Cave yn dadlau, 'Weithiau mae pobl yn gweithredu er mwyn pobl eraill yn unig. Mae rhieni'n helpu plant er mwyn y plant. Mae amgylcheddwyr yn achub y morfil a ddaeth i'r lan er mwyn y morfil hwnnw.' Hefyd, mae angen egluro beth yw ystyr hunan-les. Mae Max Stirner wedi cwestiynu dibynadwyedd priodoli popeth i hunan-les.

Ar y llaw arall, os nad yw pob gweithred foesol yn cael ei chymell gan hunan-les, mae myfi'aeth foesegol yn awgrymu mai'r ffordd orau ymlaen yw y dylen nhw fod. Myfi'aeth foesegol yw fersiwn normadol moeseg sy'n seiliedig ar hunan-les. Mae Julia Driver yn cadarnhau hyn wrth ysgrifennu, 'Mae myfi'aeth seicolegol yn ddamcaniaeth am y natur ddynol sy'n honni ei bod yn disgrifio beth sy'n cymell pobl i weithredu. Mae myfi'aeth foesegol, ar y llaw arall, yn normadol. Mae'n honni ei bod yn dweud wrthym sut dylai pobl weithredu.'

Yn wir, mae ymagwedd o'r fath yn amau rhagdybiaeth bosibl y gallai rhywun ei gwneud wrth ddarllen yr honiad, sef bod hunan-les yn beth drwg. Fel mae Frankena'n ei ysgrifennu, 'Dylid nodi nad yw myfi'wr moesegol o reidrwydd yn fyfi'wr neu hyd yn oed yn ddyn myfi'ol a hunanol yn ystyr arferol y termau hyn. Damcaniaeth foesegol yw myfi'aeth foesegol, nid patrwm o weithredu neu nodwedd cymeriad, ac mae'n gydnaws â bod yn ostyngedig ac anhunanol yn ymarferol.'

Cafodd Max Stirner wared ar y rhithdybiau sy'n gysylltiedig â syniadau confensiynol am hunan-les i ailddiffinio'r hunan fel yr 'unigryw' pan ysgrifennodd, 'Fi sy'n *berchen* ar fy ngrym, ac rydw i felly pan ydw i'n gwybod fy mod i'n *unigryw*. Yn yr *un unigryw* mae'r perchennog ei hun yn dychwelyd i'w ddiddymdra creadigol, y cafodd ei eni ohono.' Mae hyn yn golygu mai dim ond pan fydd gennym weledigaeth wirioneddol o'r hyn y mae'r hunan yn ei gynnwys y gall pob gweithred foesol gael ei chymell gan hunan-les.

I gloi, mae'n amlwg fod achos dros ddweud bod pob gweithred foesol yn cael ei chymell gan hunan-les os yw 'hunan-les' yn golygu bod rhywun yn cael dewis, p'un ai'n ymwybodol neu'n anymwybodol, yn yr ystyr confensiynol. Fodd bynnag, nid yw hyn yn wir os yw'r gosodiad am hunan-les yn golygu ein bod ni i gyd wedi ein goleuo i'r un graddau â'r myfi'wr mae Max Stirner yn ei bortreadu. Yn gyffredinol, felly, mae'n ymddangos, er i ni gael ein cymell gan ddewis a hoffter unigol, mae'r cwestiwn ai hunan-les yw'r disgrifiad cywir o hyn neu beidio yn dibynnu ar ein dehongliad a'n dealltwriaeth o'r term 'hunan-les'.

Fel dadleuodd Max Stirner ei hun, ar ôl i wir natur yr hunan gael ei darganfod, dim ond wedyn rydyn ni mewn sefyllfa i ddadlau'r cwestiwn ai hunan-les yw'r ffactor achosol y tu ôl i weithredoedd moesegol neu, yn wir, ai felly y dylai fod.

Gweithgaredd AA2
Dadleuon posibl

Wedi'u rhestru isod mae rhai casgliadau y byddai'n bosibl dod iddynt ar sail rhesymeg AA2 yn y testun cysylltiedig:

1. Mae rhyw fath o hunan-les yn sail i bob gweithred.
2. Gall pobl weithredu mewn ffordd wirioneddol allgarol.
3. Dydy pob gweithred ddim yn cael ei gyrru gan hunan-les gan fod y term yn cael ei gamddeall yn aml.
4. Os caiff pob gweithred ei chymell gan hunan-les dydy hyn ddim yn golygu bod pob gweithred yn ddrwg.
5. Mae hunan-les yn rhy gymhleth i'w ddeall ac felly mae'r gosodiad yn arwynebol.

Ystyriwch bob un o'r casgliadau sy'n cael eu gwneud uchod a chasglwch dystiolaeth ac enghreifftiau i gefnogi pob dadl o'r deunydd AA1 ac AA2 a astudiwyd yn yr adran hon. Dewiswch un casgliad sy'n argyhoeddi fwyaf yn eich barn chi ac esboniwch pam mae hyn yn wir. Nawr cyferbynnwch hyn â'r casgliad gwannaf ar y rhestr, gan gyfiawnhau eich dadl gyda rhesymu clir a thystiolaeth.

Datblygu sgiliau AA2

Nawr mae'n bryd ystyried y wybodaeth sydd wedi'i chyflwyno hyd yma. Hefyd mae'n bwysig ystyried sut mae'r hyn rydych chi wedi'i ddysgu hyd yma'n gallu cael ei ddefnyddio ar gyfer atebion arholiad drwy ymarfer y sgiliau sy'n gysylltiedig ag AA2.

Mae Amcan Asesu 2 (AA2) yn ymwneud â 'dadansoddi' a 'gwerthuso'. Efallai fod ystyr y termau'n amlwg ond mae'n hanfodol eich bod yn gyfarwydd â sut mae sgiliau penodol yn dangos y rhain, a hefyd, sut bydd eich perfformiad ym mhob un o'r sgiliau hyn yn cael ei fesur (gweler disgrifyddion band cyffredinol Band 5 ar gyfer AA2 UG).

Yn amlwg mae ateb yn cael ei osod mewn disgrifydd band priodol, yn ôl pa mor dda yw'r ateb, gan amrywio o ragorol, da, boddhaol, sylfaenol/cyfyngedig i gyfyngedig iawn.

▶ **Dyma eich tasg nesaf**: datblygwch bob un o'r pwyntiau allweddol isod drwy ychwanegu tystiolaeth ac enghreifftiau i werthuso'n llawn y ddadl sy'n cael ei chyflwyno yn y gosodiad gwerthuso. Mae'r un cyntaf wedi'i wneud i chi. Bydd hyn yn eich helpu wrth ateb cwestiynau arholiad ar gyfer AA2 drwy allu sicrhau 'safbwyntiau trylwyr, cyson a chlir wedi'u cefnogi gan resymeg a/neu dystiolaeth helaeth, fanwl' (Disgrifydd Band 5 AA2).

Ffocws y cwestiwn ar werthuso a yw myfiaeth foesegol yn achosi dryswch moesol

1. Mae rhai wedi dadlau bod myfiaeth foesegol yn fympwyol oherwydd ei bod yn seiliedig ar fuddiannau unigol.

DATBLYGIAD: *Mae hyn yn golygu does dim strwythur cyffredinol i'r math hwn o system foesegol heblaw'r canllaw cyffredinol i wneud fel y mynnwch. Mewn geiriau eraill, does dim absoliwt ac felly dim gwir arweiniad i'r unigolyn.*

2. Dydy myfiaeth foesegol ddim yn gallu rheoli cymdeithas ac mae'n hyrwyddo anghyfiawnder cymdeithasol drwy anghydraddoldeb.
3. Dydy unigolion ddim yn ddigon cyfrifol i wneud penderfyniadau moesol yn annibynnol.
4. Dydy unigolion ddim yn driw iddyn nhw eu hunain – mae Stirner yn dadlau bod pobl yn wir yn gaeth i'r hyn maen nhw'n ei gredu yw eu safbwyntiau eu hunain ond, mewn gwirionedd, egwyddorion maen nhw'n eu dewis o systemau sydd yno'n barod ydyn nhw.
5. Mae myfiaeth foesegol yn annog rhagfarn.
6. Mae myfiaeth foesegol yn annog anarchiaeth.
7. Mae myfiaeth foesegol yn cael ei chamddeall oherwydd ei bod yn hybu ymddygiad rhinweddol, aeddfed a disgybledig ar ran yr unigolyn.
8. Mae undeb y myfiwyr yn dangos bod myfiaeth foesegol yn annog cydweithredu nid caos.

Sgiliau allweddol

Mae dadansoddi'n ymwneud â nodi materion sy'n cael eu codi gan y deunyddiau yn adran AA1, ynghyd â'r rhai a nodwyd yn adran AA2, ac mae'n cyflwyno safbwyntiau cyson a chlir, naill ai gan ysgolheigion neu safbwyntiau personol, yn barod i'w gwerthuso.

Mae hyn yn golygu ei fod yn nodi pethau allweddol i'w trafod a'r dadleuon sy'n cael eu cyflwyno gan eraill neu o safbwynt personol.

Mae gwerthuso'n ymwneud ag ystyried goblygiadau amrywiol y materion sy'n cael eu codi, yn seiliedig ar y dystiolaeth a gafwyd wrth ddadansoddi ac mae'n rhoi dadl fanwl eang gyda chasgliad clir.

Mae hyn yn golygu bod yr ateb yn pwyso a mesur y dadleuon amrywiol a gwahanol a gafodd eu dadansoddi drwy roi sylwadau ac ymateb unigol, gan ddod i gasgliad drwy broses rhesymu clir.

Th2 Deddf Naturiol Aquinas – ymagwedd grefyddol at foeseg

Mae'r adran hon yn cwmpasu cynnwys a sgiliau AA1

Cynnwys y fanyleb

Y Ddeddf Naturiol yn deillio o feddylfryd rhesymegol; yn seiliedig ar y gred mewn creawdwr dwyfol (y daioni uchaf yw'r ddealltwriaeth resymegol o bwrpas terfynol Duw).

Dyfyniad allweddol

Mae'r syniad o'r Ddeddf Naturiol yn cael ei ddisgrifio weithiau fel y safbwynt fod yna drefn ddigyfnewid, normadol sy'n rhan o'r byd naturiol. (Buckle)

cwestiwn cyplym

2.1 Beth oedd nod y Ddeddf Naturiol i Aristotle?

Dyfyniad allweddol

O'r dechrau roedd damcaniaethau'r Ddeddf Naturiol yn tynnu ar elfennau gwahanol, a'r rheini felly, fel llanw a thrai ar adegau gwahanol, a ffurfiodd ac ailffurfiodd y ddysgeidiaeth. (Buckle)

A: Deddf Naturiol Thomas Aquinas: deddfau a gofynion fel sail i foesoldeb

Pedair lefel Aquinas o ddeddf (tragwyddol, dwyfol, naturiol a dynol)

Mae'r Ddeddf Naturiol yn seiliedig ar safbwynt arbennig am natur a'r bydysawd. Y safbwynt hwnnw yw bod gan y bydysawd drefn naturiol sy'n gweithio i gyflawni 'diben' neu 'bwrpas' (*telos*). Mae'r drefn, y cyfeiriad a'r pwrpas yn cael eu pennu gan rym goruwchnaturiol. Mae bodau dynol yn rhan o'r byd naturiol ac felly mae ganddyn nhw hefyd 'bwrpas' neu 'natur'. Natur sydd ym mhob bod dynol ydyw. Felly mae'r Ddeddf Naturiol yn ymwneud â gweithredu mewn ffyrdd sy'n golygu ein bod ni'n gyson yn symud tuag at y 'pwrpas' hwn. Er gwaethaf ei ffocws teleolegol, mae'r Ddeddf Naturiol yn aml yn cael ei dosbarthu fel damcaniaeth ddeontolegol, normadol sy'n nodi egwyddorion dyletswydd, hynny yw sut dylen ni ymddwyn.

Mae rhai'n dadlau ei bod yn bosibl olrhain y delfrydau sy'n sail i'r Ddeddf Naturiol yn ôl i athronwyr yr hen oes fel Aristotle. Credai Aristotle mai'r nod teleolegol i ddyn oedd byw bywyd o fath arbennig, hynny yw bod yn greaduriaid sy'n rhesymu a defnyddio rheswm i sylweddoli sut i ymddwyn (h.y. yn foesol). Pan fydd bodau dynol yn gweithredu'n foesol bydd eu pwrpas neu *telos* yn cael ei gyflawni. Felly mae'r cyfuniad o reswm a gweithredu moesol yn cyd-fynd â threfn naturiol pethau.

Yn gyffredinol, gwelai Aristotle mai nod (pwrpas) bywyd dynol oedd '*eudaimonia*' (hapusrwydd). Roedd yn dadlau ein bod yn mynd ar drywydd nodau eraill er mwyn cyrraedd hapusrwydd yn y pen draw. Gall dryswch godi oherwydd y defnydd modern o'r gair 'hapusrwydd'. I Aristotle, roedd 'hapusrwydd' yn wahanol iawn i 'bleser', oherwydd roedd e'n ystyried bod mynd ar drywydd pleser er ei fwyn ei hun yn ddim mwy na boddhad hunanol. Mewn cyferbyniad, byw'n dda a chyflawni rhywbeth oedd hapusrwydd, gan ei fod yn golygu ymddwyn yn rhesymegol (h.y. yn gyson â'r natur ddynol a threfn y byd naturiol). Felly, roedd e'n credu y byddai gwneud dewisiadau rhesymegol yn arwain at hapusrwydd. Yn y syniadau hyn gallwn ni weld dechrau'r Ddeddf Naturiol glasurol.

Aristotle 384–322 CCC

Gan y cyfreithiwr Rhufeinig, Cicero, y gwnaeth adroddiad am y Ddeddf Naturiol ymddangos yn systematig am y tro cyntaf: 'Rheswm cywir yn cytuno â natur yw'r ddeddf wirioneddol; mae'n gymwys i bawb. Mae'n ddigyfnewid ac yn dragwyddol; mae'n galw i ddyletswydd drwy ei gorchmynion, ac yn osgoi camweddau drwy ei gwaharddiadau.' I Cicero, 'awdur' y ddeddf hon oedd Duw. Cafodd y cysylltiad hwn rhwng y Ddeddf Naturiol a deddf dragwyddol neu ddwyfol ei ddatblygu gan y diwinydd a'r athronydd o'r oesoedd canol, Thomas Aquinas.

Cafodd Aquinas ei eni (1125 OCC) yn Ewrop pan oedd yn dechrau dod allan o'r 'Oesoedd Tywyll' (cyfnod o 'dywyllwch' deallusol wedi'i achosi gan ddirywiad yr Ymerodraeth Rufeinig). Ar yr adeg hon, roedd yr Eglwys yn dod o dan fygythiad cynyddol wrth i fwy a mwy o bobl ddechrau cwestiynu honiadau awdurdod yr Eglwys. Tua'r adeg hon roedd y croesgadwyr yn dod â syniadau crefyddol a deallusol newydd yn ôl o'r Wlad Sanctaidd (gan gynnwys gwaith Aristotle wedi'i gyfieithu i Arabeg). Astudiodd Aquinas waith Aristotle ym Mhrifysgol Napoli pan oedd yn 14 oed a chafodd yr hyn a ddarllenodd ddylanwad mawr arno.

Roedd Aquinas yn cytuno'n arbennig ag Aristotle fod rhesymoledd (y gallu i resymu) yn elfen allweddol o fodolaeth ddynol. Hefyd sylweddolodd Aquinas, pe gallai ddangos bod dysgeidiaeth y Beibl a Christnogaeth yn seiliedig ar reswm, ac nid ar ffydd yn unig, yna byddai'n gallu helpu i amddiffyn y ffydd yn erbyn heriau cynyddol. Defnyddiodd Aquinas nifer o dermau Aristotle hefyd yn ei ddamcaniaeth Deddf Naturiol; er enghraifft, roedd yn cefnogi syniad Aristotle fod yna achosion 'gweithredol' ac 'eithaf'.

Roedd Aquinas yn cytuno ag Aristotle fod pwrpas i bob peth yn y byd, ond yn wahanol i Aristotle, roedd yn dadlau mai Duw oedd wedi rhoi'r pwrpas hwn iddo. Hefyd ymgorfforodd Aquinas yn ei ddamcaniaeth Deddf Naturiol syniadau Aristotle am bwysigrwydd meithrin y prif rinweddau; ond i Aquinas roedd hyn er mwyn datblygu fel bod dynol a chyflawni eich gwir natur mewn perthynas â Duw.

I Aquinas, roedd y Ddeddf Naturiol wedi'i lleoli yng ngweithgaredd rhesymu dynol. Drwy gymhwyso rheswm at broblemau moesol, byddwn ni'n gweld ein bod ni'n gweithredu mewn ffordd sy'n gyson â'r Ddeddf Naturiol. Caiff gweithredoedd o'r fath eu hystyried yn weithredoedd da, neu'n ddaioni naturiol, gan eu bod yn unol â'n gwir natur ddynol a'n pwrpas. I Aquinas, crëwyd y Ddeddf Naturiol gan Dduw ac fe'i lluniwyd i gyflawni'r pwrpas eithaf – mwynhau cyfeillach â Duw a bod yn berffaith ar ddelw Duw. I Aquinas, roedd ufuddhau i'r Ddeddf Naturiol yn golygu gwneud gweithredoedd sy'n datblygu'n delw ni fel ei bod yn adlewyrchu delw Duw mor agos â phosibl; fodd bynnag, nid oedd gwir berffeithrwydd fel hyn yn bosibl yn ein bywydau ar y ddaear.

I Aquinas, roedd rheswm yn dal i chwarae rhan allweddol yn ei ddatblygiad o'r Ddeddf Naturiol er gwaetha'i tharddiad dwyfol. Roedd Duw yn cael ei weld fel ffynhonnell y Ddeddf Naturiol, oedd wedi'i gwreiddio yn y meddwl dynol. Pan fydd rhesymu am gwestiynau moesol yn digwydd, yna bydd rhesymu da yn cyd-daro â'r Ddeddf Naturiol. Credai Aquinas fod Duw wedi'n llunio ni gyda'r diben o berffeithrwydd. Credai ein bod wedi cael ein gwneud ar ddelw Duw ac mai'n pwrpas ni oedd adlewyrchu'r ddelw hon yn berffaith yn y pen draw. Yn wahanol i athronwyr cynharach fel Aristotle a'r Stoiciaid, roedd Aquinas yn credu mewn Duw fel creawdwr personol. Roedd hefyd yn ystyried pwrpas terfynol bodau dynol yn nhermau'r tragwyddol yn hytrach na'r tymhorol.

Dyfyniad allweddol

Mae'r Ddeddf Naturiol yr un peth i bawb ... mae un safon o wirionedd a'r hyn sy'n gywir i bawb ... ac mae pawb yn ei gwybod. **(Aquinas)**

Dyfyniad allweddol

Rheswm cywir yn cytuno â natur yw'r ddeddf wirioneddol; mae'n gymwys i bawb. Mae'n ddigyfnewid ac yn dragwyddol; mae'n galw i ddyletswydd drwy ei gorchmynion, ac yn osgoi camweddau drwy ei gwaharddiadau. **(Cicero)**

Thomas Aquinas 1225–1274

Mae'r Beibl yn rhan o'r ddeddf ddwyfol

Doedd Aquinas ddim yn meddwl y gallai'r perffeithrwydd hwn gael ei ddarganfod drwy'r Ddeddf Naturiol yn unig. Apeliodd hefyd ar y 'ddeddf dragwyddol' a'r 'ddeddf ddwyfol':

- Dim ond yn rhannol rydyn ni'n gwybod am y ddeddf dragwyddol oherwydd ei bod yn cyfeirio at yr egwyddorion y mae Duw'n eu dilyn i lywodraethu'r bydysawd.
- Mae'r ddeddf ddwyfol yn cyfeirio at y Beibl sy'n ein harwain ni i gyrraedd ein nod o berffeithrwydd. Fodd bynnag, er bod datguddiad o'r fath wedi'i anelu at gywiro'r hyn gafodd ei niweidio gan gwymp bodau dynol, credai Aquinas nad oedd perffeithrwydd o'r fath yn gyraeddadwy yn y bywyd hwn, ond ar ôl marwolaeth yn unig.
- Y ddeddf naturiol yw'r rhan o'r ddeddf dragwyddol sy'n ymwneud â dewisiadau pobl wrth nodi'r gofynion cynradd (*primary precepts*) a gallwn ni ei hadnabod drwy ein rheswm naturiol.
- Mae'r ddeddf ddynol yn golygu cydnabod angen i chwilio am y daioni cyffredin drwy sefydlu arfer a thraddodiad o reolau wedi'u seilio mewn barn a phrofiad. Ond roedd Aquinas yn cydnabod y gallai'r lefel hon o ddeddf weithiau olygu rhesymu anghywir ac arwain at anghyfiawnder, gan ddadlau, 'os ar unrhyw bwynt bydd yn gwyro oddi wrth ddeddf natur, ni fydd yn ddeddf bellach ond yn ystumiad o ddeddf'.

Roedd angen archwilio'r syniad fod yna safon naturiol cyffredinol o ddaioni. Mae'r Ddeddf Naturiol ym mhob un ohonon ni ond nid yw fel deddf ffisegol y mae'n rhaid ei dilyn. Mae'n deillio o reswm ac mae angen cymhwyso rheswm yn ofalus ac yn gydlynol er mwyn osgoi canlyniad anghywir.

cwestiwn cyflym

2.2 Sut gwnaeth Aquinas ddatblygu Deddf Naturiol Aristotle?

Gweithgaredd AA1

Cymharwch Ddeddf Naturiol Aquinas â Deddf Naturiol Aristotle a thynnwch sylw at y ffyrdd maen nhw'n wahanol. Yna crëwch rai cardiau fflachio i ysgrifennu termau allweddol a lefelau gwahanol y Ddeddf Naturiol.

Cynnwys y fanyleb

Y Ddeddf Naturiol fel math o absoliwtiaeth foesol a damcaniaeth sy'n cynnwys agweddau deontolegol a theleolegol.

Y Ddeddf Naturiol fel math o absoliwtiaeth foesol a damcaniaeth sy'n cynnwys agweddau deontolegol a theleolegol

Mae moeseg y Ddeddf Naturiol yn golygu defnyddio rheswm i weithio allan yr ymddygiad moesol gywir sy'n cyd-fynd â'r nod o fod yn ddynol. Mae'n cael ei hystyried fel arfer i fod yn ddeontolegol ac absoliwtaidd:

1. Deontolegol oherwydd ystyrir bod yr hyn y dylid ei wneud yn cael ei bennu gan egwyddorion sylfaenol nad ydynt wedi'u seilio ar ganlyniadau.
2. Absoliwtaidd oherwydd ei bod yn nodi'r weithred gywir drwy gyfrwng y gofynion cynradd.

Term allweddol

Caswistiaeth: y gelfyddyd o gymhwyso egwyddorion allweddol at achos moesegol

Mae'r gair '**caswistiaeth**' yn dod o'r gair Lladin *casus* sy'n golygu achos. Caswistiaeth yw pan gaiff egwyddorion craidd ymddygiad moesol a bennwyd yn barod eu cymhwyso at 'achos', cyd-destun neu sefyllfa. Defnyddir rheswm i gymhwyso'r rheol a dod at farn am foesoldeb y sefyllfa.

cwestiwn cyflym

2.3 Pam mae'r Ddeddf Naturiol yn ddeontolegol?

Dyfyniad allweddol

Caswistiaeth yw gwyddor barnu achosion o gydwybod, neu broblemau moesol. (**Holmes**)

I rai, dydy hyn ddim yn ymagwedd deleolegol mewn gwirionedd, oherwydd yr egwyddorion absoliwt a bennwyd yn barod sy'n cael eu dwyn i'r achos. Fodd bynnag, mae eraill wedi ei ystyried yn deleolegol oherwydd, wrth gymhwyso'r egwyddorion absoliwt a bennwyd yn barod, mae'r canlyniad terfynol yn cael ei ystyried. Mae'r ffaith fod y cysyniad yn dod o'r gair Lladin *casus* yn awgrymu bod cyd-destun penodol a chanlyniadau 'terfynol' yn cael eu hystyried ac felly mae ymagwedd deleolegol y Ddeddf Naturiol yn cael ei derbyn yn aml.

cwestiwn cyflym

2.4 Pam mae'r Ddeddf Naturiol yn cael ei hystyried yn deleolegol weithiau?

Y pum gofyniad cynradd

Mae'r gofynion cynradd yn gymwys i bob bod dynol heb eithriad. Maen nhw'n weithredoedd da oherwydd eu bod nhw'n ein harwain tuag at y prif bwrpas neu nod dynol. Yr un fwyaf sylfaenol sy'n sail iddyn nhw i gyd yw 'gweithredu mewn ffordd fydd yn gwneud daioni ac osgoi drygioni'.

Mae'r crynodeb hwn yn nodi'r tueddiad naturiol mwyaf sylfaenol. O hyn aeth Aquinas ymlaen wedyn i nodi tueddiadau mwy cyffredinol. Ar un ystyr mae'n bosibl eu gweld fel egwyddorion sylfaenol y mae'n rhaid eu dilyn er mwyn cyflawni'r dibenion angenrheidiol. Er bod rhywfaint o drafod ynghylch faint o ofynion a nododd Aquinas, fel arfer cytunir bod pump. Dyma'r pum egwyddor:

1. Cynnal bywyd diniwed ('mae pob sylwedd yn ceisio cynnal ei fodolaeth ei hun ... beth bynnag sy'n fodd o gynnal bywyd dynol')
2. Byw'n drefnus mewn cymdeithas
3. Addoli Duw
4. Addysgu plant
5. Atgenhedlu er mwyn parhau'r ddynoliaeth.

Mae p'un ai bydd y gweithredoedd yn ein harwain at Dduw neu beidio yn dibynnu ar a yw'r weithred yn addas i'r pwrpas y cafodd pobl eu gwneud ar ei gyfer. Os yw'r weithred yn ein helpu i gyflawni'r pwrpas hwnnw yna mae'n dda. Mae'r gofynion cynradd yn ein helpu i adnabod beth yw pwrpasau Duw i ni mewn bywyd ac felly maen nhw'n dangos pa weithredoedd sy'n 'dda'. Os ydyn ni'n cyflawni'r dibenion hyn byddan nhw'n ein dwyn yn nes at Dduw a'n nod eithaf o ailsefydlu perthynas 'gywir' â Duw a, thrwy hynny, cael bywyd tragwyddol gyda Duw yn y nefoedd.

Cynnwys y fanyleb

Y pum gofyniad cynradd (cynnal bywyd, cymdeithas drefnus, addoli Duw, addysg ac atgenhedlu'r ddynoliaeth) yn deillio o feddylfryd rhesymegol ac yn seiliedig ar y rhagosodiad o 'wneud daioni ac osgoi drygioni'.

Y gofynion eilaidd a phwysigrwydd dilyn y gofynion

O'r gofynion cynradd hyn, mae'n bosibl adnabod gofynion eilaidd. Y gwahaniaeth rhwng y cynradd a'r eilaidd yw bod y gofynion cynradd bob amser yn wir ac yn cael eu dal yn gyffredinol, heb eithriad. Maen nhw hefyd yn hunanamlwg. Mewn cyferbyniad, dydy'r gofynion eilaidd ddim yn gwbl gyffredinol gan efallai na fyddan nhw'n briodol mewn rhai amgylchiadau. Hefyd maen nhw'n deillio o resymeg y gofynion cynradd.

Enghraifft o ofyniad eilaidd fyddai 'na ladrata'. Mae hon yn adlewyrchu'r gofyniad cynradd 'byw'n drefnus mewn cymdeithas.' Fodd bynnag, derbynnir bod sefyllfaoedd yn digwydd weithiau lle y gall peidio â dilyn gofynion eilaidd gael ei gefnogi gan ofyniad cynradd arall. Er enghraifft, pe bai'r lladrata'n digwydd er mwyn rhoi bwyd i blentyn newynog, yna mae'r gofyniad cynradd o gynnal bywyd diniwed yn cael blaenoriaeth. Mewn achos o'r fath mae cyfiawnhad i'r weithred. Mae'r Ddeddf Naturiol bob amser yn mynnu bod rhywun yn glynu wrth ofyniad cynradd. Y math hwn o 'weithio allan' yw caswistiaeth. Unwaith eto, gallwn ni weld ei dylanwad teleolegol yma.

Credai'r diwinydd Ronald Preston mai gwendid caswistiaeth oedd gyda'r rheini oedd yn defnyddio caswistiaeth, hynny yw y rheini oedd yn ei chymhwyso, ac nid gyda disgyblaeth caswistiaeth ei hun. Yn wir, mae'n honni bod caswistiaeth yn hanfodol: mae'n golygu defnyddio'r meddwl yn ofalus wrth gymhwyso egwyddorion cyffredinol at amgylchiadau penodol: 'Byddai moeseg Gristnogol yn ymarfer mewn anwybodaeth hebddi'.

Cynnwys y fanyleb

Y gofynion eilaidd sy'n deillio o'r gofynion cynradd; pwysigrwydd ufuddhau i'r gofynion er mwyn sefydlu'r berthynas gywir â Duw ac er mwyn sicrhau bywyd tragwyddol gyda Duw yn y nefoedd.

cwestiwn cyflym

2.5 Sut mae caswistiaeth yn helpu'r Ddeddf Naturiol?

Gweithgaredd AA1

Gan ddefnyddio'r termau a ddefnyddiwyd i ddisgrifio Deddf Naturiol Aquinas, crëwch fap meddwl sy'n crynhoi pob cysyniad. Gwnewch yn siŵr eich bod yn defnyddio enghreifftiau, lle'n briodol, o'r ysgrythurau neu ddyfyniadau allweddol. Bydd hyn yn eich helpu i allu dewis a chyflwyno'r prif nodweddion perthnasol o'r deunydd rydych wedi ei ddarllen.

Awgrym astudio

Mae llawer o enghreifftiau o iaith a geirfa arbenigol yn y pwnc hwn. Gwnewch yn siŵr dydych chi ddim yn cael eich drysu gan y geiriau gwahanol sy'n cael eu defnyddio i ddisgrifio'r prif dermau sy'n gysylltiedig â'r Ddeddf Naturiol. Byddai gallu defnyddio'r termau yn gywir mewn ateb arholiad yn gwahaniaethu rhwng ateb lefel uchel ac un sydd ddim ond yn ateb cyffredinol.

Sgiliau allweddol

Mae gwybodaeth yn ymwneud â:

Dewis ystod o wybodaeth (drylwyr) gywir a pherthnasol sydd â chysylltiad uniongyrchol â gofynion penodol y cwestiwn.

Mae hyn yn golygu eich bod yn dewis y wybodaeth gywir sy'n berthnasol i'r cwestiwn a osodwyd NID y maes pwnc. Bydd angen i chi feddwl a chanolbwyntio ar ddewis gwybodaeth allweddol ac NID ysgrifennu popeth yr ydych chi'n ei wybod am y maes pwnc.

Mae dealltwriaeth yn ymwneud ag:

Esboniad helaeth, gan ddangos dyfnder a/neu ehangder gyda defnydd rhagorol o dystiolaeth ac enghreifftiau gan gynnwys (lle y bo'n briodol) defnydd trylwyr a chywir o destunau cysegredig, ffynonellau doethineb a geirfa arbenigol.

Mae hyn yn golygu y gallwch ddangos eich bod yn deall rhywbeth drwy egluro ac ehangu eich pwyntiau gan ddefnyddio enghreifftiau/tystiolaeth gefnogol mewn ffordd bersonol ac NID ailadrodd darnau o werslyfr (sef dysgu ar y cof).

Cymhwyso sgiliau ymhellach:

Ewch drwy'r meysydd pwnc yn yr adran hon a lluniwch rai rhestri bwled o bwyntiau allweddol o feysydd allweddol. Ar gyfer pob un, rhowch fwy o fanylion ac esboniwch fwy drwy ddefnyddio tystiolaeth ac enghreifftiau.

Datblygu sgiliau AA1

Nawr mae'n bryd ystyried y wybodaeth sydd wedi'i chyflwyno hyd yma. Hefyd mae'n bwysig ystyried sut mae'r hyn rydych chi wedi'i ddysgu hyd yma'n gallu cael ei ddefnyddio ar gyfer atebion arholiad drwy ymarfer y sgiliau sy'n gysylltiedig ag AA1.

Mae Amcan Asesu 1 (AA1) yn ymwneud â dangos gwybodaeth a dealltwriaeth. Mae'r termau 'gwybodaeth' a 'dealltwriaeth' yn amlwg ond mae'n hanfodol eich bod yn gyfarwydd â sut mae sgiliau penodol yn dangos y rhain, a hefyd, sut bydd eich perfformiad ym mhob un o'r sgiliau hyn yn cael ei fesur (gweler disgrifyddion band cyffredinol Band 5 ar gyfer AA1 UG).

▶ **Dyma eich tasg newydd:** isod mae ateb gwan a gafodd ei ysgrifennu'n ymateb i gwestiwn sy'n gofyn am esboniad o Ddeddf Naturiol Aquinas. Gan ddefnyddio'r disgrifyddion band rhowch yr ateb hwn mewn band perthnasol sy'n cyfateb i'r disgrifiad yn y band hwnnw. Yn amlwg mae'n ateb gwan ac felly nid yw'n perthyn i fandiau 3–5. Er mwyn gwneud hyn bydd yn ddefnyddiol i chi ystyried beth sydd ar goll o'r ateb a beth sy'n anghywir. Bydd y dadansoddiad sy'n cyd-fynd â'r ateb yn eich helpu chi. Wrth ddadansoddi gwendidau'r ateb, gweithiwch mewn grŵp a meddyliwch am bum ffordd o wella'r ateb er mwyn ei gryfhau. Efallai fod gennych fwy na phum awgrym ond ceisiwch drafod fel grŵp a blaenoriaethu'r pum peth pwysicaf sydd ar goll.

Ateb

Roedd Aquinas yn credu bod gofynion cynradd y Ddeddf Naturiol yn gymwys i bob bod dynol heb eithriad. Maen nhw'n weithredoedd da oherwydd eu bod nhw'n ein harwain tuag at y prif bwrpas neu nod dynol, sef addoli Duw. 1

Roedd Aquinas yn dadlau bod yn rhaid i ni feddwl yn ofalus am yr hyn sy'n gywir ac anghywir a thrwy resymeg, gallwn ni ei weithio allan. 2

Y gofyniad mwyaf sylfaenol yw 'gweithredu mewn ffordd fydd yn gwneud daioni ac osgoi drygioni'. Mae'r Eglwys Gatholig wedi defnyddio'r Ddeddf Naturiol fel ffordd o wneud penderfyniadau moesol ers mwy na 700 mlynedd sy'n dangos bod y ddamcaniaeth yn dal yn boblogaidd. Er enghraifft, mae'r prif ofynion yn cynnwys addoli Duw ac mae cyfeiriad at hyn yn y Deg Gorchymyn. Gofyniad arall yw 'atgenhedlu' sy'n un o orchmynion cyntaf Duw i fodau dynol. 3

Mae'r Ddeddf Naturiol yn ddamcaniaeth absoliwtaidd ac mae'n rhy lym. Byddai rhai Cristnogion yn caniatáu erthyliad (sy'n torri gofyniad cynradd 'atgenhedlu') os dyna'r 'peth mwyaf cariadus i'w wneud', ond pe bai menyw wedi cael ei threisio, ni fyddai'r Ddeddf Naturiol yn caniatáu erthyliad gan y byddai hyn yn torri gofyniad cynradd 'atgenhedlu'. 4

Yn gyffredinol, mae gan Ddeddf Naturiol Aquinas ofynion eilaidd ond dydyn nhw ddim mor bwysig â'r rhai cynradd. 5

Dadansoddiad o'r ateb

1. Mae'r ateb yn mynd yn syth i'r gofynion heb esbonio o ble maen nhw'n tarddu. Mae'r ateb wedyn yn nodi pwynt pwysig ond nid yw'n ehangu arno.
2. Mae'r pwynt yn berthnasol ond heb ei esbonio'n dda. Mae'n awgrymu nad oes gan yr ymgeisydd syniad pam mai rheswm yw sail y Ddeddf Naturiol.
3. Mae'r frawddeg gyntaf yn berthnasol ond nid yw'n esbonio nad y gofynion cynradd sydd yma. Mae'r ail frawddeg yn crwydro a heb ffocws. Mae'r drydedd yn dod yn ôl at y gofynion penodol ac yn sôn am ddau heb eu datblygu.
4. Mae'r pwynt yn berthnasol ond nid yw'n cysylltu ag unrhyw beth arall ac nid yw'n esbonio pam gall hon gael ei hystyried yn ddamcaniaeth absoliwtaidd.
5. Nid yw'r frawddeg olaf yn dangos unrhyw dystiolaeth wirioneddol o ddealltwriaeth o'r gofynion eilaidd. Yn gyffredinol does dim esboniad am o ble y tarddodd y gofynion na pham maen nhw'n bwysig i ddamcaniaeth y Ddeddf Naturiol.

Materion i'w dadansoddi a'u gwerthuso

I ba raddau y gall y ddeddf ddynol gael ei dylanwadu gan y Ddeddf Naturiol

Byddai'n bosibl dadlau y gallai'r Ddeddf Naturiol ddylanwadu ar y ddeddf ddynol mewn ffyrdd cadarnhaol a bod ganddi lawer i'w gynnig. Mae'n rhoi arweiniad clir, gwrthrychol a chyffredinol, er enghraifft mae'r gofynion cynradd yn dweud wrthym beth sy'n gywir ac anghywir. Pwrpas y ddeddf ddynol yw cadw trefn, ac yn wir mae un o brif ofynion y Ddeddf Naturiol yn adlewyrchu hyn.

Mae hefyd yn cefnogi deddfau dynol penodol fel gwahardd llofruddio. Yn wir, byddai'n bosibl dadlau bod y ddeddf ddynol wedi'i seilio ar draddodiadau'r Ddeddf Naturiol – er enghraifft, craidd cymdeithas yw egwyddorion y Deg Gorchymyn. Mae profiad yn dweud wrthym fod 'na ladrata' yn arwain at gymdeithas drefnus, sydd eto'n adlewyrchu'r ffaith mai un o'r gofynion cynradd allweddol yw 'cymdeithas drefnus'.

Fel y ddeddf ddynol, mae'n bosibl deall y Ddeddf Naturiol drwy gyfeirio at drefn naturiol pethau ac nid yw'n dibynnu ar ganlyniadau anrhagweladwy. Mae hefyd yn rhoi lle dyledus i reswm wrth wneud deddfau a phenderfyniadau moesegol. Byddai'n bosibl dadlau bod hyn yn gymorth mawr wrth sefydlu a chymhwyso deddfau dynol. Yn wir, mae system gyfreithiol ein cymdeithas yn seiliedig ar egwyddorion caswistiaeth a gweithio allan sut mae cymhwyso egwyddorion cyffredinol y gyfraith at achosion penodol, weithiau'n cymhwyso ar lefelau eilaidd yn union fel y gofynion eilaidd. Ymhellach, mae'r Ddeddf Naturiol yn annog ymddygiad rhinweddol ac yn gallu creu delwedd o'r dinesydd delfrydol.

Fodd bynnag, dadl wahanol yw bod ganddi ei phroblemau, na fyddent yn dderbyniol wrth weithio allan a chymhwyso'r ddeddf ddynol. Er enghraifft, mae'n seiliedig ar y rhagdybiaeth fod yr hyn roedd Aquinas yn ei ystyried yn 'naturiol' bob amser yn gywir. Mae hyn yn rhy anoddefgar heddiw, a phe bai'n dylanwadu ar y ddeddf ddynol, yna ni fydden ni'n caniatáu cyfunrywioldeb neu briodas rhwng yr un rhyw oherwydd y gofyniad cynradd o atgenhedlu. Yn wir, ni chaniateir unrhyw drafodaeth o fewn fframwaith y Ddeddf Naturiol i ystyried y ffaith y gallai pobl mewn perthnasoedd un rhyw anghytuno â barn Aquinas a dadlau bod eu rhywioldeb nhw'n naturiol iddyn nhw.

Hefyd, mae yna lawer o bobl sydd ddim yn credu mewn creawdwr dwyfol. Fyddai'r bobl hyn ddim yn derbyn damcaniaeth sy'n seiliedig ar gred yn Nuw fel sail ddigonol i'r ddeddf ddynol gan na fyddai'n gymwys i bob person. Yn hyn o beth, byddai rhai'n dadlau ei bod hefyd yn hen ffasiwn a bod cymdeithas wedi newid, hyd yn oed wedi symud ymlaen y tu hwnt i syniadau'r Ddeddf Naturiol. Er enghraifft, byddai llawer yn dadlau mai caniatáu erthyliad yw'r peth mwyaf cariadus i'w wneud nawr. Ond nid yn unig y mae hynny'n torri'r gofyniad cynradd 'cadw bywyd' ond byddai hefyd yn gwrthod erthyliad. Mae erthyliad yn rhan o'r ddeddf ddynol ac mae'n cael ei ganiatáu.

I gloi, er bod llawer sy'n werthfawr y gall y Ddeddf Naturiol ei ddwyn i gymdeithas, mae'n tueddu i fod yn rhy absoliwtaidd wrth ei chymhwyso ac felly'n rhy anoddefgar i fod yn sail i'r ddeddf ddynol. Nid yw hyn yn meddwl, serch hynny, nad yw o ddefnydd o gwbl i helpu i arwain rhai agweddau ar y ddeddf ddynol, er enghraifft ymddygiad rhinweddol a chreu cymdeithas drefnus.

Rhaid cofio bod damcaniaeth y Ddeddf Naturiol wedi'i gwreiddio mewn canrifoedd o drafodaeth a dadlau athronyddol a'i bod yn gynhwysfawr iawn ei natur. Felly byddai'n gamgymeriad gwrthod y Ddeddf Naturiol yn gyfan gwbl heb ei hystyried yn ddifrifol.

Mae'r adran hon yn cwmpasu cynnwys a sgiliau AA2

Cynnwys y fanyleb

I ba raddau y gall y ddeddf ddynol gael ei dylanwadu gan y Ddeddf Naturiol.

Gweithgaredd AA2

Dadleuon posibl

Wedi'u rhestru isod mae rhai casgliadau y byddai'n bosibl dod iddynt ar sail rhesymeg AA2 yn y testun cysylltiedig:

1. Nid yw'r Ddeddf Naturiol yn sail ddigonol i'r ddeddf ddynol gan na fyddai'n deg i bawb.
2. Mae'r Ddeddf Naturiol yn sail ddigonol i'r ddeddf ddynol gan fod llawer yn gyffredin rhwng y ddwy.
3. Nid yw'r Ddeddf Naturiol yn sail ddigonol i'r ddeddf ddynol oherwydd ei bod yn llawer rhy hen ffasiwn i'r byd modern.
4. Dylai'r ddeddf Naturiol ddylanwadu ar y ddeddf ddynol ond mae ganddi ei chyfyngiadau.
5. Nid yw'r Ddeddf Naturiol yn sail ddigonol i'r ddeddf ddynol oherwydd ei bod yn tueddu i gael ei mabwysiadu fwyaf gan draddodiadau crefyddol.

Ystyriwch bob un o'r casgliadau sy'n cael eu gwneud uchod a chasglwch dystiolaeth ac enghreifftiau i gefnogi pob dadl o'r deunydd AA1 ac AA2 a astudiwyd yn yr adran hon. Dewiswch un casgliad sy'n argyhoeddi fwyaf yn eich barn chi ac esboniwch pam mae hyn yn wir. Nawr cyferbynnwch hyn â'r casgliad gwannaf ar y rhestr, gan gyfiawnhau eich dadl gyda rhesymu clir a thystiolaeth.

Cynnwys y fanyleb

I ba raddau y mae natur absoliwtaidd a/neu ddeontolegol y Ddeddf Naturiol yn gweithio yn y gymdeithas gyfoes.

Gweithgaredd AA2
Dadleuon posibl

Wedi'u rhestru isod mae rhai casgliadau y byddai'n bosibl dod iddynt ar sail rhesymeg AA2 yn y testun cysylltiedig:

1. Gall systemau deontolegol fel y Ddeddf Naturiol weithio yn y gymdeithas gyfoes oherwydd eu bod yn rhoi rheolau clir.
2. Dydy systemau deontolegol fel y Ddeddf Naturiol ddim yn gallu gweithio yn y gymdeithas gyfoes oherwydd eu bod yn rhy anhyblyg.
3. Dydy systemau deontolegol fel y Ddeddf Naturiol ddim yn gallu gweithio yn y gymdeithas gyfoes oherwydd eu bod yn rhy hen ffasiwn ac mae'n bosibl eu cyhuddo o fod yn anoddefgar.
4. Mae systemau deontolegol fel y Ddeddf Naturiol yn gallu gweithio yn y gymdeithas gyfoes oherwydd ei bod yn amlwg fod gwreiddiau llawer o'n traddodiad cyfreithiol a'n hymddygiad moesol i'w cael yn y Ddeddf Naturiol.
5. Dydy systemau deontolegol fel y Ddeddf Naturiol ddim yn gallu gweithio yn y gymdeithas gyfoes oherwydd ein bod ni wedi symud ymlaen o systemau mor syml.

Ystyriwch bob un o'r casgliadau sy'n cael eu gwneud uchod a chasglwch dystiolaeth ac enghreifftiau i gefnogi pob dadl o'r deunydd AA1 ac AA2 a astudiwyd yn yr adran hon. Dewiswch un casgliad sy'n argyhoeddi fwyaf yn eich barn chi ac esboniwch pam mae hyn yn wir. Nawr cyferbynnwch hyn â'r casgliad gwannaf ar y rhestr, gan gyfiawnhau eich dadl gyda rhesymu clir a thystiolaeth.

I ba raddau y mae natur absoliwtaidd a/neu ddeontolegol y Ddeddf Naturiol yn gweithio yn y gymdeithas gyfoes

Un ddadl mewn ymateb i hyn yw bod y Ddeddf Naturiol yn rhy gyfyngedig ac nid yw'n caniatáu i bobl weithredu yn ôl eu cydwybod. Mae'n gosod safonau absoliwt y mae'n rhaid glynu wrthynt ac yn amlwg does dim hyblygrwydd. Ni fyddai unrhyw system absoliwtaidd yn caniatáu mynegiant unigol neu resymu unigol sy'n herio gofynion sefydlog.

Hefyd, mae'n well gan lawer o bobl wneud penderfyniadau yn seiliedig ar gariad neu hapusrwydd yn hytrach na rheolau caeth. Mae yna systemau teleolegol neu asiant-ganolog mwy hyblyg fel Moeseg Sefyllfa, Iwtilitariaeth neu ddamcaniaeth rhinwedd sydd efallai yn fwy perthnasol yn ein byd heddiw. Gallai rhywun fynd mor bell â dweud ei bod yn or-syml ac nad yw'n adlewyrchu cymhlethdod moeseg yn y byd cyfoes heddiw.

Yn wir, mae llawer o bobl wedi gwrthod yr ymagwedd 'ddeontolegol' o blaid ymagweddau sy'n caniatáu mwy o ymreolaeth (rhyddid i ddewis). Rydyn ni'n ystyried bod y deddfau hyn yn gyffredinol ac yn gymwys i bawb bob amser, eto maen nhw'u hunain yn gannoedd o flynyddoedd oed, ac er nad ydyn nhw wedi newid, mae'r gymdeithas wedi newid. Enghraifft amlwg yw bod ysgariad yn cael ei dderbyn dan y gyfraith erbyn hyn ond, yn ôl y Ddeddf Naturiol, mae hyn yn torri'r gofyniad cynradd 'cymdeithas drefnus'. Enghraifft arall fyddai peidio â derbyn bod cyfunrywioldeb yn gyfreithiol a gwahardd erthyliad. I lawer byddai hyn yn golygu symud yn ôl yn hytrach na symud ymlaen.

Ni fyddai atheistiaid neu ddyneiddwyr eisiau dilyn damcaniaeth foesegol grefyddol ddeontolegol gan nad ydyn nhw'n credu mai Duw yw ffynhonnell moesoldeb. Dydyn nhw ddim yn credu mai bod dwyfol sy'n penderfynu beth sy'n 'gywir' neu'n 'anghywir' i bobl. Er nad yw'r Ddeddf Naturiol i gyd yn grefyddol, mae'r egwyddorion y tu ôl iddi yn dal â'u seiliau mewn syniadaeth a diwylliant hynafol.

Serch hynny, byddai'r rheini sydd o blaid ymagwedd ddeontolegol at system foesegol neu gyfreithiol yn dadlau bod rheolau'r Ddeddf Naturiol yn dragwyddol ac yn ddigyfnewid, ac felly maen nhw'n gallu bod yn gymwys i bawb bob amser.

Bydden nhw'n dadlau bod y Ddeddf Naturiol yn darparu rheolau clir i bobl eu dilyn mewn bywyd ac nad oes ardaloedd 'llwyd' neu faterion cymhleth. Er enghraifft, mae'n hollol amlwg fod unrhyw weithred rywiol nad yw'n agored i'r posibilrwydd o atgenhedlu yn anghywir, gan ei bod yn herio un o'r gofynion cynradd.

Yn ychwanegol, bu'n sail i rywfaint o feddwl moesol crefyddol, fel yn yr Eglwys Gatholig ac mae wedi sefyll prawf amser. Mae miliynau o bobl yn glynu wrthi heddiw. Oherwydd bod testunau cysegredig yn cefnogi ymagwedd o'r fath, byddai llawer o gredinwyr crefyddol yn cymeradwyo ei defnyddio fel canllaw yn y gymdeithas heddiw.

I gloi, i ryw raddau mae'r Ddeddf Naturiol yn gweithio yn y gymdeithas gyfoes ond mae hyn yn rhannol yn unig. Byddai rhai'n dweud mai ar gyfer y pethau pwysig fel ymddygiad rhinweddol a chod moesol llym, sy'n anghymeradwyo ymddygiad gwrth-gymdeithasol fel trais, lladrata a llofruddiaeth, y mae'r Ddeddf Naturiol yn ddefnyddiol. Yn y ffordd hon mae'n dal yn werthfawr. Fodd bynnag, yn llygaid y gyfraith, ni ellir dadlau â'r casgliad fod hyd a lled ei gwerth yn stopio pan mae rhai materion o gyfraith teulu, moeseg feddygol a rhywioldeb yn cael eu hystyried. Yma mae'n amlwg na fyddai'r hyn y mae'r Ddeddf Naturiol yn ei gynnig yn gweithio heddiw.

Datblygu sgiliau AA2

Nawr mae'n bryd ystyried y wybodaeth sydd wedi'i chyflwyno hyd yma. Hefyd mae'n bwysig ystyried sut mae'r hyn rydych chi wedi'i ddysgu hyd yma'n gallu cael ei ddefnyddio ar gyfer atebion arholiad drwy ymarfer y sgiliau sy'n gysylltiedig ag AA2.

Mae Amcan Asesu 2 (AA2) yn ymwneud â 'dadansoddi' a 'gwerthuso'. Efallai fod ystyr y termau'n amlwg ond mae'n hanfodol eich bod yn gyfarwydd â sut mae sgiliau penodol yn dangos y rhain, a hefyd, sut bydd eich perfformiad ym mhob un o'r sgiliau hyn yn cael ei fesur (gweler disgrifyddion band cyffredinol Band 5 ar gyfer AA2 UG).

Yn amlwg mae ateb yn cael ei osod mewn disgrifydd band priodol, yn ôl pa mor dda yw'r ateb, gan amrywio o ragorol, da, boddhaol, sylfaenol/cyfyngedig i gyfyngedig iawn.

▶ **Dyma eich tasg:** isod mae ateb gwan a gafodd ei ysgrifennu'n ymateb i gwestiwn sy'n gofyn am werthuso a yw'r Ddeddf Naturiol yn system wych ar gyfer gwneud penderfyniadau moesol heddiw. Gan ddefnyddio'r disgrifyddion band rhowch yr ateb hwn mewn band perthnasol sy'n cyfateb i'r disgrifiad yn y band hwnnw. Yn amlwg mae'n ateb gwan ac felly nid yw'n perthyn i fandiau 3–5. Er mwyn gwneud hyn bydd yn ddefnyddiol i chi ystyried beth sydd ar goll o'r ateb a beth sy'n anghywir. Bydd y dadansoddiad sy'n cyd-fynd â'r ateb yn eich helpu chi. Wrth ddadansoddi gwendidau'r ateb, gweithiwch mewn grŵp a meddyliwch am bum ffordd o wella'r ateb er mwyn ei gryfhau. Efallai fod gennych fwy na phum awgrym ond ceisiwch drafod fel grŵp a blaenoriaethu'r pum peth pwysicaf sydd ar goll.

Sgiliau allweddol

Mae dadansoddi'n ymwneud â nodi materion sy'n cael eu codi gan y deunyddiau yn adran AA1, ynghyd â'r rhai a nodwyd yn adran AA2, ac mae'n cyflwyno safbwyntiau cyson a chlir, naill ai gan ysgolheigion neu safbwyntiau personol, yn barod i'w gwerthuso.

Mae hyn yn golygu ei fod yn nodi pethau allweddol i'w trafod a'r dadleuon sy'n cael eu cyflwyno gan eraill neu o safbwynt personol.

Mae gwerthuso'n ymwneud ag ystyried goblygiadau amrywiol y materion sy'n cael eu codi, yn seiliedig ar y dystiolaeth a gafwyd wrth ddadansoddi ac mae'n rhoi dadl fanwl eang gyda chasgliad clir.

Mae hyn yn golygu bod yr ateb yn pwyso a mesur y dadleuon amrywiol a gwahanol a gafodd eu dadansoddi drwy roi sylwadau ac ymateb unigol, gan ddod i gasgliad drwy broses rhesymu clir.

Ateb

Mae rhai yn anghytuno â'r gosodiad hwn oherwydd eu bod nhw'n dweud, sut gallwn ni fod yn sicr fod *telos* neu bwrpas gwrthrych neu weithred benodol, yn ôl diffiniad y Ddeddf Naturiol, yn gywir? Er enghraifft, mae'r Ddeddf Naturiol yn dweud mai prif bwrpas rhyw yw atgenhedlu, ond beth os pleser yw ei brif bwrpas? **1**

Hefyd, mae'r Ddeddf Naturiol yn seiliedig ar y gred fod Duw wedi creu'r byd a phopeth sydd ynddo i bwrpas, ond byddai llawer o bobl yn herio'r syniad hwn. **2** Ni fyddai atheist yn dilyn y ddamcaniaeth hon gan nad yw atheistiaid yn credu yn Nuw. **3**

Roedd Aquinas yn credu bod gan y ddynoliaeth gyfan yr un natur gyffredinol, ond a oes y fath beth â natur ddynol gyffredinol? **4** Er enghraifft, mae Esgimos yn credu ei bod yn dderbyniol gadael i berthnasau oedrannus farw yn yr oerfel i'w stopio nhw rhag bod yn faich ar eu teulu. Ni fyddai hyn yn dderbyniol i bobl yng nghymdeithas Prydain heddiw. **5**

Felly nid yw mor wych â hynny. **6**

Dadansoddiad o'r ateb

1. Er bod y pwynt sydd wedi'i godi yma yn ddilys, gallai fod wedi cael ei esbonio'n gliriach. Er enghraifft, pam mae cysyniad *telos* mor bwysig yn y Ddeddf Naturiol? Cynlluniodd Duw bopeth gyda phwrpas ac felly mae cyflawni'r diben a fwriadwyd iddo yn dda. Yna gallai hyn gael ei herio.
2. Pwynt dilys sy'n cael ei gefnogi'n rhannol gan resymu.
3. Fodd bynnag, mae'r rhesymu yn or-syml. Nid yw'r her yn ymwneud ag a yw Duw'n bodoli neu beidio ond yn hytrach ag a oes gen i bwrpas neu beidio.
4. Mae angen i'r ymgeisydd esbonio pam roedd Aquinas yn credu bod yna 'natur ddynol gyffredinol', h.y. ein bod ni i gyd wedi cael ein creu fel hyn gan Dduw. Hefyd gallai gyflwyno ysgolheigion sy'n gwrthod y syniad hwn oherwydd, o'r astudiaeth o wahanol ddiwylliannau ar draws y byd, nid yw'n ymddangos bod yna natur ddynol gyffredinol.
5. Mae enghraifft yr Esgimos yn dda.
6. Casgliad gwan heb gyfiawnhad gwirioneddol na chysylltiad â'r rhesymu uchod.

Mae'r adran hon yn cwmpasu cynnwys a sgiliau AA1

Cynnwys y fanyleb

Yr angen i fodau dynol fod yn debycach i Dduw drwy ddatblygu'r tair rhinwedd ddatguddiedig (ffydd, gobaith ac elusengarwch).

Yr Apostol Paul tua 4 CCC – tua 62–64 OCC

cwestiwn cyflym

2.6 Pam mae'n bwysig esbonio *agape* fel y gair Groeg am gariad?

Termau allweddol

Agape: gair Groeg am gariad pur, diamod

Gweledigaeth wynfydedig: y cyflwr o hapusrwydd perffaith drwy undod goruwchnaturiol â Duw

Dyfyniad allweddol

Mae ffydd yn ymwneud â phethau na ellir eu gweld a gobaith â phethau nad ydynt wrth law. (**Aquinas**)

B: Deddf Naturiol Aquinas: swyddogaeth y rhinweddau a'r daioni o ran cefnogi ymddygiad moesol

Y tair rhinwedd ddatguddiedig

Un ffordd o ddatblygu rhesymu cywir yw drwy feithrin rhai rhinweddau arbennig. Nododd Aquinas dair rhinwedd ddiwinyddol (sy'n cael eu datguddio yn y Beibl) a dyma'r tair rhinwedd ddatguddiedig; cyfeiriodd atyn nhw fel 'erthyglau ffydd'. Y rhain yw:

1. Ffydd
2. Gobaith
3. Cariad (elusengarwch).

Er mai elusengarwch yw'r gair a ddefnyddir yn aml mewn cyfieithiadau, mae'n tarddu o'r gair Groeg am 'gariad' y mae Paul yn ei ddefnyddio yn 1 Corinthiaid pennod 13, 'ἀγάπη' (*agape*). Mae hwn yn aml yn cael ei ddeall fel cariad pur, diamod o'i gymharu â chariad rhywiol, cariad cydymdeimladol (fel arfer yn gysylltiedig â chariad teuluol), a hoffter (fel arfer yn gysylltiedig â chyfeillgarwch). Mae'r rhain yn eiriau Groeg gwahanol ond maen nhw'n cael eu cyfieithu fel 'cariad' hefyd.

Mae 1 Corinthiaid yn dweud:

'Os llefaraf â thafodau dynion ac angylion, a heb fod gennyf gariad, efydd swnllyd ydwyf, neu symbal aflafar. Ac os oes gennyf ddawn proffwydo, ac os wyf yn gwybod y dirgelion i gyd, a phob gwybodaeth, ac os oes gennyf gymaint o ffydd nes gallu symud mynyddoedd, a heb fod gennyf gariad, nid wyf ddim. Ac os rhof fy holl feddiannau i borthi eraill, ac os rhof fy nghorff yn aberth, a hynny er mwyn ymffrostio, a heb fod gennyf gariad, ni wna hyn ddim lles imi.

Y mae cariad yn hirymarhous; y mae cariad yn gymwynasgar; nid yw cariad yn cenfigennu, nid yw'n ymffrostio, nid yw'n ymchwyddo. Nid yw'n gwneud dim sy'n anweddus, nid yw'n ceisio ei ddibenion ei hun, nid yw'n gwylltio, nid yw'n cadw cyfrif o gam; nid yw'n cael llawenydd mewn anghyfiawnder, ond y mae'n cydlawenhau â'r gwirionedd. Y mae'n goddef i'r eithaf, yn credu i'r eithaf, yn gobeithio i'r eithaf, yn dal ati i'r eithaf.

Nid yw cariad yn darfod byth. Ond proffwydoliaethau, fe'u diddymir hwy; a thafodau, bydd taw arnynt hwy; a gwybodaeth, fe'i diddymir hithau. Oherwydd amherffaith yw ein gwybod, ac amherffaith ein proffwydo. Ond pan ddaw'r hyn sy'n berffaith, fe ddiddymir yr hyn sy'n amherffaith. Pan oeddwn yn blentyn, fel plentyn yr oeddwn yn llefaru, fel plentyn yr oeddwn yn meddwl, fel plentyn yr oeddwn yn rhesymu. Ond wedi dod yn ddyn, yr wyf wedi rhoi heibio bethau'r plentyn. Yn awr, gweld mewn drych yr ydym, a hynny'n aneglur; ond yna cawn weld wyneb yn wyneb. Yn awr, amherffaith yw fy ngwybod; ond yna, caf adnabod fel y cefais innau fy adnabod.

Mewn gair, y mae ffydd, gobaith, cariad, y tri hyn, yn aros. A'r mwyaf o'r rhain yw cariad.'

I Aquinas dyma'r rhinweddau mwyaf ardderchog sy'n diffinio ac yn cyfeirio pob rhinwedd arall. Gan eu bod yn absoliwt ac yn fwyaf ardderchog, maen nhw'n berffaith. Fodd bynnag, maen nhw'n bethau i ymgyrraedd atynt – ni allwn eu cyrraedd yn llwyr yn y byd hwn gan eu bod ymhell y tu hwnt i allu bod dynol, ond dyma'r safon i anelu ati. Gras Duw drwy'r rhinweddau hyn sy'n galluogi bod dynol i ymdrechu tuag at berffeithrwydd. Wrth gwrs, y diben terfynol ac absoliwt yw undeb goruwchnaturiol â Duw. Yr enw ar y cyflwr hwn o hapusrwydd perffaith, y mae'r rhinweddau mwyaf ardderchog yn arwain bodau dynol tuag ato, yw'r **weledigaeth wynfydedig**. Fel mae Aquinas yn ei ysgrifennu, mae bodau dynol yn 'cyrraedd eu diben olaf drwy adnabod a charu Duw'.

Yn eu trefn, mae ffydd yn llawer mwy na dim ond cydnabyddiaeth ddeallusol o gytuno â'r dwyfol. Mae ffydd yn weithred o ewyllys i Aquinas: mae'n 'weithred o ddeall sy'n cydnabod y gwirionedd dwyfol ar orchymyn yr ewyllys, a ysgogir drwy ras Duw'. Mae ffydd yn ymwneud â'r person cyfan ac mae'n adlewyrchu arllwysiad ac ymostyngiad llwyr i'r dwyfol fel cydnabyddiaeth weithredol.

Yn ail, gobaith yw'r ymddiriedaeth gyson a digyfnewid mewn cyrraedd y weledigaeth wynfydedig. Mae hyn fel cyflwr cadarnhaol ysbrydoledig o fod, egni ysbrydol sy'n gyrru person i fynd ar drywydd y diben terfynol. Mae'n ffurf bur o ddyhead sy'n canolbwyntio ar y nod uchaf yn unig. Mae'n rhinwedd waelodol sy'n cefnogi cymryd rhan weithredol mewn rhinweddau moesol eraill, nad ydynt yn ddiwinyddol.

Yn olaf, y mwyaf ohonyn nhw i gyd yw cariad (elusengarwch). Mae cariad at Dduw yn cael ei adlewyrchu mewn cariad at eich cymydog a dyma'r gwir allwedd i safbwynt Aquinas am foesoldeb. Cariad yw'r un rhinwedd sy'n weithgar gyfeirio pob rhinwedd arall tuag at Dduw. Fel y dangosir yn 1 Corinthiaid 13, heb gariad, mae pob rhinwedd arall yn 'ddim', yn ddiystyr a gwag. Mae gan gariad hefyd y briodwedd iachaol sy'n adfer ein natur 'syrthiedig'.

Dyfyniadau allweddol

'Câr yr Arglwydd dy Dduw â'th holl galon ac â'th holl enaid ac â'th holl feddwl.' Dyma'r gorchymyn mwyaf a'r cyntaf. Ac y mae'r ail yn debyg iddo: 'Câr dy gymydog fel ti dy hun.' Ar y ddau orchymyn hyn y mae'r holl Gyfraith a'r proffwydi yn dibynnu. (Mathew 22:37–40)

Cariad yw Duw, ac y mae'r hwn sy'n aros mewn cariad yn aros yn Nuw, a Duw yn aros ynddo yntau ... Nid oes ofn mewn cariad, ond y mae cariad perffaith yn bwrw allan ofn; y mae a wnelo ofn â chosb, ac nid yw'r hwn sy'n ofni wedi ei berffeithio mewn cariad. (1 Ioan 4:16–18)

Un agwedd hanfodol ar gariad fel rhinwedd i Aquinas yw ei fod yn cynnwys y 'rhodd' o ddoethineb, rhinwedd ynddi'i hun ac mor bwysig ym meddwl Aquinas hefyd. Ond i Aquinas, doethineb oedd y mewnwelediad i wirioneddau goruwchnaturiol y greadigaeth, daioni Duw a'r weledigaeth wynfydedig; y 'daioni goruchaf, sef y diben olaf'. Mae hyn yn allweddol i athroniaeth foesol gan mai'r rheini sy'n ddoeth ac sy'n meddu ar ddealltwriaeth gynhwysfawr o ddaioni Duw a all gyfeirio eraill tuag at y bywyd rhinweddol. Yn yr ystyr hwn, y rhinwedd fwyaf ardderchog sef cariad yw hanfod pob rhinwedd arall gan ei bod yn eu cyfeirio tuag at y diben cywir.

Dyfyniad allweddol

Yr wyf yn rhoi i chwi orchymyn newydd: carwch eich gilydd. Fel y cerais i chwi, felly yr ydych chwithau i garu'ch gilydd. Os bydd gennych gariad tuag at eich gilydd, wrth hynny bydd pawb yn gwybod mai disgyblion i mi ydych. (Ioan 13:34–35)

Gweithgaredd AA1

Lluniwch ddiagram fydd yn eich helpu i grynhoi'r tair rhinwedd ddatguddiedig ac sydd hefyd yn cysylltu â'r syniad o'r weledigaeth wynfydedig.

Dyfyniad allweddol

Mae'r pethau rydyn ni'n eu caru yn dweud wrthym yr hyn ydyn ni. (Aquinas)

Pedair prif rinwedd

Yn ogystal â'r rhinweddau datguddiedig mwyaf ardderchog, nododd Aquinas rai rhinweddau naturiol. Dadleuodd mai un ffordd o ddatblygu rhesymu cywir yw drwy feithrin rhinweddau naturiol penodol, a nododd bedair rhinwedd fel y rhai pwysicaf. Rydyn ni'n cyfeirio at y rhain fel y 'prif rinweddau':

1. **Pwyll** 2. **Cymedroldeb** 3. **Gwroldeb** 4. **Cyfiawnder.**

I Aquinas, y rhain oedd y prif fframwaith i ymddygiad moesol a fyddai'n helpu bodau dynol i fod yn debycach i Dduw drwy eu cymhwyso.

Mae pwyll yn golygu gallu gwneud dyfarniadau cadarn wrth resymu. Mae'n golygu cymhwyso 'doethineb am faterion dynol', hynny yw 'rheswm cywir mewn perthynas â gweithredu'. Mae pwyll yn cynnwys bod yn ymwybodol o'r egwyddorion moesol wedi'u sefydlu drwy'r Ddeddf Naturiol ond hefyd y sefyllfa benodol lle mae angen cymhwyso egwyddorion o'r fath. Mewn gwirionedd, pwyll yw sail ymdrech gaswistaidd.

Mewn geiriau eraill, pwyll yw'r gallu a'r cymhwysedd i werthuso amgylchiadau'n rhesymegol er mwyn sefydlu camau gweithredu uniongyrchol sy'n gywir ac yn dda. Mae'n gwneud hyn mewn tri cham: cyngor, sef ystyried y ffyrdd posibl o weithredu; barn, sy'n penderfynu ar y camau gweithredu cywir; a gorchymyn, sef cymhwyso'r farn honno. Dyma gelfyddyd caswistiaeth.

Cynnwys y fanyleb

Yr angen i fodau dynol fod yn debycach i Dduw drwy ddatblygu'r pedair prif rinwedd (gwroldeb, cymedroldeb, pwyll a chyfiawnder).

Termau allweddol

Cyfiawnder: prif rinwedd sy'n golygu arweiniad ar sut rydyn ni'n ymddwyn tuag at eraill

Cymedroldeb: prif rinwedd sy'n golygu cydbwysedd a rheolaeth

Gwroldeb: prif rinwedd sy'n golygu dygnwch corfforol, moesol neu ysbrydol a chryfder cymeriad

Pwyll: prif rinwedd sy'n golygu barn gadarn

Mae Aquinas yn cysylltu pwyll â rhinweddau eraill sy'n dibynnu arno, fel cof, deallusrwydd, tawelwch, craffter, rheswm, rhagwelediad, gochelgarwch a gofalusrwydd.

Mae cymedroldeb yn ymwneud â bod yn gymedrol ym mhob peth, a gwelwn ni yma syniad Aristotle am ddysgeidiaeth y cymedr. Mae'n golygu sobrwydd ac ymatal. Mae gan gymedroldeb y gallu i buro a mireinio pleserau corfforol. Mae'n ysgrifennu: 'nid yw daioni synhwyraidd a chorfforol ... mewn gwrthwynebiad â rheswm, ond maen nhw'n dod oddi tano fel offerynnau mae rheswm yn eu defnyddio i gyrraedd ei ddiben priodol.'

Rhan o gymedroldeb hefyd yw rhinwedd gwyleidd-dra, sef gwybod sut i'ch cyflwyno'ch hun yn y modd cywir a chytbwys. Mae gostyngeiddrwydd, haelioni a myfyrgarwch hefyd yn rhan o gymedroldeb gan eu bod yn atal drygioni fel dicter a balchder.

Mae rhinwedd gwroldeb, neu ddewrder, yn cynnwys disgyblaeth, amynedd, dygnwch a dyfalbarhad yn wyneb amgylchiadau anodd, p'un ai'n rhai corfforol, moesol neu ysbrydol. Ni fydd person gwrol yn cael ei guro na'i dorri gan straen a gofid. Mae gwroldeb yn annog cymeriad urddasol hefyd – un nad yw'n cael ei reoli gan ofn ar y naill law, ond ar y llaw arall nad yw'n dangos ymddygiad byrbwyll, anghyfrifol neu ddifeddwl.

Y prif rinwedd olaf yw cyfiawnder. Mae'n ddiddorol nodi, er bod y tair arall yn ymwneud â phriodweddau unigol, mae'r brif rinwedd olaf yn canolbwyntio'n benodol ar bobl eraill, hynny yw y ffordd rydyn ni'n ymddwyn tuag atyn nhw. Mae'n ymwneud llai â'n cymeriad ein hunain ond yn fwy â sut mae'n gweithredoedd ni'n cael eu rheoli. Mae cyfiawnder yn ymdrin â'r gyfraith, yn gyffredinol o ran lles cymunedol a hefyd achosion unigol. Mae'n golygu hefyd y ffordd benodol o weinyddu materion, yn nhermau daioni a hefyd cyfrifoldebau sydd, yn ôl Aquinas, 'yn cael eu rhannu [yn deg] ymhlith pobl sy'n sefyll mewn cymuned gymdeithasol' ac mewn 'cyfrannau dyledus'.

Mae'n ddiddorol nodi nad yw syniad Aquinas am gyfiawnder yn golygu cydraddoldeb i bawb, ond ei fod yn cydnabod anghenion unigol, yn dibynnu ar amgylchiadau ac anghenion. Er enghraifft, mae angen i rywun tlawd gael mwy o gymorth gan gyfiawnder na pherson cyfoethog.

cwestiwn cyflym

2.7 Rhowch air gwahanol i esbonio pob un o'r pedair prif rinwedd.

Dyfyniad allweddol

Mae gweithredoedd yn ymwneud â materion unigol: ac felly mae angen i'r dyn pwyllog wybod egwyddorion cyffredinol rheswm, a'r pethau unigol y mae gweithredoedd yn ymwneud â nhw. (Aquinas)

Gweithgaredd AA1

Defnyddiwch eich gwybodaeth a'ch dealltwriaeth o'r rhinweddau datguddiedig a'r prif rinweddau i gwblhau'r dasg ganlynol: Mae person wedi cael ei ddal yn dwyn arian o elusen leol. Mae'n teimlo'n euog ac yn flin iawn am yr hyn wnaeth ef ac mae'n troi atoch chi am help. Sut byddech chi'n ei annog i weithredu a pha gyngor byddech chi'n ei roi wrth gymhwyso'r rhinweddau? Mae hyn yn ymarfer sgìl AA1 o allu dangos dealltwriaeth gywir o gysyniadau moesegol.

Awgrym astudio

Cofiwch ddefnyddio enghreifftiau wrth esbonio'r pedair prif rinwedd er mwyn gallu esbonio eich ateb yn llawn.

Cynnwys y fanyleb

Diffiniad Aquinas o'r gwahanol fathau o weithredoedd a daioni: gweithredoedd mewnol (bwriad yr asiant moesol wrth gyflawni gweithred) a gweithredoedd allanol (gweithredoedd asiant moesol); daioni gwirioneddol (daioni yn seiliedig ar resymu cywir sy'n cynorthwyo'r asiant moesol i gyrraedd ei *telos*) a daioni ymddangosiadol (daioni yn seiliedig ar resymu anghywir nad ydyw'n cynorthwyo'r asiant moesol i gyflawni ei bwrpas a roddir gan Dduw).

Diffiniad Aquinas o'r gwahanol fathau o weithredoedd a daioni

Gweithredoedd mewnol a gweithredoedd allanol: bwriad a gweithred

Gwahaniaethodd Aquinas rhwng y bwriad i weithredu a'r weithred ei hun. I'r rheini sy'n gwylio, efallai fod gweithred benodol yn dda yn eu barn nhw. Ond, pe bai'r gwylwyr yn gwybod y gwir gymhelliant neu fwriad, yna efallai bydd yn ymddangos yn dra gwahanol. Yn yr un modd nid yw'n dderbyniol gwneud gweithred ddrwg yn fwriadol hyd yn oed os cael canlyniadau da yw'r nod.

Mae'r dull hwn o ddeall bwriadau yn bwysig wrth gymhwyso'r Ddeddf Naturiol at ddilemâu moesol. Mae wrth wraidd yr hyn a elwir yn 'athrawiaeth yr effaith ddwbl'. Yn ôl yr athrawiaeth hon, hyd yn oed os bydd gweithred dda yn arwain at ganlyniadau drwg, yna mae'n dal yn gywir gwneud y weithred honno. Mae'n dal yn gywir gwneud y weithred, hyd yn oed o wybod y byddai'n golygu canlyniadau drwg. Y mater pwysig yw'r bwriad. Os nad y bwriad oedd achosi'r canlyniadau hyn, yna dydy'r sgil-effeithiau anffodus ddim yn gwneud y weithred yn foesol anghywir.

Mae datganiadau clasurol o egwyddor yr effaith ddwbl yn mynnu bod angen bodloni pedwar amod os yw'r weithred i gael ei chaniatáu'n foesol:

1. Nad ydyn ni'n dymuno'r effeithiau drwg, a'n bod yn gwneud pob ymdrech resymol i'w hosgoi;
2. Bod yr effaith uniongyrchol yn dda ynddi'i hun;
3. Nad yw'r drygioni'n cael ei wneud yn fodd o gael yr effaith dda;
4. Bod yr effaith dda o leiaf yr un mor bwysig (cymesur) â'r effaith ddrwg.

Enghraifft o hyn fyddai trin menyw feichiog am ganser er mwyn achub ei bywyd hi ond ar yr un pryd dinistrio'r plentyn sydd heb ei eni. Gan nad marwolaeth y plentyn yn y groth oedd bwriad y weithred a'i hachosodd, ond yn hytrach roedd honno'n sgil-effaith anffodus, yna mae'r weithred a arweiniodd ati yn cael ei hystyried yn dda ac yn foesol gywir, yn ôl moeseg y Ddeddf Naturiol.

Daioni gwirioneddol a daioni ymddangosiadol: rhesymu cywir ac anghywir

Fel rydyn ni wedi ei weld, mae'r Ddeddf Naturiol ym mhob un ohonon ni ond nid yw fel deddf ffisegol y mae'n rhaid ei dilyn. Mae'n deillio o reswm ond weithiau gall y rhesymu gael ei gyfeirio neu ei ddefnyddio yn anghywir.

Dylai rheswm ddweud wrthym beth dylen ni ei ddymuno, gan fod gennym dueddiad naturiol. Dylai hyn ein harwain at ein nod o berffeithrwydd (delw Duw). Dyma'r hyn a elwir yn ddaioni gwirioneddol, er enghraifft bod yn hael a rhoi i elusen, gyda'r bwriad cywir wrth gwrs!

Ond, roedd Aquinas yn cydnabod dydyn ni ddim weithiau yn gwneud y pethau dylen ni eu gwneud. Rydyn ni'n gallu rhesymu'n anghywir.

Un enghraifft o resymu'n anghywir fyddai pe bai rhywun yn mynd ar drywydd daioni nad oedd yn wir yn ddaioni fel rydyn ni'n ei ddeall yn ôl y Ddeddf Naturiol (h.y. nid oedd yn datblygu perffeithrwydd). Dyma'r hyn sy'n cael ei alw'n ddaioni ymddangosiadol. Yr athronydd Socrates a wnaeth y gwahaniaeth hwn gyntaf. Dywedodd ef nad ydyn ni byth yn dymuno rhywbeth nad ydyn ni, ar y foment honno, yn barnu ei fod yn dda; fodd bynnag, dydy'r farn bersonol hon ddim yn gwneud y weithred yn dda. Roedd Aquinas yn dadlau mai ein natur syrthiedig sy'n gallu ein harwain ar gyfeiliorn i ddewis pethau rydyn ni'n eu chwenychu, ond sydd efallai ddim yn cyfrannu at ein datblygiad tuag at ddelw Duw. Enghraifft o ddaioni ymddangosiadol fyddai dilyn ein chwenychiadau am rywbeth sy'n ymddangos yn dda ar y pryd ond nad yw'n unol â'n daioni yn gyffredinol o ran y Ddeddf Naturiol, megis bwyta cymaint â phosibl oherwydd bod y bwyd yn flasus. Mae hyn yn dangos diffyg ym mhrif rinwedd cymedroldeb ac mae'n magu cymeriad barus. Felly, doedd Aquinas ddim yn credu bod pobl yn dewis bod yn 'ddrwg' ond yn hytrach eu bod yn gwneud gweithredoedd drwg gan iddyn nhw ddefnyddio eu gallu i resymu yn anghywir.

Gweithgaredd AA1

Paratowch flog 30 eiliad i'w roi ar *YouTube* sy'n esbonio sut mae'r Ddeddf Naturiol yn gwahaniaethu rhwng gweithredoedd a bwriadau, a daioni gwirioneddol a daioni ymddangosiadol. Rhowch enghreifftiau. Bydd y dasg hon yn eich galluogi i ddangos eich bod chi'n deall y rheswm pam gall penderfyniadau penodol gael eu gwneud fel rhan o ddamcaniaeth foesol.

Awgrym astudio

Peidiwch â chymysgu daioni gwirioneddol a daioni ymddangosiadol. Gwnewch yn siŵr eich bod yn gwybod beth ydyn nhw yn iawn. Bydd defnyddio enghreifftiau ar gyfer pob un yn eich helpu chi i gofio.

Termau allweddol

Daioni gwirioneddol: mae daioni gwirioneddol yn nodwedd fydd yn helpu pobl i ddod yn nes at y natur ddynol ddelfrydol roedd Duw wedi ei chynllunio ar ein cyfer ni

Daioni ymddangosiadol: daioni ymddangosiadol yw drygioni neu bechod sy'n ein dwyn ni ymhellach i ffwrdd o'r natur ddynol ddelfrydol roedd Duw wedi ei chynllunio ar ein cyfer ni

Gweithred allanol: gweithred sy'n cael ei gweld fel un dda neu ddrwg ond un sydd ddim yn cyfateb, nac yn cyd-fynd, â'r bwriad y tu ôl iddi

Gweithred fewnol: gweithred sy'n cyd-fynd â'r bwriad, p'un ai da neu ddrwg

Mae bwyd yn dda ond dydy hyn ddim yn cyfiawnhau trachwant

cwestiwn cyflym

2.8 Pam mae bwriad yn bwysig yn y Ddeddf Naturiol?

cwestiwn cyflym

2.9 Beth yw'r gwahaniaeth rhwng daioni gwirioneddol a daioni ymddangosiadol?

Sgiliau allweddol

Mae gwybodaeth yn ymwneud â:

Dewis ystod o wybodaeth (drylwyr) gywir a pherthnasol sydd â chysylltiad uniongyrchol â gofynion penodol y cwestiwn.

Mae hyn yn golygu eich bod yn dewis y wybodaeth gywir sy'n berthnasol i'r cwestiwn a osodwyd NID y maes pwnc. Bydd angen i chi feddwl a chanolbwyntio ar ddewis gwybodaeth allweddol ac NID ysgrifennu popeth yr ydych chi'n ei wybod am y maes pwnc.

Mae dealltwriaeth yn ymwneud ag:

Esboniad helaeth, gan ddangos dyfnder a/neu ehangder gyda defnydd rhagorol o dystiolaeth ac enghreifftiau gan gynnwys (lle y bo'n briodol) defnydd trylwyr a chywir o destunau cysegredig, ffynonellau doethineb a geirfa arbenigol.

Mae hyn yn golygu y gallwch ddangos eich bod yn deall rhywbeth drwy egluro ac ehangu eich pwyntiau gan ddefnyddio enghreifftiau/tystiolaeth gefnogol mewn ffordd bersonol ac NID ailadrodd darnau o werslyfr (sef dysgu ar y cof).

Cymhwyso sgiliau ymhellach:

Ewch drwy'r meysydd pwnc yn yr adran hon a lluniwch rai rhestri bwled o bwyntiau allweddol o feysydd allweddol. Ar gyfer pob un, rhowch fwy o fanylion ac esboniwch fwy drwy ddefnyddio tystiolaeth ac enghreifftiau.

Datblygu sgiliau AA1

Nawr mae'n bryd ystyried y wybodaeth sydd wedi'i chyflwyno hyd yma. Hefyd mae'n bwysig ystyried sut mae'r hyn rydych chi wedi'i ddysgu hyd yma'n gallu cael ei ddefnyddio ar gyfer atebion arholiad drwy ymarfer y sgiliau sy'n gysylltiedig ag AA1.

Mae Amcan Asesu 1 (AA1) yn ymwneud â dangos gwybodaeth a dealltwriaeth. Mae'r termau 'gwybodaeth' a 'dealltwriaeth' yn amlwg ond mae'n hanfodol eich bod yn gyfarwydd â sut mae sgiliau penodol yn dangos y rhain, a hefyd, sut bydd eich perfformiad ym mhob un o'r sgiliau hyn yn cael ei fesur (gweler disgrifyddion band cyffredinol Band 5 ar gyfer AA1 UG).

▶ **Dyma eich tasg newydd:** isod mae ateb cryf a gafodd ei ysgrifennu'n ymateb i gwestiwn sy'n gofyn am esboniad o sail grefyddol Deddf Naturiol Aquinas. Gan ddefnyddio'r disgrifyddion band gallwch ei gymharu â'r bandiau uwch perthnasol a disgrifyddion y bandiau hynny. Yn amlwg, mae'n ateb cryf ac felly nid yw'n perthyn i fandiau 1–3. Er mwyn gwneud hyn bydd yn ddefnyddiol i chi ystyried beth sy'n dda am yr ateb a beth sy'n gywir. Mae'r dadansoddiad sy'n cyd-fynd â'r ateb yn rhoi cliwiau ac awgrymiadau i'ch helpu chi. Wrth ddadansoddi cryfderau'r ateb, gweithiwch mewn grŵp a meddyliwch am bum peth sy'n gwneud yr ateb hwn yn un da. Efallai fod gennych fwy na phum sylw ac yn wir awgrymiadau i wneud iddo fod yn ateb perffaith!

Ateb

Yr enwad Cristnogol sydd wedi cael ei ddylanwadu fwyaf gan Ddeddf Naturiol Aquinas yw'r Eglwys Gatholig. Mae ei diwinyddiaeth yn dilyn y rheolau a'r canllawiau llym oedd wedi'u gosod gan Aquinas. Mae Catholigion yn credu yn y Ddeddf Naturiol wrth iddi ddweud bod pob penderfyniad moesol yn gallu cael ei wneud drwy ddefnyddio'r rheswm a roddodd Duw i ni. Datblygodd Aquinas syniadau Aristotle fod gan bopeth bwrpas neu *telos*. Yn wahanol i Aristotle, roedd Aquinas yn credu bod y pwrpas hwn wedi ei roi gan Dduw. Ein *telos* ni yw cyrraedd cyfeillach â Duw drwy'r penderfyniadau rydyn ni'n eu gwneud gan ddefnyddio ein gallu i resymu. Mae unrhyw weithred sydd ddim yn dod ag achosiaeth nac yn cyflawni ei phwrpas terfynol yn anghywir. Dyma sail grefyddol sylfaenol y Ddeddf Naturiol. [1]

Penderfynodd Aquinas fod gan y Ddeddf Naturiol bum gofyniad cynradd: addoli Duw; cynnal yr hunan a chynnal y diniwed; byw mewn cymdeithas drefnus; dysgu; a pharhau'r ddynoliaeth drwy atgenhedlu. Yna esboniodd ef y gofynion eilaidd sy'n dangos y gofynion cynradd ar waith. Er enghraifft, er mwyn byw mewn cymdeithas drefnus, mae angen y gofyniad eilaidd 'na ladd'. Mae llawer o Gatholigion yn dal i dderbyn y defnydd o'r Ddeddf Naturiol oherwydd ei bod yn rhoi set glir o reolau iddyn nhw ar gyfer byw eu bywydau. Mae'r Eglwys Gatholig yn cynnal y gofyniad 'cymdeithas drefnus' drwy gadw ymagwedd absoliwtaidd at faterion fel erthyliad ac ewthanasia fyddai'n torri'r gofyniad hwn. Mae'r gofynion cynradd yn cael eu cefnogi gan y Beibl hefyd. Er enghraifft, yn llyfr Genesis mae'n dweud mai un o'n prif bwrpasau yw atgenhedlu. [2]

Fel damcaniaeth ddeontolegol mae'r Ddeddf Naturiol yn canolbwyntio ar y weithred sy'n cael ei chyflawni, a disgrifiodd Aquinas weithredoedd 'allanol' a 'mewnol'. Y weithred allanol yw'r weithred ei hun a'r weithred fewnol yw'r cymhelliant. Er mwyn i weithred fod yn dda, rhaid i'r gweithredoedd mewnol ac allanol, fel ei gilydd, fod yn dda. Mae llawer o Gatholigion yn dal i dderbyn ei syniadau, ac yn credu y bydd gwneud y weithred gywir am y rhesymau cywir yn eich gwella ac yn galluogi bodau dynol i ddod yn nes at Dduw. Mae hyn yn cyd-fynd â dysgeidiaeth y Testament Newydd. Er enghraifft, yn ôl 1 Ioan 4:16–18, 'Cariad yw Duw, ac y mae'r hwn sy'n aros mewn cariad yn aros yn Nuw, a Duw yn aros ynddo yntau.' [3]

Roedd Aquinas hefyd yn annog datblygu'r prif rinweddau fel cryfder neu wroldeb mewnol a chymedroldeb (popeth yn gymedrol). Dysgodd Iesu fod rhinweddau yn bwysig iawn i Gristnogion, fel yn y Gwynfydau. Mae ysgolheigion fel Peter Vardy yn cytuno bod y syniad o wella'r hunan a'r enaid yn apelio'n fawr at gredinwyr crefyddol sy'n ceisio dod yn nes at Dduw. [4]

Credai Aquinas mai prif bwrpas rhyw oedd atgenhedlu – fel mae'n ei ddweud yn y gofynion cynradd. Mae unrhyw weithgaredd rhywiol sy'n rhwystro'r achos terfynol hwn, fel rhyw cyfunrywiol, yn anghywir felly. Dyma'r rheswm pam mae llawer o Gatholigion o'r farn nad yw rhyw cyfunrywiol yn dderbyniol oherwydd nad yw'n arwain at gyflawni *telos* rhyw – atgenhedlu. I lawer o Gristnogion mae sail feiblaidd i hyn yn nysgeidiaeth yr Hen Destament, ac mae'r syniad o genhedlu yn cyd-fynd â hanesion y creu ac Adda ac Efa yn llyfr Genesis. [5]

Yn gyffredinol, mae'n amlwg fod gan Ddeddf Naturiol Aquinas sail grefyddol glir, o fod yn seiliedig ar Dduw fel *telos*, natur y gofynion, natur y gweithredoedd a datblygu cymeriad rhinweddol, i gyd wedi'u cefnogi gan destunau crefyddol. [6]

Awgrymiadau

1. Sail yn Nuw.
2. Tystiolaeth.
3. Esboniad a chysylltiad.
4. Rhinweddau.
5. Enghraifft o'i chymhwyso.
6. Eglurder.

Awgrymiadau wedi'u cwblhau

1. Yn yr ateb mae gwybodaeth gywir a pherthnasol wedi'i dewis yn dda. Mae geirfa arbenigol yn cael ei defnyddio'n gywir hefyd. Mae sail grefyddol glir i Ddeddf Naturiol Aquinas yn cael ei sefydlu.
2. Mae'r ateb wedi cysylltu'r gofynion cynradd ac eilaidd yn glir yma, nid yn unig â'i gilydd ond hefyd â dysgeidiaeth yr Eglwys Gatholig ac â thystiolaeth o'r Beibl.
3. Mae'r ateb wedi diffinio gweithredoedd mewnol ac allanol yn glir ac mae'n esbonio pam mae'r cysyniadau hyn yn bwysig i gredinwyr crefyddol.
4. Hefyd mae'r ymgeisydd wedi nodi'r prif rinweddau a'u cysylltiad â datblygiad personol bod dynol. Mae wedi cefnogi'r pwynt a wnaeth gyda barn ysgolhaig.
5. Yma mae'r ateb wedi dangos yn glir pam byddai Catholigion yn cefnogi barn y Ddeddf Naturiol am weithredoedd cyfunrywiol.
6. Crynodeb cryno ond cywir.

Mae'r adran hon yn cwmpasu cynnwys a sgiliau AA2

Cynnwys y fanyleb

Cryfderau a gwendidau'r Ddeddf Naturiol.

Materion i'w dadansoddi a'u gwerthuso

Cryfderau a gwendidau'r Ddeddf Naturiol

Yn amlwg mae gan y Ddeddf Naturiol lawer o gryfderau neu ni fyddai wedi bod mor ddylanwadol drwy hanes i gyd.

Yr atyniad a'r cryfder cyntaf yw ei bod yn seiliedig ar beth mae'n ei olygu i fod yn ddynol. Mae bod yn ddynol yn golygu gweithredu yn unol â'ch gwir natur a dilyn eich tueddiadau naturiol. Wrth i'r ddamcaniaeth gael ei chymhwyso, mae'n cymryd arni statws arbennig bodau dynol.

Mae'r Ddeddf Naturiol hefyd yn datgelu deddf gyffredinol, ac felly nid yw'n dibynnu ar ddiwylliant neu grefydd. Mae hyn yn golygu bod y gofynion cynradd yn gyffredin i bawb. Oherwydd ei bod yn ymwneud â dilyn tueddiadau naturiol, yna mae ei chymhwyso at broblem foesol bob amser yr un peth, ble bynnag rydych chi a phwy bynnag ydych chi.

Mae'r Ddeddf Naturiol yn apelio at y synnwyr cyffredin ac mewn rhai fersiynau, er enghraifft yr un wedi ei gynnig gan Aristotle, does dim angen Duw i gael awdurdod. Hefyd mae'n rhoi sail glir i foesoldeb, mae yna awdurdod a chyfiawnhad clir dros y gweithredoedd a ganiateir, ac mae'n amlwg sut mae'r Ddeddf Naturiol yn cael ei defnyddio. Er enghraifft, mae'r gofynion cynradd wedi eu nodi a'u cyfiawnhau yn glir. Mae'n amlwg i bawb pam mae erthyliad yn anghywir.

Mae'r Ddeddf Naturiol hefyd yn barnu gwerth cynhenid gweithredoedd heb ystyried y canlyniadau – y weithred ei hun, nid y canlyniadau, sy'n penderfynu a yw'n foesol. Mae hyn yn osgoi'r broblem o ymddangos fel pe baech chi'n gwneud gweithred dda ond mewn gwirionedd mae ganddi gymhellion drwg. Mewn achosion o'r fath dydy'r ddamcaniaeth ddim yn dweud bod y gweithredoedd hynny'n dda. Mae hon yn ymddangos yn farn gywir.

Byddai'n bosibl dadlau hefyd fod ei chymhwysiad yn ymddangos yn glir, hyd yn oed pan mae'n ymddangos bod gwrthdaro o fewn y system ei hun. Er bod cymhwyso'r gofynion cynradd yn hawdd, mae athrawiaeth yr effaith ddwbl yn caniatáu gwrthdaro posibl yn y gofynion cynradd.

Yn olaf, mae'r Ddeddf yn annog ymddygiad rhinweddol fel cariad, doethineb, cyfiawnder a chymedroldeb. Mae'r rhain yn werthfawr mewn unrhyw gymdeithas.

Fodd bynnag, mae yna rai heriau cryf i'r Ddeddf Naturiol. Efallai mai'r un pwysicaf yw'r un rydyn ni'n cyfeirio ati'n aml fel y dwyllresymeg naturiolaidd. Mae'n afresymol disgwyl i rywun sydd ddim yn credu ym modolaeth Duw moesol dderbyn bod awdurdod moesol gan yr hyn sy'n bodoli'n syml fel natur ddynol. Mae rhai'n dadlau nad yw disgrifio ffeithiau unrhyw sefyllfa byth yn arwain at wneud barn ar werth. Nid yw beth 'sydd' (ffaith) yn awgrymu beth 'ddylai fod' (gwerth). Mewn geiriau eraill, mae'n ymddangos bod camgymeriad yn y rhesymu (twyllresymeg) wrth uniaethu moesoldeb â chysyniad arall (h.y. natur).

Yn wir, beth rydyn ni'n ei olygu drwy ddweud bod gweithred yn 'naturiol'? A yw'n golygu yn syml ei bod yn cyfeirio at weithred sy'n gyffredin i grŵp penodol?

Mae cwestiwn hefyd ynghylch a oes yna'r fath beth â natur ddynol gyffredinol? Onid yw'r ffaith fod gan ddiwylliannau werthoedd gwahanol yn herio'r syniad o natur gyffredinol? Er enghraifft, natur Sparta oedd lladd plant gwan neu ddiffygiol ond yn sicr dydy hyn ddim yn gyffredinol. Byddai rhai'n gwadu bod yna'r fath beth â natur ddynol. Yn wir, mae natur ddynol fel pe bai'n newid. Er enghraifft, mae'r ddadl am gyfunrywioldeb wedi codi cwestiynau am beth sy'n naturiol.

Mae yna her arall. Os oes natur ddynol sy'n gyson a digyfnewid ac mae'r Ddeddf Naturiol yn deillio ohoni, sut gallai cynifer o bobl drwy'r canrifoedd fod wedi bod mor anghywir ynghylch natur ddynol? Er enghraifft, roedd caethwasiaeth ac apartheid yn cael eu hystyried yn naturiol.

Gan fod y Ddeddf Naturiol yn elfen bwysig o ddysgeidiaeth yr Eglwys Gatholig, gallai rhai ystyried bod ei deddfolaeth yn gwrthdaro â safbwynt Cristnogol. Mae'n canolbwyntio ar weithredoedd yn hytrach nag ar bobl a chanlyniadau. Gallwch chi weld hyn yn arbennig yn ymagweddau'r Ddeddf Naturiol at erthyliad ac ewthanasia.

Mae athrawiaeth yr effaith ddwbl yn tybio ei bod yn bosibl gwneud gwahaniaeth amlwg rhwng bwriadu canlyniad yn uniongyrchol a dim ond ei ragweld. Os gellir rhagweld canlyniad, yna wrth gyflawni'r weithred mae'n rhaid bod y person yn bwriadu'r canlyniad, er enghraifft derbyn difrod cyfochrog (*collateral damage*) yn dilyn ymgyrch fomio. Os yw pobl yn gwybod y bydd llawer o fywydau diniwed yn cael eu colli, yna a yw'r weithred yn foesol? Mae hefyd yn codi'r broblem y mae'r Ddeddf Naturiol ei hun yn ei chodi ynghylch bwriadau a daioni gwirioneddol ac ymddangosiadol.

I gloi, yn union fel gydag unrhyw system, mae cryfderau a gwendidau allweddol. Yn hytrach na barnu ansawdd cyffredinol y Ddeddf Naturiol, gall fod yn well nodi bod yna systemau canlyniadaethol sydd, i lawer, yn well na'r Ddeddf Naturiol dim ond oherwydd eu bod yn fwy hyblyg ac yn fwy addas i'r byd sydd ohoni.

Gweithgaredd AA2
Dadleuon posibl

Wedi'u rhestru isod mae rhai casgliadau y byddai'n bosibl dod iddynt ar sail rhesymeg AA2 yn y testun cysylltiedig:

1. Gall cryfderau'r Ddeddf Naturiol wrthsefyll beirniadaeth fel maen nhw wedi ei wneud drwy'r amser.
2. Mae gwendidau'r Ddeddf Naturiol yn llawer rhy gryf iddi barhau i fod yn system foesegol werthfawr heddiw.
3. Gan fod y rhan fwyaf o'n deddfau ni yn adlewyrchiad o'r Ddeddf Naturiol, mae'n dal yn ddilys heddiw.
4. Bydd y Ddeddf Naturiol yn dal yn ddilys os bydd yn canolbwyntio'n fwy wrth gael ei chymhwyso ar rinweddau a daioni mewn caswistiaeth, yn hytrach nag ar ofynion.
5. Mae damcaniaethau moesegol eraill sydd naill ai'n fwy hyblyg neu'n ganlyniadaethol i'w ffafrio'n fwy na'r Ddeddf Naturiol.

Ystyriwch bob un o'r casgliadau sy'n cael eu gwneud uchod a chasglwch dystiolaeth ac enghreifftiau i gefnogi pob dadl o'r deunydd AA1 ac AA2 a astudiwyd yn yr adran hon. Dewiswch un casgliad sy'n argyhoeddi fwyaf yn eich barn chi ac esboniwch pam mae hyn yn wir. Nawr cyferbynnwch hyn â'r casgliad gwannaf ar y rhestr, gan gyfiawnhau eich dadl gyda rhesymu clir a thystiolaeth.

Ystyried a yw'r Ddeddf Naturiol yn hyrwyddo anghyfiawnder

Cynnwys y fanyleb

Ystyried a yw'r Ddeddf Naturiol yn hyrwyddo anghyfiawnder.

Gallwn ni weld sut gallai'r mater hwn godi oherwydd ar y naill law mae'r Ddeddf Naturiol yn methu â chydnabod y gall fod mwy nag un pwrpas i rai gweithredoedd, er enghraifft rhyw. O ganlyniad mae hyn yn amlwg yn gwahaniaethu yn erbyn y rheini sy'n gwneud gweithred heb gyflawni ei phwrpas, er enghraifft perthnasoedd cyn-priodi a chyfunrywioldeb.

Gan ei bod yn anhyblyg ar adegau, mae'r Ddeddf Naturiol yn methu symud gyda'r oes ac yn hyrwyddo delfrydau y byddai rhai yn eu hystyried yn 'hen ffasiwn' sydd wedi dyddio. Er enghraifft, mae'n bosibl gweld hyn yn glir yn y ffaith fod ysgariad yn cael ei ystyried yn anghywir ac eto mae'n gyfreithlon; yn yr un modd, mae erthyliad yn gyfreithlon ond yn ôl y Ddeddf Naturiol mae'n anghywir.

Yn wahanol i ddamcaniaethau perthynolaidd fel Moeseg Sefyllfa, mae'r Ddeddf Naturiol yn methu ystyried sefyllfa bersonol person unigol. Byddai rhai pobl yn dadlau y gallai fod yn fwy cariadus gadael i gyplau sydd heb briodi fynegi eu cariad at ei gilydd drwy ryw. Ar ben hynny, wrth ystyried y cyd-destun, nid yw'n adlewyrchu gwir gymhwysiad y gyfraith, sydd bob amser yn ystyried 'amgylchiadau lliniarol' i unrhyw drosedd sydd wedi'i chyflawni. Mae'r Ddeddf Naturiol yn cymhwyso egwyddorion cyffredinol yn unig, bron fel damcaniaeth 'un maint i bawb'. Mae hyn yn sicr yn anghyson â chyfiawnder modern. Fodd bynnag, byddai rhai'n dadlau bod y Ddeddf Naturiol yn hybu cyfiawnder mewn ffyrdd clir, drwy roi set o reolau i fodau dynol y gallan nhw fyw wrthynt, ac yn hyrwyddo teimlad o gymuned. Mae hyn yn bwysig iawn i gyfiawnder cymdeithasol.

Mae'r Ddeddf Naturiol hefyd yn hyrwyddo deddfau cyffredinol a thragwyddol. Felly mae pobl yn gwybod, heb ystyried ym mha ganrif neu ble maen nhw'n byw, beth sy'n dderbyniol a beth sydd ddim. Mae gan bobl y gofynion cynradd fel canllaw. Yn yr ystyr hwn mae'n hyrwyddo ac yn disodli cyfiawnder dynol, gan ei bod yn cydnabod bod Duw yn cosbi'r rheini sy'n gwneud yn anghywir ac yn pechu wrth iddyn nhw symud ymhellach o gyrraedd y nod o fywyd tragwyddol gyda Duw. Mae hon yn agwedd arwyddocaol iawn i'r credinwyr hynny sy'n dilyn y Ddeddf Naturiol.

Yn olaf, mae'n hybu cyfiawnder drwy argymell hawliau dynol sylfaenol, fel yr hawl i fywyd, yr hawl i addysg a'r hawl i fyw mewn cymdeithas drefnus. Ni fyddai neb yn anghytuno â'r rhain heddiw.

I gloi, mae gan y Ddeddf Naturiol ei diffygion wrth gael ei chymhwyso'n llym, a'r posibilrwydd o achosi anghyfiawnder. Ond, gan mai ei gwir sail yw hyrwyddo rhinwedd, cariad ac amddiffyn y diniwed drwy gymdeithas drefnus, byddai'n llym iawn cytuno a gwneud gosodiad cyffredinol fod y Ddeddf Naturiol yn hyrwyddo anghyfiawnder.

Gweithgaredd AA2
Dadleuon posibl

Wedi'u rhestru isod mae rhai casgliadau y byddai'n bosibl dod iddynt ar sail rhesymeg AA2 yn y testun cysylltiedig:

1. Ni all y gosodiad fod yn wir gan mai un o'r rhinweddau, ac yn wir, un o bwrpasau'r Ddeddf Naturiol, yw gweld bod cyfiawnder yn cael ei weinyddu.
2. Mae natur anhyblyg y Ddeddf Naturiol yn arwain at anghyfiawnder yn ymarferol.
3. Yn gyffredinol, nid yw'r Ddeddf Naturiol yn hyrwyddo anghyfiawnder ond mae problemau posibl wrth ei chymhwyso.
4. Pe bai'r Ddeddf Naturiol yn cael ei dilyn, byddai'n amlwg yn hyrwyddo anghyfiawnderau ac mae sawl enghraifft o hyn.
5. Pe bai'n cael ei chymhwyso'n ofalus, yn sensitif, gyda rhesymu da mewn modd Cristnogol, ni allai'r Ddeddf Naturiol byth hyrwyddo anghyfiawnder.

Ystyriwch bob un o'r casgliadau sy'n cael eu gwneud uchod a chasglwch dystiolaeth ac enghreifftiau i gefnogi pob dadl o'r deunydd AA1 ac AA2 a astudiwyd yn yr adran hon. Dewiswch un casgliad sy'n argyhoeddi fwyaf yn eich barn chi ac esboniwch pam mae hyn yn wir. Nawr cyferbynnwch hyn â'r casgliad gwannaf ar y rhestr, gan gyfiawnhau eich dadl gyda rhesymu clir a thystiolaeth.

Datblygu sgiliau AA2

Nawr mae'n bryd ystyried y wybodaeth sydd wedi'i chyflwyno hyd yma. Hefyd mae'n bwysig ystyried sut mae'r hyn rydych chi wedi'i ddysgu hyd yma'n gallu cael ei ddefnyddio ar gyfer atebion arholiad drwy ymarfer y sgiliau sy'n gysylltiedig ag AA2.

Mae Amcan Asesu 2 (AA2) yn ymwneud â 'dadansoddi' a 'gwerthuso'. Efallai fod ystyr y termau'n amlwg ond mae'n hanfodol eich bod yn gyfarwydd â sut mae sgiliau penodol yn dangos y rhain, a hefyd, sut bydd eich perfformiad ym mhob un o'r sgiliau hyn yn cael ei fesur (gweler disgrifyddion band cyffredinol Band 5 ar gyfer AA2 UG).

Yn amlwg mae ateb yn cael ei osod mewn disgrifydd band priodol, yn ôl pa mor dda yw'r ateb, gan amrywio o ragorol, da, boddhaol, sylfaenol/cyfyngedig i gyfyngedig iawn.

▶ **Dyma eich tasg:** isod mae ateb cryf a gafodd ei ysgrifennu'n ymateb i gwestiwn sy'n gofyn am werthuso a yw'r Ddeddf Naturiol yn sail dda ar gyfer gwneud penderfyniadau moesol. Gan ddefnyddio'r disgrifyddion band gallwch ei gymharu â'r bandiau uwch perthnasol a disgrifyddion y bandiau hynny. Yn amlwg, mae'n ateb cryf ac felly nid yw'n perthyn i fandiau 1–3. Er mwyn gwneud hyn bydd yn ddefnyddiol i chi ystyried beth sy'n dda am yr ateb a beth sy'n gywir. Mae'r dadansoddiad sy'n cyd-fynd â'r ateb yn rhoi cliwiau ac awgrymiadau i'ch helpu chi. Wrth ddadansoddi cryfderau'r ateb, gweithiwch mewn grŵp a meddyliwch am bum peth sy'n gwneud yr ateb hwn yn un da. Efallai fod gennych fwy na phum sylw ac yn wir awgrymiadau i wneud iddo fod yn ateb perffaith!

Ateb

I lawer o gredinwyr ledled y byd mae'r Ddeddf Naturiol yn cynnig sail ardderchog ar gyfer gwneud penderfyniadau moesol. Mae ei hymagwedd absoliwtaidd yn pennu bod rhai gweithredoedd bob amser yn gywir neu bob amser yn anghywir. Mae hyn yn rhoi rheolau amlwg a chyson i bobl. Mae'r Ddeddf Naturiol yn adleisio'r Deg Gorchymyn yn y Beibl fel 'na ladd'. [1] Mae'r Ddeddf Naturiol yn dal i gael ei defnyddio gan yr Eglwys Gatholig, yr enwad Cristnogol mwyaf yn y byd. Rhaid felly ei bod yn darparu sail ardderchog ar gyfer gwneud penderfyniadau moesol gan ei bod yn dal i gael ei defnyddio gan lawer fel rhan o'u ffydd. Beirniadodd y Pab ddamcaniaethau perthynolaidd gan ddweud eu bod nhw'n 'symud tuag at unbennaeth perthynoliaeth' lle mae'r unigolyn yn poeni amdano'i hun yn unig. Mewn cyferbyniad, mae'r Ddeddf Naturiol yn seiliedig ar ddaioni i'r ddynoliaeth gyfan. Mae'n hyrwyddo gofynion fel 'cymdeithas drefnus'. Mae hefyd yn hyrwyddo Rheol Euraidd Cristnogaeth – 'Pa beth bynnag y dymunwch i ddynion ei wneud i chwi, gwnewch chwithau felly iddynt hwy' – drwy brif rinweddau fel cyfiawnder. [2]

Fodd bynnag, mae llawer wedi beirniadu ymagwedd absoliwtaidd y Ddeddf Naturiol. Er enghraifft, mae rhai athronwyr wedi nodi bod yr hyn sy'n 'dda' neu'n dderbyniol yn amrywio o fewn diwylliannau gwahanol, ac yn credu nad oes y fath beth â natur ddynol gyffredinol. [3] Mae'r syniad fod y ddynoliaeth gyfan wedi cael y ddawn i resymu yn ymddangos yn afrealistig hefyd gan nad oes gan bawb y gallu i resymu. Mae Protestaniaid y Diwygiad fel Martin Luther hefyd wedi beirniadu'r Ddeddf Naturiol a diwinyddiaeth Gatholig am y pwyslais maen nhw'n ei roi ar reswm dynol, gan iddo gredu mai'r Beibl oedd yr awdurdod mwyaf. [4]

Mae llawer hefyd yn credu bod safbwyntiau y Ddeddf Naturiol am erthyliad ac ewthanasia yn hen ffasiwn a bod ei rheolau llym yn atal pobl rhag gwneud yr hyn sy'n gywir yn eu barn nhw. Cred gadarn yn y Ddeddf Naturiol a arweiniodd i'r Pab gondemnio'r defnydd eang o atal cenhedlu yng ngwledydd tlawd Affrica. Ond oni'r ateb mwyaf cariadus er mwyn cael gwell ansawdd bywyd fyddai caniatáu hyn? [5]

Sgiliau allweddol

Mae dadansoddi'n ymwneud â nodi materion sy'n cael eu codi gan y deunyddiau yn adran AA1, ynghyd â'r rhai a nodwyd yn adran AA2, ac mae'n cyflwyno safbwyntiau cyson a chlir, naill ai gan ysgolheigion neu safbwyntiau personol, yn barod i'w gwerthuso.

Mae hyn yn golygu ei fod yn nodi pethau allweddol i'w trafod a'r dadleuon sy'n cael eu cyflwyno gan eraill neu o safbwynt personol.

Mae gwerthuso'n ymwneud ag ystyried goblygiadau amrywiol y materion sy'n cael eu codi, yn seiliedig ar y dystiolaeth a gafwyd wrth ddadansoddi ac mae'n rhoi dadl fanwl eang gyda chasgliad clir.

Mae hyn yn golygu bod yr ateb yn pwyso a mesur y dadleuon amrywiol a gwahanol a gafodd eu dadansoddi drwy roi sylwadau ac ymateb unigol, gan ddod i gasgliad drwy broses rhesymu clir.

Mae llawer yn hoffi'r ymagwedd seiliedig ar reolau mae'r Ddeddf Naturiol yn ei rhoi a'r ffordd mae'n caniatáu iddyn nhw gael safbwynt moesol clir am lawer o faterion. Fodd bynnag rwy'n credu ei bod yn ddiffygiol yn y bôn gan fod syniad pobl am beth sy'n benderfyniad rhesymol yn amrywio yn ôl eu cefndir diwylliannol. Gall yr hyn sy'n cael ei ystyried yn rhesymol a chywir mewn un diwylliant fod yn wahanol mewn diwylliant arall. 6

Awgrymiadau

1. Ffocws.
2. Dealltwriaeth.
3. Enghreifftiau.
4. Rôl awdurdod.
5. Datblygu.
6. Cysylltu.

Awgrymiadau wedi'u cwblhau

1. Mae'r ateb yn amlwg wedi rhoi ffocws ar y cwestiwn ac wedi gwneud pwynt dilys am fanteision ymagwedd absoliwtaidd y Ddeddf Naturiol.
2. Mae ail hanner y paragraff yn dangos dealltwriaeth glir o un o egwyddorion craidd y Ddeddf Naturiol ac un o'r rhinweddau.
3. Rhoddir rhai enghreifftiau da o werthuso yma gan ddangos dau o brif wendidau'r Ddeddf Naturiol. Gallai'r ffaith nad oes gan bawb y gallu i resymu gael ei datblygu ymhellach gydag enghraifft.
4. Mae'r cyfeiriad at Martin Luther yn dangos dealltwriaeth aeddfed o bwysigrwydd awdurdod yr ysgrythur dros y Ddeddf Naturiol.
5. Er bod y pwyntiau yma yn hollol ddilys, byddai'n bosibl eu datblygu – beth yw safbwynt y Ddeddf Naturiol am erthyliad ac ewthanasia, a pham mae rhai'n derbyn y safbwynt hwn? Pam, yn ôl y Ddeddf Naturiol, na fyddai atal cenhedlu yn cael ei ganiatáu?
6. Mae'r ymgeisydd wedi dod i gasgliad priodol sy'n cysylltu'n glir â'r dadleuon gafodd eu cyflwyno uchod. Efallai gallai fod wedi defnyddio enghraifft i egluro'r pwynt mae wedi ei wneud, ond eto i gyd, da iawn yn gyffredinol.

Mae'r Eglwys Gatholig yn dal i ddefnyddio'r Ddeddf Naturiol

C: Deddf Naturiol Aquinas: cymhwyso'r ddamcaniaeth

Y materion sy'n codi o erthyliad

Gellir diffinio erthyliad fel terfynu beichiogrwydd cyn 24 wythnos. Mae erthyliadau ar gael drwy'r Gwasanaeth Iechyd Gwladol (GIG/*NHS*) ond mae'n rhaid i fenyw sydd eisiau erthyliad gael ei chyfeirio gan feddyg. Yn ôl y *Brook Advisory Service* '... er mai'r terfyn cyfreithlon arferol ar gyfer erthyliad yw 24 wythnos, fel arfer mae'n haws cael erthyliad drwy'r Gwasanaeth Iechyd os yw menyw yn feichiog ers llai na 12 wythnos.'

Mae dau ddosbarthiad o erthyliad: meddygol a llawfeddygol. Y cyntaf, sy'n digwydd drwy gyfrwng pilsen erthylu (*mifepristone*) a thabled (*prostaglandin*) sy'n cael ei rhoi i mewn i'r wain 36 i 48 awr yn ddiweddarach, yw'r **erthyliad meddygol**. Nid oes angen llawdriniaeth ac mewn gwirionedd mae fel misglwyf trwm; fodd bynnag, nid yw ar gael ym mhob ardal.

Mae'r ail fath yn golygu cael llawdriniaeth a dyma'r **erthyliad llawfeddygol**. Yn fwyaf cyffredin, mae'n cael ei wneud drwy allsugno neu sugnedd gwactod ac mae ar gael hyd at wythnos 13 yn y beichiogrwydd. Mae menywod yn gwella fel arfer o fewn ychydig oriau a gallan nhw fynd adref yr un diwrnod. Yng nghyfnodau diweddarach beichiogrwydd, mae proses o ymagor a gwagio yn cael ei defnyddio. Mae hyn yn golygu agor gwddf y groth a mynd i mewn i'r groth, yna tynnu'r cynnwys allan drwy gyfrwng offerynnau llawfeddygol yn ogystal â sugnedd.

Mae un o'r materion pwysig yn ymwneud â'r ddadl am yr union foment mae 'dynoldeb' yn dechrau. Mae dechrau 'dynoldeb' yn cael ei drafod mewn cylchoedd athronyddol, moesegol a chyfreithiol ond, yn fiolegol, adeg y cenhedliad yw'r dechrau. Yn fras, mae'r datblygiad, sef gwireddu'r potensialedd i ddod yn gwbl ddynol, yn dilyn y llwybr canlynol:

1. cenhedliad
2. **sygot** (cyn-embryo, 0–5 diwrnod)
3. **blastocyst** (grŵp o gelloedd sy'n lluosogi, cyn-embryo, 5–14 diwrnod)
4. **embryo** (14 diwrnod i 8 wythnos)
5. **ffoetws** (8 wythnos ymlaen)
6. newydd-anedig (genedigaeth, fel arfer rhwng 38 a 42 wythnos).

Mae'n ddiddorol fod y cam o feichiogrwydd yn cael ei gyfrifo o ddiwrnod cyntaf misglwyf olaf y fenyw. Er gwaethaf manwl gywirdeb gwyddoniaeth a thechnoleg, gellid dadlau bod hyd yn oed adeg y cenhedliad yn annelwig, ac mae'r amseroedd uchod yn rhagdybio cyfraddau twf normal.

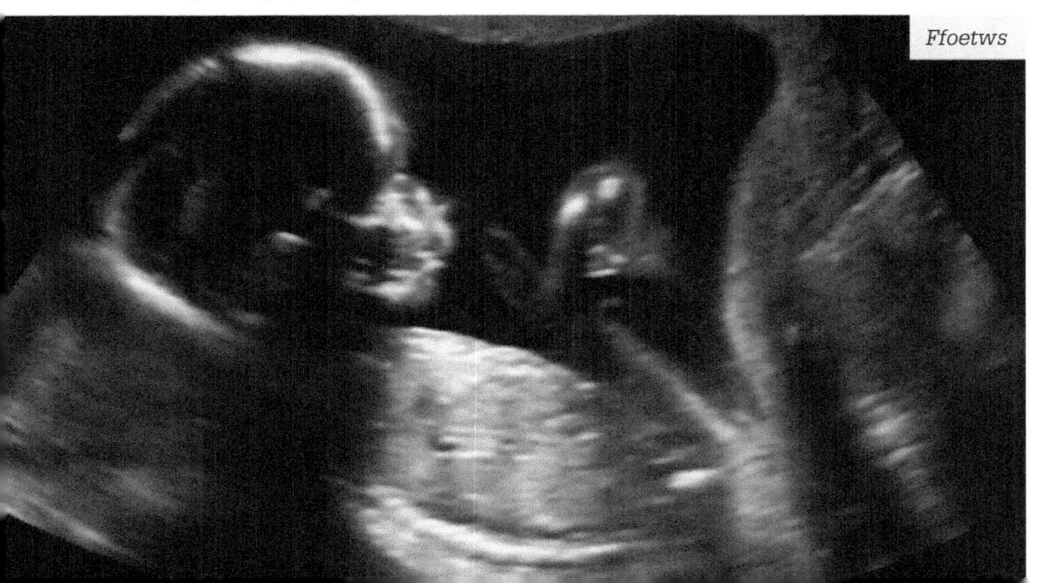

Ffoetws

Mae'r adran hon yn cwmpasu cynnwys a sgiliau AA1

Cynnwys y fanyleb

Deddf Naturiol Aquinas: cymhwyso'r ddamcaniaeth. Cymhwyso Deddf Naturiol Aquinas at fater erthyliad.

Termau allweddol

Blastocyst: grŵp o gelloedd sy'n lluosogi

Embryo: anifail yng ngham cynnar datblygiad cyn geni; mewn bodau dynol, y cam embryo yw'r tri mis cyntaf ar ôl y cenhedliad

Erthyliad llawfeddygol: erthyliad drwy gyfrwng y dull sugno

Erthyliad meddygol: erthyliad drwy gyfrwng y bilsen erthylu

Ffoetws: y baban heb ei eni o ddiwedd yr wythfed wythnos ar ôl y cenhedliad (ar ôl i'r prif strwythurau ffurfio) tan yr enedigaeth

Sygot: cell sy'n cael ei ffurfio drwy uniad cell ryw wrywol (sberm) a chell ryw fenywol (ofwm), sy'n datblygu yn embryo yn ôl y wybodaeth sydd wedi'i chodio yn ei deunydd genetig

cwestiwn cyflym

2.10 Beth yw'r terfyn amser cyfreithlon ar gyfer erthyliad?

Dyfyniad allweddol

Gall bod yn berson fod yn un peth a bywyd dynol fod yn rhywbeth arall; felly mae'n bosibl dadlau, er nad yw'r sygot yn berson, nad oes ffordd amgen resymegol o edrych arno heblaw am fel y cam cyntaf mewn bywyd dynol. **(Mason a Laurie)**

Dyfyniad allweddol

Y ddadl sylfaenol yn erbyn erthyliad, ac mae pob dadl arall yn adeiladu arni, yw bod y plentyn sydd heb ei eni eisoes yn fod dynol, yn berson, yn ddaliwr hawliau, a bod erthyliad felly yn llofruddiaeth. **(Mackie)**

Dyfyniad allweddol

Mae'r cwestiwn a ddylai erthyliad fod yn gyfreithlon neu beidio yn dibynnu ar yr ateb i'r cwestiwn a yw ffoetws yn berson ac ar ba bwynt. Dyma gwestiwn na allwch ei ateb yn rhesymegol nac yn empirig. Nid yw'r cysyniad o fod yn berson yn rhesymegol nac yn empirig: yn y bôn mae'n syniad crefyddol, neu led-grefyddol, wedi'i seilio ar eich rhagdybiaethau sylfaenol (ac felly anwiriadwy) am natur y byd. (Campos)

David Steel, a gafodd ei eni yn 1938

Mae'r newidiadau yn y gyfraith yn erbyn erthyliad yn adlewyrchu newid agwedd. Maen nhw'n dechrau gyda'r Ddeddf Troseddau Corfforol (1861), sy'n dweud bod peri colli baban (*miscarriage*) yn weithred droseddol. Y broblem oedd doedd dim opsiwn o gael camau therapiwtig. Yn 1929 roedd y Ddeddf Diogelu Bywydau Babanod yn caniatáu diogelu bywyd y fam fel rheswm dros derfynu beichiogrwydd.

Cyflwynodd David Steel Ddeddf Erthylu 1967 oedd yn datgan: 'rhaid i ddau feddyg gytuno bod erthyliad yn angenrheidiol. Bydd yn angenrheidiol am y rhesymau canlynol:

1. Os yw iechyd corfforol y fenyw dan fygythiad drwy gael y baban neu byddai unrhyw blant sydd ganddi'n barod yn cael eu niweidio'n feddyliol neu'n gorfforol pe bai'r fenyw'n mynd ymlaen i gael y baban.
2. Os oes risg uchel y byddai nam ar y baban.'

Cafodd hyn ei egluro ymhellach gan Ddeddf Embryoleg 1990 (Adran 37). Yn ôl Mason a Laurie '... mae'n datgan nawr nad yw person yn euog o drosedd o dan gyfraith erthyliadau pan fydd ymarferwr cofrestredig yn terfynu'r beichiogrwydd, ac mae dau ymarferwr meddygol cofrestredig wedi dod i'r farn yn ddidwyll y byddai parhau â'r beichiogrwydd yn golygu risg, sy'n fwy na phe bai'r beichiogrwydd yn cael ei derfynu, o anaf i iechyd corfforol neu feddyliol y fenyw feichiog neu unrhyw blant sydd ganddi yn ei theulu.' Cafodd y terfyn cyfreithiol ei ostwng hefyd o 28 wythnos i 24 wythnos. Fodd bynnag, roedd y Ddeddf hefyd yn cael gwared ar gyfyngiadau amser ar gyfer ffoetws fyddai'n cael ei erthylu oherwydd abnormaledd.

Gweithgaredd AA1

Mae **acrostig** yn fath o ysgrifennu lle mae llythyren gyntaf pob llinell yn sillafu gair. Gan ddefnyddio'r gair 'Erthyliad' (neu yn Saesneg '*Abortion*'), ceisiwch ysgrifennu **8** gair neu ffaith allweddol sydd yn eich barn chi yn crynhoi agweddau pwysig y pwnc.

Awgrym astudio

Mae llawer o enghreifftiau o iaith a geirfa arbenigol yn y pwnc hwn. Gwnewch yn siŵr dydych chi ddim yn cael eich drysu gan y termau gwahanol sy'n cael eu defnyddio i ddisgrifio materion sy'n gysylltiedig ag erthyliad. Byddai gallu defnyddio'r termau yn gywir mewn ateb arholiad yn gwahaniaethu rhwng ateb lefel uchel ac un sydd ddim ond yn ateb cyffredinol.

cwestiwn cyflym

2.11 Pryd cafodd y Ddeddf Erthylu ei chyflwyno?

cwestiwn cyflym

2.12 Beth yw'r ddwy amod yn y ddeddf wrth ystyried bod erthyliad yn angenrheidiol?

Mae hyn yn codi cwestiwn cyfreithiol pwysig gan fod erthyliad oherwydd abnormaledd yn rhyddhau'r gynaecolegydd o'r bai am ddinistrio'r ffoetws, ond nid o'r bai am ladd yn anghyfreithlon 'greadur mewn bod'. Er enghraifft, os yw erthyliad o'r fath yn rhoi'r hawl i'r ffoetws gael tystysgrifau geni a marwolaeth, yna onid yw 'person' o'r fath yn cael ei ddiogelu gan rym eithaf y gyfraith?

Mae Peter Singer yn codi'r mater o fod yn berson wrth ysgrifennu: 'Mae lladd oedolyn dynol yn llofruddiaeth, ac mae'n cael ei gondemnio yn gyffredinol heb betruso. Eto nid oes llinell glir amlwg sy'n gwahanu'r sygot oddi wrth yr oedolyn. A dyna'r broblem.'

Dyfyniad allweddol

Beth y dylid ei wneud gyda ffoetws byw? Dim ond rhyddhau'r gynaecolegydd o'r bai am ddinistrio y mae Deddf 1990 ac nid o'r bai am ladd 'creadur mewn bod'. (Mason a Laurie)

Dyfyniad allweddol

Dilema'r gynaecolegydd sydd yno i ryddhau menyw o'i ffoetws, fodd bynnag, yw 'bod yno yn awr faban sydd, ar unrhyw ddehongliad, â'r hawl i gael tystysgrif geni ac, os oes angen, tystysgrif sy'n nodi achos y farwolaeth'. (Mason a Laurie)

Mater cysylltiedig arall yw **sancteiddrwydd bywyd**, sef y gred fod bywyd mewn rhyw ffordd yn gysegredig neu'n sanctaidd, yn draddodiadol yn cael ei ddeall fel rhodd gan Dduw. Mae Kant yn rhoi persbectif anghrefyddol i'r syniad o sancteiddrwydd bywyd yn seiliedig ar foeseg yn unig. Mae athronwyr fel Peter Singer hefyd wedi galw ers tro am symud o siarad am sancteiddrwydd bywyd tuag at drafodaeth fwy cyffredinol am werth bywyd.

Mae'r prif ddadleuon, felly, yn ystyried pryd gallwn ni alw gweithred yn lladd, neu'n llofruddiaeth hyd yn oed, ac ar ba bwynt mae bywyd dynol potensial yn ennill y fath werth fel bod erthyliad yn mynd yn anghyfiawnder moesegol.

Mae hyn yn arwain at gwestiynau mwy penodol am natur a statws y ffoetws.

Un o'r prif broblemau gyda'r ddadl am erthyliad yw bod diffiniadau niwlog ac anghywir o'r derminoleg. Er enghraifft, mae'r rheini sy'n ymgyrchu yn erbyn erthyliad (**dros fywyd**) a'r rheini sy'n ymgyrchu dros hawliau menywod i gael erthyliadau (**dros ddewis**), yn dehongli'r termau *bywyd* a *heb ei eni* yn wahanol. I un grŵp, mae'r syniad o berson dynol yn cynnwys cam yr embryo, ond mae'r llall dim ond yn ystyried y cyfnod hwnnw y tu hwnt i enedigaeth.

Mae'n bwysig, felly, sefydlu beth mae'r rhai dan sylw'n golygu yn union wrth iddyn nhw gyfeirio at faban, person a bywyd. Mae hyn yn hanfodol i'r agwedd hon ar y drafodaeth ac felly mae'n bwysig ystyried rhai safbwyntiau gwahanol. Mae sawl dadl sy'n gysylltiedig â chymhwyso'r statws o fod yn berson at yr embryo, y ffoetws neu'r plentyn. Mae'r rhain yn tueddu i fod yn seiliedig naill ai ar gyfnodau biolegol neu ar egwyddorion neu gysyniadau athronyddol a chrefyddol.

Mae dadleuon biolegol yn dibynnu ar dystiolaeth gorfforol i ddiffinio statws y ffoetws. Dadl rhai yw bod statws bod yn berson yn gymwys dim ond adeg yr **enedigaeth** gorfforol. Dyma'r gwir bwynt cyntaf o annibyniaeth ac unigoliaeth. Mae eraill yn dadlau dros adeg **hyfywdra**, hynny yw bod statws bod yn berson yn cael ei roi ar yr adeg pan mae'r un heb ei eni yn gallu bodoli y tu hwnt i unrhyw ddibyniaeth ar y fam. Dull mwy traddodiadol oedd diffinio dechrau bywyd dynol gan yr hyn a elwir y **bywiogi** pan mae'r fam yn teimlo'r 'plentyn' yn symud am y tro cyntaf, er bod hyn yn amrywio o unigolyn i unigolyn ac felly does dim pwynt safonol. Yn olaf, byddai rhai'n awgrymu bod bywyd yn dechrau ar y pwynt pan mae'r **potensial** am fywyd yn dechrau (adeg y cenhedliad).

Mae'r dadleuon athronyddol neu grefyddol yn seiliedig ar gysyniadau neu egwyddorion y tu hwnt i'r dystiolaeth gorfforol. Byddai rhai'n dadlau bod bywyd yn dechrau ar adeg **ymwybyddiaeth** pan mae tystiolaeth amlwg o'r gallu i feddwl a rhesymu. Mae eraill yn dadlau dros **eneidio** pryd y credir bod yr enaid yn mynd i mewn i'r corff. Mae union adeg eneidio yn ddadleuol gan fod awgrymiadau rhwng 40 a 90 diwrnod wedi cael eu cynnig, ond does dim modd i'r ddadl fod yn fanwl gywir.

Mae Peter Vardy yn gwneud pwynt pwysig wrth nodi bod dadleuon yn seiliedig ar ystyr geiriau, neu ar yr hyn mae e'n ei alw'n '**ffactorau perthynol**'. Wrth ddweud hyn mae'n golygu bod ffyrdd gwahanol o ddehongli neu ddeall yr un geiriau. Nes bod cytundeb am ddiffiniadau cywir o'r prif dermau, ni fydd cytundeb cyffredinol am y cyfnod lle mae statws bod yn berson yn cael ei roi.

Dyfyniad allweddol

Gallwn ni gymryd y ddysgeidiaeth am sancteiddrwydd bywyd dynol i fod yn ddim mwy na ffordd o ddweud bod gan fywyd dynol werth arbennig iawn .... Mae'r farn fod gan fywyd dynol werth unigryw wedi'i gwreiddio'n ddwfn yn ein cymdeithas ac wedi'i chorffori yn ein cyfraith. **(Singer)**

Termau allweddol

Bywiogi: yn draddodiadol, pan mae'r fam yn teimlo'r plentyn yn symud y tu mewn iddi am y tro cyntaf

Dros ddewis: cefnogi hawliau menywod i gael erthyliadau

Dros fywyd: yn erbyn erthyliadau

Eneidio: y pwynt lle mae'r enaid yn mynd i mewn i'r corff

Ffactorau perthynol: dehongliadau gwahanol o'r un geiriau neu dermau, yn dibynnu ar safbwynt y gwyliwr

Genedigaeth: y pwynt lle mae'r plentyn yn cael ei wahanu oddi wrth ei fam ac yn dod yn endid ar wahân

Hyfywdra: y gallu i dyfu a datblygu yn oedolyn, yn arbennig gallu'r plentyn i fodoli heb ddibynnu ar y fam

Potensial: y posibilrwydd, adeg y cenhedliad, o ddod yn berson dynol

Sancteiddrwydd bywyd: y gred fod bywyd yn sanctaidd neu'n gysegredig, wedi ei roi gan Dduw

Ymwybyddiaeth: bod yn ymwybodol o'r hunan

Dyfyniad allweddol

Yr unig absoliwt yn y saga yw bod 'bywyd' fel rydyn ni'n ei ddeall yn gyffredinol yn dechrau wrth i'r sygot ffurfio; ar y safbwynt hwn, y farn Gatholig geidwadol yw'r unig opsiwn cynaliadwy – yr anhawster yw mai dyma hefyd yr ateb lleiaf ymarferol i'r cwestiwn. **(Mason a Laurie)**

Dyfyniad allweddol

Fodd bynnag, nid yw diffiniadau i'w defnyddio'n ymarferol o reidrwydd yr un peth â'r rheini sydd yn benodol i'w defnyddio'n ystadegol. **(Mason a Laurie)**

Dyfyniad allweddol

... Ni fyddaf yn rhoi cyffur marwol i neb a ofynnodd amdano, na chwaith yn awgrymu hynny. Yn yr un modd ni roddaf feddyginiaeth erthyliad i fenyw. Mewn purdeb a sancteiddrwydd byddaf yn gwarchod fy mywyd a'm celfyddyd ... Yr hyn y gallwn ei weld neu ei glywed yn ystod y driniaeth neu hyd yn oed y tu allan i'r driniaeth o ran bywyd dynion, na ddylid ei ledaenu ar unrhyw gyfrif, fe'i cadwaf i mi fy hun, gan ddal y fath bethau y mae cywilydd siarad amdanyn nhw. Os byddaf yn ufuddhau i'r llw hwn a heb ei dorri, bydded i mi fwynhau bywyd a chelfyddyd, a'm hanrhydeddu â bri ymhlith yr holl ddynion am yr holl amser sydd i ddod; os byddaf yn ei dorri ac yn tyngu'n ffug, bydded i wrthwyneb hyn oll ddigwydd i mi. **(Y Llw Hipocrataidd – y fersiwn clasurol)**

cwestiwn cyflym

2.13 Nodwch ddau brif fater trafod sy'n codi o'r dadleuon biolegol ynglŷn â dechreuad bywyd dynol.

Un ystyriaeth olaf yw bod gwahaniaeth amlwg yn natblygiad unigolion. Yn ystod bywyd, er bod amserau bras pryd mae pobl yn aeddfedu, datblygu a thyfu, oherwydd natur unigoliaeth mae'n aneglur pryd yn union mae rhywun yn symud o lencyndod i fod yn oedolyn, o blentyndod drwy lasoed ac yn y blaen. Pam mae cyfnodau cynnar datblygiad yn wahanol?

Gweithgaredd AA1

Darganfyddwch sut mae'r Llw Hipocrataidd wedi cael ei addasu ar gyfer meddygon heddiw ac esboniwch pam.

Hippocrates 460–370 CCC

Cymhwyso'r Ddeddf Naturiol at fater erthyliad

Mae'r rheini sy'n derbyn dysgeidiaeth Aquinas am y Ddeddf Naturiol, ac yn ceisio cymhwyso hon at fater erthyliad, yn credu mai'r prif ofyniad cynradd sy'n bwysig yma yw cynnal bywyd diniwed. Felly maen nhw'n ystyried bod y weithred o erthylu yn hanfodol ddrwg oherwydd ei bod yn golygu lladd bod dynol diniwed yn fwriadol ac yn uniongyrchol. Byddai hyn yn wir ym mhob sefyllfa gan gynnwys achosion o dreisio neu losgach.

Fodd bynnag, bydd y ddadl yn canolbwyntio wedyn ar pryd gallwn ni ystyried bod ffoetws yn berson. Mae safbwyntiau'n amrywio rhwng ystyried bod hyn ar adeg y cenhedliad neu'r adeg pryd mae nodwedd benodol yn ymddangos, fel gweithgaredd nerfol. Dyma lle y gallai fod tipyn o drafod.

Awgrym astudio

Mae gallu cyfeirio'n gywir at destunau cysegredig a/neu ffynonellau doethineb, lle'n briodol, yn hanfodol os ydych chi eisiau cyrraedd lefel uchel yn eich ateb. Fodd bynnag, gwnewch yn siŵr fod y dyfyniadau rydych chi'n eu defnyddio yn berthnasol i'r pwynt rydych chi'n ei wneud yn eich ateb.

Ond mae ymagwedd arall yn bosibl. Mae'r Athro Moeseg, Howard Kainz, wedi dadlau bod dau ofyniad arall hyd yn oed yn fwy perthnasol efallai i fater erthyliad nag 'egwyddor cynnal bywyd', sef yr hawl i atgenhedlu a'r hawl i fagu plant. Mae'n dadlau, yn achos erthyliad, fod rhai pobl sy'n amddiffyn hawl y fenyw os yw ei bywyd mewn perygl: 'Mae'r rheini sy'n defnyddio'r gofyniad cyntaf yn aml yn gwneud eithriad mewn sefyllfa sy'n fygythiad i fywyd y fam, gan fod gwrthdaro rhwng dwy hawl i fywyd.' Fodd bynnag, i Kainz, mae hyn yn agor maes arall o drafodaeth ynghylch treisio oherwydd 'os oes gan bob menyw yr hawl i genhedlu ac atgenhedlu, ac os yw'r hawl hon yn awgrymu bod ganddi'r hawl i wneud y dewis hwnnw *o'i gwirfodd*, mae'n amhosibl meddwl am unrhyw ffyrdd mwy amlwg o fynd yn erbyn yr hawl honno na thrais a llosgach.' Neu, os oes modd caniatáu eithriad i'r gofyniad cyntaf, yna rhaid cyfaddef y posibilrwydd y gallai fod eithriadau wrth gymhwyso'r ddau ofyniad arall sef yr hawl i atgenhedlu ac i fagu plant. Yn union fel y mae gan rywun yr hawl i gynnal ei fywyd, felly hefyd mae gan rywun yr hawl gyfartal i gynnal y dewis o atgenhedlu. Mae treisio yn amlwg yn torri'r ddeddf hon. Yn wir, mae'n gwestiwn wedyn o wrthdaro rhwng yr egwyddorion sy'n bodoli yn y gofynion cynradd fel y maen nhw. Byddai hyn wedyn yn amlwg yn agor y drafodaeth ar ddaioni gwirioneddol a daioni ymddangosiadol ond byddai'n codi mwy o gwestiynau eto.

Ond mae Kainz yn dadlau, er gwaethaf yr holl ddryswch hwn, y gall ymagwedd fwy rhinweddol at dreisio fod yn fwy Cristnogol o ran dilema erthyliad. Mae'n dadlau, 'Gall egwyddorion Cristnogol ddisodli ystyriaethau am wrthdaro hawliau sy'n gysylltiedig â'r Ddeddf Naturiol'. Mae'n dweud hefyd fod menyw sy'n penderfynu magu plentyn ar ôl cael ei threisio, neu sy'n aberthu ei bywyd ei hun oherwydd problemau yn ystod ei beichiogrwydd er mwyn i'r plentyn oroesi, yn enghreifftiau clasurol o ymddygiad rhinweddol sy'n dangos rhywun yn 'mynd y filltir ychwanegol'. Mae'n ysgrifennu, 'o safbwynt y Ddeddf Naturiol, byddai penderfyniadau o'r fath yn perthyn i gategori rhinwedd arwrol – aberthu hawliau personol sy'n mynd y tu hwnt i unrhyw alwad arferol o ran cyfrifoldeb mamol'.

Cynnwys y fanyleb

Deddf Naturiol Aquinas: cymhwyso'r ddamcaniaeth. Cymhwyso Deddf Naturiol Aquinas at fater erthyliad.

Y Pab Pius XI 1857–1939

Dyfyniad allweddol

P'un ai caiff ei wneud i'r fam neu i'r plentyn, mae erthyliad yn groes i ofyniad Duw a deddf natur: 'Na ladd'. (Y Pab Pius XI)

Dyfyniad allweddol

Ar y llaw arall, dylid sylweddoli y gall cymhwyso'r ail ofyniad newid ein persbectif ar rai o'r eithriadau cyffredin y mae llawer yn fodlon eu caniatáu o ran gwahardd erthyliad ... yng ngoleuni'r ail ofyniad, mae yna wrthdaro hawliau hefyd yn achosion trais a llosgach. Oherwydd, os oes gan bob menyw yr hawl i genhedlu ac atgenhedlu, ac os yw'r hawl hon yn awgrymu bod ganddi'r hawl i wneud y dewis hwnnw *o'i gwirfodd*, mae'n amhosibl meddwl am unrhyw ffyrdd mwy amlwg o fynd yn erbyn yr hawl honno na thrais a llosgach. (Kainz)

Dyfyniadau allweddol

Pan mae dioddefaint yn ganlyniad i ddilyn egwyddor foesegol yna mae angen i ni edrych yn ofalus iawn ar ein hegwyddor foesegol a gofyn a ydyn ni'n ei chymhwyso yn rhy anhyblyg. (Hope)

Mae dilema'r meddyg yn hunanamlwg – a yw ef neu hi yn ymarfer meddygaeth wirioneddol 'dda' drwy gadw yn fyw baban newydd-anedig na fydd yn gallu cymryd lle yn y gymdeithas neu a fydd yn cael poen a dioddefaint drwy ei fywyd? (Mason a Laurie)

Mae chwilio am deimlad o burdeb moesegol pan gaiff hyn ei ennill ar draul dioddefaint pobl eraill yn mynd yn groes i'r graen. (Hope)

Mae Kainz yn codi mater pwysig ond mae hefyd yn dangos bod gan y Ddeddf Naturiol ymrwymiad i reswm, drwy gelfyddyd caswistiaeth, ac yn amlwg gan ystyried rhinweddau Cristnogol. Fodd bynnag, byddai rhai yn gyndyn o dderbyn ei bod yn bosibl ymestyn hyd yn oed rhinwedd *agape* (cariad), y fwyaf o'r rhinweddau dwyfol, y tu hwnt i'r hyn y mae'r gofynion cynradd yn ei nodi fel ei phrif gymhwysiad. Gallai beirniaid awgrymu nad yw hyn yn dangos dealltwriaeth gywir o gymhwyso'r fath rinwedd.

Dyfyniad allweddol

Mae'n hollol amlwg, fodd bynnag, y gall egwyddorion Cristnogol ddisodli ystyriaethau am wrthdaro rhwng hawliau sy'n gysylltiedig â'r Ddeddf Naturiol. Byddai penderfynu dod â phlentyn i'r byd ar ôl cael eich treisio, er enghraifft, yn yr un categori ag anogaeth yr efengyl i 'fynd y filltir ychwanegol', 'benthyca i eraill heb obeithio cael eich talu'n ôl', 'troi'r foch arall', ac yn y blaen. Mewn sefyllfaoedd lle mae problemau fel beichiogrwydd ectopig, byddai menyw sy'n penderfynu ildio ei hawl hi'i hun i fywyd a'i hawl i feithrin a magu ei phlant er mwyn i'r plentyn gael ei eni'n iach, yn mynd hyd yn oed ymhellach mewn 'milltiroedd ychwanegol'. O safbwynt y Ddeddf Naturiol, byddai penderfyniadau o'r fath yn perthyn i gategori rhinwedd arwrol – aberthu hawliau personol sy'n mynd y tu hwnt i unrhyw alwad arferol o ran cyfrifoldeb mamol. (Kainz)

Yn ddiddorol, mae athrawiaeth yr effaith ddwbl, fodd bynnag, yn caniatáu marwolaeth y ffoetws, ond fel sgil-effaith i weithred arall yn unig. Mae hyn yn golygu nad lladd y ffoetws oedd y bwriad, er enghraifft yn achos defnyddio cemotherapi neu wneud hysterectomi i dynnu'r groth oherwydd canser, pan fyddai hynny'n arwain at farwolaeth y ffoetws. Fodd bynnag, gan nad dyna fwriad y weithred, ond yn hytrach sgil-effaith, mae'n dderbyniol tynnu'r groth ganseraidd.

Mae'n eithaf amlwg, wrth ei chymhwyso, nad yw'r Ddeddf Naturiol ei hun mor glir ag y byddai rhai'n awgrymu ac, efallai, sut mae'n ymddangos ar yr olwg gyntaf.

Gweithgaredd AA1

Ysgrifennwch ddarn, ar ffurf colofn papur newydd fel crediniwr Catholig sy'n dilyn y Ddeddf Naturiol, yn ymateb i fenyw sydd wedi bod yn ystyried erthyliad, gan roi rhesymau clir dros eich cyngor.

Cynnwys y fanyleb

Deddf Naturiol Aquinas: cymhwyso'r ddamcaniaeth. Cymhwyso Deddf Naturiol Aquinas at fater ewthanasia gwirfoddol.

Y materion sy'n codi o ewthanasia

Mae mater **ewthanasia** yr un mor gymhleth ag erthyliad ac am resymau tebyg. Y cyd-destun yw diwedd, yn hytrach na dechrau, bywyd, ond mae rhai o'r egwyddorion yr un peth. Yn sicr mae'r materion moesegol a nodwyd yn dod o dan benawdau tebyg.

Mae'r broblem gyntaf yn ymwneud â'r anawsterau technegol sydd ynghlwm wrth y diffiniadau a'r mathau gwahanol o ewthanasia. Mae gwahaniaethau amlwg yn y gyfraith rhwng gwledydd ac yn y ffyrdd mae'r ddeddfwriaeth yn cael ei chymhwyso.

Mae ystyr y gair yn deillio o'r Groeg *eu thanatos*, ac mae dehongliadau o hwn yn cynnwys da, hawdd, esmwyth (*eu*) a marwolaeth (*thanatos*). Mae'r syniad allweddol yn mynd y tu hwnt i'r term disgrifiadol yn unig ac yn cwmpasu'r syniad o farwolaeth sy'n fuddiol i'r un sydd dan sylw. Mae Tony Hope, yr Athro Moeseg Feddygol ym Mhrifysgol Rhydychen ac awdur testun pwysig i ddarpar feddygon, *Medical Ethics and Law: The Core Curriculum*, yn cynnig y gwahaniaethau rhwng mathau gwahanol o ewthanasia. Yma rydyn ni'n ystyried ewthanasia gwirfoddol,

Term allweddol

Ewthanasia: yn golygu yn llythrennol marwolaeth esmwyth neu hawdd, dyma'r weithred ddadleuol ac, mewn rhai achosion, anghyfreithlon o ganiatáu i berson ag afiechyd marwol farw gydag urddas, gan osgoi poen a dioddefaint sy'n cael ei alw weithiau, yn ei ystyr mwy cul, yn hunanladdiad â chymorth meddyg. Mae Hope yn nodi'r canlynol:

- Ewthanasia: mae un person yn lladd y llall yn fwriadol neu'n caniatáu marwolaeth y llall er budd y llall
- Ewthanasia gweithredol: mae un person yn gweithredu marwolaeth y llall er budd y llall
- Gwirfoddol: y cais i farw gan y person sy'n dymuno hynny yn llwyr.

Felly mae ewthanasia gwirfoddol yn cael ei alw yn ewthanasia gweithredol hefyd.

Mae hanes statws cyfreithiol ewthanasia gwirfoddol yn adlewyrchu llawer o'r materion sy'n codi wrth ystyried a fyddai unrhyw newid i'r gyfraith yn 'gweithio' mewn gwirionedd.

Yn 1961 cafodd hunanladdiad ei ddad-droseddoli. Er gwaethaf hyn, roedd Deddf Hunanladdiad 1961 yn bendant iawn fod helpu neu gynorthwyo hunanladdiad mewn unrhyw ffordd yn dal yn drosedd.

Fel gyda'r ddadl ynghylch erthyliad, mae dwy egwyddor ganolog yn y fantol. Y gyntaf yw a ddylid caniatáu lladd mewn unrhyw amgylchiadau. Mae'r ail yn ymwneud â'r gwerth sy'n cael ei roi i fywyd o safbwynt materion fel sancteiddrwydd neu ansawdd, p'un ai am resymau crefyddol, moesegol neu athronyddol.

Wrth ystyried erthyliad, yr ail elfen o'r ddadl oedd y pwynt lle y gellir dweud bod bywyd wir yn dechrau. Mae'n bosibl ystyried bod y problemau wrth benderfynu ar ddechrau bywyd yn debyg i'r rheini sy'n gysylltiedig â diwedd bywyd.

Yn gyffredinol, gall diwedd corfforol bywyd gael ei benderfynu'n feddygol. Ond, i berson mewn coma, er enghraifft, sy'n cael ei gadw'n fyw yn artiffisial ac eto'n dangos arwyddion o ymwybyddiaeth, mae'n mynd yn broblem. Mae sefyllfa o'r fath eto'n codi cwestiwn am ddiffiniad bywyd a hyd yn oed a yw diffiniad ffisegol yn ddigonol. Dyma gwestiwn allweddol yn y ddadl am ewthanasia.

Yn gysylltiedig â'r mater hwn hefyd mae cwestiynau athronyddol am ansawdd bywyd. A oes pwynt lle y gall rhywun ddod i'r casgliad fod bywyd wedi colli ei werth? Os felly, pryd dylai hyn fod a phwy sy'n mynd i benderfynu?

Problem arall yw pan fydd y claf yn gwrthod derbyn triniaeth. Mae'r gyfraith yn caniatáu hyn, hyd yn oed os gall gwrthod arwain at niwed iddo ei hun. Yr unig eithriad fyddai pe bai rhywun yn penderfynu nad oes gan y claf y gallu neu'r cymhwyster meddyliol i wneud penderfyniad o'r fath.

Mae hyn yn cyfeirio'n bennaf at y rheini sy'n marw. Mae ganddyn nhw'r hawl i beidio ag ymestyn eu bywyd, drwy wrthod triniaeth. Ond nid oes ganddyn nhw'r hawl i gyflymu diwedd eu bywyd drwy gymryd math arall o feddyginiaeth. A oes gwrth-ddweud yma? Os yw person yn gwrthod triniaeth i ymestyn ei fywyd yna a yw wedi byrhau ei fywyd? Sut, mewn egwyddor, y mae hyn yn wahanol i fyrhau bywyd mewn ffordd arall? Felly, mae gan bobl yr hawl gyfreithiol i gael cyfle i ymestyn bywyd ond nid i'w fyrhau. Pan fydd marwolaeth yn anochel, dim ond ei rhwystro sy'n bosibl ac nid oes gan bobl yr hawl i'w chroesawu.

Mae'n ymddangos bod anghysondeb anghyfforddus yma. Mae gwrthod triniaeth yn ymwybodol, gan wybod mai'r canlyniad yw marwolaeth, yn cael ei ystyried yn dderbyniol. Mae mynnu meddyginiaeth yn ymwybodol os y canlyniad yw marwolaeth hefyd, ond yn gynt gyda llai o boen, yn annerbyniol. Y dilema sensitif hwn – os dilema ydyw mewn gwirionedd – sydd wrth galon y ddadl am ewthanasia: sef, pa mor bell dylai hawliau unigol person ymestyn o ran ei gorff, ei ffawd a'i dynged ei hun?

Yn foesegol, efallai dylai pobl fod â dyletswydd i atal dioddefaint hir a dibwrpas pobl eraill. Hefyd, dylid ystyried yr effaith y gall marwolaeth hir a phoenus ei chael ar eraill, fel teulu a ffrindiau agos.

cwestiwn cyflym

2.14 Beth yw ewthanasia gwirfoddol?

cwestiwn cyflym

2.15 Pryd cafodd hunanladdiad ei ddad-droseddoli?

Dyfyniad allweddol

Mae gan gleifion yr hawl i benderfynu faint o bwysau i'w roi ar fanteision, beichiau, risgiau a derbynioldeb cyffredinol unrhyw driniaeth. Mae ganddyn nhw'r hawl i wrthod triniaeth hyd yn oed os gall gwrthod arwain at niwed iddynt eu hunain neu at eu marwolaeth, ac mae meddygon yn rhwymedig gan y gyfraith i barchu eu penderfyniad. **(Y Cyngor Meddygol Cyffredinol)**

Mae'r dadleuon yn erbyn cyflwyno cyfraith sy'n caniatáu ewthanasia yn tynnu sylw at y risg gwirioneddol o'i chamddefnyddio:

- Sut gallai cyfraith o'r fath gael ei monitro'n effeithiol?
- A fyddai er lles y gymdeithas drwyddi draw?
- A fyddai'n gyfraith ymarferol?
- Hefyd, a yw ewthanasia yn mynd yn erbyn y Llw Hipocrataidd?
- A yw'n ymyrryd â threfn naturiol neu ddwyfol bywyd?

I feddygon does dim canllaw cyfreithiol clir heblaw'r cyngor a gafodd ei roi gan gyrff fel y Gymdeithas Feddygol Brydeinig yn 2001 neu Goleg Brenhinol Paediatreg ac Iechyd Plant. Fodd bynnag, mae canllawiau o'r fath yn annelwig iawn o ran ymyrraeth weithredol ac atal triniaeth feddygol iachaol. Mae hyn yn oed meddygon yn ansicr ac maen nhw'n amlwg yn agored i feirniadaeth, yn gyfreithiol ac yn foesegol.

Dyfyniad allweddol

Gall cyflwr claf wella'n annisgwyl, neu beidio â gwella fel y disgwylir, neu gall barn y claf am fanteision, beichiau a risgiau triniaeth newid dros amser. Dylech chi sicrhau bod trefniadau clir yn eu lle i adolygu penderfyniadau. (Y Cyngor Meddygol Cyffredinol)

Nid oes canllawiau cyfreithiol clir gan feddygon

Gweithgaredd AA1

Fel meddyg, ysgrifennwch y pryderon efallai byddai gennych pe byddech chi'n trin rhywun oedd yn dioddef o afiechyd marwol ac yn ystyried ewthanasia.

Cynnwys y fanyleb

Deddf Naturiol Aquinas: cymhwyso'r ddamcaniaeth. Cymhwyso Deddf Naturiol Aquinas at fater ewthanasia gwirfoddol.

Cymhwyso Deddf Naturiol Aquinas at fater ewthanasia gwirfoddol

Y gofyniad cynradd o gynnal bywyd diniwed yw'r egwyddor allweddol hefyd wrth wynebu mater ewthanasia. Mae'n cael ei fynegi'n aml yn nhermau dadl 'sancteiddrwydd bywyd'. Mae sancteiddrwydd yn golygu 'y rhinwedd o fod yn gysegredig neu'n sanctaidd'. Yn ôl y Ddeddf Naturiol mae rhywbeth arbennig am fod dynol sydd uwchlaw a thu hwnt i anifeiliaid, felly dylai gael ei ddiogelu. Nid yw cymryd bywyd person arall, hyd yn oed os yw'n gofyn am hynny, yn foesol dderbyniol felly. Drwy'r un ddadl, mae cymryd eich bywyd eich hun (hunanladdiad) hefyd yn weithred anfoesol.

Mae Catecism yr Eglwys Gatholig yn diffinio ewthanasia fel 'gweithred neu esgeulustod sydd, ynddi'i hun neu o fwriad, yn achosi marwolaeth pobl â nam, sy'n wael neu'n marw – weithiau gydag ymgais i gyfiawnhau'r weithred fel ffordd o gael gwared ar ddioddefaint.'

Dyma pam byddai'r Ddeddf Naturiol yn gwrthwynebu ymagwedd sy'n awgrymu bod caswistiaeth ac ystyriaeth o rinweddau neu amcanion yn eilaidd i gymhwyso'r gofynion cynradd. Hefyd mae'n awgrymu bod peryglon yn yr hyn a allai gael ei ystyried yn rhinweddol gyda'r enw lladd 'trugarog', ac mewn gwirionedd daioni ymddangosiadol yn unig ydyw.

Fodd bynnag, mae rhai enghreifftiau o ansicrwydd wrth gymhwyso hyd yn oed y gofyniad cyntaf. Fel mae'r Athro Ian Harriss wedi ei ddadlau, mewn papur ar ewthanasia a moeseg gymhwysol yn 2005, mae'r gofyniad cyntaf yn cael ei gymhwyso mewn ffyrdd amheus o hyd heddiw yn enw'r Ddeddf Naturiol. Mae'n ysgrifennu, 'Yn Sbaen, lle mae'r ffydd Gatholig a'r Ddeddf Naturiol wedi dylanwadu'n gryf ar bolisi, mae ymyrraeth sydd â'r bwriad uniongyrchol naill ai o gyflymu marwolaeth neu o ladd y claf, yn cael ei hystyried yn foesol anghywir. Ond, mae'r defnydd trwm o dawelyddion yn awgrymu bod anymwybyddiaeth, naill ai oherwydd afiechyd neu gyffuriau, yn cael ei derbyn yn gyffredinol fel yr ateb gorau.'

Er bod rhoi cyffuriau i roi terfyn ar fywyd yn annerbyniol, byddai'n bosibl dadlau ei bod yn foesol dderbyniol, o dan y Ddeddf Naturiol, i roi dos mawr o'r cyffur morffin i reoli poen claf sydd ag afiechyd marwol, hyd yn oed o wybod y byddai'r morffin yn byrhau bywyd y claf. Beth bynnag yw'r canlyniadau, nid lladd y person oedd y bwriad, ond dod ag esmwythâd o'r boen. Dyma sut mae egwyddor yr effaith ddwbl yn cael ei chymhwyso.

Fodd bynnag, eto, mewn ymateb i'r cymhwysiad hwn o'r Ddeddf Naturiol, mae Harriss yn ysgrifennu, 'Mae damcaniaeth y Ddeddf Naturiol yn wrthwynebus yn ei hanfod i ddadleuon iwtilitaraidd, a gwelir hyn yn ei llawn effaith yn yr haeriad fod "llwybr llithrig" y mae'n rhaid ei osgoi ar bob cyfrif. Wrth ildio i athrawiaeth yr effaith ddwbl, fodd bynnag, mae damcaniaeth y Ddeddf Naturiol yn cael ei pheryglu drwy ildio'n gudd i Iwtilitariaeth.' A yw cymhwyso'r effaith ddwbl felly yn gymhwysiad absoliwtaidd gwirioneddol o'r Ddeddf Naturiol?

Yn amlwg mae cymwysiadau eraill o'r Ddeddf Naturiol i'w hystyried, fel a fyddai cyfreithloni ewthanasia gwirfoddol yn herio'r gofyniad o fyw mewn cymdeithas drefnus? A fyddai caniatáu ewthanasia gwirfoddol torfol yn amharu ar y gymdeithas? Hefyd, gallech chi ystyried pob un o'r gofynion ochr yn ochr â dealltwriaeth o sut mae rhesymu cywir, a hefyd y defnydd o'r rhinweddau moesol, yn cael ei gymhwyso. I gloi, oherwydd bod cymhwyso'r Ddeddf Naturiol mor gymhleth – heb sôn am gymhlethdod y materion sydd ynghlwm wrth erthyliad ac ewthanasia gwirfoddol – mae'n bosibl na fyddai unrhyw ymgais i'w chymhwyso yn cael ei derbyn fel y model diffiniol.

Gweithgaredd AA1

Mae **acrostig** yn fath o ysgrifennu lle mae llythyren gyntaf pob llinell yn sillafu gair. Gan ddefnyddio'r geiriau 'Deddf Naturiol' (neu yn Saesneg '*Natural Law*'), ceisiwch ysgrifennu **12** (neu 10) pwynt rydych chi'n meddwl y gallech chi eu defnyddio mewn ateb am y Ddeddf Naturiol ac ewthanasia gwirfoddol.

Awgrym astudio

Mae llawer o enghreifftiau o iaith a geirfa arbenigol yn y pwnc hwn. Gwnewch yn siŵr dydych chi ddim yn cael eich drysu gan y termau gwahanol sy'n cael eu defnyddio i ddisgrifio'r prif syniadau sy'n gysylltiedig ag ewthanasia. Byddai gallu defnyddio'r termau yn gywir mewn ateb arholiad yn gwahaniaethu rhwng ateb lefel uchel ac un sydd ddim ond yn ateb cyffredinol.

Dyfyniad allweddol

Yn nodweddiadol mae caswistiaeth yn defnyddio egwyddorion cyffredinol wrth resymu drwy gydweddiadau, o achosion cwbl amlwg, sef paradeimau, i achosion problemus. Caiff achosion tebyg eu trin yn debyg. Yn y ffordd hon, mae caswistiaeth yn debyg i resymu cyfreithiol. Gall caswistiaeth hefyd ddefnyddio gweithiau ysgrifenedig awdurdodol sy'n berthnasol i achos arbennig. (*Encyclopaedia Britannica*)

Sgiliau allweddol

Mae gwybodaeth yn ymwneud â:

Dewis ystod o wybodaeth (drylwyr) gywir a pherthnasol sydd â chysylltiad uniongyrchol â gofynion penodol y cwestiwn.

Mae hyn yn golygu eich bod yn dewis y wybodaeth gywir sy'n berthnasol i'r cwestiwn a osodwyd NID y maes pwnc. Bydd angen i chi feddwl a chanolbwyntio ar ddewis gwybodaeth allweddol ac NID ysgrifennu popeth yr ydych chi'n ei wybod am y maes pwnc.

Mae dealltwriaeth yn ymwneud ag:

Esboniad helaeth, gan ddangos dyfnder a/neu ehangder gyda defnydd rhagorol o dystiolaeth ac enghreifftiau gan gynnwys (lle y bo'n briodol) defnydd trylwyr a chywir o destunau cysegredig, ffynonellau doethineb a geirfa arbenigol.

Mae hyn yn golygu y gallwch ddangos eich bod yn deall rhywbeth drwy egluro ac ehangu eich pwyntiau gan ddefnyddio enghreifftiau/tystiolaeth gefnogol mewn ffordd bersonol ac NID ailadrodd darnau o werslyfr (sef dysgu ar y cof).

Cymhwyso sgiliau ymhellach:

Ewch drwy'r meysydd pwnc yn yr adran hon a lluniwch rai rhestri bwled o bwyntiau allweddol o feysydd allweddol. Ar gyfer pob un, rhowch fwy o fanylion ac esboniwch fwy drwy ddefnyddio tystiolaeth ac enghreifftiau.

Datblygu sgiliau AA1

Nawr mae'n bryd ystyried y wybodaeth sydd wedi'i chyflwyno hyd yma. Hefyd mae'n bwysig ystyried sut mae'r hyn rydych chi wedi'i ddysgu hyd yma'n gallu cael ei ddefnyddio ar gyfer atebion arholiad drwy ymarfer y sgiliau sy'n gysylltiedig ag AA1.

Mae Amcan Asesu 1 (AA1) yn ymwneud â dangos gwybodaeth a dealltwriaeth. Mae'r termau 'gwybodaeth' a 'dealltwriaeth' yn amlwg ond mae'n hanfodol eich bod yn gyfarwydd â sut mae sgiliau penodol yn dangos y rhain, a hefyd, sut bydd eich perfformiad ym mhob un o'r sgiliau hyn yn cael ei fesur (gweler disgrifyddion band cyffredinol Band 5 ar gyfer AA1 UG).

▶ **Dyma eich tasg newydd:** isod mae ateb eithaf cryf, er nad yw'n berffaith, a gafodd ei ysgrifennu'n ymateb i gwestiwn sy'n gofyn am archwilio cymhwyso'r Ddeddf Naturiol at erthyliad. Gan ddefnyddio'r disgrifyddion band gallwch ei gymharu â'r bandiau uwch perthnasol a disgrifyddion y bandiau hynny. Yn amlwg, mae'n ateb eithaf cryf ac felly nid yw'n perthyn i fandiau 5, 1 neu 2. Er mwyn gwneud hyn bydd yn ddefnyddiol i chi ystyried beth sy'n gryf ac yn wan am yr ateb ac felly beth mae angen ei ddatblygu.

Wrth ddadansoddi'r ateb, gweithiwch mewn grŵp a nodwch dair ffordd o wella'r ateb hwn. Efallai fod gennych fwy na thri sylw ac yn wir awgrymiadau i wneud iddo fod yn ateb perffaith!

Ateb

Mae gwreiddiau'r Ddeddf Naturiol yn Aristotle, a chafodd ei datblygu gryn dipyn gan Thomas Aquinas er mwyn ei gwneud yn system grefyddol ar gyfer moeseg. Mae'r Ddeddf Naturiol yn absoliwtaidd yn yr ystyr fod sylw mawr i'r gofynion cynradd yn unol â'r farn fod Duw wedi creu popeth i bwrpas.

Mae'r Ddeddf Naturiol yn pwysleisio pwysigrwydd defnyddio rheswm dynol i sefydlu beth yw'r gofynion ond nid yw'n gorffen yno. Caiff rheswm ei ddefnyddio wedyn i gymhwyso'r gofynion hyn at faterion moesol. Dyma lle mae pobl yn anghytuno weithiau.

Mae'r Ddeddf Naturiol yn cefnogi sancteiddrwydd bywyd ac mae barn yr Eglwys Gatholig am pryd mae bywyd yn dechrau yn tueddu at adeg eneidio. Felly, y casgliad yw bod yr hawl i fyw a bod yn berson yn cael ei chymhwyso yn y cyfnod hwn o ddatblygiad y ffoetws. Felly, pan mae'r gofynion cynradd yn cael eu cymhwyso at erthyliad, mae'r weithred o erthylu yn cael ei hystyried yn anghywir oherwydd ei bod yn mynd yn erbyn y gofyniad cynradd o gynnal bywyd y diniwed ond hefyd gofyniad atgenhedlu.

Fodd bynnag, mae yna hefyd egwyddor yr effaith ddwbl a fyddai'n cyfiawnhau erthyliad o dan rai amodau, fel os bydd dau o'r gofynion yn gwrthdaro. Mae rhai wedi awgrymu bod yr egwyddor hon yn simsan a hefyd bod ganddi anghysondebau.

Gall rhai ddadlau y dylai'r Ddeddf Naturiol hefyd ystyried y rhinweddau wrth ymdrin â mater erthyliad. Fodd bynnag, yr hyn sy'n glir yw na fyddai'r Ddeddf Naturiol yn ystyried y bobl dan sylw neu eu hemosiynau oherwydd bydden nhw'n teimlo wrth wneud hynny na allan nhw ymateb yn glir a rhesymegol.

Materion i'w dadansoddi a'u gwerthuso

Effeithiolrwydd y Ddeddf Naturiol wrth ymdrin â materion moesegol

Y brif ddadl i'w chyflwyno yma i gefnogi'r Ddeddf Naturiol wrth ymdrin â materion moesegol yw bod y rhai sydd o'i phlaid yn credu y gallai gael ei chymhwyso'n gyffredinol. I ddilynwyr y Ddeddf Naturiol, mae'r rheolau'n gymwys i bob person ar bob adeg ac ym mhob man ac felly mae'n ffordd effeithiol o ymdrin â materion moesegol.

Er enghraifft, byddai dilynwyr y Ddeddf Naturiol yn dadlau ei bod yn darparu rheolau cwbl amlwg wrth fynd i'r afael â materion moesegol, fel y farn fod erthyliad yn anghywir gan ei fod yn torri'r gofyniad cynradd o atgenhedlu. Ni allai dim fod yn symlach.

Un o gryfderau eraill y Ddeddf Naturiol wrth ymdrin â materion moesegol yw y gallai gael ei deall drwy reswm yn unig ac nid yw'n dibynnu ar ganlyniadau neu emosiynau anrhagweladwy. Mae hyn yn debyg iawn i'r ffordd y mae'r ddeddf ddynol yn gweithredu, sef ei bod yn rhesymegol a heb ei gyrru gan emosiwn. Mae hyn yn hybu cyfiawnder cyffredinol a threfn mewn cymdeithas, un arall o'r gofynion cynradd.

I berson crefyddol, mae damcaniaeth y Ddeddf Naturiol yn creu cyswllt rhwng y creawdwr, y greadigaeth a'n pwrpas ni fel bodau dynol. Mae hyn yn dod â system foesegol sy'n gydlynol ac yn gyson i bawb.

Ond, nid yw mor syml ag y mae'r dadleuon uchod yn ei awgrymu. Byddai rhai'n dweud bod y Ddeddf Naturiol, wrth ymdrin â materion moesegol, yn aneffeithiol ac nad yw o ddefnydd erbyn hyn. Mae hyn oherwydd newidiadau cymdeithasol a moesegol, cymhlethdod materion moesegol cyfoes, a hefyd deddfau dynol blaengar wedi'u mireinio. Yn fyr bydden nhw'n dadlau bod y Ddeddf Naturiol yn hen ffasiwn gan fod y gymdeithas wedi newid.

Y mater cyntaf fyddai materion hawliau dynol. Nid yw gwahaniaethu yn erbyn tuedd rywiol yn cael ei ganiatáu dan y gyfraith. Yn amlwg nid felly y mae hi gyda'r Ddeddf Naturiol ar nifer o faterion penodol sy'n gysylltiedig â rhywioldeb.

Mae'r Ddeddf Naturiol hefyd yn methu ag ystyried sefyllfa benodol pobl wrth gymhwyso'r gofynion cynradd. Er enghraifft, nid yw'n caniatáu erthyliad hyd yn oed mewn achos o dreisio. Mae hyd yn oed meddylwyr Catholig fel Kainz wedi dadlau bod egwyddor yr effaith ddwbl yn simsan ar y gorau ac yn wrthwynebol ac anghyson ar y gwaethaf.

Gellid dadlau bod y Ddeddf Naturiol, wrth ymdrin â materion moesegol, yn anhyblyg ac yn methu ystyried canlyniadau gweithredoedd 'cywir' honedig. Ni chaniateir ewthanasia, ond gallai hyn arwain at fwy o boen i'r person dan sylw a'r teulu. Ar ei delerau ei hun, mae angen ystyried daioni gwirioneddol a daioni ymddangosiadol o ran bwriadau a'u cymharu â chymhwyso un rheol yn unig yn oeraidd.

Yn olaf, byddai rhai'n dadlau nad yw seilio penderfyniadau ar emosiynau yn beth drwg o reidrwydd os yw'r emosiwn hwnnw'n seiliedig ar gariad a gofal am eraill, gan fod yr egwyddorion hyn yn gallu llywio penderfyniadau moesegol yn aml. Er enghraifft, ni fyddai mam yn gweithredu'n rhesymegol, ond yn aml yn emosiynol, wrth ddelio â digwyddiad oedd yn ymwneud â'i phlentyn.

I gloi, mae llawer o ddadlau am effeithiolrwydd y Ddeddf Naturiol wrth ymdrin â materion moesegol. Fodd bynnag, er na fydd cytundeb terfynol ar y gosodiad byth yn gyffredinol, dydy hyn ddim yn golygu nad yw'n gallu bod yn effeithiol. I fod yn fwy effeithiol, efallai fod angen dadansoddiad mwy beirniadol a systematig o'i hegwyddorion a'i chymhwysiad.

Mae'r adran hon yn cwmpasu cynnwys a sgiliau AA2

Cynnwys y fanyleb

Effeithiolrwydd y Ddeddf Naturiol wrth ymdrin â materion moesegol.

Gweithgaredd AA2

Dadleuon posibl

Wedi'u rhestru isod mae rhai casgliadau y byddai'n bosibl dod iddynt ar sail rhesymeg AA2 yn y testun cysylltiedig:

1. Mae'r Ddeddf Naturiol, wrth ymdrin â materion moesegol, yn aneffeithiol ac nid yw o ddefnydd erbyn hyn yng ngoleuni newidiadau cymdeithasol a moesegol.
2. Mae'r Ddeddf Naturiol, wrth ymdrin â materion moesegol, yn aneffeithiol gan nad yw'n cymryd cymhlethdod y gyfraith fodern neu broblemau moesegol i ystyriaeth.
3. Mae'r Ddeddf Naturiol, wrth ymdrin â materion moesegol, yn effeithiol oherwydd ei bod yn glir ac yn gyson.
4. Mae'r Ddeddf Naturiol, wrth ymdrin â materion moesegol, yn effeithiol ar y cyfan, er bod adegau pan mae angen ei chymhwyso yn ofalus iawn.
5. Mae'r Ddeddf Naturiol, wrth ymdrin â materion moesegol, yn aneffeithiol oherwydd ei bod yn anghyson ynddi'i hun.

Ystyriwch bob un o'r casgliadau sy'n cael eu gwneud uchod a chasglwch dystiolaeth ac enghreifftiau i gefnogi pob dadl o'r deunydd AA1 ac AA2 a astudiwyd yn yr adran hon. Dewiswch un casgliad sy'n argyhoeddi fwyaf yn eich barn chi ac esboniwch pam mae hyn yn wir. Nawr cyferbynnwch hyn â'r casgliad gwannaf ar y rhestr, gan gyfiawnhau eich dadl gyda rhesymu clir a thystiolaeth.

Cynnwys y fanyleb

I ba raddau y mae'r Ddeddf Naturiol yn ddiystyr heb gred mewn Duw fel creawdwr.

I ba raddau y mae'r Ddeddf Naturiol yn ddiystyr heb gred mewn Duw fel creawdwr

Roedd Aquinas yn croesawu'r egwyddorion a sefydlwyd gan Aristotle, a datblygodd yr egwyddorion hyn i fod yn athroniaeth grefyddol gydlynol. I Aquinas, Duw a wnaeth y byd gan sefydlu oddi mewn iddo ymdeimlad o drefn a phwrpas sy'n adlewyrchu ewyllys Duw. Mae'r syniad o greawdwr cyffredinol, felly, yn rhan annatod o'r Ddeddf Naturiol i Aquinas. Mae ei ddamcaniaeth yn dibynnu ar hyn ac yn datblygu oddi wrtho.

Er enghraifft, credir mai dychwelyd at Dduw a chael bywyd tragwyddol, y weledigaeth wynfydedig, ddylai fod nod pob bod dynol. O ran ymddygiad moesegol a deddfau dynol, Duw sy'n creu popeth sy'n bodoli. Mae hyn yn cynnwys y ddeddf dragwyddol, sy'n cael ei datgelu yn y ddeddf ddwyfol sydd i'w gweld mewn ysgrythurau a dysgeidiaethau crefyddol. Mae'r datguddiadau hyn yn cael eu defnyddio wedyn i ddatblygu ymddygiad moesegol a deddfau dynol. Mae enghreifftiau o'r rhain yn y deddfau absoliwtaidd sydd yn yr ysgrythurau, fel y Deg Gorchymyn. Eto, mae'r gofynion cynradd yn adlewyrchu prif ddibenion y ddynoliaeth fel mae'r ysgrythurau crefyddol yn eu hamlinellu. Hefyd, mae'r syniadau am ddaioni gwirioneddol a daioni ymddangosiadol, ynghyd ag annog ymddygiad rhinweddol, yn amlwg yn cyd-fynd â dysgeidiaeth Iesu.

Gan mai dyma sail diwinyddiaeth Gatholig, yna byddai credinwyr crefyddol yn dadlau bod y Ddeddf Naturiol yn ddiystyr heb gred mewn Duw fel creawdwr.

Mae gwrthddadl bob amser, fodd bynnag, a byddai llawer yn anghytuno'n llwyr ag Aquinas a'r Eglwys Gatholig.

Mae modd cyflwyno dau bwynt allweddol, a allai herio'r farn fod y Ddeddf Naturiol yn ddiystyr heb gred mewn Duw fel creawdwr, drwy edrych ar ddau ffigwr allweddol yn hanes damcaniaeth y Ddeddf Naturiol. Y cyntaf yw Aristotle. Mae'n ymddangos bod ei system yn unol â'r syniad o Dduw fel creawdwr. Fodd bynnag, mae'r syniad o Ysgogydd Cyntaf mor bell o'r syniad o Dduw fel creawdwr, sydd i'w weld mewn Cristnogaeth, fel ei fod yn ddigon i herio'r gosodiad hwnnw. Egwyddor athronyddol yw Ysgogydd Cyntaf Aristotle yn hytrach na'r Duw gweithredol, ymyraethol sydd i'w weld mewn Cristnogaeth. Yr ail unigolyn yw John Finnis, sy'n grediniwr Catholig ei hun. Ond eto, mae Finnis wedi dangos bod system y Ddeddf Naturiol yn gallu bod yn gwbl annibynnol ar Dduw. Mae hyn oherwydd bod pobl yn gwneud eu penderfyniadau eu hunain a bod y gyfraith yn ymreolaethol ac yn annibynnol ar grefydd. Fel hyn gellir dadlau nad yw'n wir bod y Ddeddf Naturiol yn ddiystyr heb gred mewn Duw fel creawdwr.

I gloi, mae'n ymddangos bod y Ddeddf Naturiol yn gallu gweithredu fel system yn annibynnol ar Dduw fel creawdwr ac yn gallu bod yn ystyrlon. Fodd bynnag, mae'r cyfan yn dibynnu ar bersbectif gan y byddai rhai credinwyr crefyddol yn anghytuno. Serch hynny, gallai gael ei awgrymu, hyd yn oed pe bai'n ddibynnol ar Dduw fel creawdwr, yna bydd ganddi o hyd ystyr heb Dduw oherwydd bod y Ddeddf Naturiol yn gymwys ar bob lefel, o dragwyddol i ddynol. Yn y bywyd hwn, fel dywedodd Aquinas ei hun, ni allwn ni gyrraedd perffeithrwydd yma ar y ddaear. Felly, hyd yn oed o bersbectif crefyddol, ni allai'r Ddeddf Naturiol byth fod yn ddiystyr ynddi'i hun. Ond, y gwir gwestiwn yw a oes iddi ystyr dyfnach neu fwy o ystyr gyda Duw fel creawdwr ac, i ddilynwyr crefyddol y Ddeddf Naturiol, mae hyn yn amlwg yn wir.

Gweithgaredd AA2
Dadleuon posibl

Wedi'u rhestru isod mae rhai casgliadau y byddai'n bosibl dod iddynt ar sail rhesymeg AA2 yn y testun cysylltiedig:

1. Mae'r Ddeddf Naturiol yn ddiystyr heb gred mewn Duw fel creawdwr gan fod fersiwn Aquinas yn cwblhau'r ddamcaniaeth.
2. Gall y Ddeddf Naturiol fod yn ystyrlon heb gred mewn Duw fel creawdwr oherwydd ei bod wedi'i seilio ar egwyddorion athronyddol, fel gydag Aristotle, yn hytrach na chred grefyddol.
3. Mae'r Ddeddf Naturiol yn fwy ystyrlon ar y cyd â chred mewn Duw fel creawdwr.
4. Nid yw'r Ddeddf Naturiol byth yn ddiystyr oherwydd ei bod yn gallu gweithredu gyda neu heb Dduw fel creawdwr.
5. Nid yw'r Ddeddf Naturiol yn ddiystyr heb gred mewn Duw fel creawdwr fel mae John Finnis, crediniwr Catholig ei hun, wedi'i ddangos, ond nid yw hyn yn golygu na ellir ei chysylltu â Duw fel creawdwr.

Ystyriwch bob un o'r casgliadau sy'n cael eu gwneud uchod a chasglwch dystiolaeth ac enghreifftiau i gefnogi pob dadl o'r deunydd AA1 ac AA2 a astudiwyd yn yr adran hon. Dewiswch un casgliad sy'n argyhoeddi fwyaf yn eich barn chi ac esboniwch pam mae hyn yn wir. Nawr cyferbynnwch hyn â'r casgliad gwannaf ar y rhestr, gan gyfiawnhau eich dadl gyda rhesymu clir a thystiolaeth.

Datblygu sgiliau AA2

Nawr mae'n bryd ystyried y wybodaeth sydd wedi'i chyflwyno hyd yma. Hefyd mae'n bwysig ystyried sut mae'r hyn rydych chi wedi'i ddysgu hyd yma'n gallu cael ei ddefnyddio ar gyfer atebion arholiad drwy ymarfer y sgiliau sy'n gysylltiedig ag AA2.

Mae Amcan Asesu 2 (AA2) yn ymwneud â 'dadansoddi' a 'gwerthuso'. Efallai fod ystyr y termau'n amlwg ond mae'n hanfodol eich bod yn gyfarwydd â sut mae sgiliau penodol yn dangos y rhain, a hefyd, sut bydd eich perfformiad ym mhob un o'r sgiliau hyn yn cael ei fesur (gweler disgrifyddion band cyffredinol Band 5 ar gyfer AA2 UG).

Yn amlwg mae ateb yn cael ei osod mewn disgrifydd band priodol, yn ôl pa mor dda yw'r ateb, gan amrywio o ragorol, da, boddhaol, sylfaenol/cyfyngedig i gyfyngedig iawn.

▶ **Dyma eich tasg:** isod mae ateb rhesymol, er nad yw'n berffaith, a gafodd ei ysgrifennu'n ymateb i gwestiwn sy'n gofyn am werthuso effeithiolrwydd y Ddeddf Naturiol wrth ei chymhwyso at erthyliad. Gan ddefnyddio'r disgrifyddion band gallwch ei gymharu â'r bandiau uwch perthnasol a disgrifyddion y bandiau hynny. Yn amlwg, mae'n ateb rhesymol ac felly nid yw'n perthyn i fandiau 5, 1 neu 2. Er mwyn gwneud hyn bydd yn ddefnyddiol i chi ystyried beth sy'n gryf ac yn wan am yr ateb ac felly beth mae angen ei ddatblygu.

Wrth ddadansoddi'r ateb, gweithiwch mewn grŵp a nodwch dair ffordd o wella'r ateb hwn. Efallai fod gennych fwy na thri sylw ac yn wir awgrymiadau i wneud iddo fod yn ateb perffaith!

Ateb

Ar y naill law, mae'r rheini sy'n derbyn dysgeidiaeth Aquinas am y Ddeddf Naturiol, ac sy'n ceisio ei chymhwyso at fater erthyliad, yn credu mai'r prif ofyniad cynradd sydd dan sylw yma yw cynnal bywyd diniwed. Felly mae'r weithred o erthylu yn cael ei gweld fel rhywbeth anghywir oherwydd ei bod yn golygu lladd bod dynol diniwed yn fwriadol. I eraill, mae hyn yn gymhwysiad llawer rhy absoliwtaidd a gor-syml ac nid yw'n ystyried yr holl amgylchiadau.

Yna mae eithriad yr effaith ddwbl yn y Ddeddf Naturiol. Mae athrawiaeth yr effaith ddwbl yn caniatáu marwolaeth y ffoetws, ond fel sgil-effaith i weithred arall yn unig. Mae hyn yn golygu nad lladd y ffoetws oedd y bwriad.

Mae ymagwedd arall. Er enghraifft, mae athro moeseg wedi dadlau, yn achos erthyliad, fod dau ofyniad arall sydd efallai hyd yn oed yn fwy perthnasol i fater erthyliad, sef atgenhedlu a magu plant. Mae e'n dadlau, os ydych chi'n amddiffyn hawl y fenyw i gael erthyliad os yw ei bywyd mewn perygl, yna os oes gan bob menyw hefyd yr hawl i genhedlu ac atgenhedlu, fod treisio yn torri'r hawl hon. Felly mae'n bosibl y gallwn ni gyfiawnhau erthyliad yn achos menyw sydd wedi cael ei threisio. Mewn geiriau eraill, os oes modd cyfiawnhau eithriad i'r gofyniad cyntaf, yna mae angen i chi fod yn gyson wrth gymhwyso hyn at ofynion eraill. Mae'n bosibl na fyddai pob crediniwr Catholig yn derbyn hyn ond byddai beirniaid y Ddeddf Naturiol yn cytuno â'r anghysondeb ymddangosiadol.

Yn gyffredinol, credaf fod problemau wrth gymhwyso'r Ddeddf Naturiol at erthyliad ond nid yw hyn yn golygu ei bod yn aneffeithiol. Ond, mae'n codi cwestiwn ynghylch i ba raddau y mae'r Ddeddf Naturiol yn gyson.

Sgiliau allweddol

Mae dadansoddi'n ymwneud â nodi materion sy'n cael eu codi gan y deunyddiau yn adran AA1, ynghyd â'r rhai a nodwyd yn adran AA2, ac mae'n cyflwyno safbwyntiau cyson a chlir, naill ai gan ysgolheigion neu safbwyntiau personol, yn barod i'w gwerthuso.

Mae hyn yn golygu ei fod yn nodi pethau allweddol i'w trafod a'r dadleuon sy'n cael eu cyflwyno gan eraill neu o safbwynt personol.

Mae gwerthuso'n ymwneud ag ystyried goblygiadau amrywiol y materion sy'n cael eu codi, yn seiliedig ar y dystiolaeth a gafwyd wrth ddadansoddi ac mae'n rhoi dadl fanwl eang gyda chasgliad clir.

Mae hyn yn golygu bod yr ateb yn pwyso a mesur y dadleuon amrywiol a gwahanol a gafodd eu dadansoddi drwy roi sylwadau ac ymateb unigol, gan ddod i gasgliad drwy broses rhesymu clir.

Th3 Moeseg Sefyllfa – ymagwedd grefyddol at foeseg

Mae'r adran hon yn cwmpasu cynnwys a sgiliau AA1

Cynnwys y fanyleb

Penderfyniad Fletcher i wrthod ymagweddau eraill at foeseg: deddfolaeth, antinomiaeth a swyddogaeth cydwybod: rhesymeg Fletcher ar gyfer defnyddio'r cysyniad crefyddol *agape* (cariad anhunanol) fel 'y ffordd ganol' rhwng y ddau eithaf o ddeddfolaeth ac antinomiaeth.

A: Moeseg Sefyllfa Joseph Fletcher: ei benderfyniad i wrthod mathau eraill o foeseg ac i dderbyn *agape* yn sail i foesoldeb

Penderfyniad Fletcher i wrthod ymagweddau eraill at foeseg a'i resymeg ar gyfer defnyddio'r cysyniad crefyddol *agape* (cariad anhunanol) fel 'y ffordd ganol' rhwng y ddau eithaf o ddeddfolaeth ac antinomiaeth

Yn 1966 cyhoeddodd Joseph Fletcher, diwinydd moesol o America, lyfr o'r enw *Situation Ethics: The New Morality*.

Yn y llyfr, roedd Fletcher yn argymell ymagwedd 'newydd' at foeseg Gristnogol a gwneud penderfyniadau moesol. Roedd yr ymagwedd hon yn hybu cyfaddawd rhwng y ddau eithaf, sef **deddfolaeth** ac **antinomiaeth**.

Dyfyniad allweddol

Roedd *Situation Ethics*, fel y rhan fwyaf o lyfrau, yn gynnyrch ei oes. Os ydyn ni'n gwahaniaethu rhwng moeseg a moesoldeb, roedd apêl dull *Situation Ethics* mor eang yn rhannol oherwydd ei fod yn cyd-fynd yn agos â'r 'moesoldeb newydd' oedd wedi ymddangos neu wrthi'n ymddangos. Roedd y 'moesoldeb newydd' yn rhoi tir ffrwythlon ar gyfer y llyfr ac roedd yn rhan o'r rheswm pam gwerthodd y llyfr yn hynod o dda. Llwyddodd Fletcher i ddeall yr islifogydd cymdeithasol a diwylliannol cryf oedd yn dod yn fwy a mwy amlwg. **(Childress)**

Roedd y dull hwn, a gafodd yr enw 'sefyllfaolaeth' (*situationism*), yn ffordd ddiwinyddol o fodloni angen ymarferol yng ngoleuni newidiadau radical yr 20fed ganrif. Roedd yr Esgob John A. T. Robinson, awdur llyfr yr un mor boblogaidd o'r enw *Honest to God*, yn ystyried mai llyfr Fletcher oedd yr unig foeseg ar gyfer 'dyn sydd wedi dod i oed'. Daeth yr ymadrodd hwn yn berthnasol iawn i'r holl drafodaeth ynghylch Moeseg Sefyllfa.

Yn syml, un gosodiad cryno oedd **Moeseg Sefyllfa**. Llwyddodd i grynhoi tueddiad mewn moeseg Gristnogol fu'n tyfu ers degawdau, a chafodd lawer o gyhoeddusrwydd. Nid rhywbeth cwbl newydd ydoedd.

Roedd 'cyfnod rhyddfrydol' yr 1960au yn sicr yn rhan o'r rheswm dros boblogrwydd Moeseg Sefyllfa (ffeministiaeth wedi'r Ail Ryfel Byd, Viet Nam, hawliau sifil, diwylliant pobl ifanc a hipis, rhyddid rhywiol a gwrthod ffynonellau awdurdod traddodiadol), ond nid dyma'r unig reswm dros ei bodolaeth. Mae gwreiddiau diwinyddol Moeseg Sefyllfa yn llawer mwy cymhleth nag efallai mae ei chyd-destun cymdeithasol poblogaidd yn ei awgrymu.

Roedd gwreiddiau'r moesoldebau newidiol a'r arfer o herio awdurdod, sydd fel arfer yn cael eu cysylltu â Moeseg Sefyllfa, i'w cael yn llawer cynharach mewn cylchoedd diwinyddol. Daeth Moeseg Sefyllfa o hyd i wagle yng nghanol anfodlonrwydd cynyddol credinwyr crefyddol â natur anhyblyg traddodiad.

cwestiwn cyflym

3.1 Beth oedd dau eithaf moeseg i Fletcher?

cwestiwn cyflym

3.2 A oedd ymagwedd sefyllfaolaeth yn hollol newydd?

Dyfyniad allweddol

Mae yna hen jôc sy'n addas yma. Gofynnodd dyn cyfoethog i ferch ifanc hardd a fyddai hi'n cysgu'r nos gydag ef. Dywedodd hi 'Na.' Gofynnodd wedyn a fyddai hi'n gwneud hyn am $100,000? Atebodd hithau, 'Byddwn!' Yna gofynnodd '$10,000?' Atebodd hi, 'Wel, byddwn.' Ei gwestiwn nesaf oedd, 'Beth am $500?' Dywedodd hi'n flin, 'Beth rydych chi'n meddwl ydw i?' a chafodd yr ateb, 'Rydyn ni wedi sefydlu hynny'n barod. Nawr rydyn ni'n bargeinio ynghylch y pris.' **(Fletcher)**

Roedd rhai cerrig milltir allweddol yn natblygiad Moeseg Sefyllfa a ddylanwadodd ar Joseph Fletcher ac yr ymatebodd iddyn nhw:

1. Yn 1928 cyhoeddodd Durant Drake *The New Morality*, oedd yn galw am ymagwedd bragmatig at foeseg.
2. Yn 1932 cyhoeddodd Emil Brunner *Y Gorchymyn Dwyfol (Das Gebot und die Ordnungen)*, oedd yn ddylanwad ar Fletcher.
3. Yn 1932 cyhoeddodd Reinhold Niebuhr *Moral Man and Immoral Society*, dylanwad arall ar Fletcher.
4. Yn 1959 cyhoeddodd Fletcher ei hun bapur arloesol am Foeseg Sefyllfa, yn yr *Harvard Divinity Bulletin*, oedd yn hyrwyddo'r 'moesoldeb newydd'.
5. Yn 1963 cyhoeddodd H. Richard Niebuhr *The Responsible Self*.
6. Yn 1963 cafodd *Ethics in a Christian Context* gan Paul Lehmann a *Honest to God* gan John Robinson eu cyhoeddi.

Erbyn 1966 felly, pan gyhoeddodd Fletcher ei lyfr *Situation Ethics*, roedd yn ddatganiad systematig o'r tueddiad cynyddol hwn.

Mae prif ddadl Fletcher yn ei lyfr *Situation Ethics* yn cynnig y syniad na ellir defnyddio'r egwyddorion moesol y bu'r Eglwys yn glynu wrthynt mor hir fel absoliwtiau moesol. Y rheswm dros hyn yw eu bod yn broblemus a dydyn nhw ddim yn gweithio mewn sefyllfaoedd go iawn lle mae angen gwneud penderfyniad moesegol. Er enghraifft, dim ond mewn amgylchiadau penodol y mae 'Na ladd' yn 'anghywir'. Beth am ryfel? Hunanamddiffyniad? Bwyta cig? Mae'r rhestr yn ddiddiwedd.

Dadl Joseph Fletcher oedd bod angen ystyried y sefyllfa yn gyntaf, cyn unrhyw beth arall, er mwyn gwneud penderfyniad moesegol, ystyrlon. Yna, ar ôl ystyried pob sefyllfa, bydd penderfynu gwneud beth sy'n 'gywir' yn dibynnu ar gymhwyso cariad Cristnogol (*agape*) mewn ffordd ymarferol, ac nid drwy gyfeirio'n ôl at egwyddorion moesol parod. Yn ôl Fletcher, mae hyn oherwydd na all y penderfyniad 'cywir' mewn un amgylchiad fod yn batrwm i'r holl amgylchiadau eraill. Dylid ystyried pob sefyllfa ar ei phen ei hun.

Roedd Fletcher yn dal i lynu wrth yr egwyddor o ddefnyddio'r rheswm i wneud penderfyniad moesegol, yn unol â damcaniaeth y Ddeddf Naturiol, 'ond ar yr un pryd yn gwrthod y syniad fod y da "wedi'i roi" yn natur pethau'. Roedd hefyd yn derbyn bod yr ysgrythur yn hollbwysig, yn derbyn datguddiad fel 'ffynhonnell y norm' ond yn gwrthod pob cyfraith "wedi'i datguddio" heblaw am 'garu Duw yn dy gymydog'.

Doedd defnyddio egwyddorion moesegol absoliwt wrth eu cymhwyso at sefyllfaoedd go iawn ddim yn Gristnogol, yn ôl casgliad Fletcher. Roedd gormod o broblemau, anghysondebau a gwrthddywediadau.

Dyfyniad allweddol

Y defnydd rhy syml o'r syniadau 'cywir ac anghywir' yw un o'r prif rwystrau i gynnydd mewn dealltwriaeth. (Whitehead)

Termau allweddol

Antinomiaeth: damcaniaeth foeseg sydd ddim yn cydnabod awdurdod rheolau allanol ond yn hybu rhyddid rhagddyn nhw, o'r gair Groeg sy'n golygu digyfraith

Deddfolaeth: ymagwedd at foeseg sy'n derbyn natur absoliwt rheolau neu egwyddorion sefydledig

Moeseg Sefyllfa: damcaniaeth foeseg berthynolaidd wedi'i gwneud yn enwog gan Joseph Fletcher

Unigolyn allweddol

Joseph Fletcher (1905–1991): Athro o America a ffurfiolodd y ddamcaniaeth sy'n cael ei galw yn Foeseg Sefyllfa yn ei lyfr *Situation Ethics: The New Morality* (1966). Roedd yn academydd blaenllaw oedd yn ymdrin â phynciau yn amrywio o erthyliad i glonio. Cafodd ei ordeinio yn offeiriad, ond yn ddiweddarach roedd yn ei alw ei hun yn ddyneiddiwr. Dywedodd y dylen ni bob amser ddefnyddio egwyddor cariad neu *agape* (cariad anhunanol) a'i chymhwyso at bob sefyllfa unigryw.

Dyfyniad allweddol

Y Saboth a wnaethpwyd er mwyn dyn, ac nid dyn er mwyn y Saboth. (Marc 2:27)

Y ffordd orau o ddeall gwaith Fletcher yw dyfynnu dwy stori:

- Mae Fletcher yn dyfynnu sgwrs â gyrrwr tacsi, ac mae'r gyrrwr tacsi'n dweud: 'mae yna adegau pan mae'n rhaid i ddyn wthio ei egwyddorion i un ochr a gwneud y peth cywir.'
- Mae Fletcher hefyd yn dyfynnu o ddrama Nash, *The Rainmaker*, lle mae tad yn dweud wrth ei fab: 'Noa, rwyt ti mor llawn o beth sy'n gywir fel nad wyt ti'n gallu gweld beth sy'n dda.'

Y llinyn cyffredin yma yw nad yw egwyddorion absoliwt o gywir a da yn absoliwt mewn gwirionedd, ac ar adegau mae egwyddorion yn amhriodol i'w defnyddio yn y byd go iawn. Cyfeiriodd yr awdur Arthur Miller at gymhwyso egwyddorion moesol yn gaeth (deddfolaeth) fel 'anfoesoldeb moesoldeb'.

Tynnodd Fletcher sylw at ddau beth am ei ddull newydd o wneud penderfyniadau moesol:

(1) Doedd ei 'foesoldeb newydd' (fel roedd yn cael ei galw) ddim yn newydd mewn gwirionedd.

(2) Mae gwreiddiau 'moesoldeb newydd' i'w cael mewn Cristnogaeth 'glasurol'.

cwestiwn cyflym

3.3 Pa egwyddor dderbyniodd Fletcher o'r Ddeddf Naturiol?

Gweithgaredd AA1

Lluniwch ddarn cyflym, ar gyfer cylchgrawn, o'r enw 'Ymddangosiad Moeseg Sefyllfa'. Nodwch y dylanwadau ar Fletcher ynghyd â rhesymau Fletcher ei hun dros wrthod y ddau eithaf o ddeddfolaeth ac antinomiaeth.

Awgrym astudio

Mewn ateb am Foeseg Sefyllfa cofiwch ganolbwyntio ar y cwestiwn. Mae gwybodaeth gefndir yn ddefnyddiol ar gyfer eich dealltwriaeth o Foeseg Sefyllfa ond nid yw bob amser yn berthnasol i'r cwestiwn a osodwyd.

Fel mae Robinson yn ei ysgrifennu: 'Nid yw'r moesoldeb newydd, wrth gwrs, yn ddim mwy na'r hen foesoldeb, yn union fel mai'r gorchymyn newydd yw'r hen orchymyn, sy'n fytholwyrdd, sef i garu.'

Ar ddechrau ei waith, dadleuodd Fletcher fod tri dewis posibl wrth wneud penderfyniad moesol:

1. Yr ymagwedd ddeddfolaethol – cymhwyso egwyddorion gosod yn gaeth a heb ystyried y cyd-destun.
2. Yr ymagwedd antinomaidd oedd yn tueddu i bleidio rhyddid yr unigolyn heb gyfeirio at unrhyw reolau.
3. Yr ymagwedd sefyllfaol – ystyried pob sefyllfa yn ôl ei rhinweddau ei hun cyn cymhwyso 'egwyddor' Cristnogol cariad (*agape*).

Er iddo wrthod deddfolaeth ac antinomiaeth fel ymagweddau at foesoldeb, roedd yn fwy beirniadol o'r gyntaf. Ysgrifennodd yr Athro James Childress yn ei Ragymadrodd i lyfr Fletcher: 'Er bod Fletcher yn gwrthod y ddwy ymagwedd, mae'n ymddangos ei fod yn ofni gormes deddfolaeth yn fwy nag anarchiaeth antinomiaeth.'

Dyfyniad allweddol

Yn waeth na hyn, gall dim caswistiaeth o gwbl ddatgelu defnydd caled a sadistaidd o'r gyfraith i frifo pobl yn hytrach na'u helpu. (Fletcher)

Mae damcaniaeth Fletcher yn ymddangos fel pe bai'n cytuno â rhyddid rhag rheolau a deddfau y credir eu bod yn artiffisial, yn hytrach na cheisio ailddiffinio ymagwedd ddeddfolaethol hyblyg. I Fletcher, y rhyddid i resymu oedd yn hanfodol ac roedd yn gwrthod cyfyngiadau unrhyw fath o ddeddfolaeth yn llwyr.

Dyfyniad allweddol

Mae'r moesegydd Cristnogol yn cytuno â Bertrand Russell a'i farn ddealledig, 'Hyd y dydd hwn mae Cristnogion yn meddwl bod godinebwr yn fwy drwg na gwleidydd sy'n cymryd llwgrwobrwyon, er bod hwnnw'n fwy na thebyg yn gwneud mil gwaith yn fwy o niwed.' (Fletcher)

Wrth ddisgrifio'r ymagwedd ddeddfolaethol at foeseg roedd yr Eglwys yn ei chymryd, dywedodd Fletcher ei bod fel defnyddio 'cyfarpar cyfan o reolau a rheoliadau parod' fel 'cyfarwyddebau' yn hytrach na 'chanllawiau neu wirebau i daflu goleuni ar y sefyllfa'. Roedd ymagwedd o'r fath yn rhy gaeth, yn ôl Fletcher. Mae'n ysgrifennu: 'Yn waeth na hyn, gall dim caswistiaeth o gwbl ddatgelu defnydd caled a sadistaidd o'r gyfraith i frifo pobl yn hytrach na'u helpu.'

Cafodd Fletcher ei gyhuddo gan lawer o ymagwedd antinomaidd. Ond mae'n amlwg o'i waith iddo ystyried bod ei ymagwedd ei hun wedi'i seilio, nid mewn **dirfodaeth**, ond mewn 'strategaeth o gariad' sy'n fwy rhinweddol. Cyhuddodd Fletcher ei gyd-feddylwyr academaidd a'r Eglwys Gatholig, oedd yn ystyried ei ymagwedd yn antinomaidd, o gamddeall y term sefyllfaol a rhoi iddo'r un ystyr â'r term dirfodol. I Fletcher, doedd gan antinomiaid ddim strategaeth. Yn ei farn ef, dyma'r 'ymagwedd o fynd i mewn i'r sefyllfa o wneud penderfyniad heb eich arfogi ag unrhyw egwyddorion neu wirebau o gwbl, heb sôn am reolau'. Cymharodd Fletcher yr ymagwedd antinomaidd â'r gamddealltwriaeth a wynebodd Paul wrth iddo ysgrifennu at yr eglwys yng Nghorinth.

Galwodd Fletcher ei ffordd ganol rhwng y ddau eithaf o ddeddfolaeth ac antinomiaeth yn 'berthynoliaeth egwyddorol' oherwydd, er ei fod yn gwrthod absoliwtiau, nid oedd yn croesawu ymreolaeth lwyr antinomiaeth. Roedd Fletcher yn ystyried deddfau yn 'oleuwyr' ac nid yn 'gyfarwyddwyr', ac felly roedd yn well ganddo ystyried mai cariad anhunanol (*agape*) oedd yr unig wir 'egwyddor' gyson. Dyma egwyddor roeddech chi, fel Cristion, yn rhwymedig wrthi: 'Ym Moeseg Sefyllfa Cristnogaeth dim ond un norm neu egwyddor neu ddeddf (dewiswch chi'r enw) sy'n gyfrwymol ac yn gwbl dderbyniol, bob amser yn dda ac yn gywir beth bynnag yw'r amgylchiadau. Yr egwyddor honno yw "cariad" – *agape* y gorchymyn diannod i garu Duw a'ch cymydog.'

Rôl cydwybod

Mae ffordd Fletcher o ddeall **cydwybod** yn wahanol i'r safbwyntiau traddodiadol; mae'n ei hystyried yn 'swyddogaeth, nid yn gynneddf (gallu meddyliol)'. Mae llai o ddiddordeb ganddo yn yr hyn 'ydyw' nag sydd ganddo yn 'yr hyn y mae'n ei wneud'. Mae'n ysgrifennu, 'Y gwall traddodiadol yw meddwl am y gydwybod fel enw yn hytrach na berf.' Mewn geiriau eraill, nid oedd yn rhywbeth sy'n bodoli y tu mewn i ni ac yn ein cyfeirio ni. I Fletcher roedd yn fwy o ddisgrifiad o'r broses o sut rydyn ni'n ymateb i faterion moesegol.

Mae Fletcher yn nodi'r pedwar syniad traddodiadol am gydwybod ac yna'n eu gwrthod, h.y. mae cydwybod yn:

1. 'Cynneddf fewnosod, gynhenid fel radar – greddf.'
2. 'Ysbrydoliaeth o'r tu allan i'r un sy'n gwneud penderfyniadau – arweiniad gan yr Ysbryd Glân.'
3. 'System gwerthoedd wedi'i mewnoli o'r diwylliant a'r gymdeithas.'
4. 'Rheswm yn gwneud dyfarniadau moesol neu ddewisiadau gwerth.'

Casgliad Fletcher yw, 'Does dim cydwybod; dim ond gair yw cydwybod am ein hymdrechion i wneud penderfyniadau yn greadigol, yn adeiladol, yn addas.'

Dydy ffordd Fletcher o ddeall swyddogaeth cydwybod ddim yn golygu adolygu hen weithredoedd neu osod euogrwydd neu gywilydd ar unigolion. Yn ôl Fletcher, mae cydwybod yn gweithio drwy edrych ymlaen tuag at ei chymhwyso, hynny yw at y problemau moesol sydd i'w datrys.

Mae Fletcher yn gwrthod y syniad o foesoldeb fel llawlyfr i'r gydwybod. Neu, nid rhywbeth cwbl ddigyfnewid sy'n gorchymyn sut dylai'r gydwybod ymateb mewn sefyllfa benodol yw moesoldeb. Mae'r Eglwys wedi gwneud y camgymeriad hwn.

Yn draddodiadol, mae'r Eglwys wedi llunio egwyddorion moesol yn haniaethol, wedi eu systemateiddio ac yna eu cymhwyso mewn achosion gwirioneddol (caswistiaeth) i roi cyfarwyddiadau a gorchmynion. Er enghraifft, mae'r egwyddor fod cael erthyliad yn anghywir yn deillio o'r rheol sydd yn y Deg Gorchymyn, 'na ladd'. Os yw unigolyn yn ystyried erthyliad, yna mae cydwybod y person yn cael ei chyfeirio gan y cyfarwyddyd hwn.

Nid dyma sut mae Fletcher yn gweld swyddogaeth y gydwybod, gan nad yw'r ymagwedd hon at foesoldeb yn fywyd-ganolog nac yn berson-gyfeiriedig oherwydd ei bod yn ystyried egwyddor haniaethol yn unig. Mewn cyferbyniad, mae Moeseg Sefyllfa yn gofyn am gymhwyso cariad Cristnogol yn ymarferol at sefyllfa benodol. Y sefyllfa a'r cyd-destun sy'n dod yn gyntaf ac mae'r egwyddorion yn cael eu rhoi o'r neilltu.

Dyfyniad allweddol

Mae deddfolwyr yn addoli'r *sophia*, mae antinomiaid yn gwrthod ei arddel, mae sefyllfaolwyr yn ei *ddefnyddio*. (Fletcher)

Termau allweddol

Cydwybod: yn draddodiadol canllaw mewnol, greddfol i'r hyn sy'n dda neu'n ddrwg; ailddehonglodd Fletcher y syniad hwn fel disgrifiad o weithredu moesegol

Dirfodaeth: athroniaeth sy'n cynnig bod yr unigolyn yn rhydd ac yn gyfrifol am bennu ei ddatblygiad ei hun

Cwestiwn cyflym

3.4 Pam nad yw cariad yn enw (*noun*) i Fletcher?

Dyfyniad allweddol

Nid yw gofynion moesol Iesu wedi'u bwriadu i gael eu deall mewn ffordd ddeddfolaethol, yn rhagnodi beth mae'n rhaid i bob Cristion ei wneud, beth bynnag yr amgylchiadau, a mynnu bod rhai gweithredoedd bob amser yn gywir ac eraill bob amser yn anghywir. Nid deddfwriaeth sy'n gosod yr hyn mae cariad bob amser yn mynnu ei gael gan bob un ydy'r gofynion: maen nhw'n enghreifftiau o'r hyn y gall cariad ar unrhyw adeg ofyn ei gael gan unrhyw un. (Robinson)

Dyfyniad allweddol

Does dim ond un ddyletswydd eithaf a digyfnewid, a'i fformiwla yw, 'Câr dy gymydog fel ti dy hun.' Cwestiwn arall yw sut mae gwneud hyn, ond dyma'r ddyletswydd foesol gyfan. (Temple)

Dyfyniad allweddol

Deddf cariad yw'r ddeddf eithaf oherwydd ei bod yn negyddu'r gyfraith; mae'n absoliwt oherwydd ei bod yn ymwneud â phob peth. (Tillich)

Adroddodd Iesu Ddameg y Samariad Trugarog

Yn y bôn, mae Moeseg Sefyllfa yn ymarferol gyda'r pwyslais ar weithredu yn lle ar ddamcaniaeth, ar wneud yn lle trafod yn unig, ar fod yn effro ac yn ymatebol i'r cyd-destun yn lle glynu wrth gyfres o reolau yn unig.

Mae gwreiddiau'r 'moesoldeb newydd' mewn Cristnogaeth 'glasurol'. Roedd Fletcher yn ystyried bod ei ymagwedd at foeseg wedi'i seilio yn yr efengyl Gristnogol. Mae Fletcher yn gweld cariad fel egwyddor weithredol – mae'n golygu gwneud rhywbeth yn hytrach na dim ond bod yn enw neu'n beth ynddo'i hun. 'Cariad yw'r unig beth cyffredinol. Ond nid yw cariad yn rhywbeth sydd gennym, neu yr ydym, mae'n rhywbeth a wnawn.' *Agape* yw'r gair sy'n cael ei ddefnyddio yn y Testament Newydd am gariad Cristnogol pur, diamod. Cariad sy'n anhunanol ac sydd ddim ond yn ceisio budd yr un sy'n cael ei garu.

Gweithgaredd AA1

Ceisiwch restru rhai rhesymau pam efallai byddai Fletcher wedi gwrthod syniadau traddodiadol am gydwybod a pham roedd yn well ganddo ei ddiffiniad ei hun. Ceisiwch gysylltu'r cwestiynau â'i ymagwedd berthynolaidd ac â'r eithaf o ddeddfolaeth.

Y dystiolaeth feiblaidd a ddefnyddir i gefnogi'r ymagwedd hon: dysgeidiaeth Iesu (Luc 10:25–37) a Paul (1 Corinthiaid 13)

Defnyddiodd Fletcher ei hun amrywiaeth o gyfeiriadau at yr ysgrythur, ond canolbwyntiodd yn bennaf ar y defnydd o'r gair *agape*, y gair Groeg am gariad Cristnogol. Fel y gwelir yn yr adran o'r llyfr hwn am y Ddeddf Naturiol, mae'r gair *agape* yn mynegi cariad pur, diamod, sy'n ei wahaniaethu oddi wrth eiriau Groeg eraill sy'n disgrifio mathau gwahanol o gariad.

Prif ffocws y gair oedd y defnydd ohono yn Nameg y Samariad Trugarog, lle mae'r 'strategaeth o gariad' yn cael ei hamlinellu'n glir, ac yn llythyr Paul at y Corinthiaid (1 Corinthiaid 13) lle mae'n ymhelaethu ar ystyr *agape.*

Mae Dameg y Samariad Trugarog yn dweud:

'Dyma un o athrawon y Gyfraith yn codi i roi prawf ar Iesu, gan ddweud, "Athro, beth a wnaf i etifeddu bywyd tragwyddol?" Meddai ef wrtho, "Beth sy'n ysgrifenedig yn y Gyfraith? Beth a ddarlleni di yno?" Atebodd yntau, "Câr yr Arglwydd dy Dduw â'th holl galon ac â'th holl enaid ac â'th holl nerth ac â'th holl feddwl, a châr dy gymydog fel ti dy hun."

Meddai ef wrtho, "Atebaist yn gywir; gwna hynny a byw fyddi."

Ond yr oedd ef am ei gyfiawnhau ei hun, ac meddai wrth Iesu, "A phwy yw fy nghymydog?"

Atebodd Iesu: "Yr oedd dyn yn mynd i lawr o Jerwsalem i Jericho, a syrthiodd i blith lladron. Wedi tynnu ei ddillad oddi amdano a'i guro, aethant ymaith, a'i adael yn hanner marw. Fel y digwyddodd, yr oedd offeiriad yn mynd i lawr ar hyd y ffordd honno; pan welodd ef, aeth heibio o'r ochr arall. Yr un modd daeth Lefiad hefyd at y man; gwelodd ef, ac aeth heibio o'r ochr arall. Ond daeth teithiwr o Samariad ato; pan welodd hwn ef, tosturiodd wrtho. Aeth ato a rhwymo ei glwyfau, gan arllwys olew a gwin arnynt; gosododd ef ar ei anifail ei hun, a'i arwain i lety, a'i ymgeleddu. Trannoeth tynnodd ddau ddarn arian allan a'u rhoi i'r gwesteiwr, gan ddweud, "Gofala amdano. Os byddi di wedi gwario rhywbeth dros ben, fe dalaf fi yn ôl iti pan ddychwelaf."'

Yna gofynnodd Iesu pa un o'r tri fu'n gymydog i'r dyn a syrthiodd a chafodd yr ateb mai'r 'un a gymerodd drugaredd arno'. Yna dywedodd Iesu wrth yr holwr am 'wneud yr un modd', gan gymhwyso egwyddor cariad cymdogol at bawb. Dylanwadodd y ddameg hon ar ddealltwriaeth Fletcher o *agape*. Mae Luc yn defnyddio'r gair Groeg ἀγαπήσεις (*agapeis*), sef y gorchmynnol dyfodol, 'fe fyddi di'n caru', o'r ferf ἀγαπῶ (*agapo*) sef 'caru'.

Er mai elusengarwch yw'r gair a ddefnyddir yn aml mewn cyfieithiadau, mae'n tarddu o'r gair Groeg am 'gariad' y mae Paul yn ei ddefnyddio yn 1 Corinthiaid pennod 13, ἀγάπη (*agape*). Mae hwn yn aml yn cael ei ddeall fel cariad pur, diamod o'i gymharu â chariad rhywiol, cydymdeimladol (fel arfer yn gysylltiedig â chariad teuluol) a hoffter (fel arfer yn gysylltiedig â chyfeillgarwch). Mae'r rhain yn eiriau Groeg gwahanol ond maen nhw'n cael eu cyfieithu fel 'cariad' hefyd.

Mae 1 Corinthiaid yn dweud:

'Os llefaraf â thafodau dynion ac angylion, a heb fod gennyf gariad, efydd swnllyd ydwyf, neu symbal aflafar. Ac os oes gennyf ddawn proffwydo, ac os wyf yn gwybod y dirgelion i gyd, a phob gwybodaeth, ac os oes gennyf gymaint o ffydd nes gallu symud mynyddoedd, a heb fod gennyf gariad, nid wyf ddim. Ac os rhof fy holl feddiannau i borthi eraill, ac os rhof fy nghorff yn aberth, a hynny er mwyn ymffrostio, a heb fod gennyf gariad, ni wna hyn ddim lles imi.

Y mae cariad yn hirymarhous; y mae cariad yn gymwynasgar; nid yw cariad yn cenfigennu, nid yw'n ymffrostio, nid yw'n ymchwyddo. Nid yw'n gwneud dim sy'n anweddus, nid yw'n ceisio ei ddibenion ei hun, nid yw'n gwylltio, nid yw'n cadw cyfrif o gam; nid yw'n cael llawenydd mewn anghyfiawnder, ond y mae'n cydlawenhau â'r gwirionedd. Y mae'n goddef i'r eithaf, yn credu i'r eithaf, yn gobeithio i'r eithaf, yn dal ati i'r eithaf.

Nid yw cariad yn darfod byth. Ond proffwydoliaethau, fe'u diddymir hwy; a thafodau, bydd taw arnynt hwy; a gwybodaeth, fe'i diddymir hithau. Oherwydd amherffaith yw ein gwybod, ac amherffaith ein proffwydo. Ond pan ddaw'r hyn sy'n berffaith, fe ddiddymir yr hyn sy'n amherffaith. Pan oeddwn yn blentyn, fel plentyn yr oeddwn yn llefaru, fel plentyn yr oeddwn yn meddwl, fel plentyn yr oeddwn yn rhesymu. Ond wedi dod yn ddyn, yr wyf wedi rhoi heibio bethau'r plentyn. Yn awr, gweld mewn drych yr ydym, a hynny'n aneglur; ond yna cawn weld wyneb yn wyneb. Yn awr, amherffaith yw fy ngwybod; ond yna, caf adnabod fel y cefais innau fy adnabod.

Mewn gair, y mae ffydd, gobaith, cariad, y tri hyn, yn aros. A'r mwyaf o'r rhain yw cariad.'

Mae effaith a dylanwad geiriau Paul i'w gweld yn glir ar hanes moeseg Gristnogol, o Awstin ac Aquinas i Joseph Fletcher. Mae pob un ohonyn nhw'n rhoi'r statws uchaf i 'gariad'.

Awgrym astudio

Mae'n bwysig bod yn gyfarwydd â'r testunau ysgrythurol sy'n sail i egwyddor *agape*, ond does dim angen eu hailysgrifennu mewn ateb. Byddwch yn ddetholus a dewiswch bwyntiau allweddol i'w dyfynnu.

Dyfyniad allweddol

Atebodd yntau, 'Câr yr Arglwydd dy Dduw â'th holl galon ac â'th holl enaid ac â'th holl nerth ac â'th holl feddwl, a châr dy gymydog fel ti dy hun.' (Luc 10:26)

Dyfyniad allweddol

Mewn gair, y mae ffydd, gobaith, cariad, y tri hyn, yn aros. A'r mwyaf o'r rhain yw cariad. (1 Corinthiaid 13:13)

cwestiwn cyflym

3.5 Beth oedd y sail feiblaidd i Foeseg Sefyllfa ym marn Fletcher?

Yr Apostol Paul oedd awdur 1 Corinthiaid 13

Cynnwys y fanyleb

Moeseg Sefyllfa fel math o berthynoliaeth foesol, damcaniaeth ganlyniadaethol a theleolegol.

Dyfyniad allweddol

Ni all fod 'system' o Foeseg Sefyllfa, dim ond 'dull' o wneud penderfyniadau yn ôl y sefyllfa neu'r cyd-destun. (Childress)

Dyfyniad allweddol

Mae'r foeseg sefyllfa, yn wahanol i rai mathau eraill, yn foeseg o benderfyniad – o wneud penderfyniadau yn hytrach na 'chwilio amdanynt' mewn llawlyfr o reolau parod. (Fletcher)

Moeseg Sefyllfa fel math o berthynoliaeth foesol, damcaniaeth ganlyniadaethol a theleolegol

Rydyn ni wedi gweld yn barod fod Fletcher yn cyfeirio at ei system foeseg fel 'perthynoliaeth egwyddorol'. Mae Moeseg Sefyllfa yn berthynolaidd gan nad yw'n cydnabod unrhyw normau neu reolau moesol cyffredinol. Hefyd mae'n cynnig y dylid edrych ar bob sefyllfa yn annibynnol oherwydd bod pob sefyllfa'n wahanol.

Yr unig amwysedd yma yw bod Fletcher yn pwysleisio egwyddor *agape* ac yn ei chydnabod. Cyfeiriodd ati fel yr un gwir ffactor cyfrwymol: 'Ym Moeseg Sefyllfa Cristnogaeth dim ond un norm neu egwyddor neu ddeddf (dewiswch chi'r enw) sy'n gyfrwymol ac yn gwbl dderbyniol, bob amser yn dda ac yn gywir beth bynnag yw'r amgylchiadau. Yr egwyddor honno yw "cariad" – *agape* y gorchymyn diannod i garu Duw a'ch cymydog.'

Rhaid cofio, serch hynny, fod Fletcher, wrth gydnabod egwyddor, wedi sicrhau iddi gael ei deall fel offeryn ymarferol i'w gymhwyso. Byddai'n ymateb i anghenion pob sefyllfa ac nid oedd yn egwyddor absoliwt oedd yn cyfeirio pob sefyllfa yn unffurf. Mewn geiriau eraill, mae egwyddor *agape* yn aros yn gyson ond ar yr un pryd mae'n ymateb yn wahanol yn ôl anghenion y sefyllfa. Yn yr ystyr hwn mae'n wirioneddol berthynolaidd fel damcaniaeth foesegol yn ôl Fletcher.

Mae Moeseg Sefyllfa Fletcher yn ganlyniadaethol hefyd oherwydd bod y sefyllfa'n cael ei hystyried gan gymhwyso'r gydwybod drwy *agape*. Wrth wneud hyn mae'n edrych ymlaen tuag at gymhwysiad posibl yn y dyfodol. Mae Moeseg Sefyllfa, felly yn gwneud dyfarniadau moesol yn seiliedig ar ddeilliant neu ganlyniadau gweithred.

Yn y ffordd hon mae Moeseg Sefyllfa yn deleolegol hefyd. Mae'n ymwneud â diben (*telos*) neu nod unrhyw weithred a gynigir. I Fletcher, dylai'r diben bob amser fod yr hyn sy'n mynnu buddugoliaeth cariad Cristnogol.

Gweithgaredd AA1

Mae cydnabod Moeseg Sefyllfa fel math o berthynoliaeth foesol, damcaniaeth ganlyniadaethol a theleolegol yn gallu cael ei gefnogi drwy gyfeirio at enghreifftiau sy'n dod o'r pedair egwyddor weithredol a'r chwe egwyddor sylfaenol. Dyma destun yr adran nesaf. I baratoi ar gyfer hyn, lluniwch y tabl canlynol:

Math	Enghreifftiau sy'n dod o'r pedair egwyddor weithredol a'r chwe egwyddor sylfaenol
Perthynoliaeth foesol	
Damcaniaeth ganlyniadaethol	
Damcaniaeth deleolegol	

Yna gallwch chi ddefnyddio'r tabl hwn fel ffordd o ddatblygu'ch esboniad o'r ffyrdd y gall Moeseg Sefyllfa gael ei dosbarthu fel damcaniaeth o'r fath.

Datblygu sgiliau AA1

Nawr mae'n bryd ystyried y wybodaeth sydd wedi'i chyflwyno hyd yma. Hefyd mae'n bwysig ystyried sut mae'r hyn rydych chi wedi'i ddysgu hyd yma'n gallu cael ei ddefnyddio ar gyfer atebion arholiad drwy ymarfer y sgiliau sy'n gysylltiedig ag AA1.

Mae Amcan Asesu 1 (AA1) yn ymwneud â dangos gwybodaeth a dealltwriaeth. Mae'r termau 'gwybodaeth' a 'dealltwriaeth' yn amlwg ond mae'n hanfodol eich bod yn gyfarwydd â sut mae sgiliau penodol yn dangos y rhain, a hefyd, sut bydd eich perfformiad ym mhob un o'r sgiliau hyn yn cael ei fesur (gweler disgrifyddion band cyffredinol Band 5 ar gyfer AA1 UG).

▶ **Dyma eich tasg newydd**: isod mae ateb is na'r cyffredin a gafodd ei ysgrifennu'n ymateb i gwestiwn sy'n gofyn am archwilio pam mae Moeseg Sefyllfa yn gwrthod y ddau eithaf o ddeddfolaeth ac antinomiaeth. Mae'n amlwg yn ateb is na'r cyffredin ac felly byddai tua band 2. Yn y lle cyntaf, bydd yn ddefnyddiol i chi ystyried beth sydd ar goll o'r ateb a beth sy'n anghywir. Mae'r rhestr sy'n cyd-fynd â'r ateb yn rhoi rhai sylwadau posibl i'ch helpu chi. Cofiwch, efallai na fydd pob pwynt yn berthnasol! Wrth ddadansoddi gwendidau'r ateb, gweithiwch mewn grŵp a dewiswch bum pwynt o'r rhestr er mwyn gwella'r ateb hwn a'i gryfhau. Yna ysgrifennwch eich ychwanegiadau, pob un mewn paragraff clir, gan gofio egwyddorion esbonio gyda thystiolaeth a/neu enghreifftiau. Gallwch ychwanegu rhagor o'ch awgrymiadau eich hun, ond ceisiwch drafod fel grŵp a blaenoriaethu'r pethau pwysicaf i'w hychwanegu.

Ateb

Roedd Joseph Fletcher yn ddiwinydd moesol yn yr 1960au a ysgrifennodd am Foeseg Sefyllfa. Mae hyn yn golygu, yn hytrach na dilyn rheolau pendant, eich bod chi'n edrych ar bob sefyllfa ar wahân ac yna'n penderfynu beth i'w wneud.

Nid oedd yn hoffi deddfolaeth oherwydd ei bod yn ymwneud â dilyn rheolau a dim ond gwneud fel y dywedir wrthych. Nid oedd hyn yn helpu pobl oherwydd mae yna adegau pan mae pethau'n anodd ac mae'n mynd yn ddryslyd. Nid yw rheolau yn gymwys i bob sefyllfa bob amser, er enghraifft rhyfel pan mae lladd yn dda.

Nid oedd Fletcher yn hoffi antinomiaeth oherwydd ei bod yn gadael i chi wneud unrhyw beth. Mae antinomiaid yn hyrwyddo ymddygiad anfoesol oherwydd dydyn nhw ddim yn dilyn rheolau. Pe bai pawb yn byw fel hyn yna byddai pobl yn caru eu hunain yn unig ac nid eu cymdogion fel y dadleuodd Joseph Fletcher.

Sylwadau

1. Mae angen cynnwys llawer mwy o wybodaeth fywgraffyddol mewn cyflwyniad.
2. Mae angen i'r cyflwyniad fynd i'r afael â'r cwestiwn a osodwyd yn syth.
3. Mae angen esbonio beth yw deddfolaeth yn fanwl gywir.
4. Mae angen esbonio beth yw antinomiaeth yn fanwl gywir.
5. Dylid cynnwys dyfyniad perthnasol gan Fletcher.
6. Mae angen esbonio *agape*.
7. Gallai cyfeirio at gydwybod helpu i wella'r ateb.
8. Mae angen cynnwys stori'r 'Samariad Trugarog'.
9. Esboniwch pam dydy deddfolaeth ddim yn ddigonol drwy ddefnyddio enghraifft.
10. Esboniwch pam dydy antinomiaeth ddim yn ddigonol drwy ddefnyddio enghraifft.
11. Gallwch esbonio pam dydy Moeseg Sefyllfa ddim yn antinomaidd.
12. Mae angen crynodeb ar y diwedd sy'n cysylltu â'r cwestiwn.

Sgiliau allweddol

Mae gwybodaeth yn ymwneud â:

Dewis ystod o wybodaeth (drylwyr) gywir a pherthnasol sydd â chysylltiad uniongyrchol â gofynion penodol y cwestiwn.

Mae hyn yn golygu eich bod yn dewis y wybodaeth gywir sy'n berthnasol i'r cwestiwn a osodwyd NID y maes pwnc. Bydd angen i chi feddwl a chanolbwyntio ar ddewis gwybodaeth allweddol ac NID ysgrifennu popeth yr ydych chi'n ei wybod am y maes pwnc.

Mae dealltwriaeth yn ymwneud ag:

Esboniad helaeth, gan ddangos dyfnder a/neu ehangder gyda defnydd rhagorol o dystiolaeth ac enghreifftiau gan gynnwys (lle y bo'n briodol) defnydd trylwyr a chywir o destunau cysegredig, ffynonellau doethineb a geirfa arbenigol.

Mae hyn yn golygu y gallwch ddangos eich bod yn deall rhywbeth drwy egluro ac ehangu eich pwyntiau gan ddefnyddio enghreifftiau/tystiolaeth gefnogol mewn ffordd bersonol ac NID ailadrodd darnau o werslyfr (sef dysgu ar y cof).

Cymhwyso sgiliau ymhellach:

Ewch drwy'r meysydd pwnc yn yr adran hon a lluniwch rai rhestri bwled o bwyntiau allweddol o feysydd allweddol. Ar gyfer pob un, rhowch fwy o fanylion ac esboniwch fwy drwy ddefnyddio tystiolaeth ac enghreifftiau.

Mae'r adran hon yn cwmpasu cynnwys a sgiliau AA2

Cynnwys y fanyleb

I ba raddau mai *agape* yw'r unig ddaioni cynhenid.

Materion i'w dadansoddi a'u gwerthuso

I ba raddau mai *agape* yw'r unig ddaioni cynhenid

Byddai rhai'n dadlau bod deddfau a anfonwyd gan Dduw yn gynhenid dda oherwydd eu bod yn rhan o natur ac ewyllys Duw. Er enghraifft, mae damcaniaeth Gorchymyn Dwyfol yn awgrymu hyn. Bydden nhw'n mynd ymlaen i ddweud bod dilyn ewyllys Duw yn hanfodol i ddatblygu cymeriad da.

Mae Iesu ei hun, yn y Gwynfydau, yn canmol llawer o rinweddau fel rhai da. Er enghraifft, 'gwyn eu byd y tangnefeddwyr' a 'gwyn eu byd y rhai addfwyn'. Does bosib mai un peth yn unig sy'n cael ei ystyried yn dda? Hefyd gallai rhywun ddadlau nad *agape* yw'r unig ddaioni cynhenid oherwydd os yw'n cyfeirio popeth arall, yna onid ydyn nhw hefyd yn dod yn dda fel *agape*?

Y prif broblemau gyda derbyn cariad fel yr unig ddaioni cynhenid yw ei fod yn golygu bod moesoldeb yn gul iawn a bod unrhyw rinweddau eraill yn cael eu hanwybyddu heb gael eu datblygu, fel gwroldeb a chyfiawnder Aquinas. Mae hefyd yn anwybyddu'r ffaith fod 'da' bob amser yn derm cymharol a does ganddo ddim gwerth cyson, gan ei fod fel newidyn.

Hefyd, ceir llawer o dystiolaeth feiblaidd sy'n awgrymu bod 'da' yn cael ei ddefnyddio lawer o weithiau i ddisgrifio amrywiaeth o bethau. Er enghraifft, gwelodd Duw fod y creu yn dda; gwnaeth y 'Samariad Trugarog' y peth cywir yn ôl y stori; mae'n 'dda' rhoi mawl i Dduw. Yn Mathew 19:17 mae Iesu'n dweud, 'Pam yr wyt yn fy holi am yr hyn sy'n dda? Un yn unig sy'n dda. Ond os mynni fynd i mewn i'r bywyd, cadw'r gorchmynion.' Eto, yn Marc 10:18 mae Iesu'n dweud, 'Pam yr wyt yn fy ngalw i yn dda? Nid oes neb da ond un, sef Duw.' Mae hyn i gyd yn awgrymu bod gwahanol ddefnyddiau a disgrifiadau o'r hyn sy'n dda.

Roedd William Barclay yn anghyfforddus â safbwynt Fletcher nad oes dim byd sy'n gynhenid dda neu'n ddrwg ynddo'i hun. Roedd yn cyfaddef y gallai rhai gweithredoedd gael eu gweld fel rhai moesol gywir mewn sefyllfa allan o'r cyffredin. Ond nid yw'n dilyn o reidrwydd bod y peth dan sylw yn foesol dda ynddo'i hun. Aeth ymhellach ac awgrymu bod rhai gweithredoedd na allwn ni byth eu hystyried yn foesol gywir; er enghraifft, annog person ifanc i arbrofi â chyffuriau a chael profiad ohonynt drosto'i hun gan wybod y gallai arwain at gaethiwed. 'Nid yw dileu'r cywir a'r anghywir mor hawdd.'

Fodd bynnag, i amddiffyn Fletcher, gallen ni ddadlau bod angen diffinio'n ofalus beth roedd yn ei olygu. Mae Fletcher yn gwadu fod *agape* yn rhyw fath o 'beth' fel mewn 'enw'. Yn hytrach, gweithred ydyw ac mae e'n dadlau, 'Dim ond yn y bod dwyfol, dim ond yn Nuw, y mae cariad yn wirioneddol. Gyda dynion mae'n egwyddor ffurfiol, yn draethiad. Dim ond gyda Duw y mae'n briodwedd. Mae hyn oherwydd mai cariad *yw* Duw. Dim ond *gwneud* cariad y mae dynion, sy'n feidraidd.' Byddai hyn yn cytuno ag ateb Iesu yn Marc. Mae hyn yn rhoi cliw i ni am beth mae Fletcher wir yn ei olygu, sef i wneud daioni mae'n rhaid bob amser weithredu'n gariadus neu ddatblygu'r rhinwedd o gariad.

Roedd hyd yn oed Aquinas yn cydnabod hyn, gan gytuno â Paul, sef mai 'cariad' oedd y mwyaf o'r tair rhinwedd ddatguddiedig a bod y mwyaf ardderchog hwn yn sail i bob rhinwedd arall. Yn yr ystyr hwn gellir gweld bod achos dros ystyried *agape* fel yr unig ddaioni cynhenid.

I gloi, byddai'n bosibl dadlau bod cymryd cynnig Fletcher allan o'i gyd-destun yn golygu y gellir ei gamddeall a'i herio. O'i ystyried yn ofalus ac yn unol â'r Ddeddf Naturiol a damcaniaeth rhinwedd, gwelir ei fod yn gyson â'r syniad mae Iesu a Paul yn ei gynnig. Hynny yw, o ran bod yn gynhenid, *agape* yw'r unig beth sy'n dda oherwydd ei fod, mewn geiriau syml, yn 'dduwiol' neu'n 'debyg i Dduw'.

Gweithgaredd AA2
Dadleuon posibl

Wedi'u rhestru isod mae rhai casgliadau y byddai'n bosibl dod iddynt ar sail rhesymeg AA2 yn y testun cysylltiedig:

1. *Agape* yw'r unig ddaioni cynhenid a dyma sylfaen dadl foesegol Fletcher.
2. *Agape* yw'r unig ddaioni cynhenid ond mae angen sicrhau bod esboniad gofalus o ystyr hynny i'w gael.
3. Nid *agape* yw'r unig ddaioni cynhenid oherwydd os yw'n cyfeirio popeth arall yna onid ydyn nhw hefyd yn dod yn dda?
4. Mae '*agape* yw'r unig ddaioni cynhenid' yn syniad gor-syml i'w dderbyn.
5. Nid *agape* yw'r unig ddaioni cynhenid oherwydd mai term cymharol yw daioni.

Ystyriwch bob un o'r casgliadau sy'n cael eu gwneud uchod a chasglwch dystiolaeth ac enghreifftiau i gefnogi pob dadl o'r deunydd AA1 ac AA2 a astudiwyd yn yr adran hon. Dewiswch un casgliad sy'n argyhoeddi fwyaf yn eich barn chi ac esboniwch pam mae hyn yn wir. Nawr cyferbynnwch hyn â'r casgliad gwannaf ar y rhestr, gan gyfiawnhau eich dadl gyda rhesymu clir a thystiolaeth.

A yw Moeseg Sefyllfa yn hyrwyddo ymddygiad anfoesol

Mae'r mater hwn yn codi o'r cyhuddiad o antinomiaeth yr oedd Fletcher mor awyddus i'w osgoi.

Mae rhai wedi dadlau ei bod yn hyrwyddo ymddygiad anfoesol – gallai person honni ei fod yn gweithredu o gariad, ond gallai gyflawni gweithredoedd fel llofruddiaeth neu odineb, gan weithredu mewn gwirionedd mewn ffordd hunanol, annheg ac anghyfiawn (ar y rheini sy'n dioddef o ganlyniad i hyn). Mae perthynoliaeth yn rhoi gormod o ryddid i'r unigolyn benderfynu pa gamau i'w cymryd. Mae pobl yn dueddol o wneud camgymeriadau neu gall elw personol yn hytrach na chariad ddylanwadu arnyn nhw. Gallai hyn arwain at ymddygiad anghyfiawn ac anfoesol.

Yn ei lyfr *Ethics in a Permissive Society*, ysgrifennodd William Barclay, 'Os yw cariad yn berffaith yna mae rhyddid yn beth da. Ond os does dim cariad, neu os does dim digon o gariad, yna gall rhyddid droi yn benrhyddid, gall rhyddid droi yn hunanoldeb a hyd yn oed creulondeb.' Y broblem, yn ôl Barclay, yw'r natur ddynol. Cyfeiriodd Barclay at ddisgrifiad Robinson o Foeseg Sefyllfa fel 'yr unig foeseg i ddyn sydd wedi dod i oed', ac ymatebodd drwy ddadlau: 'Mae'n debyg fod hyn yn wir – ond dydy dyn ddim wedi dod i oed eto'. Hynny yw, nid yw'r ddynoliaeth gyfan yn ddigon aeddfed ar gyfer athroniaeth mor soffistigedig.

Gallai credinwyr crefyddol ddadlau y dylai pawb ddilyn y ddeddf ddwyfol gan mai Duw yw ffynhonnell eithaf awdurdod moesol. Ni allan nhw ddibynnu ar egwyddorion wedi'u llunio gan ddynoliaeth bechadurus.

Gall rhai Cristnogion ddadlau hefyd mai Duw ddylai benderfynu beth sy'n deg ac yn gyfiawn. Duw yw ffynhonnell derfynol awdurdod, nid bodau dynol sy'n gwneud penderfyniadau anghywir yn aml. Er enghraifft, efallai na fydd canlyniadau bob amser yn gariadus neu'n rhagweladwy. Efallai y bwriad oedd gweithredu mewn ffordd gariadus, deg a chyfiawn, ond nid yw'r canlyniad yn un sy'n adlewyrchu daioni neu ymddygiad moesol cywir. Dydy pobl ddim yn gallu rhagweld canlyniadau eu gweithredoedd yn fanwl gywir. Felly dydyn nhw ddim yn gwybod a fydd y nod a ddymunir, sef cariad, yn cael ei gyflawni.

Ymateb Fletcher fyddai fod Moeseg Sefyllfa yn osgoi anfoesoldeb oherwydd ei bod wedi'i seilio mewn cariad. Byddai hefyd yn dyfynnu Paul ac Iesu wrth iddyn nhw gydnabod mai cariad yw'r gorchymyn mwyaf. Mae dilyn unrhyw beth heblaw cariad yn golygu gwneud y camgymeriad o ddeddfolaeth a disgyn i mewn i'r hyn a alwodd Miller yn 'anfoesoldeb moesoldeb'. Cofiwch, 'Y Saboth a wnaethpwyd er mwyn dyn, ac nid dyn er mwyn y Saboth.'

Fel damcaniaeth rhinwedd, mae Moeseg Sefyllfa yn hyrwyddo cyfrifoldeb yr unigolyn, ond yn fwy na dim mae wedi'i seilio mewn gofal cariadus am eich cymydog. Fel mae Fletcher yn ei ddweud, 'Dyna wahaniaeth sy'n cael ei wneud pan mai cariad, o'i ddeall fel *agape*, yw'r meistr; pan mai cariad yw'r unig norm. Mor rhydd ac felly mor gyfrifol rydyn ni!'

I gloi, mae'n amlwg nad bwriad Moeseg Sefyllfa, drwy egwyddor *agape*, yw hyrwyddo ymddygiad anfoesol. Ond yn ymarferol mae'r cwestiwn yno o hyd, 'A yw'n bosibl ymddiried bob amser mewn unigolyn i gymhwyso egwyddor *agape* yn gywir?'

Yn wir, dyma'r broblem fawr erioed wrth gymhwyso Moeseg Sefyllfa yn ymarferol. Mae hyn oherwydd iddi ddibynnu'n llwyr, nid yn unig ar y syniad unigol o ddealltwriaeth gyffredinol o gariad agapeaidd ond, yn bwysicach, ar allu bodau dynol i gysylltu hyn yn gywir â nifer o broblemau moesegol cymhleth. Cafodd hyn ei ddangos gan ddadl Barclay yn erbyn Robinson. Dadleuodd Robinson mai Moeseg Sefyllfa oedd yr 'unig foesoldeb i ddyn sydd wedi dod i oed'. Gallu bodau dynol i wneud hyn yw'r cwestiwn canolog yn y ddadl hon o hyd.

Cynnwys y fanyleb

A yw Moeseg Sefyllfa yn hyrwyddo ymddygiad anfoesol.

Gweithgaredd AA2
Dadleuon posibl

Wedi'u rhestru isod mae rhai casgliadau y byddai'n bosibl dod iddynt ar sail rhesymeg AA2 yn y testun cysylltiedig:

1. Mae'n anochel fod Moeseg Sefyllfa'n hyrwyddo ymddygiad anfoesol oherwydd amherffeithrwydd bodau dynol.
2. Mae Moeseg Sefyllfa'n hyrwyddo ymddygiad moesol a dim arall oherwydd mai egwyddor eithaf cariad sy'n ei harwain.
3. Mae Moeseg Sefyllfa'n gallu hyrwyddo ymddygiad anfoesol os nad yw'n cael ei chymhwyso'n gywir. Ond byddai hynny'n wir am unrhyw ddamcaniaeth foesegol.
4. Mae Moeseg Sefyllfa'n hyrwyddo ymddygiad anfoesol oherwydd ei bod yn rhoi gormod o ryddid i'r unigolyn.
5. Mae Moeseg Sefyllfa'n hyrwyddo ymddygiad anfoesol oherwydd ei bod yn herio deddfau gafodd eu sefydlu drwy reswm a phrofiad ac sy'n gywir.

Ystyriwch bob un o'r casgliadau sy'n cael eu gwneud uchod a chasglwch dystiolaeth ac enghreifftiau i gefnogi pob dadl o'r deunydd AA1 ac AA2 a astudiwyd yn yr adran hon. Dewiswch un casgliad sy'n argyhoeddi fwyaf yn eich barn chi ac esboniwch pam mae hyn yn wir. Nawr cyferbynnwch hyn â'r casgliad gwannaf ar y rhestr, gan gyfiawnhau eich dadl gyda rhesymu clir a thystiolaeth.

Sgiliau allweddol

Mae dadansoddi'n ymwneud â nodi materion sy'n cael eu codi gan y deunyddiau yn adran AA1, ynghyd â'r rhai a nodwyd yn adran AA2, ac mae'n cyflwyno safbwyntiau cyson a chlir, naill ai gan ysgolheigion neu safbwyntiau personol, yn barod i'w gwerthuso.

Mae hyn yn golygu ei fod yn nodi pethau allweddol i'w trafod a'r dadleuon sy'n cael eu cyflwyno gan eraill neu o safbwynt personol.

Mae gwerthuso'n ymwneud ag ystyried goblygiadau amrywiol y materion sy'n cael eu codi, yn seiliedig ar y dystiolaeth a gafwyd wrth ddadansoddi ac mae'n rhoi dadl fanwl eang gyda chasgliad clir.

Mae hyn yn golygu bod yr ateb yn pwyso a mesur y dadleuon amrywiol a gwahanol a gafodd eu dadansoddi drwy roi sylwadau ac ymateb unigol, gan ddod i gasgliad drwy broses rhesymu clir.

Datblygu sgiliau AA2

Nawr mae'n bryd ystyried y wybodaeth sydd wedi'i chyflwyno hyd yma. Hefyd mae'n bwysig ystyried sut mae'r hyn rydych chi wedi'i ddysgu hyd yma'n gallu cael ei ddefnyddio ar gyfer atebion arholiad drwy ymarfer y sgiliau sy'n gysylltiedig ag AA2.

Mae Amcan Asesu 2 (AA2) yn ymwneud â 'dadansoddi' a 'gwerthuso'. Efallai fod ystyr y termau'n amlwg ond mae'n hanfodol eich bod yn gyfarwydd â sut mae sgiliau penodol yn dangos y rhain, a hefyd, sut bydd eich perfformiad ym mhob un o'r sgiliau hyn yn cael ei fesur (gweler disgrifyddion band cyffredinol Band 5 ar gyfer AA2 UG).

Yn amlwg mae ateb yn cael ei osod mewn disgrifydd band priodol, yn ôl pa mor dda yw'r ateb, gan amrywio o ragorol, da, boddhaol, sylfaenol/cyfyngedig i gyfyngedig iawn.

▶ **Dyma eich tasg newydd:** isod mae ateb is na'r cyffredin a gafodd ei ysgrifennu'n ymateb i gwestiwn sy'n gofyn am werthuso a ellir cyhuddo Moeseg Sefyllfa o fod yn antinomaidd neu beidio. Mae'n amlwg yn ateb is na'r cyffredin ac felly byddai tua gwaelod band 2. Yn y lle cyntaf, bydd yn ddefnyddiol i chi ystyried beth sydd ar goll o'r ateb a beth sy'n anghywir. Mae'r rhestr sy'n cyd-fynd â'r ateb yn rhoi rhai sylwadau posibl i'ch helpu chi. Cofiwch, efallai na fydd pob pwynt yn berthnasol! Wrth ddadansoddi gwendidau'r ateb, gweithiwch mewn grŵp a dewiswch bum pwynt o'r rhestr er mwyn gwella'r ateb hwn a'i gryfhau. Yna ysgrifennwch eich ychwanegiadau, pob un mewn paragraff clir. Cofiwch, y ffordd rydych chi'n defnyddio'r pwyntiau yw'r ffactor pwysicaf. Defnyddiwch egwyddorion gwerthuso gan wneud yn siŵr eich bod: yn nodi'r materion yn glir; yn cyflwyno safbwyntiau eraill yn gywir, gan wneud yn siŵr eich bod yn gwneud sylwadau ar y safbwyntiau rydych yn eu cyflwyno; yn dod i farn bersonol gyffredinol. Gallwch ychwanegu rhagor o'ch awgrymiadau eich hun, ond ceisiwch drafod fel grŵp a blaenoriaethu'r pethau pwysicaf i'w hychwanegu.

Ateb

Roedd Fletcher eisiau osgoi antinomiaeth oherwydd iddo ddadlau, os nad ydych chi'n cael eich llywio gan ddim, yna byddai'r byd yn llawn caos a byddai'n lle anfoesol i fyw ynddo.

Gwnaeth Barclay feirniadu Fletcher. Roedd e'n dadlau, hyd yn oed os nad ei bwriad oedd bod yn antinomaidd, ei fod yn amhosibl osgoi hyn oherwydd dydyn ni fel bodau dynol ddim yn gallu cymhwyso cariad at bob un sefyllfa.

I gloi, mae'n amlwg fod dadleuon clir o blaid ac yn erbyn ond credaf ei bod yn dda oherwydd ei bod wedi'i seilio ar ofal am rywun arall. Felly nid yw'n gallu bod yn hunanol na chael ei chyhuddo o fod yn antinomaidd byth.

Sylwadau

1. Mae angen cynnwys llawer mwy o wybodaeth fywgraffyddol mewn cyflwyniad.
2. Mae angen i'r cyflwyniad fynd i'r afael â'r cwestiwn a osodwyd yn syth.
3. Mae angen esbonio pam roedd damcaniaeth Fletcher yn cael ei chyhuddo o fod yn antinomaidd.
4. Mae angen esbonio beth ddywedodd Fletcher am antinomiaeth a pham mae ei ddamcaniaeth ef yn wahanol.
5. Dylid cynnwys dyfyniadau perthnasol gan Fletcher.
6. Mae angen cyflwyno dadl Fletcher mai *agape* yw'r ffordd ganol rhwng dau eithaf.
7. Gallai cyfeirio at gydwybod helpu i wella'r ateb.
8. Mae angen cynnwys esboniad o bennod Paul am gariad.
9. Esboniwch beth yw antinomiaeth a defnyddiwch ddadl William Barclay sy'n awgrymu ei bod yn amhosibl ei hosgoi.
10. Gallwch esbonio pam nad yw Moeseg Sefyllfa yn antinomaidd.
11. Mae angen gwerthuso enghreifftiau o sut gallai Moeseg Sefyllfa fethu a mynd yn antinomaidd.
12. Mae angen casgliad ar y diwedd sy'n cysylltu â'r cwestiwn.

B: Moeseg Sefyllfa Fletcher: yr egwyddorion fel modd o asesu moesoldeb

Mae'r adran hon yn cwmpasu cynnwys a sgiliau AA1

Cynnwys y fanyleb

Meistr-egwyddor Moeseg Sefyllfa (yn dilyn y cysyniad o *agape*).

Meistr-egwyddor Moeseg Sefyllfa (yn dilyn y cysyniad o *agape*)

Mae'r Hen Destament wedi'i ysgrifennu mewn Hebraeg, a'r gair sy'n cael ei ddefnyddio am y berthynas gariadus rhwng Duw a phobl Duw yw '***chesed***'. Mae'r gair hwn yn disgrifio 'cariad' sy'n ffyddlon, yn gryf, yn gyson bresennol ac yn garedig. Mae'n cael ei ddisgrifio'n aml fel 'caredigrwydd cariadus' neu 'gariad diysgog'. Mae'n cynnwys hefyd y ddelfryd o ymrwymiad ac o gwlwm sy'n bodoli'n barod, a dewis hoffter a charedigrwydd yn fwriadol. Roedd yr Hebreaid yn aml yn cael eu hatgoffa i ystyried neu gofio cariad Duw oherwydd y gweithredoedd mewn hanes pan ymyrrodd Duw ar eu rhan, er enghraifft yn yr ecsodus.

Fodd bynnag, yn Lefiticus 19:18, sef yr adnod y mae Dameg y Samariad Trugarog yn cyfeirio ati, y gair sy'n cael ei ddefnyddio yw '***aheb***'. Mae hwn yn disgrifio cariad mwy digymell a byrbwyll ar ran pobl tuag at Dduw a'u cyd-ddynion. Mae'n cael ei ddefnyddio hefyd fel teimlad o lawenydd gan Dduw oherwydd cyfiawnder neu unigolion cyfiawn. Gellir defnyddio *aheb* mewn modd cyffredinol ac nid i ddisgrifio perthynas gariadus Duw â'r Hebreaid yn unig. Mae'n edrych tuag allan ac yn cofleidio pawb. Y teimlad hwn o gariad yw gwreiddiau *agape*.

Yn y Testament Newydd rydyn ni'n cael cydnabyddiaeth Iesu mai'r gorchymyn mwyaf yw 'caru Duw a charu dy gymydog fel ti dy hun' wedi'i ddyfynnu o Lefiticus. Y gair sy'n cael ei ddefnyddio mewn Groeg yw *agape*, fel rydyn ni wedi ei weld eisoes, a'r syniad hwn o gariad pur, diamod, aberthol a gafodd ei ymgorffori yng nghymeriad a gwaith Iesu.

Mae'r cariad hwn yn gariad rhinweddol, wedi'i nodi a'i ddatblygu gan Awstin, ac yn ddiweddarach gan Aquinas drwy'r Ddeddf Naturiol, sef y rhinwedd fwyaf ardderchog, eithaf. Yn ôl Fletcher, 'Roedd Awstin yn gywir i benderfynu mai cariad yw'r egwyddor wreiddiol, y bachyn y mae pob "rhinwedd" arall yn hongian arno, "prif" (naturiol) neu "ddiwinyddol" (datguddiedig).'

Yn y cyd-destun hwn y mae Fletcher yn disgrifio *agape* fel 'meistr-egwyddor' Moeseg Sefyllfa. Fel mae Fletcher yn ei ddweud, 'Dyna wahaniaeth sy'n cael ei wneud pan mai cariad, o'i ddeall fel *agape*, yw'r meistr; pan mai cariad yw'r unig norm. Mor rhydd ac felly mor gyfrifol rydyn ni!'

Termau allweddol

Aheb: gair Hebraeg am gariad sy'n ymddangos yn debyg i'r syniad o *agape*

Chesed: gair Hebraeg sy'n disgrifio math unigryw o gariad mewn perthynas benodol

Dyfyniad allweddol

Mae Moeseg Sefyllfa yn fwy beiblaidd na Groeg ac yn meddwl yn fwy mewn berfau nag mewn enwau. Nid yw'n gofyn beth sy'n dda ond sut mae gwneud da ac i bwy; nid beth yw cariad ond sut mae gwneud y peth mwyaf cariadus posibl yn y sefyllfa. Mae'n canolbwyntio ar *pragma* (gwneud), nid ar ddogma (rhyw gredo). **(Fletcher)**

Dyfyniad allweddol

Dim ond cariad sy'n gallu gadael iddo'i hun gael ei gyfarwyddo'n llwyr gan y sefyllfa. Dyma oherwydd bod ganddo gwmpas moesol mewnosod sy'n ei alluogi i 'ddynesu' yn reddfol at angen dyfnaf y person arall. **(Robinson)**

Dyfyniad allweddol

Dyma symlrwydd radical moeseg yr Efengyl, er y gall arwain yn sefyllfaol at yr ystyriaethau mwyaf torcalonnus, dyrys a chymhleth ac at benderfyniadau llwyd yn hytrach na rhai du a gwyn. **(Fletcher)**

Cynnwys y fanyleb

Y pedair egwyddor weithredol (pragmatiaeth, perthynoliaeth, positifiaeth a phersonolyddiaeth).

cwestiwn cyflym

3.6 Pam mae *aheb* yn arwyddocaol mewn perthynas ag *agape*?

Dyfyniad allweddol

Mae anwybyddu arwyddocâd moesegol llwyddiant yn dangos ... synnwyr diffygiol o gyfrifoldeb. (Bonhoeffer)

Dyfyniad allweddol

Mae'n rhaid bod absoliwt neu norm o ryw fath os oes gwir berthynoledd i fod. (Fletcher)

Dyfyniad allweddol

Felly mae moeseg Gristnogol yn 'tybosod' ffydd yn Nuw ac yn *rhesymu* pa ufudd-dod i orchymyn Duw i garu sydd ei angen mewn unrhyw sefyllfa. (Bonhoeffer)

cwestiwn cyflym

3.7 Beth yw'r pedair egwyddor weithredol?

Dyfyniad allweddol

Mae Moeseg Sefyllfa yn gosod pobl, nid pethau, yn ganolbwynt gofal. Mae'r rhwymedigaeth i bobl, nid i bethau; i oddrychau, nid gwrthrychau. Mae'r deddfolwr yn gofyn *beth* (Beth mae'r gyfraith yn ei ddweud?); mae'r sefyllfaolwr yn gofyn *pwy* (Pwy ddylai gael ei helpu?). (Fletcher)

Dyfyniad allweddol

Gwireb sylfaenol yw bod y disgybl yn cael ei orchymyn i garu pobl, nid egwyddorion na deddfau na gwrthrychau nac unrhyw *beth* arall. (Fletcher)

Y pedair egwyddor weithredol

Tasg nesaf Fletcher yn ei lyfr *Situation Ethics*, ar ôl i egwyddor *agape* gael ei sefydlu, oedd egluro sut byddai hyn yn gweithio'n ymarferol wrth geisio gwneud penderfyniadau moesegol. Wrth wneud hyn mae'n nodi pedair egwyddor weithredol allweddol.

1. Pragmatiaeth

Mae'n rhaid i'r ateb i unrhyw ddilema moesol fod yn ymarferol yn anad dim. Yr athronydd a'r seicolegydd William James a ddylanwadodd ar y syniad hwn. Ysgrifennodd Fletcher: 'Mae pawb yn gytûn: daioni yw'r hyn sy'n gweithio, yr hyn sy'n gyfleus, yr hyn sy'n rhoi boddhad.' Neu, does dim pwynt awgrymu ateb i broblem oherwydd ei fod yn ateb da ar dir athronyddol, rhesymegol os yw'r ateb hwnnw'n methu'n llwyr yn ymarferol. Gwir fesur llwyddiant ateb moesegol oedd yn y defnydd ohono, nid yn y syniad y tu ôl iddo. Nid yw hyn yn golygu nad yw rheswm yn bwysig ond, yn syml, fel mae Fletcher yn ei awgrymu, y cwestiwn moesegol, sef yr agwedd bragmatig, sydd 'yn y gadair, ar ben bwrdd y gynhadledd'.

Dyfyniad allweddol

Mae pragmatiaeth, i fod yn blaen, yn agwedd ar *ymarferoldeb* neu ar *lwyddiant.* (Fletcher)

2. Perthynoliaeth

Eto, o dan ddylanwad diwinyddion cynharach, dyma'r syniad fod 'y sefyllfaolwr yn osgoi geiriau fel "byth" a "perffaith" a "bob tro" a "cyflawn", a hefyd yn osgoi "yn llwyr". Ond, er mwyn bod yn berthynol, rhaid bod gwrthrych i fod yn berthynol iddo, math o fesur o'i wir berthynoliaeth. Yn ôl Fletcher, y mesur hwn oedd 'cariad agapeaidd': 'Mae'n perthynoli'r absoliwt, nid yw'n absoliwtio'r perthynol'. Hynny yw, mae pob sefyllfa'n unigryw. Ond, i Fletcher, dydy hyn ddim yn golygu ymateb sy'n antinomaidd ac yn nodweddiadol 'ddamweiniol, anrhagweladwy, anodd ei farnu, diystyr, anfoesol', gan y byddai hynny'n ei wneud yn anarchaidd. Yn hytrach, mae'r sefyllfa bob amser yn berthynol, nid i'w hamgylchiad ei hun, ond i *agape*.

3. Positifiaeth

Dyma'r farn fod datganiadau o ffydd yn cael eu derbyn yn wirfoddol a bod rheswm yn cael ei ddefnyddio wedyn i weithio oddi mewn, neu y tu allan, i'ch ffydd. Mae hyn yn groes i'r safbwynt y dylai rheswm fod yn sail i ffydd. O ran moeseg Gristnogol mae hyn yn golygu derbyn egwyddor *agape* o'ch gwirfodd. Ffydd sy'n dod gyntaf, fel mae Fletcher yn ei ddadlau: 'Nid yw'r Cristion yn deall Duw yn nhermau cariad; mae'n deall cariad yn nhermau Duw fel sy'n cael ei weld yng Nghrist.'

4. Personolyddiaeth

Dyma'r ddealltwriaeth sylfaenol fod moeseg yn ymwneud yn bennaf â phobl; mae'n golygu gofal am bobl yn hytrach na phethau. Gofal am y goddrych yn hytrach na'r gwrthrych ydyw; mae'r disgybl yn cael ei orchymyn i garu pobl ac nid deddfau neu egwyddorion.

Gweithgaredd AA1

Gwnewch gardiau fflachio gyda'r egwyddor allweddol ar un ochr a dyfyniad gan Fletcher ynghyd ag esboniad ar yr ochr arall.

Awgrym astudio

Mae Fletcher yn defnyddio diffiniadau technegol a manwl ar gyfer ei egwyddorion gweithredol. Gwnewch yn siŵr eich bod yn eu dysgu a ddim yn eu cymysgu â'i gilydd.

Y chwe egwyddor sylfaenol (cariad yw'r unig ddaioni, cariad yw prif norm Cristnogaeth, mae cariad yn cyfateb i gyfiawnder, cariad at bawb, mae diben cariadus yn cyfiawnhau'r modd, ac mae cariad yn gwneud penderfyniadau yn sefyllfaol)

Mae Fletcher yn nodi chwe gosodiad y mae ei 'un cynnig "cyffredinol"' wedi'i seilio arnyn nhw, hynny yw y gorchymyn i 'garu Duw drwy'r cymydog'. Mewn geiriau eraill, mae'r egwyddorion sylfaenol yno i helpu i egluro natur *agape.*

1. Dim ond un 'peth' sy'n gynhenid dda; sef cariad: dim byd arall o gwbl

Yn ôl Fletcher dyma 'ddeddf cariad' y Testament Newydd. Er gwaetha'r ffaith fod cariad yn 'gynhenid dda heb ystyried y cyd-destun', mae Fletcher yn gwadu ei fod yn rhyw fath o 'beth' fel mewn 'enw' ond, yn hytrach, gweithred ydyw. Mae'n dadlau mai 'Dim ond yn y bod dwyfol, dim ond yn Nuw, y mae cariad yn wirioneddol. Gyda dynion mae'n egwyddor ffurfiol, yn draethiad. Dim ond gyda Duw y mae'n briodwedd. Mae hyn oherwydd mai cariad *yw* Duw. Dim ond *gwneud* cariad y mae dynion, sy'n feidraidd.'

Mae'n well ganddo weld cariad fel egwyddor weithredol – mae'n 'gwneud rhywbeth'. Fel y mae'n ysgrifennu, 'Cariad yw'r unig beth cyffredinol. Ond nid yw cariad yn rhywbeth sydd gennym, neu yr ydym, mae'n rhywbeth a wnawn.' I Fletcher, mae 'cariad yn ffordd o ymwneud â phobl, ac o ddefnyddio pethau'.

2. Prif norm penderfyniadau Cristnogol yw cariad, dim byd arall

Mae Fletcher yn dadlau bod deddfau crefyddol a moesol wedi cael statws a dealltwriaeth artiffisial. Mae'n defnyddio ymateb Iesu pan gafodd ei gyhuddo o dorri rheolau'r Saboth: 'y Saboth a wnaethpwyd er mwyn dyn, ac nid dyn er mwyn y Saboth' (Marc 2: 27–28). Hynny yw, i Fletcher, mae pwrpas y deddfau wedi cael ei gamddeall yn llwyr. Maen nhw wedi dod yn feistr ar berson ond roedd Iesu'n cydnabod bod y deddfau yno i wasanaethu person.

Dadl Fletcher yw mai cariad yw'r cyfamod newydd. Mae'n disodli'r hen ddeddfau ac mae'n cyfeirio at ddysgeidiaeth Iesu a Paul i'w gyfiawnhau: 'Fe wnaethon nhw achub y ddeddf o'r llythyren sy'n ei lladd gan ddod â hi yn ôl i'r ysbryd sy'n rhoi bywyd iddi.'

Nid yw Fletcher yn amharchu'r deddfau, ond mae'n dadlau bod y sefyllfaolwr yn cydnabod y deddfau am yr hyn ydyn nhw – '**distylliad**' o ysbryd cariad yn hytrach na '**chompendiwm**' o'r rheolau deddfolaethol.

3. Yr un peth yw cariad a chyfiawnder gan mai cariad wedi'i ddosbarthu yw cyfiawnder, a dim byd arall

Felly beth yw'r cariad hwn? Fel rydyn ni wedi ei drafod yn barod, mae Fletcher yn gwahaniaethu rhwng *agape* a'r geiriau Groeg eraill am gariad. Mae'n golygu 'cariad haelionus'.

Os cyfiawnder yw rhoi i fod dynol yr hyn y mae ganddo hawl iddo, mae Fletcher yn gofyn beth mae hyn yn ei olygu mewn termau Cristnogol? Yr ateb yw hyn: 'Oherwydd beth ydyw sy'n ddyledus i'n cymdogion? Cariad sy'n ddyledus – dim ond cariad ("Peidiwch â bod mewn dyled i neb, ar wahân i'r ddyled o garu eich gilydd"). Cariad yw cyfiawnder, cyfiawnder yw cariad.'

Syniadau allweddol

Y chwe egwyddor:

1. Dim ond un 'peth' sy'n gynhenid dda; sef cariad: dim byd arall o gwbl.
2. Prif norm penderfyniadau Cristnogol yw cariad, dim byd arall.
3. Yr un peth yw cariad a chyfiawnder gan mai cariad wedi'i ddosbarthu yw cyfiawnder, a dim byd arall.
4. Mae cariad yn ewyllysio daioni i'r cymydog, p'un ai ein bod ni'n ei hoffi neu beidio.
5. Dim ond y diben sy'n cyfiawnhau'r modd, dim byd arall.
6. Mae penderfyniadau cariad yn cael eu gwneud yn ôl y sefyllfa, nid yn rhagnodol.

Cynnwys y fanyleb

Y chwe egwyddor sylfaenol (cariad yw'r unig ddaioni, cariad yw prif norm Cristnogaeth, mae cariad yn cyfateb i gyfiawnder, cariad at bawb, mae diben cariadus yn cyfiawnhau'r modd, ac mae cariad yn gwneud penderfyniadau yn sefyllfaol).

Termau allweddol

Compendiwm: casgliad trwyadl o ddeunydd

Distylliad: proses o dynnu allan ddeunydd allweddol, o ansawdd da

Dyfyniad allweddol

Mae Moeseg Sefyllfa Gristnogol yn datgan yn gadarn ac yn bendant: Gwerth, ansawdd moesegol, daioni neu ddrygioni, cywir neu anghywir – *traethiadau yn unig yw'r rhain, nid priodweddau ydyn nhw. Nid ydyn nhw 'wedi'u rhoi' nac yn 'wrthrychol' real neu'n hunanfodol.* Dim ond un peth sydd bob amser yn dda ac yn gywir, yn gynhenid dda heb ystyried y cyd-destun, a'r peth hwnnw yw cariad. (Fletcher)

Dyfyniad allweddol

Mae caru'n Gristnogol yn fater o agwedd, nid o deimlad. Mae cariad yn graff ac yn feirniadol; nid yw'n sentimental. (Fletcher)

Dyfyniad allweddol

Disodlodd Iesu a Paul ofynion y Torah ag egwyddor fyw *agape.* Ewyllys dda ar waith mewn partneriaeth â rheswm yw *agape.* (Fletcher)

Dyfyniad allweddol

Cyfiawnder yw aml-ochredd cariad. (Fletcher)

Dyfyniad allweddol

Cyfiawnder yw cariad Cristnogol yn defnyddio ei ben ... Cyfiawnder yw cariad yn ymdopi a sefyllfaoedd lle mae angen dosbarthiad. (Fletcher)

4. Mae cariad yn ewyllysio daioni i'r cymydog, p'un ai ein bod ni'n ei hoffi neu beidio

Roedd Iesu yn annog pawb i 'garu eich gelynion'. Gosodiad clasurol o sylwedd a rhuddin cariad Cristnogol yw hwn sy'n arwain at 'rwymedigaeth radical'. Mae cariad felly, yn ôl Fletcher, yn dod yn '**genotig** neu'n hunanwacaol'.

Yn ôl Fletcher, felly, dydy cariad pur ddim yn gwahaniaethu wrth ei gymhwyso.

5. Dim ond y diben sy'n cyfiawnhau'r modd, dim byd arall

Mae Fletcher yn gwrthod y syniad na ddylai'r diben gael ei ddefnyddio i gyfiawnhau'r modd (sydd i'w gael mewn meddwl Cristnogol traddodiadol) fel 'haniaeth wirion'. Mae moeseg, mewn egwyddor, yn deleolegol.

Hynny yw, i Fletcher roedd unrhyw system sy'n cynnig bod modd yn gynhenid dda, ac felly'n absoliwt, yn sylfaenol ddiffygiol. Er enghraifft, yn ymarferol, 'mewn modd anhyfryd, mae pobl yn esgus cefnogi gwireb y mae'r arferion dan sylw yn amlwg yn ei gwrth-ddweud'. Er enghraifft, mae cymdeithas ar y naill law yn gallu cynnal y rhain fel patrymau di-feth ond, ar y llaw arall, mae'r un gymdeithas yn gallu cyfiawnhau rhyfel, cosb gorfforol a'r gosb eithaf, llurguniadu llawfeddygol, ysbïo a 'llu o bethau eraill'.

Yn y goleuni hwn, yn ôl Fletcher, mae pedwar ffactor wrth farnu sefyllfa mewn moeseg:

1. Beth yw'r diben a ddymunir?
2. Beth ddylai fod y modd o'i gyflawni?
3. Beth yw'r cymhelliant i'w gyflawni?
4. Beth fyddai'r canlyniadau?

Mae'r gwrth-ddweud amlwg wrth wneud y 'gwirebau anhyblyg' yn 'hyblyg' yn dangos yn glir mai'r dibenion sy'n cyfiawnhau ymddygiad moesol a phenderfyniadau moesegol.

6. Mae penderfyniadau cariad yn cael eu gwneud yn ôl y sefyllfa, nid yn rhagnodol

Mae Fletcher yn ystyried mai rhan o'n hetifeddiaeth yw ein bod ni wedi chwilio am ddeddfau i fynd yn gaeth iddyn nhw. Fodd bynnag, unwaith eto dim ond arwain at fethiant y mae hyn, wrth i'r egwyddorion fethu â datblygu yn ymarferol:

'Nid oes dim yn y byd yn achosi cymaint o wrthdaro cydwybod â'r esgus parhaus, confensiynol o gefnogi "deddfau" moesol sy'n cael eu herio'n gyson yn ymarferol, oherwydd eu bod yn rhy fân neu'n rhy anhyblyg i fod yn addas i ffeithiau bywyd.'

Mae'n galw am ddiwedd i'r ideoleg sy'n cynnig gwirioneddau: 'I gael gwneud penderfyniadau go iawn, mae angen rhyddid, ymagwedd benagored at sefyllfaoedd. Dychmygwch helynt yr obstetregydd sy'n credu bod yn rhaid iddo roi resbiradaeth i bob baban y mae'n helpu i'w eni, heb ystyried pa mor ofnadwy o anffurfiedig yw'r baban.'

Casgliad amlwg Fletcher yw bod yn rhaid i bob penderfyniad moesegol fod wedi'i seilio ar sefyllfa (wedi'i arwain, wrth gwrs, gan *agape*) a ddim wedi'i seilio ar ddeddfau.

Gweithgaredd AA1

Ceisiwch feddwl am enghraifft ymarferol o bob egwyddor sylfaenol sy'n egluro sut byddai'n gweithio yn ymarferol.

Awgrym astudio

Mae Fletcher yn defnyddio ymadroddion technegol a thrachywir ar gyfer ei egwyddorion sylfaenol sy'n eithaf hir. Ceisiwch wneud mnemonig i'ch helpu i'w cofio a sicrhau eich bod yn gallu eu hesbonio yn eich geiriau eich hun. Gwnewch yn siŵr eich bod yn eu dysgu heb eu cymysgu â'i gilydd.

Term allweddol

Cenotig: o air Groeg yn golygu gwacáu neu wneud eich hun yn gwbl barod i dderbyn rhywbeth

Dyfyniad allweddol

Un ystyr sydd i gariad anhunanol sef cariad diduedd, cariad cynhwysol, cariad diwahân; cariad at unrhyw Twm, Dic neu Harri ydyw. (Fletcher)

Dyfyniad allweddol

Oni bai fod rhyw bwrpas neu ddiben mewn golwg i'w gyfiawnhau neu i'w sancteiddio, mae unrhyw gam gweithredu rydyn ni'n ei gymryd yn llythrennol ddiystyr. (Fletcher)

cwestiwn cyflym

3.8 Pam mae'r gair cenotig yn bwysig i gariad?

cwestiwn cyflym

3.9 Mae cyfiawnder yr un peth â rhywbeth arall yn ôl Fletcher. Beth?

Datblygu sgiliau AA1

Nawr mae'n bryd ystyried y wybodaeth sydd wedi'i chyflwyno hyd yma. Hefyd mae'n bwysig ystyried sut mae'r hyn rydych chi wedi'i ddysgu hyd yma'n gallu cael ei ddefnyddio ar gyfer atebion arholiad drwy ymarfer y sgiliau sy'n gysylltiedig ag AA1.

Mae Amcan Asesu 1 (AA1) yn ymwneud â dangos gwybodaeth a dealltwriaeth. Mae'r termau 'gwybodaeth' a 'dealltwriaeth' yn amlwg ond mae'n hanfodol eich bod yn gyfarwydd â sut mae sgiliau penodol yn dangos y rhain, a hefyd, sut bydd eich perfformiad ym mhob un o'r sgiliau hyn yn cael ei fesur (gweler disgrifyddion band cyffredinol Band 5 ar gyfer AA1 UG).

▶ **Dyma eich tasg newydd:** isod mae ateb is na'r cyffredin a gafodd ei ysgrifennu'n ymateb i gwestiwn sy'n gofyn am archwilio pedair egwyddor weithredol Fletcher. Mae'n amlwg yn ateb is na'r cyffredin ac felly byddai tua band 2. Yn y lle cyntaf, bydd yn ddefnyddiol i chi ystyried beth sydd ar goll o'r ateb a beth sy'n anghywir. Y tro hwn does dim rhestr gyda'r ateb i'ch helpu. Wrth ddadansoddi gwendidau'r ateb, gweithiwch mewn grŵp a dewiswch bum pwynt o'r rhestr er mwyn gwella'r ateb hwn a'i gryfhau. Yna ysgrifennwch eich ychwanegiadau, pob un mewn paragraff clir, gan gofio egwyddorion esbonio gyda thystiolaeth a/neu enghreifftiau.

Ateb

Gwnaeth Fletcher bedwar gosodiad am sut byddai ei ddamcaniaeth yn gweithio yn ymarferol.

I ddechrau, roedd yn rhaid iddo fod yn ateb da. Er enghraifft, does dim pwynt awgrymu wrth rywun sydd wedi colli rhywbeth y dylai brynu un arall os does dim arian ganddo.

Yn ail, mae'r ateb yn dibynnu'n llwyr ar eich ffydd ac nid ar weithredu. Yr hyn rydych chi'n ei gredu sy'n bwysig.

Yn drydydd, mae bob amser yn berthynol sy'n golygu y bydd eich penderfyniad yn dibynnu bob tro ar y sefyllfa ac nid ar reol.

Yn olaf, mae'n gwneud yn siŵr mai'r peth pwysicaf yw'r person neu'r bobl dan sylw.

Sgiliau allweddol

Mae gwybodaeth yn ymwneud â:

Dewis ystod o wybodaeth (drylwyr) gywir a pherthnasol sydd â chysylltiad uniongyrchol â gofynion penodol y cwestiwn.

Mae hyn yn golygu eich bod yn dewis y wybodaeth gywir sy'n berthnasol i'r cwestiwn a osodwyd NID y maes pwnc. Bydd angen i chi feddwl a chanolbwyntio ar ddewis gwybodaeth allweddol ac NID ysgrifennu popeth yr ydych chi'n ei wybod am y maes pwnc.

Mae dealltwriaeth yn ymwneud ag:

Esboniad helaeth, gan ddangos dyfnder a/neu ehangder gyda defnydd rhagorol o dystiolaeth ac enghreifftiau gan gynnwys (lle y bo'n briodol) defnydd trylwyr a chywir o destunau cysegredig, ffynonellau doethineb a geirfa arbenigol.

Mae hyn yn golygu y gallwch ddangos eich bod yn deall rhywbeth drwy egluro ac ehangu eich pwyntiau gan ddefnyddio enghreifftiau/tystiolaeth gefnogol mewn ffordd bersonol ac NID ailadrodd darnau o werslyfr (sef dysgu ar y cof).

Cymhwyso sgiliau ymhellach:

Ewch drwy'r meysydd pwnc yn yr adran hon a lluniwch rai rhestri bwled o bwyntiau allweddol o feysydd allweddol. Ar gyfer pob un, rhowch fwy o fanylion ac esboniwch fwy drwy ddefnyddio tystiolaeth ac enghreifftiau.

Mae'r adran hon yn cwmpasu cynnwys a sgiliau AA2

Cynnwys y fanyleb

I ba raddau y mae Moeseg Sefyllfa yn hyrwyddo cyfiawnder.

Materion i'w dadansoddi a'u gwerthuso

I ba raddau y mae Moeseg Sefyllfa yn hyrwyddo cyfiawnder

Byddai rhai'n dadlau bod Moeseg Sefyllfa yn hyrwyddo mwy o gyfiawnder mewn cymdeithas yn gyffredinol. Mae hyn oherwydd bod pob sefyllfa yn cael ei hystyried ar wahân, sy'n wahanol i ddamcaniaethau absoliwt lle mae'n rhaid i berson ddilyn rheolau. Er enghraifft, efallai byddai erthyliad yn cael ei ganiatáu yn ôl Moeseg Sefyllfa pe bai'r erthyliad yn weithred o gariad anhunanol. Ond yn y Ddeddf Naturiol ni fyddai'n cael ei ganiatáu gan ei fod yn mynd yn erbyn y gofyniad cynradd o atgenhedlu, a byddai rhai yn ystyried bod hyn yn anghyfiawn.

Hefyd, gallai rhai ddadlau y byddai defnyddio Moeseg Sefyllfa yn annog pobl i weithredu'n anhunanol ac i roi pobl eraill yn gyntaf. Byddai hyn yn creu cymdeithas decach drwyddi draw. Byddai Fletcher yn dadlau hefyd y byddai gweithredu yn y fath fodd yn sicrhau cyfiawnder, gan fod un o'r chwe egwyddor sylfaenol yn datgan 'mai cariad wedi'i ddosbarthu yw cyfiawnder'.

Gan fod Moeseg Sefyllfa yn ddamcaniaeth ganlyniadaethol, mae'n rhaid i ni ystyried unrhyw ganlyniadau posibl cyn gweithredu. Felly byddai rhai'n dadlau bod hyn yn gwneud i ni ystyried yn ofalus effaith ein gweithredoedd ar eraill cyn eu cyflawni. Ni all hynny ond hyrwyddo diben cyfiawn.

Dadl arall yw pe bai pobl yn defnyddio Moeseg Sefyllfa fel sail ar gyfer gwneud penderfyniadau moesol, yna dylai pob un weithredu mewn ffordd gariadus tuag at bawb gan fod un o'r chwe egwyddor sylfaenol yn datgan 'mae cariad yn ewyllysio daioni pobl eraill, heb ystyried teimladau'. Ni fyddai lle i ragfarn na gwahaniaethu. Mae hyn yn golygu byddai pobl mewn gwirionedd yn trin dieithryn yn yr un modd ag y maen nhw'n trin aelod o'r teulu.

Fodd bynnag, gallai fod ffordd arall o resymu. Heb reolau moesol absoliwt, byddai llawer o bobl yn ofni y byddai caos llwyr a dim rheolaeth gyffredinol dros weithredoedd pobl. Mae mabwysiadu ymagwedd berthynolaidd at foeseg yn golygu bod yr hyn sy'n 'gywir' yn newid drwy'r amser. O ganlyniad mae llawer o bobl yn ansicr beth yw'r peth 'cywir' i'w wneud. Bydd hyn felly yn sicr o arwain at ddryswch ac yn golygu y bydd anghyfiawnderau.

Byddai llawer hefyd yn dweud bod y syniad o 'gariad' yn rhywbeth goddrychol, gan y gall yr hyn sy'n cael ei ystyried yn weithred gariadus anhunanol fod yn wahanol i bobl wahanol. Er enghraifft, gall rhai pobl ddadlau bod ewthanasia yn weithred o gariad anhunanol ond byddai eraill yn dadlau mai'r gwrthwyneb ydyw ac nad yw lladd 'trugarog' yn drugarog o gwbl.

Pwynt arall i wrthwynebu Moeseg Sefyllfa yw na all pobl ragweld canlyniadau yn fanwl gywir. Gallai'r hyn rydyn ni'n credu fyddai'n achosi canlyniadau cariadus arwain at ganlyniadau anghariadus mewn gwirionedd. Mewn llyfr gafodd ei gyhoeddi yn 1971, *Ethics in a Permissive Society*, cyflwynodd Barclay bryderon am ddamcaniaeth Moeseg Sefyllfa. Doedd dim amheuaeth gan Barclay am natur sensitif a deallus *agape*: 'Yn amlwg, pan ydyn ni'n diffinio cariad fel hyn, mae cariad yn beth deallus dros ben'. Fodd bynnag, barn Barclay oedd y byddai anghydfod bob amser ynghylch beth mewn gwirionedd yw'r peth mwyaf cariadus i'w wneud a beth yn union mae hyn yn ei olygu yn ymarferol.

Mae hefyd yn hynod o annhebygol y bydden ni'n gweithredu yn yr un ffordd ac yn dangos yr un faint o gariad at 'ddieithryn' ag y bydden ni at ein priod neu ein plant ein hunain, er bod Moeseg Sefyllfa yn awgrymu'r gwrthwyneb. Mae rhwymau a dyletswyddau emosiynol amlwg sy'n ein clymu wrth ein perthnasau a'n ffrindiau yn fwy nag wrth ddieithriaid, a bydd y rheini yn ddi-os yn dylanwadu ar y penderfyniadau rydyn ni'n eu gwneud.

Gweithgaredd AA2
Dadleuon posibl

Wedi'u rhestru isod mae rhai casgliadau y byddai'n bosibl dod iddynt ar sail rhesymeg AA2 yn y testun cysylltiedig:

1. Mae Moeseg Sefyllfa yn hyrwyddo cyfiawnder gan ei bod yn hyblyg.
2. Mae Moeseg Sefyllfa yn hyrwyddo cyfiawnder gan ei bod yr un peth â chariad yn ôl Fletcher.
3. Nid yw Moeseg Sefyllfa yn hyrwyddo cyfiawnder gan ei bod yn rhy ddibynnol ar yr unigolyn ac nid yw'n canolbwyntio ar y gymdeithas.
4. Nid yw Moeseg Sefyllfa yn hyrwyddo cyfiawnder gan na fydd neb yn gallu cytuno am y dull mwyaf cariadus o weithredu.
5. Gall Moeseg Sefyllfa hyrwyddo cyfiawnder ond mae'n rhaid ei chymhwyso yn ofalus iawn ac yn feddylgar er mwyn iddi weithio.

Ystyriwch bob un o'r casgliadau sy'n cael eu gwneud uchod a chasglwch dystiolaeth ac enghreifftiau i gefnogi pob dadl o'r deunydd AA1 ac AA2 a astudiwyd yn yr adran hon. Dewiswch un casgliad sy'n argyhoeddi fwyaf yn eich barn chi ac esboniwch pam mae hyn yn wir. Nawr cyferbynnwch hyn â'r casgliad gwannaf ar y rhestr, gan gyfiawnhau eich dadl gyda rhesymu clir a thystiolaeth.

I gloi, mae adegau amlwg pan mae Moeseg Sefyllfa yn berswadiol iawn ac mae enghreifftiau perswadiol a phendant o ble y gallai hyrwyddo cyfiawnder. Ond, mae peryglon hefyd gan nad oes rheoli ansawdd cyffredinol heblaw syniad cadarnhaol am allu a natur bodau dynol i gyflwyno cyfiawnder drwy gariad. Byddai person sinigaidd yn dweud nad yw hyn yn ymarferol o gwbl, a gall yr hanesydd ddadlau bod hanes yn dangos i ni nad yw'n gallu digwydd byth. Efallai fod Moeseg Sefyllfa yn fwy defnyddiol fel offeryn personol ar gyfer moeseg yn hytrach na rheol gymdeithasol gynhwysfawr?

Effeithiolrwydd Moeseg Sefyllfa wrth ymdrin â materion moesegol

Byddai'n bosibl dadlau bod Moeseg Sefyllfa, oherwydd mai damcaniaeth berthynolaidd ydyw, yn ddigon hyblyg ac ymarferol i ymdrin â materion moesegol. Mae'n cymryd cymhlethdodau bywyd dynol (y sefyllfa) i ystyriaeth. Mae'n gallu gwneud penderfyniadau anodd lle, o safbwynt deddfolaethol, mae pob gweithred yn ymddangos yn anghywir. Mae'n effeithiol felly wrth gynnwys y penodol yn hytrach na chymhwyso'r cyffredinol.

Dadl arall efallai yw bod Moeseg Sefyllfa yn caniatáu i bobl y rhyddid a'r cyfrifoldeb unigol i wneud penderfyniadau drostyn nhw eu hunain. Byddai llawer o bobl heddiw yn dewis hyn yn hytrach na'r ymagwedd ragnodol a deddfolaethol. Mae'n helpu pobl i weld persbectif rhywun arall a hefyd i dyfu mewn ymwybyddiaeth foesol.

Yn wir, mae egwyddor *agape* yn golygu cariad 'anhunanol', hynny yw rhoi pobl eraill yn gyntaf. Dylai hyn sicrhau tegwch a chyfiawnder. Hynny yw, mae'n rhoi pobl cyn deddfau a dyma hanfod gofal moesegol.

Hefyd byddai'n bosibl awgrymu mai canlyniadau gweithred foesegol sy'n bwysig. Felly byddai'n rhaid i bobl ystyried canlyniadau tebygol eu gweithredoedd cyn eu gwneud. Dim ond wedyn bydd y canlyniadau'n effeithiol ar gyfer llesiant dynol.

Mewn cyferbyniad â hyn, roedd William Barclay yn beirniadu'r enghreifftiau amrywiol gan Fletcher lle mae gweithred sydd i fod yn anfoesol yn atal anfoesoldebau pellach. Sail beirniadaeth Barclay oedd nad gweithredoedd o'r fath oedd yr unig bosibiliadau i atal anfoesoldeb pellach, ac yn sicr fydden nhw ddim yn gwarantu'r diben a fwriadwyd. Unwaith eto, mae'n ymddangos mai'r annormal neu'r anghyffredin sydd wrth wraidd damcaniaeth foeseg Fletcher.

Er gwaethaf hyn, heb reolau absoliwt gallai fod posibilrwydd o gael caos moesol am lawer o resymau. Er enghraifft, drwy ddefnyddio perthynoliaeth, rydyn ni'n deall bod syniadau am ba weithred sy'n 'gywir' yn newid drwy'r amser. Pan mae pethau'n newid maen nhw fel arfer yn dechrau gyda niferoedd bach ac yna'n lledaenu i ddylanwadu ar y boblogaeth. Bydd hyn yn golygu bod sawl syniad am yr hyn sy'n 'gywir' yn cyd-fodoli ac yn gwrthdaro.

Un feirniadaeth gref o Foeseg Sefyllfa yw bod perthynoliaeth yn rhoi gormod o ryddid i'r unigolyn benderfynu pa gamau i'w cymryd. Mae bodau dynol yn tueddu i wneud camgymeriadau neu ddod dan ddylanwad budd personol yn hytrach na chariad. Wrth gymhwyso hyn at faterion moesegol, nid yw o reidrwydd yn wir mai safbwynt personol yw'r un gorau bob amser. Mae angen llai o ddylanwad ac ymglymiad emosiynol ar faterion moesegol, a mwy o feddwl rhesymegol.

I grynhoi, mae Barclay yn cydnabod gwerth ymagwedd sefyllfaolaethol yn y ffordd mae'n atgoffa pobl i fod yn fwy hyblyg wrth gymhwyso rheolau a deddfau moesol. Fodd bynnag, 'byddai'n dda i ni gofio mai ar ein menter ein hunain rydyn ni'n torri rhai deddfau'. Serch hynny, un wers ardderchog gan Foeseg Sefyllfa, yn ôl Barclay, yw ei bod yn dysgu ac yn annog cydymdeimlad ac yn peidio â chefnogi hunangyfiawnder wrth wynebu dilemâu moesol. Ond dydy hyn ddim yn golygu o gwbl y dylai gymryd lle dysgeidiaethau a rheolau sydd wedi cael eu sefydlu.

Cynnwys y fanyleb

Effeithiolrwydd Moeseg Sefyllfa wrth ymdrin â materion moesegol.

Gweithgaredd AA2
Dadleuon posibl

Wedi'u rhestru isod mae rhai casgliadau y byddai'n bosibl dod iddynt ar sail rhesymeg AA2 yn y testun cysylltiedig:

1. Mae Moeseg Sefyllfa yn effeithiol wrth ymdrin â materion moesegol ac mae'n gallu cael ei defnyddio yn ei hystyr lawnaf.
2. Mae Moeseg Sefyllfa yn effeithiol wrth ymdrin â materion moesegol ond nid wrth ddisodli'r gyfraith neu ddysgeidiaethau crefyddol sydd wedi sefyll prawf amser.
3. Mae Moeseg Sefyllfa yn effeithiol wrth helpu systemau moesegol eraill i ymdrin â materion moesegol oherwydd ei phwyslais ar empathi.
4. Nid yw Moeseg Sefyllfa yn effeithiol wrth ymdrin â materion moesegol oherwydd ei bod yn rhy oddrychol.
5. Nid yw Moeseg Sefyllfa yn effeithiol wrth ymdrin â materion moesegol oherwydd ei bod yn hyrwyddo caos ac anarchiaeth.

Ystyriwch bob un o'r casgliadau sy'n cael eu gwneud uchod a chasglwch dystiolaeth ac enghreifftiau i gefnogi pob dadl o'r deunydd AA1 ac AA2 a astudiwyd yn yr adran hon. Dewiswch un casgliad sy'n argyhoeddi fwyaf yn eich barn chi ac esboniwch pam mae hyn yn wir. Nawr cyferbynnwch hyn â'r casgliad gwannaf ar y rhestr, gan gyfiawnhau eich dadl gyda rhesymu clir a thystiolaeth.

Yn gyffredinol, roedd hon yn feirniadaeth ddeifiol o'r moesoldeb newydd gan Barclay. Ei safbwynt ef oedd bod moesoldeb Fletcher yn rhy beryglus i'r gymdeithas gyfan. Yn ôl Barclay, mae rhai egwyddorion moesol sy'n absoliwt a bob amser yn foesol dda. Fodd bynnag, roedd Barclay'n cyfaddef nad oedd rhai egwyddorion absoliwt bob amser yn absoliwt wrth eu cymhwyso, yn enwedig mewn amgylchiadau eithafol. Fodd bynnag, mae amgylchiadau o'r fath 'mor brin fel na fyddan nhw byth yn cyfiawnhau amau holl wead y gyfraith'.

I gloi, mae Moeseg Sefyllfa yn gallu bod yn effeithiol wrth ymdrin â materion moesol ond dydy hyn ddim yn golygu y dylen ni ei dilyn yn llwyr. Mae Barclay'n gwneud pwynt dilys wrth ddangos yr hyn rydyn ni'n gallu ei ddysgu gan Foeseg Sefyllfa, ac efallai mai'r ffordd ymlaen yw i systemau deontolegol fyfyrio ar hyn a cheisio addasu drwy hynny.

Sgiliau allweddol

Mae dadansoddi'n ymwneud â nodi materion sy'n cael eu codi gan y deunyddiau yn adran AA1, ynghyd â'r rhai a nodwyd yn adran AA2, ac mae'n cyflwyno safbwyntiau cyson a chlir, naill ai gan ysgolheigion neu safbwyntiau personol, yn barod i'w gwerthuso.

Mae hyn yn golygu ei fod yn nodi pethau allweddol i'w trafod a'r dadleuon sy'n cael eu cyflwyno gan eraill neu o safbwynt personol.

Mae gwerthuso'n ymwneud ag ystyried goblygiadau amrywiol y materion sy'n cael eu codi, yn seiliedig ar y dystiolaeth a gafwyd wrth ddadansoddi ac mae'n rhoi dadl fanwl eang gyda chasgliad clir.

Mae hyn yn golygu bod yr ateb yn pwyso a mesur y dadleuon amrywiol a gwahanol a gafodd eu dadansoddi drwy roi sylwadau ac ymateb unigol, gan ddod i gasgliad drwy broses rhesymu clir.

Datblygu sgiliau AA2

Nawr mae'n bryd ystyried y wybodaeth sydd wedi'i chyflwyno hyd yma. Hefyd mae'n bwysig ystyried sut mae'r hyn rydych chi wedi'i ddysgu hyd yma'n gallu cael ei ddefnyddio ar gyfer atebion arholiad drwy ymarfer y sgiliau sy'n gysylltiedig ag AA2.

Mae Amcan Asesu 2 (AA2) yn ymwneud â 'dadansoddi' a 'gwerthuso'. Efallai fod ystyr y termau'n amlwg ond mae'n hanfodol eich bod yn gyfarwydd â sut mae sgiliau penodol yn dangos y rhain, a hefyd, sut bydd eich perfformiad ym mhob un o'r sgiliau hyn yn cael ei fesur (gweler disgrifyddion band cyffredinol Band 5 ar gyfer AA2 UG).

Yn amlwg mae ateb yn cael ei osod mewn disgrifydd band priodol, yn ôl pa mor dda yw'r ateb, gan amrywio o ragorol, da, boddhaol, sylfaenol/cyfyngedig i gyfyngedig iawn.

▶ **Dyma eich tasg newydd:** isod mae ateb is na'r cyffredin a gafodd ei ysgrifennu'n ymateb i gwestiwn sy'n gofyn am werthuso a yw Moeseg Sefyllfa yn hyrwyddo cyfiawnder. Mae'n amlwg yn ateb is na'r cyffredin ac felly byddai tua band 2. Yn y lle cyntaf, bydd yn ddefnyddiol i chi ystyried beth sydd ar goll o'r ateb a beth sy'n anghywir. Y tro hwn does dim rhestr gyda'r ateb i'ch helpu. Wrth ddadansoddi gwendidau'r ateb, gweithiwch mewn grŵp a dewiswch bum pwynt o'r rhestr er mwyn gwella'r ateb hwn a'i gryfhau. Yna ysgrifennwch eich ychwanegiadau, pob un mewn paragraff clir. Cofiwch, y ffordd rydych chi'n defnyddio'r pwyntiau yw'r ffactor pwysicaf. Defnyddiwch egwyddorion gwerthuso gan wneud yn siŵr eich bod: yn nodi'r materion yn glir; yn cyflwyno safbwyntiau eraill yn gywir, gan wneud yn siŵr eich bod yn gwneud sylwadau ar y safbwyntiau rydych yn eu cyflwyno; yn dod i farn bersonol gyffredinol. Gallwch ychwanegu rhagor o'ch awgrymiadau eich hun, ond ceisiwch drafod fel grŵp a blaenoriaethu'r pethau pwysicaf i'w hychwanegu.

Ateb

Mae Moeseg Sefyllfa yn hyrwyddo cyfiawnder yn ôl rhai pobl oherwydd mae'n dosturiol ac yn meddwl am bobl eraill.

Hefyd mae'n caniatáu ar gyfer gwahaniaethau barn ac yn parchu safbwyntiau pobl eraill. Mae hyn yn arwain at bobl sy'n fwy goddefgar a ddim yn dadlau â'i gilydd gan eich bod wir yn gwneud eich peth eich hun.

Ond nid yw rhai pobl yn ei hoffi fel system, gan ei bod yn ymddangos yn rhy lac ac yn caniatáu unrhyw beth, gan gynnwys ymddygiad moesol ac anghyfiawnder. Mae pobl o'r fath yn dadlau bod pobl yn ddrwg, bod angen eu rheoli ac na ddylen nhw gael eu gollwng yn rhydd i'r gymdeithas.

C: Moeseg Sefyllfa Fletcher: cymhwyso'r ddamcaniaeth

Cymhwyso Moeseg Sefyllfa Fletcher at berthnasoedd cyfunrywiol a pherthnasoedd amlgarwriaethol

Fletcher ar gyfunrywioldeb a pherthnasoedd rhywiol

Nid yn unig roedd Fletcher yn esboniwr crefyddol, ond hefyd roedd yn ymddiddori mewn materion o anghyfiawnder cymdeithasol. Roedd yn ysgrifennu ar adeg pan oedd **cyfunrywioldeb** yn anghyfreithlon. Yn 1960 ysgrifennodd bapur academaidd o'r enw '*Sex offenses: an ethical view*' lle y dywedodd: 'Mae rhai mathau o weithgaredd rhywiol yn gysylltiedig yn hanesyddol ac yn draddodiadol â chyfraith droseddol, megis ... cyfunrywioldeb.' Roedd Fletcher yn anhapus ag ymagwedd anghyson y llywodraeth, ac roedd yr Eglwys wedi dylanwadu ar bolisïau mewn materion fel moesoldeb ers amser maith. Roedd e'n anhapus gyda'r Eglwys hefyd oherwydd ei hymagwedd at faterion yn ymwneud â rhywioldeb a rhyw yn gyffredinol. Ei ddadl oedd: 'Mae'r polisi Eingl-Americanaidd wedi bod yn un dryslyd ac anghyson, yn tueddu at ddeddfau llythyren-farw a rhagrith. Yn Lloegr, mae diwygwyr y gyfraith yn ystyried ei fod yn rhyfedd nad yw godineb a phuteindra yn droseddau tramgwyddol; nad yw cyfunrywioldeb rhwng benywod yn drosedd chwaith, er ei bod yn drosedd rhwng dynion.'

Roedd e'n dadlau bod deddfau ac agweddau dynol tuag at ryw a chyfunrywioldeb yn hen ffasiwn, yn anghyson, yn rhagfarnllyd ond, yn bwysicach, yn anghyfiawn. Er na ddyfynnodd o'r Beibl, na chyfeirio at Foeseg Sefyllfa, fe'i gwnaeth yn gwbl glir nad oedd trin pobl â rhagfarn a gwahaniaethu yn eu herbyn ar sail eu rhywioldeb yn ymagwedd gyfreithiol gywir, heb sôn am un Gristnogol, a bod angen ei diwygio.

Tynnodd Fletcher sylw at y ffaith fod **Adroddiad Wolfenden** yn ymwneud â deddfau o safbwynt ymddygiad cyhoeddus a phreifat, ac nad oedd yn barnu yn ôl moesoldeb. Mae Adroddiad Wolfenden yn dweud: 'Ni ddylai fod yn ddyletswydd ar y gyfraith i ymboeni am faterion o anfoesoldeb fel y cyfryw ... dylai'r gyfraith ei chyfyngu ei hun i'r gweithgareddau hynny sy'n troseddu yn erbyn y drefn a gwedduster cyhoeddus, neu sy'n gwneud y dinasyddion cyffredin yn agored i'r hyn sy'n dramgwyddus neu'n peri niwed.'

Roedd Fletcher yn dadlau bod unrhyw ddeddf sy'n seiliedig ar ragdybiaeth o 'bechod' ymddangosiadol yn annibynadwy ac yn ddadleuol. Dyma lle y dyfynnodd ei ddaliad adnabyddus o Foeseg Sefyllfa, sef gofal am eich cymydog: 'Nid oes syniad yma y dylai moeseg, p'un ai'n grefyddol neu beidio, gael ei gwahanu oddi wrth gymdeithas ac arfer cymdeithas. I'r gwrthwyneb, mae moeseg bob amser yn cyfyngu ar ryddid unigol neu breifat drwy ei osod yn ail i'r budd cymdeithasol neu gyhoeddus, sef yn ail i ofal am eich cymydog.' Roedd e'n dadlau hefyd ei bod yn gamgymeriad gadael i safbwynt crefyddol neu athronyddol penodol, sy'n seiliedig ar yr hyn mae'n ei ystyried yn drosedd neu'n 'bechod', reoli a ffurfio'r gyfraith: 'Mae pechod eisoes wedi'i ysgaru oddi wrth drosedd yn ein diwylliant plwralaidd, a'r unig sancsiwn gwirioneddol ar gyfer cyfraith droseddol yw'r budd cyffredin, trefn gyhoeddus, neu'r daioni torfol.'

Er i Fletcher gydnabod, a derbyn i ryw raddau, fod y gwahaniaeth rhwng hoffter personol drwy ryddid, a gweithredoedd cyhoeddus sy'n effeithio ar ryddid pobl eraill, yn niwlog, dadleuodd y dylai hyn gael ei benderfynu'n gyfreithiol, nid ei benderfynu gan faterion crefyddol. Mae hyn yn gadael rhywfaint o le i ddewis a rhyddid personol. 'Mae rhyw ffin rhwng bodolaeth bersonol a bod yn aelod o gymdeithas. Mae rhywfaint o ystod ar gyfer dewis preifat a hoffter personol.'

Casgliad Fletcher oedd y dylai deddfau rhyw gael eu cyfyngu gan dri maen prawf: oedran cydsynio; tresmasu ar wedduster cyhoeddus; gweithredoedd sy'n cynnwys ymosodiad, trais, gorfodaeth neu dwyll.

Mae'r adran hon yn cwmpasu cynnwys a sgiliau AA1

Cynnwys y fanyleb

Cymhwyso Moeseg Sefyllfa Fletcher at berthnasoedd cyfunrywiol a pherthnasoedd amlgarwriaethol.

Termau allweddol

Adroddiad Wolfenden: ymchwiliad wedi'i gychwyn gan y llywodraeth i archwilio problemau puteindra a chyfunrywioldeb, a gafodd ei gyhoeddi yn y pen draw yn 1957

Cyfunrywiol: cael eich denu'n rhywiol at bobl o'r un rhyw â chi

Dyfyniad allweddol

Mae ystod a chymhlethdod y deddfau rhyw sydd 'ar y llyfrau' ar hyn o bryd yn dystiolaeth o'r ddeddfwriaeth dafod-yn-y-boch ac o'r dwyllresymeg 'waharddiadol'. **(Fletcher)**

Dyfyniad allweddol

Dim ond cymdeithas sydd â sail ideolegol rydd a phlwralaidd a all ffurfio ei hegwyddorion neu ei barnau moesol ynglŷn â'r hyn sy'n gywir ac anghywir, a gorfodi ei safonau drwy arfau cyfreithiol. Mae gan y gymdeithas yr hawl i'w gwarchod ei hun rhag y perygl oddi mewn ac oddi allan, ac nid i orfodi safon fonistig a monopoli o ymddygiad personol (yn yr ystyr preifat). **(Fletcher)**

cwestiwn cyflym

3.10 Ai dim ond mewn materion crefyddol yr oedd gan Fletcher ddiddordeb?

Alan Turing

Rydyn ni'n dechrau ein hystyriaeth o gyfunrywioldeb a pherthnasoedd **amlgarwriaethol** gyda hanes anghyfiawnder cymdeithasol. Cafodd Alan Turing ei erlyn am gyfunrywioldeb o dan gyfraith yr adeg honno ac, wrth edrych yn ôl, mae'r awdurdod llywodraethu wedi cydnabod bellach fod y gyfraith honno yn afresymol.

Mae'r ffilm *The Imitation Game* a ddaeth allan yn 2014 yn adrodd hanes Alan Turing (1912–1954). Roedd Turing yn ddyn hynod o ddeallus, mathemategydd disglair. Hefyd mae'n cael ei gydnabod yn eang fel tad cyfrifiadureg ddamcaniaethol a deallusrwydd artiffisial. Yn ystod yr Ail Ryfel Byd, roedd Turing yn gweithio yng nghanolfan datrys codau Prydain yn Bletchley Park, wedi'i ymrestru gan y llywodraeth i dorri seiffrau Almaenig. Llwyddodd Turing i greu peiriant oedd yn gallu torri'r codau wedi'u cynhyrchu gan y peiriannau Enigma. Mae wedi cael ei amcangyfrif bod y rhyfel yn Ewrop hyd at bedair blynedd yn fyrrach, gan arbed miloedd o fywydau, o ganlyniad i'w waith ef.

Alan Turing 1912–1954

Wedi'r rhyfel yn 1952, pan oedd yn gweithio ym Mhrifysgol Manceinion, cafodd Turing ei arestio a'i erlyn am weithredoedd cyfunrywiol. Ar yr adeg honno, roedd gweithredoedd cyfunrywiol yn cael eu hystyried yn weithredoedd troseddol. Llwyddodd Turing i osgoi dedfryd hir o garchar drwy dderbyn triniaeth feddygol a oedd mewn gwirionedd yn cyfateb i ysbaddiad cemegol. Roedd llawer yn credu bod hyn yn 'gwella' cyfunrywioldeb. Mewn iechyd gwael oherwydd effeithiau'r driniaeth, yn feddyliol ac yn gorfforol, bu farw Turing ddwy flynedd yn ddiweddarach o effeithiau gwenwyno cyanid. Er bod cwest wedi penderfynu mai hunanladdiad ydoedd, mae wedi cael ei ddangos hefyd y gallai'r dystiolaeth awgrymu gwenwyno damweiniol.

Er bod gweithredoedd cyfunrywiol wedi bod yn gyfreithiol ers 1967, ac er gwaethaf gorffennol arwrol Turing, nid tan 2009 yr ymddiheurodd Gordon Brown, y Prif Weinidog, yn gyhoeddus am 'y ffordd ddychrynllyd y cafodd Turing ei drin'. Yn 2013, rhoddodd y Frenhines Elizabeth II bardwn ar ôl marwolaeth i Alan Turing.

cwestiwn cyflym

3.11 Pam roedd Fletcher yn gwrthwynebu ymagwedd yr Eglwys at foeseg rywiol?

Term allweddol

Amlgarwriaethol: cael perthynas rywiol (gariadus) gyda mwy nag un unigolyn lle mae'r partneriaid i gyd yn gwybod ac yn cydsynio

Dyfyniad allweddol

Dim ond pellter byr y gallwn weld o'n blaenau, ond gallwn weld digon yno mae angen ei wneud. (Turing)

cwestiwn cyflym

3.12 Pam mae hanes Alan Turing yn arwyddocaol?

Gweithgaredd AA1

Dychmygwch mai chi yw Joseph Fletcher. Ysgrifennwch lythyr at y Prif Weinidog yn esbonio pam mae cyfiawnhad dros roi ymddiheuriad cyhoeddus i Alan Turing ar ôl ei farwolaeth.

Awgrym astudio

Wrth ateb cwestiwn am foeseg gymhwysol, dylech chi ddefnyddio unrhyw ddeunydd cefndir yn ofalus ac yn ddetholus i egluro'r pwynt rydych chi'n ei wneud wrth ganolbwyntio ar y cwestiwn. Peidiwch â llithro i mewn i'r 'dull naratif'.

Mae cyfunrywioldeb a pherthnasoedd amlgarwriaethol, p'un ai'n heterorywiol neu'n gyfunrywiol, wedi bodoli mor bell yn ôl mewn hanes ag y gallwn ni fynd. O ystyried hyn, mae'n syndod mai dim ond yn gymharol ddiweddar mae'r deddfau sy'n ymwneud â phobl gyfunrywiol wedi cael eu llacio yn y system gyfreithiol orllewinol.

Yn ystod yr 1950au sefydlwyd pwyllgor i ymchwilio i'r materion a'r 'problemau cymdeithasol' oedd yn gysylltiedig â phuteindra a chyfunrywioldeb. Roedd y pwyllgor yn cynnwys barnwr, seiciatrydd, academydd a diwinyddion amrywiol. Cyhoeddwyd eu canfyddiadau, Adroddiad Wolfenden, yn 1957.

Prif gasgliad yr adroddiad am gyfunrywioldeb oedd y byddai'n anghywir i gyfraith droseddol ymyrryd yn yr hyn roedd pobl yn ei wneud ym mhreifatrwydd eu cartrefi eu hunain. Felly, dylai oedolion sy'n cydsynio gael y rhyddid i archwilio eu rhywioldeb.

Gwrthdystiad Gay Pride yn Llundain

Yn ôl yr adroddiad: '... oni bai fod ymdrech fwriadol yn cael ei gwneud gan y gymdeithas drwy gyfrwng y gyfraith i gyfystyru maes trosedd â maes pechod, mae'n rhaid bod agwedd ar fywyd preifat sy'n aros, yn fyr, heb fod yn fusnes y gyfraith.'

Fodd bynnag, roedd yn rhaid aros 10 mlynedd arall, o dan lywodraeth fwy rhyddfrydig, cyn i'r argymhellion hyn ddod i rym ar 28 Gorffennaf 1967. Roedd hyn yn ganlyniad i bwysau mawr gan sawl elfen o ddylanwad cyhoeddus, oedd yn teimlo bod dynion cyfunrywiol yn arbennig eisoes yn cael eu gwatwar a'u dirmygu.

Er hynny, roedd llawer yn dal i ystyried cyfunrywioldeb fel anabledd neu gyflwr oedd yn dwyn baich cywilydd. Ers 1967, a welodd y cyhoedd a'r llywodraeth yn cydnabod hawliau pobl gyfunrywiol, bu sawl datblygiad yn y gyfraith:

1. 1967: yr oedran cydsynio gafodd ei osod i ddynion cyfunrywiol oedd 21.
2. 1994: gwnaeth y Ddeddf Cyfiawnder Troseddol a Threfn Gyhoeddus ostwng oedran cydsynio i 18.
3. 2000: cafodd Deddf y Senedd ei defnyddio i sicrhau bod Deddf Troseddau Rhywiol (Diwygiad) 2000 yn pasio – roedd hyn yn newid oedran cydsynio i 16 (17 yng Ngogledd Iwerddon i ferched) ar gyfer dynion cyfunrywiol a lesbiaid.
4. 2003: yn y Ddeddf Troseddau Rhywiol cafwyd archwiliad llwyr o'r gweithdrefnau hen ffasiwn ar gyfer delio â throseddau rhywiol – o ganlyniad, nid oedd anwedduster dybryd rhwng dynion, sodomiaeth a gweithgaredd rhywiol rhwng mwy na dau ddyn yn droseddau bellach yn y Deyrnas Unedig.
5. 2013: daeth deddfwriaeth ar gyfer priodas pobl o'r un rhyw i rym ar 13 Mawrth.

I grynhoi, yn wreiddiol roedd y ddeddf preifatrwydd yn cael ei hystyried i fod yn hawl ac yn ddeddf a oedd yn torri tir newydd. Ond yn ddiweddarach daeth pobl i'w gweld fel cyfaddefiad o anghytuno. Er mwyn cydnabod hawliau pobl gyfunrywiol yn llawn, roedd angen cydnabod rhyddid mynegiant yn gyhoeddus, o fewn deddfau cwrteisi cyffredin a digamwedd sy'n cael eu cynnig i bob person. Gobeithio dydyn ni ddim yn bell o gyflawni hynny bellach fel cymdeithas.

Perthnasoedd amlgarwriaethol

Mae'r syniad o berthnasoedd amlgarwriaethol (*polyamorous*) wedi bodoli ers amser y Groegiaid. Fodd bynnag, erbyn hyn mae tueddiad cyffredinol i ystyried hyn fel gwyriad moesegol annormal yn hytrach nag arfer derbyniol gwahanol. Mae poblogrwydd y syniad yn tyfu, a byddai rhai'n dadlau ei fod yn ailddiffinio rhywioldeb. Mae perthnasoedd amlgarwriaethol yn golygu nifer o bethau ac maen nhw'n gallu bod yn anffurfiol, tymor byr a heb ymrwymiad, neu maen nhw'n gallu bod yn dymor hir.

Dyfyniad allweddol

... does dim pwynt condemnio rhywun am fod yn gyfunrywiol: nid drwy ddewis y mae rhywun yn cyrraedd y cyflwr hwn ... mae'r person cyfunrywiol, p'un ai bod ef neu hi yn cymryd rhan mewn gweithredoedd cyfunrywiol neu beidio, yn berson sy'n cael ei garu gan Dduw ac y bu farw Crist er ei fwyn. **(Shannon)**

Dyfyniad allweddol

Gan ein bod ni'n byw mewn cymdeithas sy'n llawn monogami, mae'n gwneud synnwyr fod llawer o bobl yn gallu meddwl am ddiffyg monogami dim ond mewn termau sy'n dal yn rhai monogamaidd. Hefyd mae camsyniad cyffredin sy'n mynnu diffinio perthynas amlgarwriaethol yn union fel cytundeb perthynas agored: un cwpl ymroddedig, gydag ychydig o hwyl diniwed yn ychwanegol. **(polyamorousdefinition.com)**

Y broblem gydag unrhyw ddiffiniad yw ei fod yn gosod ffiniau a chyfyngiadau. Mae'n eironig mai dyma beth mae amlgarwriaeth yn ceisio ei osgoi, sef cael ei dosbarthu a'i chyfyngu gyda set arbennig o reolau o ran rhyw a pherthnasoedd!

Mae amlgarwriaeth yn dir peryglus o ran ceisio ei deall ac mewn rhai ffyrdd mae'n haws dweud beth nad ydyw na beth ydyw! Er enghraifft, mae psychology.com yn gwrthod 'twyllo', 'swingio' ac 'amlwreiciaeth' neu 'aml-wriaeth', gan fod llai o bwyslais ar gydsyniad a chariad yn yr enghreifftiau hyn a mwy o sylw ar anonestrwydd a rhyw. Mae'r rhan fwyaf o wefannau am amlgarwriaeth yn ceisio diffinio ei gweithredoedd ac yn eu hesbonio yng nghyd-destun gonestrwydd, parch, cydsyniad a pherthynas gariadus. Maen nhw'n ymdrechu i gadw pellter oddi wrth beth bydden nhw'n eu hystyried yn gyfarfyddiadau â phwrpas rhywiol yn unig fel rhyw didaro, puteindra, godineb a mathau eraill o berthnasoedd rhywiol hierarchaidd.

Mewn cyferbyniad, mae safleoedd fel *Wikipedia* yn nodi llawer o ffurfiau o berthnasoedd amlgarwriaethol sy'n mynd y tu hwnt i'r argymhellion uchod.

Hyd nes y ceir consensws, ni fydd un diffiniad pendant, a'r cyfan y gallwn ni ei gydnabod ar yr adeg hon yw bod llawer yn 'gweithio tuag at' eglurder, drwy drafodaeth. Ar gyfer ein hastudiaeth, fe gymerwn mai'r ddealltwriaeth ddiwylliedig o amlgarwriaeth yw'r un sy'n cael ei diffinio'n bennaf gan gariad ac nid rhyw.

Mae wedi cael ei gynnig bod gwerthoedd wedi'u priodoli i amlgarwriaeth, er mae'n fater o ddadl a yw pob gwerth yn berthnasol i bob ffurf o amlgarwriaeth. Er enghraifft, mae *Wikipedia* yn awgrymu sawl maes, ond mae pump ohonynt sy'n berthnasol i'r hyn y mae gwefannau amlgarwriaeth yn ei ddweud:

1. Ffyddlondeb a theyrngarwch, nid fel neilltuolrwydd rhywiol ond fel ffyddlondeb i'r addewidion a'r cytundebau sydd wedi'u gwneud am berthynas.
2. Cyfathrebu a thrafod – does dim 'model safonol' ar gyfer perthnasoedd amlgarwriaethol, ac felly mae angen trafod â phawb sy'n cymryd rhan i benderfynu ar delerau'r berthynas.
3. Ymddiriedaeth, gonestrwydd, urddas a pharch bob amser.
4. Cydraddoldeb rhywedd a chael gwared ar y ffiniau traddodiadol sy'n gysylltiedig â rolau rhywedd sydd weithiau'n pennu eich ymddygiad.
5. Diffyg meddiangarwch (*possessiveness*), er iddo gael ei gydnabod bod cenfigen a meddiangarwch yn digwydd ac weithiau nid yw'n bosibl eu hosgoi. Ond dylen nhw gael eu harchwilio, eu deall, a'u datrys o fewn pob unigolyn, a'r nod yw cydbersiaeth (*compersion*, sef rhannu llawenydd cyffredin, a'r gwrthwyneb i genfigen).

Dyfyniad allweddol

Dywedodd yr athronydd dadleuol Michael Foucault (1926–1984) hyd yn oed mai dyfais fodern wedi'i llunio er mwyn arfer grym gwleidyddol dros aelodau gwahanol o'r gymdeithas yw'r syniad o 'rywioldeb'. (Wilcockson)

Dyfyniad allweddol

Mae damcaniaeth *queer* yn awgrymu na all fod ffiniau pendant am yr hyn sy'n berthynas rywiol ddilys neu beidio, a does dim hawl gan unrhyw sefydliad i osod ei farn ar eraill; y rhyddid i ddiffinio'ch hun yn ôl eich natur eich hun, beth bynnag yw honno, yw bod yn *queer*. (Wilcockson)

Dyfyniad allweddol

Yn fwyfwy, mae pobl yn honni eu bod yn cychwyn perthynas rywiol fel rhan o'r chwilio am foddhad personol ... Mae rhyw yn cael ei weld yn y cyd-destun hwnnw – fel pleser ynddo'i hun, ond hefyd fel ffordd o fod yn agos at y partner, rhannu mewn modd sy'n cael effaith ar y berthynas drwyddi draw. (Thompson)

Dyfyniad allweddol

Yn ein diwylliant byd allanol, mae cariad rhamantus, rhywiol yn flwch amlwg y mae pob bod dynol i fod yn chwilio amdano. Cawn ein bombardio â'r syniad mai dim ond gydag un person y gallwn ddod o hyd i gariad rhywiol rhamantus, yr enaid hoff, cytûn ... I bobl amlgarwriaethol, rydyn ni wedi diosg y naratif hwn, neu'n ceisio ei wneud. Wrth ollwng y naratif, rydyn ni hefyd yn gollwng y diffiniad cul o gariad rhamantus. Yn sydyn dydy popeth ddim wedi'i ddiffinio mor glir. Gallwch chi garu mewn ffyrdd gwahanol, â dwyster gwahanol a phrofi amrywiaeth o gariad rhamantus a/neu rywiol. Gallwn ni gael profiad o bartneriaid rydyn ni'n eu caru, treulio amser rhamantus gyda nhw ond heb fod yn rhywiol gyda nhw. Gallwn ni gyfarfod cariadon arbennig rydyn ni'n symud i mewn ac yn rhannu ein bywydau gyda nhw, ac eraill efallai rydyn ni'n eu gweld dim ond ddwywaith y flwyddyn. Rydyn ni'n eu caru, maen nhw'n bartneriaid rhamantus neu'n bartneriaid cariad, ond dydyn nhw ddim yn ffitio'r blwch am yr enaid hoff, cytûn, bythol rydyn ni'n gwrthod pawb arall er ei fwyn/ei mwyn. (lovemore.com)

Gweithgaredd AA1

Ysgrifennwch gontract ar gyfer perthynas amlgarwriaethol.

Cymhwyso egwyddorion Fletcher at berthnasoedd cyfunrywiol ac amlgarwriaethol

Mae'n amlwg yng ngwaith Fletcher mai ei safbwynt oedd bod perthnasoedd rhywiol yn fater o ryddid unigol personol wedi'i lywodraethu gan y rheol gofal am eich cymydog. Mae hyn yn cyd-fynd â'i safbwynt na ddylai moeseg gael ei gyrru gan ymagwedd absoliwtaidd, ddeddfolaethol. Dyma'r hyn roedd yn ei alw'n ymagwedd agapeaidd, y 'feistr-egwyddor'.

Cyn ystyried unrhyw agweddau eraill ar Foeseg Sefyllfa, rhaid cydnabod y dylai arferion cyfunrywioldeb ac amlgarwriaeth gael yr un driniaeth, er enghraifft, â pherthynas ag un gŵr neu un wraig, oherwydd dylai'r hyn sy'n gymwys iddyn nhw fod yr un fath i berthynas arall. Fodd bynnag, dydy hyn ddim yn ddeddfolaethol. Yn hytrach, fel y byddai Fletcher yn dadlau, egwyddor *agape* yw'r un peth cyson a'r hyn sy'n gosod Moeseg Sefyllfa ar wahân i antinomiaeth.

Er enghraifft, byddai egwyddor *agape* yn cefnogi'r gyfraith os na fydd yr hyn sy'n cael ei wneud yn breifat neu'n gyhoeddus yn mynd yn groes i'r gyfraith neu hawliau dynol, a hefyd nad yw'n tramgwyddo gwedduster cyhoeddus. Er bod amwysedd ynghylch y pwynt olaf, mater i farnwr a rheithgor fyddai penderfynu arno, nid asiant moesol a bod yn fanwl gywir. Felly, os yw perthynas yn cael ei hystyried yn onest, gyda chydsyniad a chariad, yna does dim rheswm pam, yn ôl egwyddor *agape*, y dylid ystyried bod hyn yn erbyn egwyddorion Cristnogaeth yn ôl Moeseg Sefyllfa Fletcher.

I Foeseg Sefyllfa Fletcher, roedd yn fater o gymhwyso egwyddor *agape* yn unol â'r pedair egwyddor weithredol a'r chwe egwyddor sylfaenol. Eto, byddai ymateb o'r fath yn unol â pherthynoliaeth y gyfraith a'r weithred wirioneddol. Byddai'n ateb ymarferol (pragmatig) sy'n ymwneud â'r bobl dan sylw (personol) ac ni fyddai'n cael ei reoli gan unrhyw dybiaethau moesol parod. Yn olaf, mae'n mynd i'r afael â'r sefyllfa gyda'r gred mewn *agape* fel ei sail, ac mae unrhyw resymu yn dilyn o hyn ac nid yn dod o'i flaen.

Mae'r ymateb hwn felly yn sicrhau ei fod yn cefnogi sail gofal agapeaidd am y 'cymydog' fel sy'n cael ei amlinellu yn y chwe egwyddor: cariad yw'r unig ddaioni, cariad yw prif norm Cristnogaeth, mae cariad yn cyfateb i gyfiawnder, cariad at bawb, mae diben cariadus yn cyfiawnhau'r modd, ac mae cariad yn gwneud penderfyniadau yn sefyllfaol. Yr allwedd yma yw bod derbyn y diben yn gariadus yn cyfiawnhau'r modd a bod cyfiawnder yn fuddugol yn y sefyllfa hon.

Byddai'n anodd iawn gweld bod Moeseg Sefyllfa yn ystyried cyfunrywioldeb ac amlgarwriaeth yn foesol anghywir oni bai, wrth gwrs, fod y gyfraith a hawliau dynol yn cael eu torri. Ond byddai hyn yr un mor wir am berthynas ag un gŵr neu un wraig neu unrhyw berthynas arall wedyn! Yn wir, mae materion cyfunrywioldeb a pherthnasoedd amlgarwriaethol yn gysylltiedig yn benodol â'r syniad o gariad. Felly, yn ôl Moeseg Sefyllfa Fletcher, yr unig asesiad cywir o ddilysrwydd perthnasoedd o'r fath fyddai eu bod yn dderbyniol pe bai'r cariad yn ddidwyll a delfryd *agape* yn cael ei chynnal, wrth gymryd rhan mewn perthynas o'r fath.

cwestiwn cyflym

3.13 Pryd cafodd cyfunrywioldeb ei dad-droseddoli?

Dyfyniad allweddol

Mae'r cwestiwn a yw unrhyw fath o ryw (hetero, homo neu hunan) yn dda neu'n ddrwg yn dibynnu ar a yw cariad yn cael ei briod le. (Fletcher)

Dyfyniad allweddol

Yn fwy na thebyg mae gwir angen bod rhyw yn cael ei wyntyllu'n iawn, cael gwared ar y mythau sydd o'i gwmpas ac ar y syniadau llawn dirgelwch a chyfriniol sydd amdano, ac sy'n dod o ramantiaeth ar y naill law a phiwritaniaeth ar y llall. (Fletcher)

Sgiliau allweddol

Mae gwybodaeth yn ymwneud â:

Dewis ystod o wybodaeth (drylwyr) gywir a pherthnasol sydd â chysylltiad uniongyrchol â gofynion penodol y cwestiwn.

Mae hyn yn golygu eich bod yn dewis y wybodaeth gywir sy'n berthnasol i'r cwestiwn a osodwyd NID y maes pwnc. Bydd angen i chi feddwl a chanolbwyntio ar ddewis gwybodaeth allweddol ac NID ysgrifennu popeth yr ydych chi'n ei wybod am y maes pwnc.

Mae dealltwriaeth yn ymwneud ag:

Esboniad helaeth, gan ddangos dyfnder a/neu ehangder gyda defnydd rhagorol o dystiolaeth ac enghreifftiau gan gynnwys (lle y bo'n briodol) defnydd trylwyr a chywir o destunau cysegredig, ffynonellau doethineb a geirfa arbenigol.

Mae hyn yn golygu y gallwch ddangos eich bod yn deall rhywbeth drwy egluro ac ehangu eich pwyntiau gan ddefnyddio enghreifftiau/tystiolaeth gefnogol mewn ffordd bersonol ac NID ailadrodd darnau o werslyfr (sef dysgu ar y cof).

Cymhwyso sgiliau ymhellach:

Ewch drwy'r meysydd pwnc yn yr adran hon a lluniwch rai rhestri bwled o bwyntiau allweddol o feysydd allweddol. Ar gyfer pob un, rhowch fwy o fanylion ac esboniwch fwy drwy ddefnyddio tystiolaeth ac enghreifftiau.

Datblygu sgiliau AA1

Nawr mae'n bryd ystyried y wybodaeth sydd wedi'i chyflwyno hyd yma. Hefyd mae'n bwysig ystyried sut mae'r hyn rydych chi wedi'i ddysgu hyd yma'n gallu cael ei ddefnyddio ar gyfer atebion arholiad drwy ymarfer y sgiliau sy'n gysylltiedig ag AA1.

Mae Amcan Asesu 1 (AA1) yn ymwneud â dangos gwybodaeth a dealltwriaeth. Mae'r termau 'gwybodaeth' a 'dealltwriaeth' yn amlwg ond mae'n hanfodol eich bod yn gyfarwydd â sut mae sgiliau penodol yn dangos y rhain, a hefyd, sut bydd eich perfformiad ym mhob un o'r sgiliau hyn yn cael ei fesur (gweler disgrifyddion band cyffredinol Band 5 ar gyfer AA1 UG).

▶ **Dyma eich tasg newydd:** isod mae rhestr o nifer o bwyntiau bwled allweddol a gafodd eu hysgrifennu'n ymateb i gwestiwn sy'n gofyn am archwilio cymhwyso Moeseg Sefyllfa at berthnasoedd cyfunrywiol. Mae'n amlwg yn rhestr lawn iawn. Yn y lle cyntaf, bydd yn ddefnyddiol i chi ystyried pa rai yw'r pwyntiau pwysicaf i'w defnyddio wrth gynllunio ateb. Yn y bôn, mae'r ymarfer hwn fel ysgrifennu eich set eich hun o atebion posibl sydd wedi'u rhestru mewn cynllun marcio nodweddiadol fel cynnwys dangosol. Gweithiwch mewn grŵp a dewiswch y pwyntiau pwysicaf i'w cynnwys mewn rhestr o gynnwys dangosol ar gyfer y cwestiwn hwn. Bydd angen i chi benderfynu ar ddau beth: pa bwyntiau i'w dewis; ac yna, ym mha drefn y dylech eu rhoi mewn ateb.

Rhestr o gynnwys dangosol:

- Mae'r dyddiadau allweddol fel cefndir yn cynnwys:
  - 1967: yr oedran cydsynio gafodd ei osod i ddynion cyfunrywiol oedd 21;
  - 1994: gwnaeth y Ddeddf Cyfiawnder Troseddol a Threfn Gyhoeddus ostwng yr oedran cydsynio i 18;
  - 2000: cafodd Deddf y Senedd ei defnyddio i sicrhau bod Deddf Troseddau Rhywiol (Diwygiad) 2000 yn pasio;
  - 2003: yn y Ddeddf Troseddau Rhywiol cafwyd archwiliad llwyr o'r gweithdrefnau hen ffasiwn ar gyfer delio â throseddau rhywiol;
  - 2013: daeth deddfwriaeth ar gyfer priodas pobl o'r un rhyw i rym ar 13 Mawrth.
- Roedd Fletcher yn ymddiddori mewn materion o anghyfiawnder cymdeithasol ac roedd yn ysgrifennu ar adeg pan oedd cyfunrywioldeb yn anghyfreithlon. Yn 1960 ysgrifennodd bapur academaidd o'r enw '*Sex offenses: an ethical view*', ac yn y papur roedd yn feirniadol o'r ddeddfwriaeth.
- Roedd Fletcher yn anhapus â'r ymagwedd anghyson gan y llywodraeth, a hefyd yr Eglwys, tuag at faterion yn ymwneud â rhywioldeb a rhyw yn gyffredinol.
- Roedd e'n dadlau bod deddfau ac agweddau dynol tuag at ryw a chyfunrywioldeb yn hen ffasiwn, yn anghyson, yn rhagfarnllyd ond yn bwysicach, yn anghyfiawn.
- Rhoddodd Fletcher ei gefnogaeth i Adroddiad Wolfenden.
- Roedd Fletcher yn dadlau bod unrhyw ddeddf sy'n seiliedig ar y rhagdybiaeth o 'bechod' ymddangosiadol yn annibynadwy ac yn ddadleuol.
- Roedd e'n dadlau hefyd ei bod yn gamgymeriad gadael i safbwynt crefyddol neu athronyddol penodol, sy'n seiliedig ar yr hyn mae'n ei ystyried yn drosedd neu'n 'bechod', reoli a ffurfio'r gyfraith.
- Roedd Fletcher yn dadlau y dylai materion yn ymwneud â phreifatrwydd ac anwedduster cyhoeddus gael eu penderfynu gan y gyfraith, nid gan faterion crefyddol.
- Casgliad Fletcher oedd y dylai deddfau rhyw gael eu cyfyngu gan dri maen prawf: oedran cydsynio; tresmasu ar wedduster cyhoeddus; gweithredoedd sy'n cynnwys ymosodiad, trais, gorfodaeth neu dwyll.
- Safbwynt Fletcher oedd bod perthnasoedd rhywiol yn fater o ryddid unigol personol wedi'i lywodraethu gan reol gofal am eich cymydog.
- Mae hyn yn cyd-fynd â'r safbwynt na ddylai moeseg gael ei gyrru gan ymagwedd absoliwtaidd, ddeddfolaethol.
- Dyma'r hyn roedd yn ei alw'n ymagwedd agapeaidd, y 'feistr-egwyddor'.

Materion i'w dadansoddi a'u gwerthuso

A ddylai *agape* ddisodli rheolau crefyddol

Byddai rhai yn dadlau bod Moeseg Sefyllfa wedi'i modelu ar gariad anhunanol, sy'n nodwedd bwysig mewn nifer o grefyddau. Roedd Fletcher ei hun yn ddiwinydd moesol Cristnogol ar y pryd ac yn dadlau dros egwyddor *agape* fel sydd yn y Beibl yn nysgeidiaethau Iesu a Paul. Cafodd ei ddylanwadu hefyd gan ddiwinyddion Cristnogol eraill oedd yn dadlau'r un peth.

Yn wir, mae'r syniad o roi pobl yn gyntaf (personolyddiaeth) yn cyd-fynd â gweithredoedd llawer o arweinwyr crefyddol y byd, ond yn enwedig â bywyd a gwaith Iesu. Roedd Iesu bob amser yn rhoi pobl cyn egwyddorion crefyddol. Er enghraifft, pan gafodd ei feirniadu wrth iddo iacháu pobl ar y Saboth, dywedodd: 'y Saboth a wnaethpwyd er mwyn dyn, ac nid dyn er mwyn y Saboth'. Byddai hyn yn awgrymu y dylai *agape* ddisodli rheolau crefyddol hyd yn oed os nad yw'n cymryd eu lle.

Mae'r syniad o gariad wedi bod yn nodwedd bwysig o ddysgeidiaethau sawl arweinydd crefyddol, yn enwedig yn hanes Cristnogaeth. Roedd Awstin ac Aquinas, er enghraifft, yn credu mai *agape* oedd y rhinwedd fwyaf ardderchog.

Fodd bynnag, mae ymagwedd Moeseg Sefyllfa wedi cael ei chondemnio gan rai arweinwyr crefyddol, er enghraifft arweinwyr yr Eglwys Gatholig, gan ei bod yn rhoi gormod o bwyslais ar fanteision perthynoliaeth yn hytrach na glynu wrth ewyllys Duw. Maen nhw'n dadlau ei bod yn methu ag ystyried y traddodiadau yn y gwahanol enwadau hefyd. Er enghraifft, mae rhyw cyn priodas yn cael ei ganiatáu, yn ôl y ddamcaniaeth hon, os yw'n weithred o gariad anhunanol, ond mewn rhai enwadau y farn yw mai ar gyfer priodas yn unig y mae rhyw.

Byddai Cristnogaeth, ynghyd â chrefyddau eraill, yn honni hefyd nad cariad ddylai fod yr unig briodwedd ddymunol. Maen nhw'n dweud bod dysgeidiaethau a phriodweddau eraill sydd yr un mor bwysig, er enghraifft cyfiawnder, cydraddoldeb, a disgyblaeth drwy hunanreolaeth.

Y ddadl olaf wrth amddiffyn rheolau, dysgeidiaethau a thraddodiadau crefyddol oedd yr un a gyflwynodd William Barclay yn ei lyfr *Ethics in a Permissive Society*. Mewn ymateb i ymosodiad Fletcher ar reolau crefyddol deddfolaethol, mae Barclay yn esbonio natur a swyddogaeth y gyfraith yn 'distyllu profiad', sydd wedi bod o fudd i'r gymdeithas. Os felly, 'bwrw'r gyfraith o'r neilltu yw bwrw profiad o'r neilltu', yn ogystal â'r doethineb a'r mewnwelediad gwerthfawr sy'n dod yn ei sgil. Dadleuodd hefyd mai 'rheol rheswm yn cael ei chymhwyso at amgylchiadau sy'n bodoli' yw rheolau crefyddol mewn gwirionedd, ac felly yn offeryn gwerthfawr ar gyfer diffinio cymeradwyaeth a chosb. I Barclay, mae rheolau crefyddol yn gweithio ar y cyd â'r ddeddf ddynol i ddiogelu'r gymdeithas. Ond dywedodd hefyd 'fod llawer o bethau sy'n anfoesol, ond sydd ddim yn anghyfreithlon', gan nodi bod rheolau crefyddol yno i gynnal moesoldeb hefyd. Yn ôl Barclay, dydy safbwynt Fletcher, fod gwir foesoldeb yn bodoli gyda'r rhyddid i ddewis, ddim wir yn ystyried y ffaith fod rhyddid yn cynnwys y rhyddid i beidio â dewis ffordd o weithredu hefyd!

I gloi, mae rhai rheolau crefyddol sy'n hen ffasiwn ac mae'r Eglwys yn cydnabod eu bod felly. Ond mae'r Eglwys yn cadw'r rheini sydd, yn ei barn hi, yn angenrheidiol ar gyfer byw yn grefyddol ac yn foesol. Doedd her Fletcher ddim o reidrwydd yn golygu bod angen disodli rheolau crefyddol, ond yn hytrach bod angen iddyn nhw gael eu harwain gan egwyddor cariad a'u haddasu, lle mae angen. Roedd Barclay yn feirniad llym ond byddai rhai'n dweud, er bod rheolau crefyddol yn werthfawr, fod hanes wedi dangos i ni eu bod nhw'n gallu bod yn gyd-destunol, ond nid felly egwyddor cariad.

Mae'r adran hon yn cwmpasu cynnwys a sgiliau AA2

Cynnwys y fanyleb

A ddylai *agape* ddisodli rheolau crefyddol.

Gweithgaredd AA2

Dadleuon posibl

Wedi'u rhestru isod mae rhai casgliadau y byddai'n bosibl dod iddynt ar sail rhesymeg AA2 yn y testun cysylltiedig:

1. Dylai *agape* ddisodli rheolau crefyddol gan ei fod yn fwy hyblyg.
2. Dylai *agape* ddisodli rheolau crefyddol gan ei fod yn egwyddor bwysig yn y Beibl.
3. Ni ddylai *agape* ddisodli rheolau crefyddol ond dylai gael ei lywio ganddyn nhw.
4. Ni ddylai *agape* ddisodli rheolau crefyddol gan ei fod yn rhy annelwig a goddrychol ac yn agored i gael ei gamddefnyddio.
5. Ni ddylai *agape* ddisodli rheolau crefyddol gan fod y rheolau crefyddol sy'n aros wedi sefyll prawf amser.

Ystyriwch bob un o'r casgliadau sy'n cael eu gwneud uchod a chasglwch dystiolaeth ac enghreifftiau i gefnogi pob dadl o'r deunydd AA1 ac AA2 a astudiwyd yn yr adran hon. Dewiswch un casgliad sy'n argyhoeddi fwyaf yn eich barn chi ac esboniwch pam mae hyn yn wir. Nawr cyferbynnwch hyn â'r casgliad gwannaf ar y rhestr, gan gyfiawnhau eich dadl gyda rhesymu clir a thystiolaeth.

Cynnwys y fanyleb

I ba raddau y mae Moeseg Sefyllfa yn darparu sail ymarferol ar gyfer gwneud penderfyniadau moesol i gredinwyr crefyddol ac anghredinwyr.

Gweithgaredd AA2
Dadleuon posibl

Wedi'u rhestru isod mae rhai casgliadau y byddai'n bosibl dod iddynt ar sail rhesymeg AA2 yn y testun cysylltiedig:

1. Mae Moeseg Sefyllfa yn darparu sail ymarferol ar gyfer gwneud penderfyniadau moesol i gredinwyr crefyddol gan ei bod yn hyblyg ac yn adlewyrchu cymhlethdod dadleuon moesegol modern.
2. Mae Moeseg Sefyllfa yn darparu sail ymarferol ar gyfer gwneud penderfyniadau moesol i gredinwyr crefyddol gan ei bod wedi'i seilio yn yr egwyddor grefyddol gyffredinol, sef caru eich cymydog.
3. Nid yw Moeseg Sefyllfa yn darparu sail ymarferol ar gyfer gwneud penderfyniadau moesol i gredinwyr crefyddol gan ei bod yn rhy beryglus i gymdeithas grefyddol drwyddi draw.
4. Nid yw Moeseg Sefyllfa yn darparu sail ymarferol ar gyfer gwneud penderfyniadau moesol i gredinwyr crefyddol gan ei bod yn anghyson ei hun.
5. Mae Moeseg Sefyllfa yn darparu sail ymarferol ar gyfer gwneud penderfyniadau moesol i gredinwyr crefyddol, ond ochr yn ochr â dysgeidiaethau crefyddol a damcaniaethau moesegol eraill yn unig.

Ystyriwch bob un o'r casgliadau sy'n cael eu gwneud uchod a chasglwch dystiolaeth ac enghreifftiau i gefnogi pob dadl o'r deunydd AA1 ac AA2 a astudiwyd yn yr adran hon. Dewiswch un casgliad sy'n argyhoeddi fwyaf yn eich barn chi ac esboniwch pam mae hyn yn wir. Nawr cyferbynnwch hyn â'r casgliad gwannaf ar y rhestr, gan gyfiawnhau eich dadl gyda rhesymu clir a thystiolaeth.

I ba raddau y mae Moeseg Sefyllfa yn darparu sail ymarferol ar gyfer gwneud penderfyniadau moesol i gredinwyr crefyddol

Mae llawer o AA2 hyd yma wedi ymdrin â chymdeithas (h.y. syniad seciwlar sy'n cynnwys anghredinwyr). Felly mae'n gwneud synnwyr i ganolbwyntio ar gredinwyr crefyddol yn y gwerthusiad hwn, ond cofiwch hefyd fod y fanyleb yn nodi'r term 'anghredinwyr'. Ar gyfer y rhain gallwch ddefnyddio gwerthusiadau priodol eraill; rydych chi wedi darllen llawer o'r rheini hyd yma.

I Gristnogion, mae Moeseg Sefyllfa yn cyd-fynd â holl 'athroniaeth' a moeseg ymarferol Iesu yn y Testament Newydd. Torrodd Iesu reolau crefyddol a deliodd â phawb fel unigolion ac yn ôl yr amgylchiadau. Er enghraifft, wrth iachάu ar y Saboth, dywedodd: 'y Saboth a wnaethpwyd er mwyn dyn, ac nid dyn er mwyn y Saboth'.

Mae Moeseg Sefyllfa yn hyblyg yn yr ystyr ei bod yn rhoi rhyddid personol i bobl benderfynu beth yw'r weithred fwyaf cariadus ond mae'n dal i fod yn gyson â gweithredoedd a dysgeidiaeth Iesu. Fel Iesu, dydy Moeseg Sefyllfa ddim yn gwrthod deddfau ond yn eu gweld nhw fel offer defnyddiol sydd ddim yn gwbl gyfrwymol.

Mae'n bosibl dadlau bod 'sefyllfaolaeth' Fletcher wedi cyfrannu, er enghraifft, at yr Eglwys yng Nghymru ac Eglwys Loegr (ymhlith eraill) yn cydnabod meysydd o anghyfiawnder posibl, megis materion cydraddoldeb, rôl menywod yn yr Eglwys, a chaethwasiaeth. Golyga hyn ei bod yn gallu cynnig, a'i bod wedi cynnig, sail i benderfyniadau moesegol crefyddol.

Eto byddai rhai'n dadlau mai dim ond os yw cariad *agape* yn ganolog i foesoldeb y gall fod sail Gristnogol i foesoldeb. Bydd dadlau bob amser am beth yn wir yw'r peth mwyaf cariadus i'w wneud, a beth mae hyn yn ei olygu yn ymarferol, ond dydy hyn ddim yn wahanol i'r anawsterau sydd wrth gymhwyso rheolau.

Fodd bynnag, mae rhai yn meddwl nad yw safbwyntiau Fletcher o reidrwydd yn adlewyrchu safbwyntiau'r Testament Newydd ar foesoldeb yn gwbl gywir. Er enghraifft, mae gan y Testament Newydd safbwyntiau moesol clir am ladrata a godinebu. Yn wir, mae'r enghreifftiau mae Fletcher yn eu defnyddio i gyfiawnhau Moeseg Sefyllfa mor eithafol fel does dim ond ychydig iawn o achosion o'r fath mewn bywyd go iawn. Er enghraifft, pa mor aml y mae'n rhaid i fenyw odinebu a beichiogi er mwyn dianc rhag rhywun sy'n ei dal? Dyma'r pwynt a wnaeth William Barclay. Dadleuodd ef fod yr achosion yn rhy eithafol i gyfiawnhau newid rheolau crefyddol neu foesol.

Mae William Barclay yn dadlau, os yw'r gyfraith wedi 'distyllu profiad', sydd wedi bod o fudd i'r gymdeithas, yna 'bwrw'r gyfraith o'r neilltu yw bwrw profiad o'r neilltu', yn ogystal â'r doethineb a'r mewnwelediad gwerthfawr sy'n dod yn ei sgil. Roedd Barclay'n arbennig o feirniadol o Foeseg Sefyllfa. Credai Barclay'n gryf fod y gyfraith ac absoliwtiau yno er mwyn diogelu'r gymdeithas a'u bod yn gynnyrch rhesymu a phrofiad blaenorol. Dyma pam maen nhw'n bodoli.

Yn olaf, mae'n ymddangos bod Moeseg Sefyllfa yn ei dadadeiladu ei hun – mae angen cael syniad am ba ganlyniad yw'r un mwyaf gwerthfawr, y gorau neu'r un cywir, cyn penderfynu pa weithredoedd sydd eu hangen i gyrraedd y cywir hwnnw!

I gloi, mae dadleuon cryf yn erbyn Moeseg Sefyllfa fel sail ymarferol ar gyfer gwneud penderfyniadau moesol i gredinwyr crefyddol, ac mae'r rhai a gyflwynodd William Barclay yn fwyaf perthnasol. Fodd bynnag, byddai'n gamgymeriad ei gwrthod yn llwyr, fel y dywedodd Barclay ei hun. Dywedodd Barclay y gallai credinwyr crefyddol ddysgu rhywbeth oddi wrthi wrth ymdrin â materion moesegol. Rhaid dweud, serch hynny, nad dangos Moeseg Sefyllfa ar ei gorau oedd bwriad Fletcher byth wrth gynnig enghreifftiau o gymhwyso Moeseg Sefyllfa'n ymarferol, gan ddefnyddio achosion eithafol. Yn lle hynny, ei fwriad oedd dangos pa mor annigonol oedd systemau deontolegol, absoliwtaidd o foeseg, ac mae'n rhaid sylweddoli hyn mewn unrhyw werthusiad gwrthrychol.

Datblygu sgiliau AA2

Nawr mae'n bryd ystyried y wybodaeth sydd wedi'i chyflwyno hyd yma. Hefyd mae'n bwysig ystyried sut mae'r hyn rydych chi wedi'i ddysgu hyd yma'n gallu cael ei ddefnyddio ar gyfer atebion arholiad drwy ymarfer y sgiliau sy'n gysylltiedig ag AA2.

Mae Amcan Asesu 2 (AA2) yn ymwneud â 'dadansoddi' a 'gwerthuso'. Efallai fod ystyr y termau'n amlwg ond mae'n hanfodol eich bod yn gyfarwydd â sut mae sgiliau penodol yn dangos y rhain, a hefyd, sut bydd eich perfformiad ym mhob un o'r sgiliau hyn yn cael ei fesur (gweler disgrifyddion band cyffredinol Band 5 ar gyfer AA2 UG).

Yn amlwg mae ateb yn cael ei osod mewn disgrifydd band priodol, yn ôl pa mor dda yw'r ateb, gan amrywio o ragorol, da, boddhaol, sylfaenol/cyfyngedig i gyfyngedig iawn.

▶ **Dyma eich tasg newydd:** isod mae rhestr o nifer o bwyntiau bwled allweddol a gafodd eu hysgrifennu'n ymateb i gwestiwn sy'n gofyn am werthuso a yw Moeseg Sefyllfa yn gydnaws â dysgeidiaethau crefyddol. Mae'n amlwg yn rhestr lawn iawn. Yn y lle cyntaf, bydd yn ddefnyddiol i chi ystyried pa rai yw'r pwyntiau pwysicaf i'w defnyddio wrth gynllunio ateb. Yn y bôn, mae'r ymarfer hwn fel ysgrifennu eich set eich hun o atebion posibl sydd wedi'u rhestru mewn cynllun marcio nodweddiadol fel cynnwys dangosol. Gweithiwch mewn grŵp a dewiswch y pwyntiau pwysicaf i'w cynnwys mewn rhestr o gynnwys dangosol ar gyfer y cwestiwn hwn. Bydd angen i chi benderfynu ar ddau beth: pa bwyntiau i'w dewis; ac yna, ym mha drefn y dylech eu rhoi mewn ateb.

Rhestr o gynnwys dangosol:

- Mae *agape* yn ei gwneud yn gydnaws ag unrhyw ymagwedd Gristnogol sy'n gweld mai 'cariad' sydd wrth galon Cristnogaeth.
- Mae tystiolaeth gref yn y Beibl yn cefnogi'r flaenoriaeth sydd i gariad yng ngwaith Paul, er enghraifft 1 Corinthiaid 13.
- Torrodd Iesu ei hun ddeddf y Saboth am weithio, o blaid ymagwedd berson-ganolog, pan y bu iddo 'dynnu'r tywysennau' i'w bwyta ar y Saboth pan oedd angen bwyd arno ef a'i ddisgyblion.
- Dywedodd Iesu: 'y Saboth a wnaethpwyd er mwyn dyn, ac nid dyn er mwyn y Saboth'.
- Mae'r newid barn o fewn Cristnogaeth ar faterion fel rhyfel, caethwasiaeth, y gosb eithaf a chydraddoldeb i fenywod yn dangos cydnabyddiaeth nad yw absoliwtiau bob amser yn absoliwt.
- Gall Cristnogion ddilyn damcaniaethau fel Iwtilitariaeth sydd â rhywfaint o debygrwydd i Foeseg Sefyllfa ac felly'n awgrymu rhywfaint o gydnawsedd.
- Mae Moeseg Sefyllfa wedi cael dylanwad mawr ar yr Eglwys Anglicanaidd.
- Yn 1956, cafodd astudio'r ymagwedd sefyllfaol at foeseg (neu 'y moesoldeb newydd') ei wahardd o bob academi a choleg diwinyddol Catholig ar y sail nad oedd yn gydnaws â dysgeidiaeth Gatholig.
- Roedd beirniadaeth swyddogol Barclay, a ddaeth yn ddiweddarach, hefyd yn cefnogi anghydnawsedd.
- Mae deddfau ac absoliwtiau sylfaenol clir yn y Beibl, ac mae llawer o Gristnogion yn glynu wrthyn nhw wrth wneud penderfyniadau moesol.
- Mae Moeseg Sefyllfa yn hepgor llawer o ddysgeidiaethau Cristnogol sy'n cael eu hystyried yn werthfawr, os nad yn bendant.
- Byddai rhai'n dweud bod Moeseg Sefyllfa yn rhy antinomaidd i fod yn gydnaws â Christnogaeth.
- Mae'r Ddeddf Naturiol yn gydnaws â Christnogaeth a dim ond elfennau o Foeseg Sefyllfa sy'n gydnaws.

Sgiliau allweddol

Mae dadansoddi'n ymwneud â nodi materion sy'n cael eu codi gan y deunyddiau yn adran AA1, ynghyd â'r rhai a nodwyd yn adran AA2, ac mae'n cyflwyno safbwyntiau cyson a chlir, naill ai gan ysgolheigion neu safbwyntiau personol, yn barod i'w gwerthuso.

Mae hyn yn golygu ei fod yn nodi pethau allweddol i'w trafod a'r dadleuon sy'n cael eu cyflwyno gan eraill neu o safbwynt personol.

Mae gwerthuso'n ymwneud ag ystyried goblygiadau amrywiol y materion sy'n cael eu codi, yn seiliedig ar y dystiolaeth a gafwyd wrth ddadansoddi ac mae'n rhoi dadl fanwl eang gyda chasgliad clir.

Mae hyn yn golygu bod yr ateb yn pwyso a mesur y dadleuon amrywiol a gwahanol a gafodd eu dadansoddi drwy roi sylwadau ac ymateb unigol, gan ddod i gasgliad drwy broses rhesymu clir.

Th4 Iwtilitariaeth – ymagwedd anghrefyddol at foeseg

Mae'r adran hon yn cwmpasu cynnwys a sgiliau AA1

Cynnwys y fanyleb

Damcaniaeth Bentham ynghylch 'defnyddioldeb' (*utility/usefulness*); y nod eithaf yw mynd ar drywydd pleser ac osgoi poen; egwyddor defnyddioldeb ('yr hapusrwydd mwyaf i'r nifer mwyaf o bobl').

Termau allweddol

Egwyddor yr hapusrwydd mwyaf: cyfrifiad sy'n cael ei ddefnyddio mewn damcaniaeth iwtilitaraidd i asesu'r dull gorau o weithredu

Iwtilitariaeth: damcaniaeth foesegol sy'n honni bod gweithred yn gywir os yw'n arwain at yr hapusrwydd mwyaf i'r nifer mwyaf o bobl – mae natur foesegol gweithredoedd yn seiliedig felly ar y canlyniadau i hapusrwydd dynol

Dyfyniad allweddol

Mae'n rhaid i ni, felly, fynd ar drywydd y pethau sy'n peri hapusrwydd, oherwydd bod gennym bopeth os yw hapusrwydd yn bresennol; ond os yw'n absennol, rydyn ni'n gwneud popeth i gael gafael arno. (Epicurus)

Dyfyniad allweddol

Mae hapusrwydd yn beth prydferth iawn i'w deimlo, ond yn beth sych iawn i siarad amdano. (Bentham)

cwestiwn cyflym

4.1 Pam mae 'hapusrwydd' yn bwysig i Iwtilitariaeth?

cwestiwn cyflym

4.2 Yn ôl Iwtilitariaeth, beth yw'r gweithredoedd gorau?

A: Iwtilitariaeth Glasurol – Iwtilitariaeth Gweithredoedd Jeremy Bentham: hapusrwydd fel sail i foesoldeb

Damcaniaeth 'defnyddioldeb' Bentham

Mae'r term '**Iwtilitariaeth**' yn dod o'r gair Saesneg *utility* sy'n golygu 'defnyddioldeb'. Yn arbennig, mae'n ymwneud â gweithio allan pa mor 'ddefnyddiol' yw gweithred, yn seiliedig ar asesu ei diben terfynol. Nid yw Iwtilitariaeth yn newydd na hyd yn oed yn ddiweddar. Fel y rhan fwyaf o athroniaethau mae'n gallu cael ei holrhain yn ôl i'r Hen Roeg. Mae iwtilitariaid yn dadlau y dylai pawb wneud y peth sy'n cynhyrchu'r diben mwyaf 'defnyddiol'.

Dyma sut maen nhw'n rhesymu:

1. Y diben mwyaf defnyddiol yw'r un sy'n dod â'r lefelau uchaf posibl o 'hapusrwydd neu bleser'.
2. Felly y gred yw mai gweithredoedd sy'n dod â'r mwyaf o hapusrwydd i bawb yw'r dull gorau o weithredu (h.y. gweithredoedd moesol da).
3. '**Egwyddor yr hapusrwydd mwyaf**' yw enw'r ffordd hon o asesu pa ddull o weithredu yw'r un gorau i'w ddilyn.

Felly, mae iwtilitariaid yn credu y dylai pawb wneud y peth mwyaf defnyddiol. Ystyrir mai'r peth mwyaf defnyddiol yw gweithred neu weithredoedd sy'n arwain at y lefelau uchaf posibl o hapusrwydd neu bleser. Felly, mae'r gweithredoedd sy'n cynhyrchu'r hapusrwydd mwyaf yn cael eu gweld fel rhai da a chywir neu weithredoedd moesol sy'n dod â hapusrwydd i bawb. Gan fod Iwtilitariaeth yn ymwneud â chanlyniad (neu ddiben) gweithred, dyma ddamcaniaeth foesegol deleolegol.

Rhaid i ni fod yn ofalus wrth esbonio egwyddor yr hapusrwydd mwyaf, gan y gall fod ychydig yn gamarweiniol oherwydd nad yw'r hapusrwydd mwyaf o reidrwydd yn golygu'r nifer mwyaf o bobl. Mae'r pwyslais yn fwy ar y weithred sy'n cynhyrchu'r swm mwyaf o hapusrwydd yn gyffredinol – yr hyn sy'n gywir yw'r hyn sy'n achosi'r hapusrwydd mwyaf posibl. Mae hwn yn bwynt pwysig iawn i'w gofio.

Jeremy Bentham yw'r un sy'n cael ei dderbyn fel cychwynnwr Iwtilitariaeth fel arfer. Roedd yn ddiwygiwr cymdeithasol a cheisiodd ddatblygu damcaniaeth foesegol oedd yn hyrwyddo gweithredoedd fyddai'n fuddiol i'r mwyafrif o bobl. Fel bargyfreithiwr ac arbenigwr yn y gyfraith, daeth Bentham yn ymwybodol o anghyfiawnder cymdeithasol eang. Cafodd ei ysgogi gan hyn i gymryd diddordeb mewn materion o foesoldeb cyhoeddus. Gwnaeth gyfraniad mawr at ddiwygio carchardai, a dadleuodd y dylai'r cosbau am droseddau fod yn ddigon i rwystro pobl rhag troseddu eto ond nid i achosi dioddefaint diangen. Dadleuodd hefyd o blaid pethau fel sensoriaeth a deddfau oedd yn ymwneud â gweithgaredd rhywiol mewn ymgais i wella moesoldeb cyhoeddus. Ei egwyddor arweiniol ar gyfer polisi cyhoeddus oedd 'yr hapusrwydd mwyaf i'r nifer mwyaf o bobl'. Yna datblygodd hyn yn athroniaeth foesol. Mae rhai'n dweud bod Bentham wedi sefydlu Coleg Prifysgol Llundain yn 1826. Yn rhyfedd iawn, mae ei gorff wedi'i embalmio, yn gwisgo ei ddillad arferol, yn eistedd yn y cyntedd mewn cas gwydr! Dim ond ar gyfer ei ben y cafodd model cwyr ei greu.

I Bentham, hapusrwydd oedd y gwerth moesegol uchaf neu'r hyn y galwai ef 'y da pennaf'. Mae hapusrwydd yn ddefnyddiol, oherwydd ei bod yn dda i bobl fod yn hapus. Roedd Bentham yn dadlau ein bod yn cael ein cymell gan bleser a phoen ac felly rydyn ni'n mynd ar drywydd pleser ac yn osgoi poen. Mae'r safbwynt hwn am hapusrwydd fel rhywbeth sy'n gysylltiedig â phleser yn ddyledus i ryw raddau i ddamcaniaeth foesegol gynharach o'r enw **hedoniaeth**. Mewn hedoniaeth, yr unig beth sy'n gywir yw pleser.

Awgrym astudio

Wrth ateb cwestiwn, dylech gadw teitl y cwestiwn mewn cof drwy'r amser. Mae ymgeiswyr yn aml yn crwydro drwy ysgrifennu manylion neu wybodaeth fywgraffyddol nad yw'n uniongyrchol berthnasol i ffocws y cwestiwn, e.e. gwybodaeth ddiddorol am blentyndod Jeremy Bentham!

Er bod Iwtilitariaeth yn ddamcaniaeth foesegol deleolegol, mae yna reol neu egwyddor arweiniol sy'n sail i'r ymagwedd hon. Mae'r egwyddor arweiniol hon, sef **egwyddor defnyddioldeb**, yn dweud y dylai pobl weithredu er mwyn achosi cydbwysedd o ddaioni dros ddrygioni. I Bentham roedd hyn yn mesur a fyddai gweithred benodol yn hyrwyddo pleser neu boen. Ysgrifennodd Bentham, 'Mae egwyddor defnyddioldeb yn golygu yr egwyddor honno sy'n cymeradwyo pob gweithred beth bynnag y bo, yn ôl y duedd sydd ganddi i gynyddu neu leihau hapusrwydd y sawl y mae ei fudd dan sylw.' Mae pob gweithred, felly, yn gallu cael ei mesur gan yr egwyddor hon.

Gweithgaredd AA1

Ysgrifennwch ddiffiniad geiriadur ar gyfer 'Jeremy Bentham ac egwyddor defnyddioldeb' mewn 200 o eiriau. Ceisiwch gynnwys y prif bwyntiau fel Iwtilitariaeth, hedoniaeth, esboniad o'r egwyddor a rhesymau Bentham dros gynnig yr egwyddor.

Jeremy Bentham 1748–1832

Termau allweddol

Egwyddor defnyddioldeb: mae gweithred yn gywir os yw'n hyrwyddo ac yn achosi'r swm mwyaf posibl o hapusrwydd

Hedoniaeth: damcaniaeth foesegol sy'n diffinio'r hyn sy'n gywir o safbwynt pleser

Dyfyniad allweddol

Mae natur wedi gosod y ddynoliaeth o dan lywodraeth dau feistr goruchaf, poen a phleser. Dim ond nhw sy'n gallu dangos beth dylen ni ei wneud, yn ogystal â phennu beth byddwn ni'n ei wneud. **(Bentham)**

cwestiwn cyflym

4.3 Ar gyfer pa broffesiwn roedd Bentham wedi'i hyfforddi?

Cynnwys y fanyleb

Y calcwlws hedonig fel modd o fesur pleser ym mhob sefyllfa foesol unigryw; drwy ystyried saith ffactor: dwysedd, hyd, sicrwydd, agosrwydd, cyfoeth, purdeb a maint.

Dyfyniad allweddol

Crëwch yr holl hapusrwydd y gallwch ei greu; gwaredwch yr holl ofid y gallwch ei waredu. Bydd pob dydd yn eich caniatáu, yn eich gwahodd i ychwanegu rhywbeth at bleser pobl eraill – neu i leihau rhywfaint ar eu gofidiau. (Bentham)

Y calcwlws hedonig

Wedi sefydlu mai mesur hapusrwydd yw'r maen prawf ar gyfer gweithred gywir, mae'r broblem yn codi o sut i gyfrifo'r mesur hwnnw. I Bentham, roedd hapusrwydd yn golygu pleser minws poen.

Roedd egwyddor defnyddioldeb yn canolbwyntio ar y weithred sy'n dod â'r mwyaf o bleser a'r lleiaf o boen. Ateb Bentham ar gyfer mesur y cydbwysedd hwn oedd ei galcwlws hedonig, neu galcwlws pleser.

Roedd e'n credu bod saith elfen wahanol y dylid eu hystyried wrth gyfrifo swm hapusrwydd. Mae gan bob gair a ddefnyddir ystyr penodol mewn perthynas â phrofiad o bleser a'r hapusrwydd sy'n dod yn ei sgil.

Elfen o bleser	*Ystyr*
Dwysedd	Y cryfaf ydyw, y gorau, sy'n golygu bod y pleserau hynny sy'n dod â llif dwys a hynod o bwerus o bleser yn dod â hapusrwydd ar unwaith.
Hyd	Yr hiraf y mae'n para, y gorau, sy'n golygu yn anochel fod natur barhaol y profiad o hapusrwydd yn ffactor allweddol wrth asesu ansawdd y pleser.
Sicrwydd	Y mwyaf sicr ydych mai pleser fydd y canlyniad, y gorau. Mae hwn yn 'gyfrifiad' gwirioneddol o oblygiadau'r ffaith fod y pleser yn fwy cyson ac, mewn rhai achosion, yn fwy dibynadwy nac fel arall. Fel mae Driver yn ei ysgrifennu, 'a phopeth arall yn gyfartal, dylen ni fynd am y pleserau mwy sicr na'r rhai llai sicr'.
Maint	Y mwyaf o bobl sy'n ei brofi, y gorau, gan fod rhannu pleserau yn cynyddu effaith hapusrwydd y tu hwnt i'r hunan sy'n hollol gyson ag egwyddor hapusrwydd.
Agosrwydd	Yr agosaf y mae'r pleser atoch, y gorau, sy'n golygu pleserau presennol yn hytrach na'r rheini rydyn ni'n edrych ymlaen atyn nhw yn y dyfodol pell.
Cyfoeth neu ffrwythlondeb	Y mwyaf o bosibilrwydd sydd y bydd y pleser yn cael ei ailadrodd neu'n arwain at bleserau eraill, y gorau. Mae hyn yn ystyried bod yr un pleser neu bleserau'n digwydd eto, neu efallai bydd is-bleserau dilynol neu ddibynnol.
Purdeb	Y lleiaf o boen mae'n ei olygu, y gorau. Efallai nad yw rhai profiadau yn hapusrwydd pur ond gallan nhw fod yn gymysgedd o bethau da a drwg. I Bentham, profiad cyson o bleser sydd mor bell o 'boen' neu deimladau negyddol yw'r gorau.

Awgrym astudio

Mnemonig i'ch helpu i gofio llythrennau cyntaf y calcwlws hedonig yw 'Drwy'r Haul Sylwodd Mari Ar y Cwmwl Pell'.

Yn ei waith *Principles of Morals and Legislation*, ysgrifennodd Bentham bennill i'n helpu i gofio prif egwyddorion y calcwlws hedonig:

'Dwys, hir, a sicr, cyflym, ffrwythlon, pur –
Mae'r rhain yn rhan o bleser ac o gur.
Os preifat yw dy nod, pleser sydd well:
I'r cyhoedd, rhaid i'r pleser fynd ymhell.
Beth bynnag yw dy farn, gwna'r boen yn llai,
Neu, os oes rhaid, boed cur dim ond i rai.'

*('Intense, long, certain, speedy, fruitful, pure –
Such marks in pleasure and pains endure.
Such pleasures seek, if private be thy end:
If it be public, wide let them extend.
Such pains avoid, whichever be thy view,
If pains must come, let them extend to a few.')*

Gan ddefnyddio'r meini prawf hyn, roedd Bentham yn dadlau bod modd gweithio allan y peth cywir i'w wneud mewn unrhyw sefyllfa. Gallai'r cydbwysedd o boen a phleser fyddai'n cael ei greu gan un dewis o sut i weithredu gael ei gymharu â'r rheini fyddai'n cael eu creu gan ddewisiadau eraill sydd ar gael.

Yr hyn oedd yn bwysig i Bentham oedd cael y swm uchaf posibl o hapusrwydd; doedd dim diddordeb ganddo mewn blaenoriaethu pa fathau o hapusrwydd oedd yn well na rhai eraill. Ysgrifennodd Bentham yn *The Rationale of Reward*, 'Heblaw am ragfarn, mae'r gêm *push-pin* o'r un gwerth â'r celfyddydau a'r gwyddorau o gerddoriaeth a barddoniaeth'. Safbwynt Bentham oedd bod pob pleser o'r un gwerth.

Mae Iwtilitariaeth yn mesur y cydbwysedd rhwng poen a phleser

Dyfyniad allweddol

... y prinnaf o'r holl rinweddau dynol yw cysondeb. (Bentham)

cwestiwn cyflym

4.4 Nodwch ddwy egwyddor o'r calcwlws hedonig.

Gweithgaredd AA1

Gwnewch ddiagram llif sy'n esbonio'r calcwlws hedonig gyda rhai enghreifftiau ymarferol i'ch helpu i'w esbonio.

Awgrym astudio

Y peth pwysig am galcwlws hedonig Bentham yw eich bod chi'n deall sut mae'n cael ei gymhwyso. Mae'n well cofio tair elfen ac esbonio sut maen nhw'n gweithio na rhestru'r saith a pheidio â'u cysylltu â damcaniaeth Bentham neu â mater.

Iwtilitariaeth Gweithredoedd

Mae meddwl teleolegol yn ystyried canlyniadau gweithred benodol neu'r 'diben' terfynol, ac asesu'r 'diben' hwn sy'n pennu a yw'r weithred yn foesol dda neu beidio. Yn yr achos hwn, 'hapusrwydd' ddylai'r nod fod bob tro.

Gan ei bod yn ystyried canlyniadau mae'n cael ei galw'n ddamcaniaeth **ganlyniadaethol** hefyd. Mae hyn yn golygu y dylai penderfyniadau moesegol, sef a yw rhywbeth yn gywir neu'n anghywir, gael eu seilio ar ddeilliant neu ganlyniadau gweithred. Yn yr achos hwn, a yw'n arwain at 'yr hapusrwydd mwyaf i'r nifer mwyaf o bobl'?

Mae'r term **Iwtilitariaeth Gweithredoedd** yn cael ei gysylltu ag Iwtilitariaeth Bentham a'i ddefnydd o'r calcwlws hedonig fel arfer. Roedd Bentham yn credu nad oedd profiad blaenorol bob amser yn ein helpu i wneud dewisiadau moesol, a bod pob sefyllfa'n wahanol ac felly mae'n rhaid ei chyfrifo o'r newydd. Yn ffurf gryfaf Iwtilitariaeth Gweithredoedd, dylid defnyddio'r calcwlws ym mhob sefyllfa, heb ystyried profiadau blaenorol wrth wneud penderfyniadau. Mae damcaniaeth Jeremy Bentham felly yn cael ei hystyried yn ddamcaniaeth **berthynolaidd**. Mae hyn yn golygu nad oes normau na rheolau moesol cyffredinol, a bod angen edrych ar bob sefyllfa yn annibynnol oherwydd bod pob sefyllfa'n wahanol. Mae'n ymddangos bod Iwtilitariaeth Gweithredoedd yn ffafrio'r sefyllfaoedd unigol yn fwy na'r achosion i'r mwyafrif.

Er bod llawer yn dweud mai iwtilitariad gweithredoedd oedd Bentham, nid oedd e'n honni ei bod yn angenrheidiol cyfrifo cywirdeb neu anghywirdeb pob gweithred o'r calcwlws hedonig, dim ond mai dyna wnaeth ef fel arfer.

Dyfyniad allweddol

Os yw maint y pleser yr un fath, mae'r gêm *push-pin* cystal â barddoniaeth. (Bentham)

Cynnwys y fanyleb

Iwtilitariaeth Gweithredoedd fel math o berthynoliaeth foesol, damcaniaeth ganlyniadaethol a theleolegol.

Termau allweddol

Canlyniadaethol: dylai pobl ddod i farn foesol yn seiliedig ar ddeilliant neu ganlyniadau gweithred

Iwtilitariaeth Gweithredoedd: math o Iwtilitariaeth sy'n cael ei chysylltu â Bentham. Mae'n trin pob sefyllfa foesol fel un unigryw ac yn cymhwyso'r calcwlws hedonig at bob 'gweithred' i weld a yw'n cyflawni 'egwyddor defnyddioldeb'. Mae unrhyw weithred yn gywir os yw'n cynhyrchu'r hapusrwydd mwyaf i'r nifer mwyaf o bobl.

Perthynolaidd: mae hyn yn golygu nad oes normau na rheolau moesol cyffredinol, a bod angen edrych ar bob sefyllfa yn annibynnol oherwydd bod pob sefyllfa'n wahanol

cwestiwn cyflym

4.5 Esboniwch pam mae Iwtilitariaeth yn ddamcaniaeth foeseg berthynolaidd.

Sgiliau allweddol

Mae gwybodaeth yn ymwneud â:

Dewis ystod o wybodaeth (drylwyr) gywir a pherthnasol sydd â chysylltiad uniongyrchol â gofynion penodol y cwestiwn.

Mae hyn yn golygu eich bod yn dewis y wybodaeth gywir sy'n berthnasol i'r cwestiwn a osodwyd NID y maes pwnc. Bydd angen i chi feddwl a chanolbwyntio ar ddewis gwybodaeth allweddol ac NID ysgrifennu popeth yr ydych chi'n ei wybod am y maes pwnc.

Mae dealltwriaeth yn ymwneud ag:

Esboniad helaeth, gan ddangos dyfnder a/neu ehangder gyda defnydd rhagorol o dystiolaeth ac enghreifftiau gan gynnwys (lle y bo'n briodol) defnydd trylwyr a chywir o destunau cysegredig, ffynonellau doethineb a geirfa arbenigol.

Mae hyn yn golygu y gallwch ddangos eich bod yn deall rhywbeth drwy egluro ac ehangu eich pwyntiau gan ddefnyddio enghreifftiau/tystiolaeth gefnogol mewn ffordd bersonol ac NID ailadrodd darnau o werslyfr (sef dysgu ar y cof).

Cymhwyso sgiliau ymhellach:

Ewch drwy'r meysydd pwnc yn yr adran hon a lluniwch rai rhestri bwled o bwyntiau allweddol o feysydd allweddol. Ar gyfer pob un, rhowch fwy o fanylion ac esboniwch fwy drwy ddefnyddio tystiolaeth ac enghreifftiau.

Datblygu sgiliau AA1

Nawr mae'n bryd ystyried y wybodaeth sydd wedi'i chyflwyno hyd yma. Hefyd mae'n bwysig ystyried sut mae'r hyn rydych chi wedi'i ddysgu hyd yma'n gallu cael ei ddefnyddio ar gyfer atebion arholiad drwy ymarfer y sgiliau sy'n gysylltiedig ag AA1.

Mae Amcan Asesu 1 (AA1) yn ymwneud â dangos gwybodaeth a dealltwriaeth. Mae'r termau 'gwybodaeth' a 'dealltwriaeth' yn amlwg ond mae'n hanfodol eich bod yn gyfarwydd â sut mae sgiliau penodol yn dangos y rhain, a hefyd, sut bydd eich perfformiad ym mhob un o'r sgiliau hyn yn cael ei fesur (gweler disgrifyddion band cyffredinol Band 5 ar gyfer AA1 UG).

▶ **Dyma eich tasg newydd:** isod mae rhestr o gynnwys dangosol y gallech ei defnyddio'n ymateb i gwestiwn sy'n gofyn am archwilio calcwlws hedonig Bentham. Y broblem yw nad yw hi'n rhestr lawn iawn ac mae angen ei chwblhau! Bydd yn ddefnyddiol i chi weithio mewn grŵp ac ystyried beth sydd ar goll o'r rhestr. Bydd angen i chi ychwanegu o leiaf bum pwynt er mwyn gwella'r rhestr a/neu roi mwy o fanylion i bob pwynt sydd ar y rhestr yn barod. Wedyn, gweithiwch mewn grŵp i gytuno ar eich rhestr derfynol ac ysgrifennwch eich rhestr newydd o gynnwys dangosol, gan gofio egwyddorion esbonio gyda thystiolaeth a/neu enghreifftiau.

Yna, os ewch chi ati i roi'r rhestr hon yn y drefn y byddech chi'n cyflwyno'r wybodaeth mewn traethawd, bydd gennych eich cynllun eich hun ar gyfer ateb delfrydol.

Rhestr o gynnwys dangosol:

- Mae purdeb profiad yn bwysig.
- Ysgrifennodd Bentham bennill i'n helpu i'w cofio.
- Maen nhw'n cael eu defnyddio i weithio allan effaith ac ansawdd y profiad hapusrwydd sy'n cael ei gynhyrchu.
- Mae maint y pleser yn bwysig.
- Mae dwysedd y pleser yn bwysig.
- *Ychwanegu eich cynnwys chi*
- *Ychwanegu eich cynnwys chi*
- Ac yn y blaen

Materion i'w dadansoddi a'u gwerthuso

I ba raddau y gellir ystyried pleser fel yr unig ddaioni cynhenid

Y brif broblem yma yw natur annelwig a goddrychol y gair 'pleser'. Er enghraifft, mae'n bosibl nad yw pawb yn cael yr un faint o bleser o'r un profiad. Fodd bynnag, byddai Bentham yn dadlau os ydyn ni'n defnyddio'r calcwlws hedonig yn gywir, yna byddai hyn yn cael ei ystyried. Er enghraifft, byddai un person yn dewis peidio â mynd ar reid frawychus mewn parc thema ond byddai person arall yn dewis mynd arni oherwydd bod y reid yn 'gyffrous' ddim yn 'frawychus'.

Mae'r her amlycaf i'r syniad hwn o bleser fel yr unig ddaioni cynhenid yn gysylltiedig â'r syniad o oddrychedd unwaith eto. Dim ond oherwydd y gall pleser gynhyrchu hapusrwydd, a yw hynny'n golygu mai'r un peth â 'daioni' ydyw yng nghyd-destun moeseg?

Mae rhai wedi codi amheuaeth am y syniad o fynd ar drywydd hapusrwydd fel nod. Yn ddiweddarach, gwnaeth Mill ddatblygu system Bentham a mireinio'r diffiniad o bleser a 'hapusrwydd' i fod yn syniad mwy aruchel ac yn debycach i *eudaimonia* Aristotle. Byddai rhai'n dadlau bod mynd ar drywydd *eudaimonia* yn well oherwydd ei fod yn cynnwys safbwynt mwy holistig am lesiant cyffredinol unigolyn.

Mae'n rhaid bod rhai pleserau yn fwy aruchel nag eraill. Er bod calcwlws Bentham yn mynd rywfaint o'r ffordd tuag at nodi'r rhain drwy ddefnyddio egwyddorion allweddol, mae'n dibynnu o hyd ar ddehongliad unigol o'r rheini. Er enghraifft, gall rhai ystyried hapusrwydd ysbrydol a deallusol yn well na boddhad cnawdol ond gall eraill anghytuno.

Fodd bynnag, mae'n amlwg fod pleserau sy'n cynhyrchu hapusrwydd yn hanfodol i iechyd meddwl ac ansawdd bywyd cyflawn, er y gallwch chi ddadlau bod y calcwlws hedonig yn awgrymu cymhelliant obsesiynol i chwilio am bleser cyson. Byddai rhai'n dadlau bod bywyd yn well fel reid ffair gan fod y pethau da a drwg yn ein helpu i ddysgu a thyfu fel unigolion. Yn wir, onid yw maint y pleser yn tyfu pan ydyn ni'n gwybod beth yw poen? Er gwaethaf hyn, mae'n amlwg i lawer fod bywyd i'w fwynhau ac nid i'w 'ddioddef', ac mae pob delfryd aruchel grefyddol ac anghrefyddol yn chwilio am ryw fath o foddhad unigol.

Mae'n ymddangos mai'r gwir gwestiwn yw 'a yw hapusrwydd neu bleser yn nod dilys?', o'i gymharu â nodau mwy ysbrydol fel iachawdwriaeth. Y broblem hefyd yw does dim lle i hunanaberth neu ddisgyblaeth yn y ddelfryd o bleser fel yr unig ddaioni cynhenid. Weithiau dydyn ni ddim yn gallu cyfrifo pa effaith y gall profiad ei chael. Hefyd mae gennym dueddiad i beidio â gweld pa mor dda y gall rhywbeth fod oherwydd ei fod yn ymddangos yn rhy anodd neu'n anghyfforddus i ni. Onid oes enghreifftiau lle mae poen yn dda i chi? Beth am y poenau sy'n gysylltiedig â gwaith caled neu ymarfer?

I gloi, mae'n ymddangos bod yr ateb yn dibynnu ar natur yr hapusrwydd dan sylw mewn perthynas â'r pleser. Hefyd, efallai dylai fod rhywfaint o flaenoriaeth yng nghalcwlws Bentham, er enghraifft y maint a'r ffrwythlondeb oherwydd bod ganddynt fwy o siawns o gynnwys mwy nag un person. Mae hyn yn ein gadael ni â'r ansicrwydd parhaol fod pleser fel yr unig ddaioni cynhenid yn ymddangos braidd yn hunanganolog.

Mae'r adran hon yn cwmpasu cynnwys a sgiliau AA2

Cynnwys y fanyleb

I ba raddau y gellir ystyried pleser fel yr unig ddaioni cynhenid.

Gweithgaredd AA2
Dadleuon posibl

Wedi'u rhestru isod mae rhai casgliadau y byddai'n bosibl dod iddynt ar sail rhesymeg AA2 yn y testun cysylltiedig:

1. Gellir ystyried pleser fel yr unig ddaioni cynhenid oherwydd dyma'r unig ffordd o greu hapusrwydd.
2. Gellir ystyried pleser fel yr unig ddaioni cynhenid os yw'n cael ei arwain yn ofalus gan galcwlws hedonig Bentham.
3. Ni ellir ystyried pleser fel yr unig ddaioni cynhenid oherwydd ei fod yn rhy oddrychol.
4. Ni ellir ystyried pleser fel yr unig ddaioni cynhenid oherwydd ei fod yn olwg rhy gul ar brofiad bywyd.
5. Ni ellir ystyried pleser fel yr unig ddaioni cynhenid oherwydd nad yw'n ystyried y gwahaniaethau yn ansawdd neu werth cyffredinol yr hapusrwydd sy'n cael ei gynhyrchu.

Ystyriwch bob un o'r casgliadau sy'n cael eu gwneud uchod a chasglwch dystiolaeth ac enghreifftiau i gefnogi pob dadl o'r deunydd AA1 ac AA2 a astudiwyd yn yr adran hon. Dewiswch un casgliad sy'n argyhoeddi fwyaf yn eich barn chi ac esboniwch pam mae hyn yn wir. Nawr cyferbynnwch hyn â'r casgliad gwannaf ar y rhestr, gan gyfiawnhau eich dadl gyda rhesymu clir a thystiolaeth.

Cynnwys y fanyleb

I ba raddau y mae Iwtilitariaeth yn gweithio yn y gymdeithas gyfoes.

I ba raddau y mae Iwtilitariaeth yn gweithio yn y gymdeithas gyfoes

I lawer o bobl mae'n realistig ystyried bod Iwtilitariaeth, fel damcaniaeth deleolegol, yn anelu at nod hapusrwydd. Mae llawer o bobl yn honni mai dyma eu nod mewn bywyd ac i gymdeithas drwyddi draw, sef rhoi 'yr hapusrwydd mwyaf i'r nifer mwyaf o bobl'.

Mae gan Iwtilitariaeth Gweithredoedd nifer o wendidau, ond mae'n rhaid ei bod yn ddefnyddiol o hyd yn y gymdeithas gyfoes gan iddi ffurfio'r sail i ddemocratiaeth wleidyddol fodern. Mae gan Iwtilitariaeth nodau deniadol, sef dymuno hapusrwydd ac osgoi poen. Mae'n ymddangos ein bod ni'n cael ein cymell gan bleser a'r syniad o osgoi poen. Hefyd mae'n ymddangos yn ddigon syml i'w chymhwyso at y rhan fwyaf o sefyllfaoedd ac mae'n cyd-fynd â synnwyr cyffredin. Er enghraifft, mae'n ystyried canlyniadau ein gweithredoedd, tra byddai dim ond edrych ar fwriadau heb ystyried eu canlyniadau yn ymddangos yn amhersonol. Mae hyn yn bwysig wrth sefydlu deddfau cymdeithasol.

Mae Iwtilitariaeth hefyd yn ystyried pobl eraill ac nid yr unigolyn yn unig. Mae'n ymwneud â lles pawb. Mae'n ystyried pob un mae'r weithred yn effeithio arno. Yn fyr, mae Iwtilitariaeth Gweithredoedd yn bragmatig ac yn canolbwyntio ar sefyllfa rhywun ac effeithiau gweithred. Cryfder arall y ddamcaniaeth yw ei bod yn trin pawb yn yr un ffordd ac ni fydd yr un unigolyn yn cael triniaeth arbennig. Mae hyn yn gyson â delfrydau y gymdeithas gyfoes.

Yn gyffredinol, mae Iwtilitariaeth yn rhoi ymreolaeth i bobl wneud penderfyniadau drostyn nhw'u hunain. Er enghraifft, mewn Iwtilitariaeth Gweithredoedd, mae pob gweithred yn cael ei hystyried yn unigol ac felly nid yw'n rhagnodol nac yn gyfyngol. Yn y pen draw, i lawer o bobl mae 'hapusrwydd' yn agwedd bwysig ar wneud penderfyniadau gan mai dyna eu prif nod mewn bywyd. Gall Iwtilitariaeth roi canllawiau clir ar yr hyn sy'n arwain at 'yr hapusrwydd mwyaf i'r nifer mwyaf o bobl'.

Fodd bynnag, mae gan Iwtilitariaeth nifer o wendidau allweddol fel damcaniaeth foesegol. Er ei bod yn ymwneud yn bennaf â gwireddu 'yr hapusrwydd mwyaf i'r nifer mwyaf o bobl', o ganlyniad mae'n gallu gadael i leiafrif ddioddef, gan arwain, er enghraifft, at gyfiawnhau gweithredoedd fel caethwasiaeth neu arteithio. Ni fyddai hyn yn cael ei ganiatáu yn y gymdeithas gyfoes.

Mae'n ymddangos ei bod yn anwybyddu bwriadau a chymhelliant unigolyn. Mae hyn yn awgrymu bod y modd y mae'r daioni mwyaf yn cael ei gyflawni yn ddamweiniol a heb unrhyw berthnasedd moesol. Hynny yw, gallai anghyfiawnder gael ei ystyried fel y ffordd gywir o weithredu, sy'n ymddangos yn groes i synnwyr cyffredin. Cyfiawnder yw sail y gymdeithas gyfoes.

Wrth benderfynu a yw gweithred yn foesol gywir, mae angen gwybod beth fydd canlyniadau'r weithred. Fodd bynnag, efallai does dim modd rhagweld y canlyniadau'n fanwl gywir. Mae hyn yn sicr yn wir yn achos rhyfel. Mae hefyd yn wir gyda rhai mathau o beirianneg genetig. Er mwyn penderfynu pa weithred fydd yn dwyn y daioni mwyaf, rhaid ystyried y gweithredoedd posibl eraill hefyd, a rhagweld eu canlyniadau posibl. Mae hon yn ymddangos yn dasg amhosibl. Yn hyn o beth gallech chi ddadlau bod Iwtilitariaeth yn gofyn gormod. Dylen ni bob amser wneud yr hyn sy'n rhoi'r daioni mwyaf i'r nifer mwyaf o bobl, ond efallai bydd yna weithred, yn wahanol i'r un rydyn ni'n ei dewis, fyddai'n rhoi mwy o ddaioni.

Beirniadaeth arall o Iwtilitariaeth yw nad yw'n ystyried bod gennym rai dyletswyddau neu ymrwymiadau tuag at eraill; er enghraifft, dyletswydd mam i ddiogelu ei phlentyn. Mae hyn yn rhan o'r natur ddynol. Agwedd arall yw dydy pobl ddim yn berffaith, ac yn aml gallan nhw gamfarnu – yn benodol gall yr hyn fydd, yn eu barn nhw, yn arwain at hapusrwydd beidio ag arwain ato yn y diwedd.

Dadl arall yw nad yw'n bosibl ei chymhwyso'n gyson mewn gwirionedd: mae hapusrwydd yn oddrychol ac mae gan bobl syniadau gwahanol am yr hyn sy'n golygu 'pleser'. Mae'r hyn sy'n bleser i un person yn boen i berson arall. Sut byddai hyn yn gweithio yn y gymdeithas?

Yn olaf byddai crediniwr crefyddol yn dadlau y dylai'r rheolau ar gyfer y gymdeithas gael eu seilio ar ewyllys Duw, nid ar fynd ar drywydd hapusrwydd. Yn wir, bydden nhw'n dangos bod rhai o reolau'r gymdeithas heb fod yn gyson â mynd ar drywydd pleser unigolyn neu 'yr hapusrwydd mwyaf i'r nifer mwyaf o bobl'.

I gloi, gallwn ni weld bod rhai agweddau ar ddamcaniaeth iwtilitaraidd yn gweithio yn y gymdeithas, ond mae'n amlwg y byddai ei defnyddio fel sail i'n deddfau ni i gyd yn ddadleuol.

Gweithgaredd AA2
Dadleuon posibl

Wedi'u rhestru isod mae rhai casgliadau y byddai'n bosibl dod iddynt ar sail rhesymeg AA2 yn y testun cysylltiedig:

1. Mae Iwtilitariaeth yn gweithio yn y gymdeithas gyfoes gan mai ei sail yw 'yr hapusrwydd mwyaf i'r nifer mwyaf o bobl'.
2. Mae Iwtilitariaeth yn gweithio yn y gymdeithas gyfoes gan ei bod yn dal i ddylanwadu ar ein system wleidyddol heddiw.
3. Mae Iwtilitariaeth yn gweithio yn y gymdeithas gyfoes gan mai nod pob unigolyn yw bod yn hapus.
4. Dydy Iwtilitariaeth ddim yn gallu gweithio yn y gymdeithas gyfoes fel damcaniaeth ar ei phen ei hun.
5. Dydy Iwtilitariaeth ddim yn gallu gweithio yn y gymdeithas gyfoes gan fod gormod o wendidau ynddi.

Ystyriwch bob un o'r casgliadau sy'n cael eu gwneud uchod a chasglwch dystiolaeth ac enghreifftiau i gefnogi pob dadl o'r deunydd AA1 ac AA2 a astudiwyd yn yr adran hon. Dewiswch un casgliad sy'n argyhoeddi fwyaf yn eich barn chi ac esboniwch pam mae hyn yn wir. Nawr cyferbynnwch hyn â'r casgliad gwannaf ar y rhestr, gan gyfiawnhau eich dadl gyda rhesymu clir a thystiolaeth.

Mae Iwtilitariaeth yn sail i wleidyddiaeth fodern

Sgiliau allweddol

Mae dadansoddi'n ymwneud â nodi materion sy'n cael eu codi gan y deunyddiau yn adran AA1, ynghyd â'r rhai a nodwyd yn adran AA2, ac mae'n cyflwyno safbwyntiau cyson a chlir, naill ai gan ysgolheigion neu safbwyntiau personol, yn barod i'w gwerthuso.

Mae hyn yn golygu ei fod yn nodi pethau allweddol i'w trafod a'r dadleuon sy'n cael eu cyflwyno gan eraill neu o safbwynt personol.

Mae gwerthuso'n ymwneud ag ystyried goblygiadau amrywiol y materion sy'n cael eu codi, yn seiliedig ar y dystiolaeth a gafwyd wrth ddadansoddi ac mae'n rhoi dadl fanwl eang gyda chasgliad clir.

Mae hyn yn golygu bod yr ateb yn pwyso a mesur y dadleuon amrywiol a gwahanol a gafodd eu dadansoddi drwy roi sylwadau ac ymateb unigol, gan ddod i gasgliad drwy broses rhesymu clir.

Datblygu sgiliau AA2

Nawr mae'n bryd ystyried y wybodaeth sydd wedi'i chyflwyno hyd yma. Hefyd mae'n bwysig ystyried sut mae'r hyn rydych chi wedi'i ddysgu hyd yma'n gallu cael ei ddefnyddio ar gyfer atebion arholiad drwy ymarfer y sgiliau sy'n gysylltiedig ag AA2.

Mae Amcan Asesu 2 (AA2) yn ymwneud â 'dadansoddi' a 'gwerthuso'. Efallai fod ystyr y termau'n amlwg ond mae'n hanfodol eich bod yn gyfarwydd â sut mae sgiliau penodol yn dangos y rhain, a hefyd, sut bydd eich perfformiad ym mhob un o'r sgiliau hyn yn cael ei fesur (gweler disgrifyddion band cyffredinol Band 5 ar gyfer AA2 UG).

Yn amlwg mae ateb yn cael ei osod mewn disgrifydd band priodol, yn ôl pa mor dda yw'r ateb, gan amrywio o ragorol, da, boddhaol, sylfaenol/cyfyngedig i gyfyngedig iawn.

▶ **Dyma eich tasg newydd:** isod mae rhestr o gynnwys dangosol y gallech ei defnyddio'n ymateb i gwestiwn sy'n gofyn am werthuso effeithiolrwydd Iwtilitariaeth Gweithredoedd ar gyfer gwneud penderfyniadau moesegol. Y broblem yw nad yw hi'n rhestr lawn iawn ac mae angen ei chwblhau! Bydd yn ddefnyddiol i chi weithio mewn grŵp ac ystyried beth sydd ar goll o'r rhestr. Bydd angen i chi ychwanegu o leiaf chwe phwynt (tri o blaid a thri yn erbyn) er mwyn gwella'r rhestr a/neu roi mwy o fanylion i bob pwynt sydd ar y rhestr yn barod. Cofiwch, y ffordd rydych chi'n defnyddio'r pwyntiau yw'r ffactor pwysicaf. Defnyddiwch egwyddorion gwerthuso gan wneud yn siŵr eich bod: yn nodi'r materion yn glir; yn cyflwyno safbwyntiau eraill yn gywir, gan wneud yn siŵr eich bod yn gwneud sylwadau ar y safbwyntiau rydych yn eu cyflwyno; yn dod i farn bersonol gyffredinol. Gallwch ychwanegu rhagor o'ch awgrymiadau eich hun, ond ceisiwch drafod fel grŵp a blaenoriaethu'r pethau pwysicaf i'w hychwanegu. Wedyn, gweithiwch mewn grŵp i gytuno ar eich rhestr derfynol ac ysgrifennwch eich rhestr newydd o gynnwys dangosol, gan gofio egwyddorion esbonio gyda thystiolaeth a/neu enghreifftiau.

Yna, os ewch chi ati i roi'r rhestr hon yn y drefn y byddech chi'n cyflwyno'r wybodaeth mewn traethawd, bydd gennych eich cynllun eich hun ar gyfer ateb delfrydol.

Rhestr o gynnwys dangosol:

O blaid

- Mae'r calcwlws hedonig yn ddefnyddiol fel canllaw.
- Mae'n ystyried hawliau'r unigolyn.
- *Ychwanegu eich cynnwys chi*
- *Ychwanegu eich cynnwys chi*
- Ac yn y blaen

Yn erbyn

- Mae Iwtilitariaeth Gweithredoedd yn rhy oddrychol.
- Dydy Iwtilitariaeth Gweithredoedd ddim yn gallu bod yn gyson.
- *Ychwanegu eich cynnwys chi*
- *Ychwanegu eich cynnwys chi*
- Ac yn y blaen

B: John Stuart Mill yn datblygu Iwtilitariaeth

Mae'r adran hon yn cwmpasu cynnwys a sgiliau AA1

Cynnwys y fanyleb

Syniad Mill nad yw pob pleser yr un fath – mae 'pleserau uwch' (deallusol) yn well na 'phleserau is' (pleser corfforol sylfaenol). Datblygiad 'egwyddor niwed': dylid cyfyngu ar weithredoedd unigolion er mwyn atal niwed i unigolion eraill.

Syniad Mill nad yw pob pleser yr un fath

Yn fuan roedd damcaniaeth foesegol Iwtilitariaeth, wedi'i chynnig gan Bentham, yn dechrau wynebu beirniadaethau cryf. Un o'i beirniaid mwyaf oedd cyn-ddisgybl Bentham, John Stuart Mill.

Y brif feirniadaeth yn erbyn Bentham oedd ei fod yn ceisio mesur pleser mewn termau meintiol. Roedd fel pe bai'n caniatáu i rai gweithredoedd gael eu galw'n gywir ac yn dda pan oedden nhw'n ymddangos yn anghywir i eraill. Er enghraifft, roedd ymagwedd Bentham fel pe bai'n dod i'r casgliad y byddai criw o ddynion yn treisio menyw yn weithred gywir pe bai'r pleser gafodd y grŵp o dreiswyr yn fwy na'r boen gafodd y person a dreisiwyd.

Roedd hyn hefyd yn codi cwestiynau am union natur 'pleser'. Mae'n bwysig cofio mai yng nghyd-destun beirniadaethau o waith Bentham y datblygodd Mill ddamcaniaeth iwtilitaraidd.

Mae'r syniad hwn fod hapusrwydd yr un peth â daioni yn safbwynt y gellir ei weld yng ngwaith Aristotle. Roedd e'n cyfeirio ato fel *eudaimonia*. Dadl Aristotle oedd nad boddhad yn unig oedd pleser ond yn hytrach ei fod yn cynnwys y syniad o lesiant, byw'n dda, gwireddu'ch dyheadau. Mae hyn yn llawer nes at y farn oedd gan Mill.

Unigolyn allweddol

John Stuart Mill 1806–1873: athronydd Prydeinig, economegydd gwleidyddol, gwas sifil ac Aelod Seneddol. Roedd Bentham yn fentor iddo ac yn gyfaill agos i'r teulu. Roedd yn feddyliwr rhyddfrydig dylanwadol ac fe ddatblygodd fersiwn Bentham o Iwtilitariaeth. Roedd yn canolbwyntio'n fwy ar 'ansawdd' pleser yn hytrach na 'maint' pleser. Wrth edrych yn ôl mae rhai ysgolheigion wedi dweud mai ef gyflwynodd Iwtilitariaeth Rheolau.

Pleserau uwch ac is

O ganlyniad i'r diffyg a welwyd yn niffiniad Bentham o hapusrwydd mewn termau meintiol, symudodd Mill y ffocws yn ei fersiwn ef o Iwtilitariaeth o swm yr hapusrwydd a'r pleser i ansawdd yr hapusrwydd a'r pleser. Roedd e'n cydnabod bod rhai pleserau yn well nag eraill a datblygodd system o bleserau 'uwch' ac 'is'.

Roedd Mill yn gwahaniaethu rhwng pleser oedd yn ysgogi'r meddwl, sef pleser uwch, a phleser oedd yn gorfforol yn unig, sef pleser is. Honnodd ef mai bodau dynol yn unig a allai gyrraedd y pleser uwch ac mai'r pleser uwch oedd yn rhoi'r boddhad mwyaf. Fodd bynnag, roedd Mill yn ymwybodol bod pobl yn aml yn peidio â dewis y pleser uwch dros y pleser is. Roedd e'n teimlo bod hyn oherwydd nad oedden nhw wedi cael profiad o'r ddau. Pe bydden nhw wedi gwneud hynny, bydden nhw'n gwybod bod pleser uwch yn rhoi mwy o foddhad na'r pleserau is.

J. S. Mill 1806–1873

Felly, yn ôl Mill, mae pleserau deallusol, sef pleserau'r deall neu'r meddwl, yn uwch ac yn well. Er enghraifft, mae darllen athroniaeth neu farddoniaeth yn llawer gwell na'ch stwffio'ch hun mewn gwledd! Mae pleserau o'r fath yn helpu pobl i ddatblygu eu deall. Daeth Albert Einstein yn enwog am ddarganfyddiadau gwyddonol, ac felly mae e'n enghraifft glasurol o ddyheu am bleserau uwch drwy ddefnyddio ei ddeall.

Pleserau is, felly, yw pleserau eilradd y corff, sef pleserau corfforol fel rhyw a bwyta. Maen nhw'n is oherwydd dydyn nhw ddim yn cyfoethogi na'n gwella'r deall na'n datblygu ansawdd yr unigolyn. Mae bwyta pysgod a sglodion yn bodloni pleser is drwy ddiwallu chwant bwyd, ond mae'n bodloni'r anghenion corfforol mwyaf sylfaenol yn unig.

cwestiwn cyflym

4.6 Nodwch un ffordd roedd Mill yn anghytuno â Bentham.

Dyfyniad allweddol

Drosto ei hun, dros ei gorff a'i feddwl ei hun, mae'r unigolyn yn arglwyddiaethu. (Mill)

Dyfyniad allweddol

Mae'n well bod yn fod dynol anfodlon nag yn fochyn bodlon; gwell bod yn Socrates anfodlon nag yn ffŵl bodlon. (Mill)

Dyfyniad allweddol

Does dim un pleser sy'n ddrwg ynddo'i hun, ond mae'r pethau sy'n cynhyrchu rhai pleserau yn golygu aflonyddwch llawer gwaith yn fwy na'r pleserau eu hunain. (Epicurus)

cwestiwn cyplym

4.7 Rhowch enghraifft o 'bleser uwch'.

cwestiwn cyplym

4.8 Rhowch enghraifft o 'bleser is'.

cwestiwn cyplym

4.9 Pam mae 'egwyddor niwed' mor bwysig i Iwtilitariaeth?

Er mwyn i gymdeithas fod yn hapus, mae angen i unigolion gyda'i gilydd fod yn hapus hefyd

Dyfyniad allweddol

Yr unig reswm y gall grym gael ei ddefnyddio'n gyfiawn ar aelod o gymuned wâr, yn erbyn ei ewyllys, yw atal niwed i eraill. (Mill)

Serch hynny, roedd Mill yn cydnabod bod yn rhaid i bobl ddiwallu'r pleserau is, hynny yw mae angen iddyn nhw fwyta a chysgu. Mae hwn yn angen sylfaenol. Fodd bynnag, nid oedd yn beth da canolbwyntio'n unig ar y pleserau is, a'r nod mwyaf mewn bywyd oedd ceisio cyrraedd y pleserau uwch.

Drwy wahaniaethu rhwng pleserau uwch ac is, roedd Mill yn symud cyfrifo pleser i ffwrdd o'r maint a thuag at yr ansawdd. Bellach, nid yn unig faint o bleser yr oedd gweithred yn ei achosi oedd yn cyfrif. Erbyn hyn, roedd ansawdd y pleser hefyd yn bwysig.

Felly, doedd Iwtilitariaeth Mill ddim yn ymwneud yn llwyr â faint o bleser yr oedd gweithred yn ei gynhyrchu, ond roedd yn dadlau y dylid pwyso hyn yn erbyn ansawdd yr hapusrwydd yr oedd gweithred o'r fath yn ei gynhyrchu.

Cyffredinoladwyedd ac egwyddor niwed

Fel economegydd gwleidyddol, gwas sifil ac Aelod Seneddol, roedd gan Mill ddiddordeb mawr mewn diwygio cymdeithasol, yn ogystal ag edrych ar sut roedd y gymdeithas yn gweithio a beth oedd orau i bobl yn gyffredinol. Efallai mai'r cyfraniad pwysicaf gan Mill, felly, oedd iddo gyflwyno'r syniad o gyffredinoladwyedd (*universability*). Yn debyg i egwyddor defnyddioldeb Bentham, roedd Mill eisiau dangos bod yr hyn sy'n gywir ac yn anghywir i un person mewn sefyllfa yn gywir ac yn anghywir i bawb. Roedd yn dadlau fel hyn:

1. Mae hapusrwydd yn rhywbeth i'w ddymuno gan ein bod ni i gyd yn ei ddymuno.
2. Hapusrwydd yw'r unig beth i'w ddymuno fel diben, gan mai'r unig reswm y mae pethau yn ddymunol yw oherwydd eu bod nhw'n achosi hapusrwydd.
3. Felly, dylai pawb anelu at hapusrwydd pawb, gan y bydd cynyddu'r hapusrwydd cyffredinol yn cynyddu fy hapusrwydd fy hun.

Mae'r ddadl hon yn cefnogi'r syniad y dylai pobl roi lles y grŵp cyn eu lles eu hunain. Roedd egwyddor defnyddioldeb Bentham wedi canolbwyntio'n fwy ar sefyllfaoedd unigol heb unrhyw syniad am amddiffyn lles pawb yn gyffredinol. Fodd bynnag, adnabod yr hapusrwydd mwyaf yn nhermau ansawdd sy'n gyrru'r penderfyniad hwn bob tro. Yn ei hanfod, gan fod y gymdeithas wedi'i gwneud o unigolion, er mwyn i'r gymdeithas fod yn hapus mae angen i unigolion gyda'i gilydd fod yn hapus hefyd. Felly 'dyletswydd' neu 'reol' y gymdeithas yw y dylai amddiffyn hapusrwydd ei phobl.

Y meddylfryd hwn a arweiniodd Mill at ddatblygu'r hyn sy'n cael ei alw'n 'egwyddor niwed'. Yn ei lyfr *On Liberty*, ysgrifennodd Mill:

'Yr egwyddor honno yw mai'r unig ddiben lle mae gan y ddynoliaeth yr hawl, yn unigol neu gyda'i gilydd, i ymyrryd â rhyddid gweithredu unrhyw un o'u plith yw hunanamddiffyn. Yr unig reswm y gall grym gael ei ddefnyddio'n gyfiawn ar aelod o gymuned wâr, yn erbyn ei ewyllys, yw atal niwed i eraill. Nid yw ei ddaioni ei hun, naill ai'n gorfforol neu'n foesol, yn rhoi digon o hawl. Ni ellir yn gyfiawn ei orfodi i wneud neu i oddef oherwydd y bydd yn well iddo wneud hynny, oherwydd y bydd yn ei wneud yn hapusach, oherwydd, ym marn eraill, y byddai gwneud hynny'n ddoeth, neu hyd yn oed yn gywir ... Yr unig ran o ymddygiad unrhyw un, y mae'n atebol i'r gymdeithas amdani, yw'r rhan sy'n ymwneud â phobl eraill. Yn y rhan sy'n ymwneud ag ef ei hun yn unig, mae ei annibyniaeth yn absoliwt, ac mae hynny'n gyfiawn. Drosto ei hun, dros ei gorff a'i feddwl ei hun, mae'r unigolyn yn arglwyddiaethu.'

Gweithgaredd AA1

Ysgrifennwch brif egwyddorion Iwtilitariaeth a defnyddiwch god lliwiau i ddangos (1) yr hyn sy'n gyffredin i Bentham a Mill, (2) Bentham, a (3) Mill.

Awgrym astudio

Cofiwch bob amser dynnu sylw at gyd-destun hanesyddol a datblygiad Iwtilitariaeth o ran y fersiynau gwahanol sydd wedi cael eu cyflwyno.

Datblygu Iwtilitariaeth Rheolau

Roedd Mill yn credu bod profiadau blaenorol yn ein helpu i wneud penderfyniadau. Yn wir, mae bodau dynol eisoes wedi datblygu rhai rheolau sy'n ein helpu i wneud penderfyniadau yn gyflymach. Mae'r rheolau hyn yn gyffredinol eu natur, a phe bydden nhw'n cael eu cymhwyso mewn unrhyw sefyllfa, bydden nhw'n arwain at yr hapusrwydd mwyaf i'r nifer mwyaf o bobl (h.y. bydden nhw'n achosi'r hapusrwydd mwyaf posibl). Mewn **Iwtilitariaeth Rheolau**, y gweithredoedd moesol yw'r rheini sy'n cydymffurfio â'r rheolau sy'n arwain at y daioni mwyaf. Er enghraifft, does dim angen i ni ddefnyddio'r calcwlws hedonig i weithio allan bod rhoi arian i'r tlawd yn gywir oherwydd ei bod yn rheol Iwtilitariaeth sydd wedi cael ei defnyddio'n eang.

Yn ei ffurf gryfaf, mae **Iwtilitariaeth Rheolau Cryf** yn honni bod gweithred yn gywir os, a dim ond os, yw'n dilyn y rheolau: ni ddylid byth anufuddhau i'r rheolau. Mae'r rheolau hyn yn gyffredinol eu natur a phe bydden nhw'n cael eu cymhwyso mewn unrhyw sefyllfa, bydden nhw'n arwain at yr hapusrwydd mwyaf i'r nifer mwyaf o bobl. Bydden nhw'n achosi'r hapusrwydd mwyaf posibl. Byddai'r iwtilitariad rheolau yn sylwi ar y pethau sy'n debyg rhwng yr achos presennol a'r achosion blaenorol ac yn tynnu ar y cyfrifiadau blaenorol hynny.

Mae iwtilitariad rheolau cryf, ar y naill law, yn credu na ddylai unrhyw reolau sydd wedi'u creu drwy ddefnyddio egwyddor defnyddioldeb byth gael eu torri. Mae hyn oherwydd bod y rheolau wedi cael eu gwneud er mwyn hyrwyddo hapusrwydd. Fodd bynnag, ar y llaw arall, y ffurf wannaf yw **Iwtilitariaeth Rheolau Gwan**. Dyma lle mae rhywun yn cydnabod, mewn achosion eithafol, fod angen torri'r rheol sydd wedi'i chreu drwy ddefnyddio egwyddor defnyddioldeb, er mwyn cyrraedd yr hapusrwydd mwyaf. Er enghraifft, gallai'r rheol 'na ladd' fod wedi cael ei thorri gan rywun yn ystod yr Ail Ryfel Byd pe bai wedi cael y cyfle i ladd Hitler, gan y byddai hyn wedi gwireddu egwyddor defnyddioldeb.

Mae Mill yn cael ei ddisgrifio fel iwtilitariad rheolau; fodd bynnag, mae'n amheus a oedd yn argymell y ffurf gryfaf ohoni. Roedd yn ystyried bod y rheolau yn ganllaw defnyddiol yn hytrach na bod yn orfodol. Roedden nhw'n angenrheidiol fel ffordd o arbed amser. Mae'r safbwynt hwn, sef Iwtilitariaeth Rheolau Gwan, yn dweud y gallwch chi anufuddhau i'r rheolau ar adegau penodol os bydd hynny'n arwain at fwy o hapusrwydd. Yn yr ystyr hwn, mae damcaniaeth Mill yn aml yn cael ei gweld fel cymysgedd teleolegol/deontolegol. Hynny yw, mae'n gymysgedd o gymhwyso rheolau sydd wedi cael eu sefydlu drwy'r profiad o ddefnyddio Iwtilitariaeth, a hefyd, ar adegau, drwy ystyried nod terfynol ei ffurf benodol ef o Iwtilitariaeth heb gyfeirio at brofiad blaenorol.

Gweithgaredd AA1

Lluniwch ddiagram sy'n cysylltu'r gwahanol elfennau o fersiwn Bentham o Iwtilitariaeth. Dechreuwch â'r calcwlws hedonig, ond cofiwch roi'r syniadau am y saith elfen yng nghyd-destun syniadau Bentham fel cyfanrwydd.

Awgrym astudio

Yn yr arholiad, ysgrifennwch restr fer o bwyntiau bwled fel cynllun ar gyfer pob cwestiwn rydych chi'n bwriadu ei ateb. Dylai eich rhestr o bwyntiau bwled ddefnyddio geiriau allweddol, e.e. i gwestiwn am Mill: datblygu o Bentham, uwch/is, ansawdd, *eudaimonia*, cyffredinoladwyedd.

Cynnwys y fanyleb

Nid oes angen i bob gweithred gael ei hasesu, ac mae gweithred yn gywir os ydyw'n cydymffurfio â rheol hanesyddol sy'n arddangos ei bod yn bodloni egwyddor defnyddioldeb (Iwtilitariaeth 'Rheolau', erbyn hyn). Iwtilitariaeth Mill fel cymysgedd teleolegol/deontolegol.

Dyfyniad allweddol

Nid oes yr un achos o rwymedigaeth foesol lle nad oes rhyw egwyddor eilaidd yno hefyd. (Mill)

Dyfyniad allweddol

Mae pob gweithred yn cael ei chyflawni er mwyn rhyw ddiben, ac mae'n naturiol tybio bod yn rhaid i bob rheol gweithredu gymryd ei chymeriad a'i lliw o'r diben y mae'n ymgyrraedd ato. (Mill)

Termau allweddol

Iwtilitariaeth Rheolau: safbwynt sy'n cael ei gysylltu â John Stuart Mill. Wrth ddefnyddio 'egwyddor iwtilitariaeth' – yr hapusrwydd mwyaf i'r nifer mwyaf o bobl – mae iwtilitariad rheolau yn credu ei bod yn bosibl llunio rheolau cyffredinol, yn seiliedig ar brofiadau'r gorffennol, a fyddai'n helpu i gadw'r egwyddor hon.

Iwtilitariaeth Rheolau Cryf: mae iwtilitariad rheolau cryf yn credu na ddylai unrhyw reolau sydd wedi'u ffurfio a'u sefydlu drwy gymhwyso 'egwyddor defnyddioldeb' byth gael eu torri gan eu bod nhw'n gwarantu hapusrwydd i'r gymdeithas.

Iwtilitariaeth Rheolau Gwan: mae iwtilitariad rheolau gwan yn ceisio derbyn, mewn rhai sefyllfaoedd, efallai mai'r ffordd gywir o weithredu yw torri rheol gafodd ei chreu'n wreiddiol i gyflawni egwyddor defnyddioldeb yn gyffredinol. Mae hyn oherwydd yn y sefyllfa arbennig honno, mae torri'r rheol yn fwy tebygol o gyflawni egwyddor defnyddioldeb na chadw'r rheol.

cwestiwn cyflym

4.10 Esboniwch y gwahaniaethau rhwng Iwtilitariaeth Rheolau Cryf ac Iwtilitariaeth Rheolau Gwan.

Sgiliau allweddol

Mae gwybodaeth yn ymwneud â:

Dewis ystod o wybodaeth (drylwyr) gywir a pherthnasol sydd â chysylltiad uniongyrchol â gofynion penodol y cwestiwn.

Mae hyn yn golygu eich bod yn dewis y wybodaeth gywir sy'n berthnasol i'r cwestiwn a osodwyd NID y maes pwnc. Bydd angen i chi feddwl a chanolbwyntio ar ddewis gwybodaeth allweddol ac NID ysgrifennu popeth yr ydych chi'n ei wybod am y maes pwnc.

Mae dealltwriaeth yn ymwneud ag:

Esboniad helaeth, gan ddangos dyfnder a/neu ehangder gyda defnydd rhagorol o dystiolaeth ac enghreifftiau gan gynnwys (lle y bo'n briodol) defnydd trylwyr a chywir o destunau cysegredig, ffynonellau doethineb a geirfa arbenigol.

Mae hyn yn golygu y gallwch ddangos eich bod yn deall rhywbeth drwy egluro ac ehangu eich pwyntiau gan ddefnyddio enghreifftiau/tystiolaeth gefnogol mewn ffordd bersonol ac NID ailadrodd darnau o werslyfr (sef dysgu ar y cof).

Cymhwyso sgiliau ymhellach:

Ewch drwy'r meysydd pwnc yn yr adran hon a lluniwch rai rhestri bwled o bwyntiau allweddol o feysydd allweddol. Ar gyfer pob un, rhowch fwy o fanylion ac esboniwch fwy drwy ddefnyddio tystiolaeth ac enghreifftiau.

Datblygu sgiliau AA1

Nawr mae'n bryd ystyried y wybodaeth sydd wedi'i chyflwyno hyd yma. Hefyd mae'n bwysig ystyried sut mae'r hyn rydych chi wedi'i ddysgu hyd yma'n gallu cael ei ddefnyddio ar gyfer atebion arholiad drwy ymarfer y sgiliau sy'n gysylltiedig ag AA1.

Mae Amcan Asesu 1 (AA1) yn ymwneud â dangos gwybodaeth a dealltwriaeth. Mae'r termau 'gwybodaeth' a 'dealltwriaeth' yn amlwg ond mae'n hanfodol eich bod yn gyfarwydd â sut mae sgiliau penodol yn dangos y rhain, a hefyd, sut bydd eich perfformiad ym mhob un o'r sgiliau hyn yn cael ei fesur (gweler disgrifyddion band cyffredinol Band 5 ar gyfer AA1 UG).

Rydych chi bellach yn nesáu at ddiwedd yr adran hon o'r cwrs. O hyn allan dim ond cyfarwyddiadau fydd gan y dasg, heb enghreifftiau; ond, gan ddefnyddio'r sgiliau yr ydych wedi'u datblygu wrth gwblhau'r tasgau cynharach, dylech allu cymhwyso'r hyn rydych chi wedi dysgu ei wneud a chyflawni hyn yn llwyddiannus.

▶ **Dyma eich tasg newydd:** bydd rhaid i chi ysgrifennu ymateb o dan amodau wedi'u hamseru i gwestiwn sy'n gofyn am archwilio sut datbygodd Mill Iwtilitariaeth Bentham. Bydd angen i chi ganolbwyntio er mwyn gwneud hyn a chymhwyso'r sgiliau yr ydych chi wedi'u datblygu hyd yma:

1. Dechreuwch gyda rhestr o gynnwys dangosol. Trafodwch hon fel grŵp, efallai. Does dim rhaid i'r rhestr fod mewn unrhyw drefn.

2. Datblygwch y rhestr gan ddefnyddio enghreifftiau.

3. Nawr ystyriwch ym mha drefn yr hoffech chi esbonio'r wybodaeth.

4. Yna ysgrifennwch eich cynllun, o dan amodau wedi'u hamseru, gan gofio egwyddorion esbonio gyda thystiolaeth a/neu enghreifftiau.

Defnyddiwch y dechneg hon er mwyn adolygu pob un o'r meysydd pwnc rydych chi wedi'u hastudio. Mae techneg sylfaenol cynllunio atebion yn helpu hyd yn oed pan fydd amser yn brin ac rydych chi'n methu cwblhau pob traethawd.

Materion i'w dadansoddi a'u gwerthuso

I ba raddau y mae Iwtilitariaeth Rheolau yn darparu sail well nag Iwtilitariaeth Gweithredoedd ar gyfer gwneud penderfyniadau moesol

Un cryfder mawr Iwtilitariaeth Gweithredoedd Bentham yw bod ganddi ddull clir o gymhwyso'r calcwlws hedonig. Yn wir, gallai rhywun fynd mor bell â dadlau bod y calcwlws hedonig yn drwyadl wrth ystyried mesur agweddau ar bleser. Mae Iwtilitariaeth Gweithredoedd hefyd yn ymagwedd ddemocrataidd foesol sy'n ceisio cael y canlyniad tecaf drwy gymhwyso egwyddor hapusrwydd.

Fodd bynnag, mae gwendidau penodol yn gysylltiedig â Bentham ac Iwtilitariaeth Gweithredoedd. I ddechrau, nid yw'n glir sut mae'r calcwlws hedonig yn datrys y broblem o asesu ansawdd pleser. Er enghraifft, sut mae'n bosibl mesur dwyster pleser a'i gymharu â hyd pleser? Dydy rhestru elfennau o bleser ddim yn datrys y broblem o fesur y pleser. Yn ail, dydy'r calcwlws hedonig ddim yn blaenoriaethu neu'n sgorio agweddau ar bleser ac felly mae'n gallu arwain at fwy o ddryswch. Os yw'n cael ei gymhwyso'n drwsgl, gall y calcwlws hedonig gael ei gamddefnyddio; er enghraifft, mae'n ymddangos ei fod yn cyfiawnhau treisio gan griw o ddynion. Yn olaf, mae meini prawf calcwlws hedonig Bentham fel pe baen nhw'n cael eu hanelu at yr unigolyn wrth eu cymhwyso; hynny yw, yn fwy at egwyddor defnyddioldeb yn gyffredinol, yn hytrach nag ystyried goblygiadau ehangach yr egwyddor hapusrwydd mae Iwtilitariaeth yn ei hargymell.

Mae gan Iwtilitariaeth Rheolau Mill gryfderau penodol. Yr un cyntaf yw y gellir dadlau ei bod yn ymagwedd fwy deallus a meddylgar na damcaniaeth Bentham. Mae'n amlwg yn mynd i'r afael ag agwedd feintiol pleser drwy ddisgrifio'r pleser hwnnw a'i fireinio gyda'r dadansoddiad ansoddol. Byddai rhai'n dweud felly ei bod yn osgoi peryglon calcwlws sylfaenol Bentham ac yn rhoi'r argraff ei bod yn system o feddwl sy'n fwy coeth ac aruchel.

Fodd bynnag, a oedd Mill yn gywir wrth ddadlau bod pleserau uwch yn well na phleserau is? Pwy sy'n penderfynu hyn? Hefyd, wrth gyflwyno newidynnau newydd, byddai'n bosibl dadlau ei bod yn system rhy gymhleth i'w chyfrifo, ac felly nid yw o ddefnydd ymarferol oherwydd ei bod mor gymhleth.

Serch hynny, cryfder mawr Iwtilitariaeth Rheolau yw ei bod wedi'i chyfeirio'n bennaf at y gymdeithas. Mae ganddi sail o brofiadau dibynadwy i weithredu arnyn nhw ac, yn wahanol i Iwtilitariaeth Gweithredoedd, nid yw'n argymell cyfrifiad newydd anrhagweladwy ar gyfer pob penderfyniad. Mae hyn yn ddefnyddiol o ran helpu ac arwain pobl, yn hytrach na gwneud y ddamcaniaeth yn rhy gymhleth a drysu pobl. Mae'n ymddangos bod egwyddor niwed Mill yn gweithio tuag at ddiogelu yn erbyn yr anghysondebau posibl y byddai Iwtilitariaeth Gweithredoedd efallai yn eu creu.

I gloi, mae'n debyg fod y cyfan yn dibynnu ar beth mae'r ddamcaniaeth yn cael ei defnyddio ar ei gyfer. Byddai'n ymddangos bod Iwtilitariaeth Gweithredoedd yn fwy perthnasol i'r unigolyn ac yn caniatáu mwy o ryddid wrth ei chymhwyso, tra gallen ni ystyried bod Iwtilitariaeth Rheolau Cryf yn rhy anhyblyg i'r gymdeithas gyfan a heb ganiatáu'r rhyddid hwnnw. Efallai mai cyfaddawd hwylus fyddai dweud, yn gyffredinol, mai Iwtilitariaeth Rheolau Gwan yw'r ymagwedd orau at foeseg oherwydd ei bod yn caniatáu unigoliaeth Iwtilitariaeth Gweithredoedd yn ogystal ag arweiniad Iwtilitariaeth Rheolau.

Mae'r adran hon yn cwmpasu cynnwys a sgiliau AA2

Cynnwys y fanyleb

I ba raddau y mae Iwtilitariaeth Rheolau yn darparu sail well nag Iwtilitariaeth Gweithredoedd ar gyfer gwneud penderfyniadau moesol.

Gweithgaredd AA2
Dadleuon posibl

Wedi'u rhestru isod mae rhai casgliadau y byddai'n bosibl dod iddynt ar sail rhesymeg AA2 yn y testun cysylltiedig:

1. Mae Iwtilitariaeth Rheolau yn darparu sail well nag Iwtilitariaeth Gweithredoedd ar gyfer gwneud penderfyniadau moesol gan ei bod yn system fwy datblygedig.
2. Mae Iwtilitariaeth Rheolau yn darparu sail well nag Iwtilitariaeth Gweithredoedd ar gyfer gwneud penderfyniadau moesol gan ei bod yn well ar gyfer ei chymhwyso at y gymdeithas gyfan.
3. Gall Iwtilitariaeth Rheolau yn ogystal ag Iwtilitariaeth Gweithredoedd fod yn sail ar gyfer gwneud penderfyniadau moesol.
4. Mae Iwtilitariaeth Rheolau Gwan yn darparu sail well nag Iwtilitariaeth Rheolau Cryf neu Iwtilitariaeth Gweithredoedd ar gyfer gwneud penderfyniadau moesol.
5. Cyfuniad o'r gwahanol agweddau ar bob math o Iwtilitariaeth yw'r sail orau ar gyfer gwneud penderfyniadau moesol.

Ystyriwch bob un o'r casgliadau sy'n cael eu gwneud uchod a chasglwch dystiolaeth ac enghreifftiau i gefnogi pob dadl o'r deunydd AA1 ac AA2 a astudiwyd yn yr adran hon. Dewiswch un casgliad sy'n argyhoeddi fwyaf yn eich barn chi ac esboniwch pam mae hyn yn wir. Nawr cyferbynnwch hyn â'r casgliad gwannaf ar y rhestr, gan gyfiawnhau eich dadl gyda rhesymu clir a thystiolaeth.

Cynnwys y fanyleb

A yw Iwtilitariaeth yn hyrwyddo ymddygiad anfoesol.

A yw Iwtilitariaeth yn hyrwyddo ymddygiad anfoesol

Mae Iwtilitariaeth yn rhoi llawer iawn o bwyslais ar egwyddorion rheswm a barnau unigol. Dyma lle mae prif feirniadaethau Iwtilitariaeth yn codi ac yn ei gwneud yn agored i gyhuddiadau o ymddygiad anfoesol.

Byddai credinwyr crefyddol, yn gyffredinol, yn dadlau bod rheolau a dysgeidiaethau Duw yn wrthrychol, yn gymwys i bawb ac yn sicrhau cyfiawnder cyffredinol. Mae hyn yn fwy dibynadwy na damcaniaeth seciwlar sydd wedi cael ei datblygu gan fodau dynol ac sy'n cael ei chymhwyso'n anghyson. Bydd hyn yn arwain yn anochel at achosion o ymddygiad anfoesol.

Dadl arall fyddai, yn ôl Iwtilitariaeth, fod hapusrwydd yn oddrychol ac y gallai dwy sefyllfa debyg gael eu trin yn wahanol oherwydd bod gan bobl syniadau gwahanol am beth yw hapusrwydd. Gallai hyn arwain at anghyfiawnder i'r rheini dan sylw.

Er gwaethaf hyn, mae Iwtilitariaeth, yn enwedig yr un roedd Mill yn ei chynnig, yn seiliedig ar athroniaeth ddemocrataidd a theg gan ei bod yn hyrwyddo'r 'hapusrwydd mwyaf i'r nifer mwyaf o bobl', ac mae egwyddor niwed Mill yn amddiffyn rhag camddefnydd ac anfoesoldeb. Yn wir, hyd yn oed gyda chynigion Bentham, os yw'r calcwlws hedonig yn cael ei ddefnyddio a'i ystyried yn gyfan, mae'n sicrhau bod hapusrwydd pawb yn cael ei ystyried wrth wneud penderfyniad moesegol. Yn yr ystyr hwn mae'n hyrwyddo cyfiawnder ac nid ymddygiad anfoesol. Yn wir, wrth ystyried canlyniadau pob gweithred, mae Iwtilitariaeth yn gwneud i bobl ystyried sut mae eu gweithredoedd yn effeithio ar bobl eraill, ac mae'n amddiffyniad arall yn erbyn gweithredoedd anfoesol.

Her arall i'r gosodiad fyddai fod Iwtilitariaeth Gweithredoedd yn ystyried y sefyllfa wrth wneud penderfyniad moesegol. Yn hyn o beth, mae'n decach na damcaniaethau absoliwt, sydd ddim ond yn atal pobl rhag cyflawni rhai gweithredoedd. Y perygl gyda systemau absoliwt yw y gallen nhw, yn ôl Arthur Miller, hyrwyddo 'anfoesoldeb moesoldeb'.

Yn y modd hwn mae defnyddio'r calcwlws hedonig yn sicrhau bod hapusrwydd pawb yn cael ei ystyried wrth wneud penderfyniad moesegol, ac felly mae'n gyfiawn. Mewn Iwtilitariaeth Rheolau Gwan, er enghraifft, mae'r rheolau sydd wedi'u ffurfio yn sicrhau bod gweithredoedd tebyg yn cael eu trin yn yr un ffordd, er enghraifft peidio â dweud celwydd. Fodd bynnag, mae'r gweithredoedd hyn hefyd yn cael eu hystyried gyda'r hyblygrwydd na all deddfolaeth nac Iwtilitariaeth Rheolau Cryf ei gynnig.

Fodd bynnag mae'n bosibl cyhuddo Iwtilitariaeth Rheolau o adael i leiafrif ddioddef cyn belled â bod y mwyafrif yn hapus. Gallai gyfiawnhau gweithredoedd fel arteithio neu farwolaeth person diniwed cyhyd â bod hynny'n cyflawni'r 'hapusrwydd mwyaf i'r nifer mwyaf o bobl'. Yn y pen draw, mae'n caniatáu i lawer o bobl roi eu hapusrwydd nhw cyn hapusrwydd pobl eraill, ac felly bydd hyn yn arwain at anghyfiawnder. Gan ei bod yn ddamcaniaeth ganlyniadaethol, mae'n rhan o natur Iwtilitariaeth nad yw'r canlyniad a fwriadwyd yn cael ei warantu, ac felly gall pobl gael eu trin yn annheg yn y pen draw.

I gloi, nid yw unrhyw system benodol o ddamcaniaeth foesegol byth yn bwriadu ymddygiad anfoesol nac yn ei hyrwyddo chwaith. Mae'n bosibl cyhuddo hyd yn oed systemau crefyddol o anfoesoldeb yn ymarferol, er enghraifft anoddefgarwch a gwahaniaethu ond byddai'n anghywir dweud bod hyn wedi'i fwriadu a'i hyrwyddo. Y ffordd mae system yn cael ei chymhwyso sy'n bwysig, ac mae'n ymddangos mai'r cymhwysiad hwn, yn annoeth o bosibl, sydd wrth wraidd anfoesoldeb, ac nid y ddamcaniaeth ei hun.

Gweithgaredd AA2

Dadleuon posibl

Wedi'u rhestru isod mae rhai casgliadau y byddai'n bosibl dod iddynt ar sail rhesymeg AA2 yn y testun cysylltiedig:

1. Mae Iwtilitariaeth yn hyrwyddo ymddygiad anfoesol oherwydd ei bod yn canolbwyntio ar reswm dynol unigol.
2. Mae Iwtilitariaeth yn hyrwyddo ymddygiad anfoesol oherwydd does dim safon wrthrychol gyffredinol.
3. Dydy Iwtilitariaeth ddim yn hyrwyddo ymddygiad anfoesol na byth yn bwriadu ei hyrwyddo.
4. Dydy Iwtilitariaeth ddim yn hyrwyddo ymddygiad anfoesol ond mae meysydd posibl lle efallai byddai ei chymhwyso'n gallu arwain at anghyfiawnder ac anfoesoldeb.
5. Os gallwn ni ddadlau bod Iwtilitariaeth yn hyrwyddo ymddygiad anfoesol, yna gallwn ni ddweud yr un peth am bob damcaniaeth foesegol arall.

Ystyriwch bob un o'r casgliadau sy'n cael eu gwneud uchod a chasglwch dystiolaeth ac enghreifftiau i gefnogi pob dadl o'r deunydd AA1 ac AA2 a astudiwyd yn yr adran hon. Dewiswch un casgliad sy'n argyhoeddi fwyaf yn eich barn chi ac esboniwch pam mae hyn yn wir. Nawr cyferbynnwch hyn â'r casgliad gwannaf ar y rhestr, gan gyfiawnhau eich dadl gyda rhesymu clir a thystiolaeth.

Datblygu sgiliau AA2

Nawr mae'n bryd ystyried y wybodaeth sydd wedi'i chyflwyno hyd yma. Hefyd mae'n bwysig ystyried sut mae'r hyn rydych chi wedi'i ddysgu hyd yma'n gallu cael ei ddefnyddio ar gyfer atebion arholiad drwy ymarfer y sgiliau sy'n gysylltiedig ag AA2.

Mae Amcan Asesu 2 (AA2) yn ymwneud â 'dadansoddi' a 'gwerthuso'. Efallai fod ystyr y termau'n amlwg ond mae'n hanfodol eich bod yn gyfarwydd â sut mae sgiliau penodol yn dangos y rhain, a hefyd, sut bydd eich perfformiad ym mhob un o'r sgiliau hyn yn cael ei fesur (gweler disgrifyddion band cyffredinol Band 5 ar gyfer AA2 UG).

Yn amlwg mae ateb yn cael ei osod mewn disgrifydd band priodol, yn ôl pa mor dda yw'r ateb, gan amrywio o ragorol, da, boddhaol, sylfaenol/cyfyngedig i gyfyngedig iawn.

Sgiliau allweddol

Mae dadansoddi'n ymwneud â nodi materion sy'n cael eu codi gan y deunyddiau yn adran AA1, ynghyd â'r rhai a nodwyd yn adran AA2, ac mae'n cyflwyno safbwyntiau cyson a chlir, naill ai gan ysgolheigion neu safbwyntiau personol, yn barod i'w gwerthuso.

Mae hyn yn golygu ei fod yn nodi pethau allweddol i'w trafod a'r dadleuon sy'n cael eu cyflwyno gan eraill neu o safbwynt personol.

Mae gwerthuso'n ymwneud ag ystyried goblygiadau amrywiol y materion sy'n cael eu codi, yn seiliedig ar y dystiolaeth a gafwyd wrth ddadansoddi ac mae'n rhoi dadl fanwl eang gyda chasgliad clir.

Mae hyn yn golygu bod yr ateb yn pwyso a mesur y dadleuon amrywiol a gwahanol a gafodd eu dadansoddi drwy roi sylwadau ac ymateb unigol, gan ddod i gasgliad drwy broses rhesymu clir.

Rydych chi bellach yn nesáu at ddiwedd yr adran hon o'r cwrs. O hyn allan dim ond cyfarwyddiadau fydd gan y dasg, heb enghreifftiau; ond, gan ddefnyddio'r sgiliau yr ydych wedi'u datblygu wrth gwblhau'r tasgau cynharach, dylech allu cymhwyso'r hyn rydych chi wedi dysgu ei wneud a chyflawni hyn yn llwyddiannus.

▶ **Dyma eich tasg newydd:** bydd rhaid i chi ysgrifennu ymateb o dan amodau wedi'u hamseru i gwestiwn sy'n gofyn am werthuso effeithiolrwydd Iwtilitariaeth Rheolau Mill. Bydd angen i chi ganolbwyntio er mwyn gwneud hyn a chymhwyso'r sgiliau yr ydych chi wedi'u datblygu hyd yma:

1. Dechreuwch gyda rhestr o gynnwys dangosol. Trafodwch hon fel grŵp, efallai. Does dim rhaid i'r rhestr fod mewn unrhyw drefn. Cofiwch, gwerthuso yw hyn, felly mae angen gwahanol ddadleuon arnoch chi. Y ffordd hawsaf yw defnyddio'r penawdau 'o blaid' ac 'yn erbyn'.

2. Datblygwch y rhestr gan ddefnyddio enghreifftiau.

3. Nawr ystyriwch ym mha drefn yr hoffech chi esbonio'r wybodaeth.

4. Yna ysgrifennwch eich cynllun o dan amodau wedi'u hamseru, gan gofio cymhwyso egwyddorion gwerthuso drwy wneud yn siŵr eich bod: yn nodi'r materion yn glir; yn cyflwyno safbwyntiau eraill yn gywir, gan wneud yn siŵr eich bod yn gwneud sylwadau ar y safbwyntiau rydych yn eu cyflwyno; yn dod i farn bersonol gyffredinol.

Defnyddiwch y dechneg hon er mwyn adolygu pob un o'r meysydd pwnc rydych chi wedi'u hastudio. Mae techneg sylfaenol cynllunio atebion yn helpu hyd yn oed pan fydd amser yn brin ac rydych chi'n methu cwblhau pob traethawd.

Mae'r adran hon yn cwmpasu cynnwys a sgiliau AA1

Cynnwys y fanyleb

Cymhwyso Iwtilitariaeth Gweithredoedd Bentham ac Iwtilitariaeth Rheolau Mill at y ddau fater a restrir isod:

1. Arbrofi ar anifeiliaid ar gyfer ymchwil meddygol.
2. Defnyddio arfau niwclear fel arf ataliol.

Termau allweddol

Bywddyraniad: yr arfer o wneud llawdriniaethau ar anifeiliaid byw ar gyfer arbrofion neu ymchwil gwyddonol

Dyraniad: y weithred o ddyrannu corff neu blanhigyn i astudio ei rannau mewnol

Unigolyn allweddol

Claudius Galen: meddyg Groegaidd a aeth i Rufain ac adfywio syniadau Hippocrates a meddygon Groegaidd eraill. Byddai'n rhoi pwyslais mawr ar arsylwadau clinigol – archwilio claf yn drwyadl iawn a nodi ei symptomau. Casglodd lawer o'r wybodaeth a gafwyd gan awduron blaenorol. Aeth ymhellach â'r archwilio i sut roedd organau'n gweithio drwy wneud bywddyraniad ar anifeiliaid. Ymestynnodd ei wybodaeth o anatomi drwy ddyrannu moch ac epaod ac astudio strwythur eu hesgyrn a'u cyhyrau.

Unigolyn allweddol

William Harvey: wedi ei eni yn Folkestone, Swydd Gaint ar 1 Ebrill 1578. Masnachwr oedd ei dad. Addysgwyd Harvey yng Ngholeg y Brenin, Caergaint a Phrifysgol Caergrawnt. Yna aeth i astudio meddygaeth ym Mhrifysgol Padua yn yr Eidal, lle y cafodd ei hyfforddi gan y gwyddonydd a'r llawfeddyg Hieronymus Fabricius. Harvey oedd y cyntaf i ddisgrifio'n fanwl gywir sut mae gwaed yn cael ei bwmpio drwy'r corff gan y galon. Drwy gyfres hir o ddyraniadau (o gŵn a moch i lawr i wlithod ac wystrys), a thrwy broses o ddadl resymegol, roedd Harvey yn gallu profi bod y corff yn cynnwys un cyflenwad o waed yn unig, ac mai cyhyr sy'n ei bwmpio mewn cylch yw'r galon.

C: Iwtilitariaeth: cymhwyso'r damcaniaethau (Gweithredoedd a Rheolau)

Cymhwyso Iwtilitariaeth Gweithredoedd Bentham ac Iwtilitariaeth Rheolau Mill at arbrofi ar anifeiliaid ar gyfer ymchwil meddygol

Mae gan faes meddygaeth gysylltiad hir â defnyddio anifeiliaid ar gyfer ymchwil meddygol. Mae arferion **dyraniad** a **bywddyraniad** yn dyddio yn ôl i adeg yr Hen Roeg a Rhufain, gyda gwaith Claudius Galen yn arbennig, ac yna gwaith arloesol William Harvey yn yr 16eg ganrif ar gylchrediad y gwaed yn seiliedig ar ddadansoddi mochyn a ddyrannwyd.

Claudius Galen 130–210 OCC

William Harvey 1578–1657

Heddiw mae dyraniad a bywddyraniad anifeiliaid yn digwydd yn eang ac maen nhw'n dal yn gyfreithlon ar gyfer ymchwil meddygol. Fodd bynnag, mae agwedd pobl tuag at anifeiliaid a thriniaeth anifeiliaid wedi bod yn destun cryn dipyn o drafod yn y cyfnod diweddar.

Un broblem yw'r safbwyntiau gwahanol ar y berthynas sydd gan fodau dynol ag anifeiliaid heddiw, a sut mae hyn yn gweithio'n ymarferol. Dyma grynodeb o rai ymagweddau a'u statws cyfreithiol:

Term	Diffiniad
Defnyddio anifeiliaid (cyfreithlon)	Y syniad mai bodau dynol yw'r rhywogaeth oruchaf. Mae anifeiliaid i gael eu defnyddio ar gyfer bwyd a phleser (chwaraeon).
Amddiffyn anifeiliaid (cyfreithlon)	Yn sefydlu deddfau a rheoliadau i reoli arbrofion ar anifeiliaid a sicrhau bod anifeiliaid yn cael eu trin ag urddas.
Lles anifeiliaid (cyfreithlon)	Yn cefnogi hawliau anifeiliaid i beidio â chael eu cam-drin ac i gael eu gwarchod, e.e. yr *RSPCA*.
Diwygio ym maes anifeiliaid (cyfreithlon)	Pobl sy'n ymladd dros newidiadau i ddeddfau sy'n ymwneud ag arbrofi ar anifeiliaid, perchen ar anifeiliaid, dillad o ddeunydd anifeiliaid a chwaraeon sy'n cynnwys anifeiliaid.
Rhyddhau anifeiliaid (anghyfreithlon)	Grŵp dienw sydd wedi defnyddio gweithredoedd terfysgol i ryddhau anifeiliaid rhag cael eu cam-drin.
Rheoli anifeiliaid (anghyfreithlon)	Y farn sy'n cefnogi defnyddio anifeiliaid mewn chwaraeon eithafol fel ymladd cŵn neu hela llwynogod, gan gredu bod anifeiliaid yma er mwyn ein defnydd a'n pleser ni (hyd yn oed os yw'n golygu eu bod nhw'n dioddef).

Mae defnyddio anifeiliaid ar gyfer ymchwil meddygol yn faes penodol iawn o ymchwil ac mae'n bwnc llosg. Y broblem gyda chymhwyso unrhyw ddamcaniaeth foesegol at unrhyw fater yw bod angen i ni yn gyntaf fod yn ymwybodol o rai ffeithiau am y mater. Gyda rhai materion gall y ffeithiau fod yn ddigon syml, ond gyda materion eraill gall fod dadl am y ffeithiau. Yn anffodus, ym maes arbrofi ar anifeiliaid ar gyfer ymchwil meddygol, mae ffeithiau sy'n ddadleuol.

Y ddadl hon, sef a yw arbrofi ar anifeiliaid yn ddefnyddiol ar gyfer ymchwil meddygol neu beidio, yw asgwrn y gynnen.

Mae carfanau pwyso fel ***Animal Aid*** yn cwestiynu a yw'n ddefnyddiol. Cafodd ei sefydlu yn 1977, ac 'mae'r gymdeithas yn ymgyrchu yn erbyn pob camdriniaeth o anifeiliaid, ond yn arbennig defnyddio anifeiliaid mewn arbrofion a thrin anifeiliaid fferm yn greulon'. Mae *Animal Aid* bob amser yn ymgyrchu mewn modd heddychlon a di-drais ac felly mae'n gyfreithlon. Un o'i pholisïau sylfaenol yw ei bod yn gwrthod yr ymagweddau dynol presennol tuag at anifeiliaid, sy'n dweud bod bodau dynol yn fodau deallusol uwch. Mae'n ddiddorol nodi bod y polisi hwn wedi'i seilio ar ddyfyniad gan Jeremy Bentham: 'Nid "A allan nhw resymu?" yw'r cwestiwn. Na chwaith, a allan nhw siarad? Ond, a allan nhw ddioddef?'

Mae *Animal Aid* yn gwrthod pob math o arbrofion seicolegol fel siociau trydan, newynu, amddifadu a thechnegau poenydio sy'n cael eu defnyddio dim ond er mwyn gweld sut mae'r anifeiliaid yn adweithio. Mae'r elusen yn dyfynnu David Helton, Golygydd *BBC Wildlife* yn 1984, i ddangos ei safbwynt: 'Mae'n cymryd dau i wneud arbrawf – y mwnci a'r dyn – ac nid y ffordd orau o farnu ymddygiad yw drwy edrych ar y mwnci.'

Cafodd y cysylltiad rhwng diabetes a phancreas wedi'i niweidio ei wneud yn y 18fed ganrif drwy astudio awtopsïau dynol. Fodd bynnag, gan nad oedd gwyddonwyr am

cwestiwn cyflym

4.11 Pam mae Galen a Harvey yn bwysig o ran defnyddio anifeiliaid mewn ymchwil meddygol?

Term allweddol

Animal Aid: elusen sy'n hybu lles anifeiliaid ac sy'n dadlau yn erbyn defnyddio anifeiliaid ar gyfer ymchwil meddygol

cwestiwn cyflym

4.12 Beth yw lles anifeiliaid?

cwestiwn cyflym

4.13 Beth yw amddiffyn anifeiliaid?

Dyfyniad allweddol

Mae gwahaniaethu yn erbyn bodau dim ond oherwydd eu rhywogaeth yn fath o ragfarn. (Singer)

amser hir yn gallu achosi diabetes mewn anifeiliaid yn y labordy drwy niweidio'r pancreas, collodd y ddamcaniaeth ei hygrededd am flynyddoedd lawer.

Mae gan *Animal Aid* lawer i'w ddweud am ganlyniadau hanesyddol ymchwil meddygol sy'n arbrofi ar anifeiliaid. Mae'n dadlau:

1. Mae llawer o ymchwil meddygol, gan gynnwys ymchwil i afiechydon fel canser, yn ailadroddus ac yn ddibwynt.
2. Mae gennym ddigon o gyffuriau (dim ond 200 sydd eu hangen ar gyfer iechyd dynol ac eto mae miloedd ar gael drwy farchnata a chystadleuaeth adwerthu).
3. Mae arbrofion ar anifeiliaid yn annibynadwy – er enghraifft, mae penisilin yn ddefnyddiol ar gyfer bodau dynol ond mae'n lladd moch cwta a bochdewion, ac mae clorofform yn lladd cŵn ac yn anaestheteiddio bodau dynol.
4. Rydyn ni'n gwybod bod cyffuriau sydd wedi pasio ymlaen mewn anifeiliaid wedi achosi marwolaethau dynol.
5. Mae'n bosibl atal llawer o fathau o ganser, ac felly dylen ni ganolbwyntio ar gael gwared ar yr hyn sy'n eu hachosi ac nid chwilio am ffyrdd o'u gwella.

Mae Dr Gill Langley wedi bod yn gysylltiedig ag ymgyrchu yn erbyn defnyddio arbrofion ar anifeiliaid mewn ymchwil meddygol ers amser. Mae hi'n dadlau bod hanes meddygol dro ar ôl tro yn dangos bod ein dealltwriaeth o iechyd a chlefydau wedi llithro'n ôl o ganlyniad i ymchwilio ac arbrofi ar anifeiliaid. Hefyd, mae hi'n tynnu sylw at y ffaith fod llawer o ddarganfyddiadau pwysig iawn wedi digwydd heb arbrofi ar anifeiliaid.

I Langley, mae dau ansicrwydd mawr yn ymwneud ag arbrofi ar anifeiliaid:

1. Mae gwahaniaethau sylweddol rhwng rhywogaethau o ran anatomi, metabolaeth, ffisioleg neu ffarmacoleg oherwydd amrywiadau genetig gwaelodol. Mae posibilrwydd, ac mae yn digwydd, fod yr amrywiadau hyn rhwng rhywogaethau yn rheolaidd yn drysu'r broses o drosi canlyniadau anifeiliaid labordy i fodau dynol.

Er enghraifft, llygod yw'r rhywogaeth sy'n cael ei defnyddio fwyaf mewn ymchwil meddygol. Mae Langley yn dweud: 'Rydyn ni'n gwybod bod o leiaf 67 o wahaniaethau mewn swyddogaethau imiwnolegol rhwng llygod a bodau dynol. Dydy hyn ddim yn syndod, gan fod ein rhywogaethau wedi ymwahanu rhwng 65 a 75 miliwn o flynyddoedd yn ôl.'

2. Mae anifeiliaid yn cael eu defnyddio mewn ymchwil i afiechydon dynol oherwydd bod diffyg gwybodaeth, a dydyn ni ddim yn gwybod am achosion na datblygiad cyflwr dynol penodol. Fodd bynnag, mae model anifail fel arfer yn cael ei ddatblygu ar sail ystod gul o symptomau dynol, a'i seilio ar anwybodaeth am y gwahaniaeth rhwng achosion a chanlyniadau salwch.

Mae Langley'n edrych ar glefyd Parkinson a'r symptomau gwahanol mewn pobl a marmosetiaid. Mae hi'n dadlau: 'Mae model y marmoset yn or-syml o'i gymharu â'r cyflwr dynol, gan gynnwys nifer a math mwy cyfyngedig o gelloedd ymennydd ... dydy marmosetiaid ddim yn datblygu nodwedd batholegol clefyd Parkinson, sef y clystyrau o brotein annormal, o'r enw cyrff Lewy, sy'n datblygu yng nghelloedd yr ymennydd.'

Mae Langley'n dadlau y dylai perfformiad gwael modelau anifeiliaid mewn ymchwil meddygol sbarduno gwerthusiad difrifol o botensial modelau amgen heb anifeiliaid. Byddai'r rhain yn cynnwys astudiaethau ar gelloedd a meinwe dynol (yn y 'tiwb profi'), dulliau moleciwlaidd, astudiaethau poblogaeth ac efelychiadau cyfrifiadurol.

Cryfderau amlwg y dulliau ymchwil hyn yw eu bod nhw'n fwy perthnasol i fodau dynol ac yn aml yn caniatáu gwell ddealltwriaeth o'r hyn sy'n sail i glefydau. Mae hi'n dadlau bod dibynnu ar 'ddiprwyon' (*surrogates*) i ffurfio a phrofi damcaniaethau meddygol yn 'ddifrifol o ddiffygiol'.

Er gwaetha'r ddadl gref, mae gwrthddadl sy'n cael ei nodweddu gan ymateb grwpiau fel *Understanding Animal Research (UAR)*. Mae *UAR* yn dweud ei fod yn 'cefnogi'r defnydd dyngarol o anifeiliaid mewn ymchwil biofeddygol ac yn credu bod ymchwil ar anifeiliaid yn rhan hanfodol o'r broses wyddonol'.

Dyfyniad allweddol

Ni all yr hyn sy'n foesol anghywir fod yn wyddonol gywir. Mae ceisio budd i'ch hun heb ystyried y gost i fodau ymdeimladol eraill yn golygu troi cefn ar y ddynoliaeth. (Kingford)

Dyfyniad allweddol

Yn ystod fy addysg feddygol yn Basle, i mi roedd bywddyraniad yn ofnadwy, yn farbaraidd ac, yn fwy na dim, yn ddiangen. (Jung)

cwestiwn cyflym

4.14 Pam mae Gill Langley'n poeni am yr ansicrwydd yn y defnydd o arbrofi ar anifeiliaid mewn ymchwil meddygol?

Dyfyniad allweddol

Mae gwerth modelau anifeiliaid wedi'i gyfyngu gan wahaniaethau rhwng y rhywogaethau a ddigwyddodd oherwydd esblygiad, a hefyd gan y gwahaniaethau anochel rhwng y cyflyrau sy'n cael eu creu mewn anifeiliaid a'r anhwylderau dynol sy'n bwnc y gwaith ymchwil. (Langley)

Term allweddol

Understanding Animal Research: cymdeithas gydfuddiannol (sefydliad di-elw) sy'n esbonio pam mae anifeiliaid yn cael eu defnyddio mewn ymchwil meddygol a gwyddonol

cwestiwn cyflym

4.15 Beth yw *UAR*?

Fel *Animal Aid* a Langley, mae *UAR* yn cyflwyno rhai dadleuon perswadiol yn seiliedig ar ffeithiau:

1. Mae ymchwil ar anifeiliaid wedi chwarae rhan hanfodol ym mhob darganfyddiad meddygol pwysig bron dros y degawd diwethaf.
2. Rydyn ni'n rhannu 95% o'n genynnau â llygod, ac mae anifeiliaid yn dioddef o glefydau tebyg i bobl, gan gynnwys canser, TB, ffliw ac asthma.
3. Mae pob ymchwil milfeddygol wedi dibynnu ar ddefnyddio ymchwil gydag anifeiliaid.
4. Ni all dulliau heb anifeiliaid gymryd lle pob ffordd o ddefnyddio anifeiliaid.
5. O ganlyniad i arbrofion meddygol ar anifeiliaid, cafwyd nifer o lwyddiannau wrth ddarganfod, datblygu neu berffeithio'r canlynol: anaesthetigion modern; brechlyn tetanws; penisilin; inswlin; llawdriniaeth i gael clun newydd; trawsblannu aren; trawsblannu calon; trallwyso gwaed; herceptin (protein llygoden dynolaidd) sy'n cynyddu cyfradd goroesi pobl sydd â chanser y fron; datblygu Therapïau Gwrth-Ôlfirol Actif Iawn (*HAART*) i sicrhau nad yw AIDS yn afiechyd marwol bellach; anadlyddion asthma; brechlynnau modern gan gynnwys y rheini yn erbyn polio, TB, llid yr ymennydd a firws papiloma; ac mae'r frech wen wedi cael ei dileu o'r byd, diolch i ymchwil ar anifeiliaid.

Maen nhw'n dadlau hefyd:

1. Gyda'i gilydd, mae cŵn, cathod a phrimatiaid yn cyfrif am lai na 0.2% o anifeiliaid ymchwil, ac mae 97% o ymchwil yn y DU yn cael ei wneud ar lygod, llygod mawr, pysgod ac adar.
2. Mae'r DU ymhlith y gwledydd sydd â'r safonau uchaf o ran lles anifeiliaid labordy yn y byd.

Labordy i wneud arbrofion ar anifeiliaid

3. Mae'n rhaid i bob ymchwil ar anifeiliaid yn y DU gael ei gymeradwyo gan y Swyddfa Gartref. Hefyd, mae'n rhaid i'r ymchwilwyr a'r sefydliadau sy'n gwneud yr ymchwil gael eu trwyddedu gan y Swyddfa Gartref.
4. Mae pwyllgorau moeseg yn bodoli i sicrhau bod manteision posibl yr ymchwil yn fwy nag unrhyw ddioddefaint i'r anifeiliaid. Mae'r 3R, yn Saesneg, yn sail i les anifeiliaid – mae gofyn cyfreithiol i amnewid (*replace*) anifeiliaid â dulliau eraill, gwella (*refine*) technegau arbrofi a lleihau (*reduce*) nifer yr anifeiliaid sy'n cael eu defnyddio mewn ymchwil.

Albert Sabin a ddatblygodd y brechlyn polio ac mae wedi dweud: 'Heb ymchwil ar anifeiliaid, byddai polio'n dal i ladd miloedd o bobl bob blwyddyn.' Hefyd mae cyn Brif Swyddog Gweithredol y Cyngor Ymchwil Meddygol, yr Athro Colin Blakemore, wedi dweud bod '[primatiaid] yn cael eu defnyddio dim ond pan does dim rhywogaeth arall na dull arall ar gael i roi'r atebion i gwestiynau am gyflyrau fel clefyd Alzheimer, strôc, clefyd Parkinson, anafiadau i'r asgwrn cefn, anhwylderau hormonaidd, a brechlynnau ar gyfer HIV.'

Gweithgaredd AA1

Lluniwch daflen fach sy'n amlinellu dwy ochr y ddadl am y defnydd o arbrofi ar anifeiliaid mewn ymchwil meddygol.

Awgrym astudio

Gwnewch yn siŵr fod gennych ddealltwriaeth dda o'r prif ddadleuon o blaid ac yn erbyn defnyddio arbrofi ar anifeiliaid mewn ymchwil meddygol.

Dyfyniad allweddol

Ers dros 150 o flynyddoedd, mae ymchwil sy'n defnyddio anifeiliaid wedi cynyddu dealltwriaeth wyddonol o iechyd pobl ac anifeiliaid, ac effaith yr amgylchedd ar fywyd gwyllt. Nid ar chwarae bach y dylai'r ymchwil hwn gael ei wneud a'r unig bryd y dylid defnyddio anifeiliaid yw pan nad oes dull arall ar gael. (*Understanding Animal Research*)

Dyfyniad allweddol

Mae arbrofion ar anifeiliaid wedi cyfrannu'n helaeth at ddatblygiadau gwyddonol. (Pwyllgor Dethol Tŷ'r Arglwyddi)

Dyfyniad allweddol

Mae cynhyrchu meddyginiaeth newydd yn broses hir a chymhleth ... Mae profion ar anifeiliaid yn chwarae rhan hanfodol. (*The Nuffield Council on Bioethics*)

Rhaid ystyried yn awr i ba gasgliadau y byddai'r mathau gwahanol o Iwtilitariaeth yn dod.

Wrth gymhwyso Iwtilitariaeth gall fod yn syniad da edrych ar wahanol agweddau ar y ddamcaniaeth, ond rhaid cofio bod ffyrdd gwahanol o'i chymhwyso oherwydd cymhlethdod y materion a natur gymhleth y ddamcaniaeth ei hun. Fel mae Bass yn ei ysgrifennu, 'er mor dda yw'r achos iwtilitaraidd yn erbyn ymchwil gydag anifeiliaid yn gyffredinol, mewn egwyddor bydd modd dod o hyd i achosion lle mae'n ymddangos y gallwch chi ei gyfiawnhau'.

Rhaid ystyried y defnydd o'r egwyddor iwtilitaraidd sy'n anelu at yr 'hapusrwydd mwyaf i'r nifer mwyaf o bobl'. Ar y naill law, mae'n amlwg yn delio â hapusrwydd llawer mwy o fywydau dynol nag anifeiliaid os ydyn ni'n ystyried y bywydau sydd wedi'u hachub yn barod a'r trychineb dynol posibl drwy beidio â rheoli epidemigau. Ar y llaw arall, wrth arbrofi ar anifeiliaid mewn ymchwil meddygol, os yw'r ffeithiau'n gywir, ac mae llawer o ansicrwydd ac anghysondeb ynglŷn â hyn, byddai'n ymddangos dydy'r hapusrwydd mwyaf i fodau dynol ddim yn cael ei warantu mewn perthynas â dioddefaint anifeiliaid.

O ran egwyddor defnyddioldeb sy'n 'hyrwyddo pleser ac yn osgoi poen', mae pleser i'w gael oherwydd ei fod o fudd i fodau dynol a allai ddioddef o bosibl, ond mae'n achosi dioddefaint i anifeiliaid – pa un sydd bwysicaf? Ai mater o'r niferoedd dan sylw yw hyn? I Bentham efallai mai'r nifer sydd bwysicaf; i Mill mae'n ymwneud ag ansawdd y pleser. Mae hyn yn golygu byddai'n rhaid i iwtilitariad, yn anfoddog, gefnogi rhai mathau o arbrofi ar anifeiliaid ar gyfer ymchwil meddygol.

Mae Bentham ei hun yn cael ei ystyried yn arloeswr hawliau anifeiliaid. Doedd Bentham ddim yn dadlau bod gan fodau dynol a rhywogaethau nad ydynt yn fodau dynol yr un pwysigrwydd moesol, ond roedd e'n dadlau y dylid ystyried buddiannau'r olaf. Newidiodd Bentham safbwynt llawer o bobl tuag at anifeiliaid. Yn hytrach na'u hystyried yn israddol i fodau dynol oherwydd eu hanallu i resymu, cymhwysodd Bentham Iwtilitariaeth foesegol at anifeiliaid, fel sy'n amlwg yn ei ddyfyniad enwog: 'Nid "A allan nhw resymu?" yw'r cwestiwn. Na chwaith, a allan nhw siarad? Ond, a allan nhw ddioddef?' Yn ôl Bentham, y 'llinell anorchfygol' oedd mai'r gallu i ddioddef yn hytrach na'r gallu i resymu sy'n darparu'r fframwaith a'r safon ar gyfer sut rydyn ni'n trin anifeiliaid eraill. Mae'n bosibl iawn y byddai Bentham wedi anghytuno ag arbrofi ar anifeiliaid ar gyfer ymchwil meddygol. Mae Julia Driver yn nodi, 'Beth oedd yn ddiffygiol yn namcaniaeth gwerth Bentham, ym marn llawer, oedd lle arbennig ar gyfer y galluoedd rhesymegol sy'n nodi gwahaniaeth rhwng pobl ac anifeiliaid.'

Mae calcwlws hedonig Bentham yn awgrymu y dylai'r calcwlws cyfan gael ei ddefnyddio wrth ymdrin â bodau dynol ac anifeiliaid fel ei gilydd. Yr unig ffordd foddhaol o ymdrin â hyn yw ystyried egwyddor 'maint', ac edrych yn y tymor hir tua'r adeg pan fydd dioddefaint anifeiliaid yn y presennol yn arwain at lai o ddioddefaint yn gyffredinol i anifeiliaid a phobl yn y dyfodol.

Mae Mill, serch hynny, yn hollol glir nad yw pleserau a phoenau anifeiliaid yn cyfateb i rai bodau dynol o ran gwerth. Dydy anifeiliaid ddim yn gwerthfawrogi'r pleserau uwch ac ni allan nhw weithredu fel bodau iwtilitaraidd felly. Dydy hyn ddim yn golygu nad oes angen eu hamddiffyn a'u trin yn dda. Mae Julia Driver yn nodi, 'Mae'r gwahaniaeth hwn rhwng pleserau uwch ac is yn galluogi Mill i fynnu, er bod gan anifeiliaid statws moesol oherwydd eu bod nhw'n ymdeimladol – hynny yw, oherwydd eu bod nhw'n gallu teimlo pleser a phoen, ac felly cael profiadau cadarnhaol a negyddol – fod gan bobl statws moesol uwch oherwydd eu gallu i brofi pleserau uwch.'

Mae egwyddor niwed Mill wedi'i hanelu'n bennaf at y gymdeithas a bodau dynol er mwyn i'r gymdeithas elwa. Fodd bynnag, byddai'n mynnu dilyn rheolau llym i gadw dioddefaint i'r lleiaf posibl yn hytrach na bod yn ei erbyn yn gyfan gwbl.

Dyfyniad allweddol

Beth arall sydd, a ddylai ddilyn y llinell anorchfygol? Ai'r gallu i resymu neu'r gallu i sgwrsio? Ond mae ceffyl neu gi, yn ei lawn dwf, yn ddiamheuol yn anifail mwy rhesymol, yn ogystal â mwy sgwrsiol, na baban diwrnod neu wythnos neu hyd yn oed fis oed. Ond pe bai pethau fel arall, pa les fyddai hynny? Nid 'A allan nhw resymu?' yw'r cwestiwn. Na chwaith, a allan nhw siarad? Ond, a allan nhw ddioddef? Pam dylai'r gyfraith wrthod ei hamddiffyniad i unrhyw fod sensitif? Fe ddaw'r amser pan fydd y ddynoliaeth yn ymestyn ei mantell dros bob peth sy'n anadlu … **(Bentham)**

Dyfyniad allweddol

Hyd yn oed os gall rhai arbrofion unigol gael eu cyfiawnhau, dydy hyn ddim yn golygu bod cyfiawnhad dros yr arfer sefydliadol o arbrofi ar anifeiliaid. O ystyried y dioddefaint mae hyn yn ei achosi i filiynau o anifeiliaid ac, mae'n debyg, mai ychydig iawn o'r arbrofion fydd o fantais sylweddol i bobl neu i anifeiliaid eraill, mae'n well rhoi ein adnoddau i mewn i ddulliau eraill o wneud ymchwil nad yw'n golygu niweidio anifeiliaid. **(Singer)**

Mewn ymateb i arbrofi ar anifeiliaid ar gyfer ymchwil meddygol, byddai Iwtilitariaeth Rheolau Cryf, yn fwy na thebyg, yn argymell dadl resymol i'w gefnogi, yn seiliedig yn bennaf ar yr egwyddorion a amlinellwyd yn safbwyntiau Mill.

Gall Iwtilitariaeth Rheolau Gwan, fodd bynnag, fod yn fwy hyblyg. Roedd Mill hefyd wedi dadlau bod 'rhesymau dros ymyrraeth gyfreithiol o blaid plant, yr un mor gymwys ... i'r anifeiliaid is', ac y dylai ymyrraeth fod yn seiliedig ar 'rinweddau cynhenid yr achos', yn hytrach nag ar 'ganlyniadau damweiniol ... i fuddiannau bodau dynol'. Felly, ni fyddai iwtilitariad rheolau gwan yn ystyried yr amrywolion ond byddai'n gweithio gyda'r egwyddorion gwaelodol fel sy'n cael eu hargymell gan y gwahaniaeth rhwng pleserau uwch ac is. Yn rhywle arall, mae Mill yn glir nad yw pleserau a phoenau anifeiliaid yn cyfateb i rai bodau dynol o ran gwerth. Felly, ni fyddai ymateb absoliwt i'r mater. Mae hyn yn creu problem, nid i'r iwtilitariad, ond ar gyfer llunio polisi yn ymwneud ag arbrofi ar anifeiliaid ar gyfer ymchwil meddygol.

cwestiwn cyflym

4.16 Pam mae Bentham yn credu y dylai anifeiliaid gael eu hamddiffyn?

Cymhwyso Iwtilitariaeth Gweithredoedd Bentham ac Iwtilitariaeth Rheolau Mill at ddefnyddio arfau niwclear fel arf ataliol

Cynnwys y fanyleb

Cymhwyso Iwtilitariaeth Gweithredoedd Bentham ac Iwtilitariaeth Rheolau Mill at ddefnyddio arfau niwclear fel arf ataliol.

Gyda thristwch mawr y mae ein hanes ni yn cofio diwedd yr Ail Ryfel Byd, pan gafodd y **bom atomig** ei ddefnyddio gan UDA yn erbyn Japan, gan achosi dinistr enfawr i ddinasoedd Hiroshima a Nagasaki. Mae eu defnydd wedi bod yn destun trafod ers tro ac wedi cael ei gyfiawnhau a'i geryddu drwy ddefnyddio egwyddorion iwtilitaraidd. Y broblem gydag arfau niwclear yw na all byth fod unrhyw gyfiawnhad dros eu defnyddio fel y cyfryw. Pe bydden nhw'n cael eu defnyddio mewn rhyfel heddiw, mae llawer yn meddwl mai dyna fyddai diwedd poblogaeth y byd oherwydd yr effaith mor ddinistriol byddai rhyfel o'r fath yn ei chael ar weddill y blaned. Ni allai unrhyw ddamcaniaeth foesegol fod yn gyfforddus â'r canlyniad hwn. Fel damcaniaeth ganlyniadaethol, ni allai Iwtilitariaeth weld unrhyw beth ond poen a dioddefaint, ac nid hapusrwydd hyd yn oed yn y tymor hir. Yn fyr, does dim pleser mewn rhyfel. Fodd bynnag, dydy'r drafodaeth hon ddim yn ymwneud â defnyddio arfau niwclear mewn gwirionedd, ond â'u defnyddio fel **arf ataliol**.

Dyfyniad allweddol

Felly, gadewch i ni fod ar ein gwyliadwriaeth mewn dwy ffordd: ers Auschwitz gwyddom beth mae dyn yn gallu ei wneud. Ac ers Hiroshima gwyddom beth sydd yn y fantol. **(Frankl)**

Byddai llawer yn dadlau mai pwrpas arfau niwclear yw gweithredu fel arf ataliol, gyda'r bwriad yn eironig na fydd y sefyllfa uchod byth yn digwydd. Mae eraill yn eu gweld nhw fel gwastraff adnoddau pan mae pobl yn newynu, ac yn credu y gallai'r arian gael ei wario'n fwy doeth ar bethau eraill.

Dyfyniad allweddol

Mae Japan yn gwybod am erchylltra rhyfel ac wedi dioddef fel na wnaeth yr un genedl arall o dan gwmwl trychineb niwclear. Yn sicr gall Japan sefyll yn gryf dros fyd o heddwch. **(Martin Luther King)**

Mae ***CND*** (Yr Ymgyrch dros Ddiarfogi Niwclear) wedi dadlau ers blynyddoedd dros ddiarfogi niwclear. Yn fyr, mae'n cynnig y canlynol:

1. Mae pob taflegryn niwclear heddiw 8 gwaith yn gryfach na'r bom a gafodd ei ollwng ar Hiroshima yn 1945 ac a laddodd tua 240,000 o bobl oherwydd y ffrwydrad a'r ymbelydredd.
2. Does dim pwrpas cyfiawn i arfau niwclear a byddai eu defnyddio yn anghyfreithlon o dan pob amgylchiad bron, gan y byddai'n amhosibl osgoi anafiadau i sifiliaid.
3. Maen nhw'n achosi hil-laddiad ac yn gwbl anfoesol.
4. Wrth wynebu unrhyw un o fygythiadau diogelwch gwirioneddol yr oes hon, mae arfau niwclear yn amherthnasol: ni allan nhw fynd i'r afael â bygythiadau gwirioneddol terfysgaeth, seiber ryfela a newid hinsawdd.
5. Pe bai Trident yn cael ei ddefnyddio, nid yn unig y byddai'n lladd yn ddiwahân ond byddai'r llwch ymbelydrol o'r ffrwydrad yn golygu na fyddai unrhyw ffiniau daearyddol i'w effeithiau.
6. Byddai unrhyw un sy'n goroesi ymosodiad niwclear yn wynebu effeithiau ofnadwy salwch tymor hir neu farwolaeth.
7. Mae ymchwil diweddar yn dangos y gallai'r hyn sy'n cael ei alw'n 'tanio bychan' o 50 o arfau niwclear achosi'r 'newid mwyaf yn yr hinsawdd yn holl hanes dynol ar gofnod', ac o bosibl gallai ladd mwy o bobl na chafodd eu lladd yn yr Ail Ryfel Byd i gyd.

Termau allweddol

Arf ataliol: rhywbeth sy'n perswadio neu sydd â'r bwriad o berswadio rhywun rhag gwneud rhywbeth

Bom atomig: bom sy'n cael ei rym dinistriol drwy ollwng egni niwclear yn gyflym iawn

CND: y garfan bwyso, sef yr 'Ymgyrch dros Ddiarfogi Niwclear'

Mae'r achos dros ddefnyddio arfau niwclear fel arf ataliol, fel mae'n cael ei amlinellu gan ein llywodraeth, yn dweud y canlynol:

1. Mae'r ffaith ein bod ni'n cadw canolfan annibynnol o wneud penderfyniadau niwclear yn ei gwneud yn glir i unrhyw elyn y byddai costau ymosodiad ar fuddiannau hanfodol y DU yn fwy nag unrhyw fanteision.
2. Mae'r hawl i wneud y penderfyniadau a defnyddio'r system yn aros yn gyfan gwbl gyda'r DU; dim ond y Prif Weinidog all awdurdodi lansio arfau niwclear, sy'n sicrhau bod rheolaeth wleidyddol yn cael ei chynnal bob amser.
3. Byddai'r gorchymyn i danio yn cael ei drosglwyddo i'r llong danfor drwy ddefnyddio codau'r DU a chyfarpar y DU yn unig; mae'r holl drefniadau gorchymyn a rheoli yn gwbl annibynnol.
4. Rydyn ni wedi ymrwymo i gadw'r lleiafswm o rym dinistriol sydd ei angen i atal unrhyw ymosodwr.
5. Ein dewis ni yw cael system anorchfygol na ellir ei darganfod. Mae hyn yn caniatáu i ni ei chynnal ar y lefel leiaf o ran graddfa a pharodrwydd, ond credwn hefyd y dylai'r system allu cael ei chynnal ar barodrwydd uchel am gyfnodau estynedig o amser.
6. Mae natur anorchfygol a diogelwch y system yn elfennau allweddol o hygrededd ein harf ataliol ac yn cyfrannu at sefydlogrwydd cyffredinol.

Ym mis Mawrth 2016, cyflwynodd Michael Fallon y rhesymeg lawn dros arfau niwclear fel arf ataliol mewn araith gerbron **Y Weinyddiaeth Amddiffyn**:

(www.gov.uk/government/speeches/the-case-for-the-retention-of-the-uks-independent-nuclear-deterrent).

Mae e'n amlinellu llawer o'i ddadl yn seiliedig ar ddefnyddio arf ataliol fel amddiffyniad i'r gymdeithas ac yn dadlau, 'Mae cael arf ataliol yn golygu argyhoeddi unrhyw ymosodwr posibl fod manteision ymosodiad yn cael eu trechu'n bendant gan ei ganlyniadau.' Mae'r ymagwedd ganlyniadaethol hon yn cyd-fynd ag egwyddorion iwtilitaraidd oherwydd gellir dadlau ei bod yn cefnogi egwyddor niwed. Fodd bynnag, y dilema i ni yw bod y dadleuon mae *CND* yn eu cynnig yn gwneud yr un peth!

Dyfyniad allweddol

Byddai rhoi'r gorau i'n harf ataliol yn awr yn weithred gwbl anghyfrifol. (Fallon)

Term allweddol

Y Weinyddiaeth Amddiffyn: yr adran o lywodraeth Prydain sy'n gyfrifol am weithredu'r polisi amddiffyn ar gyfer y DU

Dyfyniad allweddol

Felly gadewch i mi ddweud i gloi ... cyn arfau niwclear, dechreuodd y prif rymoedd ddau o'r rhyfeloedd mwyaf dinistriol mae'n bosibl eu dychmygu. Bu farw miliynau lawer, dioddefodd miliynau'n fwy. Eto, er yr holl wrthdrawiadau confensiynol ers hynny, a bu llawer ohonynt, ni fu'r un rhyfel mawr rhwng gwladwriaethau sydd ag arfau niwclear. Mae'r posibiliadau dinistriol o ryfel niwclear wedi helpu i gadw sefydlogrwydd strategol. (Fallon)

cwestiwn cyflym

4.17 Beth mae *CND* yn ei wneud?

Pencadlys y Weinyddiaeth Amddiffyn

Wrth gymhwyso Iwtilitariaeth efallai mai'r peth gorau yw edrych ar agweddau gwahanol ar y ddamcaniaeth. Ond hefyd, oherwydd cymhlethdod y materion a natur gymhleth y ddamcaniaeth ei hun, cofiwch fod ffyrdd gwahanol o'i chymhwyso.

Fel gyda'r rhan fwyaf o faterion moesol, mae'n anodd rhagweld y canlyniadau ag unrhyw sicrwydd. Mae hyn yn bendant yn wir am ryfel niwclear. Yr hapusrwydd mwyaf i'r nifer mwyaf o bobl yw'r maen prawf sy'n cael ei ddefnyddio gan iwtilitariaid yn gyffredinol. Fodd bynnag, mae cyfrifo hapusrwydd yn ymddangos yn dasg amhosibl os oes rhyfel niwclear posibl dan sylw.

Un o'r prif ystyriaethau fyddai 'a yw'r diben yn cyfiawnhau'r modd?' Gall y syniad o ryfel cyfiawn fod yn gymwys gan ei fod yn ymwneud ag achosion cyfiawn, ond mae'r tebygolrwydd o lwyddiant yn ddadleuol. Byddai'n bosibl cymhwyso syniadau sylfaenol Bentham am y calcwlws a datblygiadau Mill at ddau brif faes: maint y dioddefaint a'r gobaith am heddwch a llewyrch yn y dyfodol.

Byddai'n ymddangos na fyddai'r iwtilitariad gweithredoedd yn cael ei gyfyngu gan ddatblygiad Mill o bleserau uwch ac is a'i egwyddor niwed. Felly byddai'n rhydd i argymell dadl naill ai o blaid neu yn erbyn defnyddio arfau niwclear fel arf ataliol. Efallai byddai datblygiad Mill a'i egwyddor niwed yn trechu unrhyw ddadleuon yn erbyn arf ataliol, gan fod amddiffyn y gymdeithas yn hanfodol – mae arf ataliol nid yn unig yn amddiffyn ond ar yr un pryd mae unrhyw bryderon am ymosodiad yn tawelu. Byddai'r iwtilitariad rheolau yn fwy rhwymedig wrth hyn.

O ran defnyddio egwyddor hapusrwydd sy'n ceisio asesu pa ffordd yw'r un orau i'w dilyn yn seiliedig ar hapusrwydd, ac egwyddor defnyddioldeb sy'n 'hyrwyddo hapusrwydd ac yn osgoi poen', byddai hyn i gyd yn dibynnu ar sut mae rhywun yn dosbarthu hapusrwydd, pleser a phoen. Mae dwy ochr y ddadl yn cynnig sefyllfaoedd cadarnhaol iawn. Ar y naill law, gallai'r arian gael ei wario'n well ond eto, ar y llaw arall, mae'r diogelwch a'r amddiffyniad yn fuddsoddiad ac yn yswiriant gwerthfawr i bobl eraill. Fel arall, gallai fod poen a dioddefaint mawr pe na bydden ni'n cael ein hamddiffyn, ac eto byddai'n bosibl dweud yr un peth pe na byddai arf ataliol yn bresennol a byddai'n sbarduno ymosodiadau. Rhaid cyfaddef, heblaw bod yr ymosodiad o natur niwclear, gallai'r canlyniadau fod yn llai difrifol pe bai gwledydd yn rhoi'r gorau i arfau niwclear.

Gweithgaredd AA1

Ysgrifennwch ddeialog rhwng iwtilitariad sy'n defnyddio'r calcwlws hedonig ac iwtilitariad rheolau am y mater o ddefnyddio arfau niwclear fel arf ataliol.

Awgrym astudio

Peidiwch â threulio gormod o amser ar y deunyddiau cefndir mewn atebion arholiad. Canolbwyntiwch ar y cwestiwn.

cwestiwn cyflym

4.18 Sut mae ymagwedd ganlyniadaethol y Weinyddiaeth Amddiffyn yn cyd-fynd ag egwyddorion iwtilitaraidd?

Dyfyniad allweddol

Fe all y diben gyfiawnhau'r modd cyhyd â bod rhywbeth sy'n cyfiawnhau'r diben. (Trotsky)

Dyfyniad allweddol

A yw'n bosibl i ddyn symud y ddaear? Ydy; ond yn gyntaf bydd yn rhaid iddo ddod o hyd i ddaear newydd i sefyll arni. (Bentham)

Sgiliau allweddol

Mae gwybodaeth yn ymwneud â:

Dewis ystod o wybodaeth (drylwyr) gywir a pherthnasol sydd â chysylltiad uniongyrchol â gofynion penodol y cwestiwn.

Mae hyn yn golygu eich bod yn dewis y wybodaeth gywir sy'n berthnasol i'r cwestiwn a osodwyd NID y maes pwnc. Bydd angen i chi feddwl a chanolbwyntio ar ddewis gwybodaeth allweddol ac NID ysgrifennu popeth yr ydych chi'n ei wybod am y maes pwnc.

Mae dealltwriaeth yn ymwneud ag:

Esboniad helaeth, gan ddangos dyfnder a/neu ehangder gyda defnydd rhagorol o dystiolaeth ac enghreifftiau gan gynnwys (lle y bo'n briodol) defnydd trylwyr a chywir o destunau cysegredig, ffynonellau doethineb a geirfa arbenigol.

Mae hyn yn golygu y gallwch ddangos eich bod yn deall rhywbeth drwy egluro ac ehangu eich pwyntiau gan ddefnyddio enghreifftiau/tystiolaeth gefnogol mewn ffordd bersonol ac NID ailadrodd darnau o werslyfr (sef dysgu ar y cof).

Cymhwyso sgiliau ymhellach:

Ewch drwy'r meysydd pwnc yn yr adran hon a lluniwch rai rhestri bwled o bwyntiau allweddol o feysydd allweddol. Ar gyfer pob un, rhowch fwy o fanylion ac esboniwch fwy drwy ddefnyddio tystiolaeth ac enghreifftiau.

Datblygu sgiliau AA1

Nawr mae'n bryd ystyried y wybodaeth sydd wedi'i chyflwyno hyd yma. Hefyd mae'n bwysig ystyried sut mae'r hyn rydych chi wedi'i ddysgu hyd yma'n gallu cael ei ddefnyddio ar gyfer atebion arholiad drwy ymarfer y sgiliau sy'n gysylltiedig ag AA1.

Mae Amcan Asesu 1 (AA1) yn ymwneud â dangos gwybodaeth a dealltwriaeth. Mae'r termau 'gwybodaeth' a 'dealltwriaeth' yn amlwg ond mae'n hanfodol eich bod yn gyfarwydd â sut mae sgiliau penodol yn dangos y rhain, a hefyd, sut bydd eich perfformiad ym mhob un o'r sgiliau hyn yn cael ei fesur (gweler disgrifyddion band cyffredinol Band 5 ar gyfer AA1 UG).

Rydych chi bellach yn nesáu at ddiwedd yr adran hon o'r cwrs. O hyn allan dim ond cyfarwyddiadau fydd gan y dasg, heb enghreifftiau; ond, gan ddefnyddio'r sgiliau yr ydych wedi'u datblygu wrth gwblhau'r tasgau cynharach, dylech allu cymhwyso'r hyn rydych chi wedi dysgu ei wneud a chyflawni hyn yn llwyddiannus.

▶ **Dyma eich tasg newydd:** bydd rhaid i chi ysgrifennu ymateb arall o dan amodau wedi'u hamseru i gwestiwn sy'n gofyn am archwilio sut mae damcaniaeth iwtilitaraidd yn cael ei chymhwyso at fater moesegol hawliau anifeiliaid. Bydd angen i chi wneud yr un peth â'ch tasg Datblygu sgiliau AA1 ddiwethaf ond gyda pheth datblygiad pellach. Y tro hwn mae pumed pwynt i'ch helpu i wella ansawdd eich atebion.

1. **Dechreuwch gyda rhestr o gynnwys dangosol. Trafodwch hon fel grŵp, efallai. Does dim rhaid i'r rhestr fod mewn unrhyw drefn.**

▼

2. **Datblygwch y rhestr gan ddefnyddio enghreifftiau.**

▼

3. **Nawr ystyriwch ym mha drefn yr hoffech chi esbonio'r wybodaeth.**

▼

4. **Yna ysgrifennwch eich cynllun, o dan amodau wedi'u hamseru, gan gofio egwyddorion esbonio gyda thystiolaeth a/neu enghreifftiau.**

▼

5. **Defnyddiwch y disgrifyddion band i farcio eich ateb eich hun, gan ystyried y disgrifyddion yn ofalus. Yna gofynnwch i rywun arall ddarllen eich ateb ac edrychwch i weld a allan nhw eich helpu i'w wella mewn unrhyw ffordd.**

Defnyddiwch y dechneg hon er mwyn adolygu pob un o'r meysydd pwnc rydych chi wedi'u hastudio. Cyfnewidiwch a chymharwch atebion er mwyn gwella eich ateb chi.

Materion i'w dadansoddi a'u gwerthuso

I ba raddau y mae Iwtilitariaeth yn hyrwyddo cyfiawnder

Rydyn ni wedi gweld bod gan Mill, fel economegydd gwleidyddol, gwas sifil ac Aelod Seneddol, ddiddordeb mawr mewn diwygio cymdeithasol, yn ogystal ag edrych ar sut roedd y gymdeithas yn gweithio a beth oedd orau i bobl yn gyffredinol. Roedd Mill eisiau dangos bod yr hyn sy'n gywir ac yn anghywir i un person mewn sefyllfa benodol yn gywir ac yn anghywir i bawb, ac mae gan hyn oblygiadau mawr i'r gymdeithas a chyfiawnder cymdeithasol.

Roedd Mill yn dadlau y dylai pobl roi buddiannau'r grŵp o flaen eu buddiannau eu hunain. Dywedodd, gan fod y gymdeithas wedi'i gwneud o unigolion, er mwyn i'r gymdeithas fod yn hapus, mae angen i unigolion gyda'i gilydd fod yn hapus hefyd. Felly 'dyletswydd' neu 'reol' y gymdeithas yw y dylai amddiffyn hapusrwydd ei phobl a chynnal cyfiawnder drwyddi draw.

Cyflwynodd Mill hefyd ei 'egwyddor niwed' oedd yn seiliedig ar yr egwyddor o amddiffyn. Yn ei lyfr *On Liberty*, ysgrifennodd Mill, 'Yr egwyddor honno yw mai'r ... unig reswm y gall grym gael ei ddefnyddio'n gyfiawn ar aelod o gymuned wâr, yn erbyn ei ewyllys, yw atal niwed i eraill.' Aeth ymlaen i ddweud, 'Yr unig ran o ymddygiad unrhyw un, y mae ef yn atebol i gymdeithas amdani, yw'r rhan sy'n ymwneud â phobl eraill.' Mae hyn yn amlwg yn rhoi i Iwtilitariaeth ei ffocws ar gyfiawnder i'r gymdeithas gyfan ac nid i'r unigolyn yn unig. Mae hyn wedi'i sefydlu'n glir felly.

Ond, mae problem bosibl gyda damcaniaeth iwtilitaraidd o ran cyfiawnder, wrth i ni ystyried a yw'n bwysicach gweithio tuag at leihau poen a dioddefaint neu gynyddu pleser a hapusrwydd. Mae hwn yn fater allweddol i Iwtilitariaeth. Yn amlwg mae'r pwyslais ar hyrwyddo hapusrwydd drwy osgoi poen, ond weithiau gall fod angen rhoi sylw i'r boen a'r dioddefaint er mwyn i hyn ddigwydd.

I ddechrau, mae angen penderfynu ar y flaenoriaeth. A yw'n bwysicach dod â phoen rhywun i ben neu fodloni pleser rhywun? Yn ychwanegol at hynny, mewn rhai dilemâu moesol does dim dewisiadau eraill heblaw'r rhai sy'n dod â phoen a dioddefaint. Mewn sefyllfaoedd 'y lleiaf o ddau ddrwg', does dim 'hapusrwydd' na 'phleser', er enghraifft yn achos rhyfel neu ryfel cyfiawn. Hefyd, ceir y problemau arferol sy'n gysylltiedig â systemau moesegol sydd ddim ond yn mesur moesoldeb yn ôl canlyniad gweithred – er enghraifft, 'pwy sy'n gwneud y penderfyniad?' ac 'ar ba berspectif y cafodd ei wneud?' Gall syniad un person am bleser a phoen, ac felly cyfiawnder ac anghyfiawnder, fod yn wahanol i syniad rhywun arall.

Dadl allweddol sy'n cyflwyno'r her hon yw, os yw rhywun yn fodlon yn barod, pam cynyddu bodlonrwydd ar draul dioddefaint? Mae hyn yn foesol anghywir. Er enghraifft, dim ond oherwydd bod llawer o bobl yn cael digon o fwyd, nid yw'n golygu y dylen ni barhau i adael i'r cardotyn newynu. Mae hyn yn amlwg yn anghyfiawn. Serch hynny, dyma lle y gellir cymhwyso egwyddor niwed Mill yn effeithiol, a dyma'r amddiffyniad allweddol yn erbyn canolbwyntio ar hapusrwydd yn unig. Roedd egwyddor Mill yn cydnabod y ffaith fod angen cywiro anghyfiawnder weithiau a bod hyn hefyd yn dasg i ddamcaniaeth iwtilitaraidd, sef sicrhau cyfiawnder yn y tymor hir.

I gloi, er bod Iwtilitariaeth yn canolbwyntio ar bleser sy'n cynhyrchu'r hapusrwydd mwyaf posibl, mae'n ymddangos mai yng ngwaith Mill rydyn ni'n gweld ymwybyddiaeth o anghyfiawnder cymdeithasol a 'dyletswydd' ar y meddyliwr iwtilitaraidd i fynd i'r afael â hyn. Pe bydden ni'n dibynnu ar ddamcaniaeth iwtilitaraidd Bentham yn unig, fodd bynnag, efallai byddai'r ateb yn wahanol.

Mae'r adran hon yn cwmpasu cynnwys a sgiliau AA2

Cynnwys y fanyleb

I ba raddau y mae Iwtilitariaeth yn hyrwyddo cyfiawnder.

Gweithgaredd AA2 *Dadleuon posibl*

Wedi'u rhestru isod mae rhai casgliadau y byddai'n bosibl dod iddynt ar sail rhesymeg AA2 yn y testun cysylltiedig:

1. Mae Iwtilitariaeth yn hyrwyddo cyfiawnder oherwydd mai hapusrwydd i'r nifer mwyaf o bobl ydyw.
2. Dydy Iwtilitariaeth ddim yn hyrwyddo cyfiawnder oherwydd ei bod yn ymwneud ormod â hapusrwydd yr unigolyn.
3. Mae Iwtilitariaeth yn hyrwyddo cyfiawnder gan fod gwaith Mill yn dangos ei bod yn ymwneud â chael gwared ar anghyfiawnder cymdeithasol.
4. Dydy Iwtilitariaeth ddim yn hyrwyddo cyfiawnder oherwydd ei bod yn canolbwyntio'n hollol anghywir ar sicrhau hapusrwydd ac nid yw wir yn ystyried poenau'r ychydig.
5. Mae Iwtilitariaeth yn hyrwyddo cyfiawnder dim ond os yw'n cael ei chymhwyso o safbwynt Mill yn hytrach na safbwynt Bentham.

Ystyriwch bob un o'r casgliadau sy'n cael eu gwneud uchod a chasglwch dystiolaeth ac enghreifftiau i gefnogi pob dadl o'r deunydd AA1 ac AA2 a astudiwyd yn yr adran hon. Dewiswch un casgliad sy'n argyhoeddi fwyaf yn eich barn chi ac esboniwch pam mae hyn yn wir. Nawr cyferbynnwch hyn â'r casgliad gwannaf ar y rhestr, gan gyfiawnhau eich dadl gyda rhesymu clir a thystiolaeth.

Cynnwys y fanyleb

I ba raddau y mae Iwtilitariaeth yn darparu sail ymarferol ar gyfer gwneud penderfyniadau moesol i gredinwyr crefyddol ac anghredinwyr.

Gweithgaredd AA2
Dadleuon posibl

Wedi'u rhestru isod mae rhai casgliadau y byddai'n bosibl dod iddynt ar sail rhesymeg AA2 yn y testun cysylltiedig:

1. Mae Iwtilitariaeth yn darparu sail ymarferol ar gyfer gwneud penderfyniadau moesol i gredinwyr gan fod ganddi ofal amlwg am hapusrwydd pobl eraill.
2. Mae Iwtilitariaeth yn darparu sail ymarferol ar gyfer gwneud penderfyniadau moesol i gredinwyr gan fod Mill ei hun wedi gweld y tebygrwydd o ran gofal am eich cymydog.
3. Mae Iwtilitariaeth yn darparu sail ymarferol ar gyfer gwneud penderfyniadau moesol i gredinwyr gan mai ei nod yw mynd ar drywydd hapusrwydd.
4. Dydy Iwtilitariaeth ddim yn darparu sail ymarferol ar gyfer gwneud penderfyniadau moesol i gredinwyr gan ei bod yn seciwlar ei natur ac nid yw'n cydnabod sofraniaeth Duw.
5. Dydy Iwtilitariaeth ddim yn darparu sail ymarferol ar gyfer gwneud penderfyniadau moesol i Gristnogion gan fod hapusrwydd i'r nifer mwyaf o bobl yn cau allan lleiafrifoedd ac mae dameg y ddafad golledig yn annog gofalu am bob unigolyn.

Ystyriwch bob un o'r casgliadau sy'n cael eu gwneud uchod a chasglwch dystiolaeth ac enghreifftiau i gefnogi pob dadl o'r deunydd AA1 ac AA2 a astudiwyd yn yr adran hon. Dewiswch un casgliad sy'n argyhoeddi fwyaf yn eich barn chi ac esboniwch pam mae hyn yn wir. Nawr cyferbynnwch hyn â'r casgliad gwannaf ar y rhestr, gan gyfiawnhau eich dadl gyda rhesymu clir a thystiolaeth.

I ba raddau y mae Iwtilitariaeth yn darparu sail ymarferol ar gyfer gwneud penderfyniadau moesol i gredinwyr crefyddol

Mae llawer o AA2 hyd yma wedi ymdrin â chymdeithas (h.y. syniad seciwlar sy'n cynnwys anghredinwyr). Felly mae'n gwneud synnwyr i ganolbwyntio ar gredinwyr crefyddol yn y gwerthusiad hwn, ond cofiwch hefyd fod y fanyleb yn nodi'r term 'anghredinwyr'. Ar gyfer y rhain gallwch ddefnyddio gwerthusiadau priodol eraill; rydych chi wedi darllen llawer o'r rheini hyd yma.

Gallai rhai Cristnogion ddadlau bod marwolaeth Iesu ar y groes a'i atgyfodiad wedyn yn enghraifft amlwg o egwyddor iwtilitaraidd. Mae hyn oherwydd bod Cristnogion yn credu bod Iesu wedi marw er mwyn rhoi hapusrwydd i eraill drwy fywyd tragwyddol. Drwy'r weithred hon o hunanaberth, llwyddodd y nifer mwyaf o bobl gyrraedd yr hapusrwydd mwyaf. Dyma gred sylfaenol Cristnogaeth.

Yn yr un modd ag y byddai iwtilitariad yn honni mai'r nod eithaf yw hapusrwydd, byddai Cristnogion yn cytuno bod 'câr dy gymydog' yn egwyddor sylfaenol ac y bydd yn dod â hapusrwydd cyffredinol i bawb os yw'n cael ei harfer. Roedd Mill ei hun yn credu bod ei foeseg iwtilitaraidd wedi dal gwir ysbryd Rheol Euraidd Cristnogaeth (trin eraill fel yr hoffen ni gael ein trin ganddyn nhw) sydd yn amlwg hefyd mewn crefyddau eraill. Mae llawer yn honni mai sail crefydd yw gwneud pobl yn hapus, fel dileu dioddefaint mewn Bwdhaeth neu wasanaethu'r tlawd mewn Sikhiaeth ac Islam.

Hefyd, mae'n bosibl fod Iwtilitariaeth a chredinwyr crefyddol yn cytuno ar rai materion. Er enghraifft, os bydd un partner mewn pâr priod yn godinebu, yna er lles y partner arall a'u plant, efallai bydd yn well (yn llai poenus) i bawb os ydyn nhw'n ysgaru. Mae credinwyr crefyddol hefyd yn dilyn rheolau fel 'na ladrata' a byddai Iwtilitariaeth Rheolau Cryf hefyd yn cadw'r rheol hon gan y byddai'n cyflawni egwyddor defnyddioldeb.

Serch hynny, i rai credinwyr crefyddol, rheolau a dysgeidiaethau Duw sy'n sicrhau cyfiawnder, nid damcaniaeth seciwlar wedi'i datblygu gan ddyn. Maen nhw'n cael eu datgelu'n ddwyfol, yn gyson ac yn gyffredinol a dydyn nhw ddim yn agored i'w newid. Yn y bôn, nid lle unigolion yw penderfynu beth ddylai hapusrwydd fod.

Un o nodweddion annatod nifer o ddysgeidiaethau mewn crefyddau, ac yn sicr mewn Cristnogaeth, yw bod pobl, drwy brofi poen a dioddefaint (sy'n cael eu hosgoi gan iwtilitariaid), yn ennill yn ysbrydol ac yn dod yn well bodau dynol. Gall pobl wedyn uniaethu â phoen a dioddefaint pobl eraill a chanolbwyntio ar hyn yn lle eu hapusrwydd eu hunain. Yn dilyn o hyn, mae crefyddau'n ystyried bod nodau ysbrydol yn llawer gwell na phleserau uwch ac is Mill.

Mae llawer o bobl grefyddol yn credu mewn absoliwtiau moesol fel 'na ladd' a rheolau eraill wedi'u rhoi gan Dduw. Ond dydy Iwtilitariaeth Gweithredoedd ddim yn credu hynny ac mae'n edrych ar ganlyniadau pob gweithred i benderfynu a yw'r weithred yn dda neu'n ddrwg. Hefyd, byddai credinwyr crefyddol yn dweud y dylid dilyn rheolau fel 'na ladrata' dim ond oherwydd iddyn nhw gael eu rhoi gan Dduw ac nid oherwydd eu bod nhw'n hyrwyddo egwyddor defnyddioldeb.

Mae Iwtilitariaeth yn erbyn y syniad o godau moesol wedi'u hordeinio'n ddwyfol, ac mae syniad 'modd o gyrraedd diben', pan mae'n cynnwys pobl, yn herio credoau am sancteiddrwydd bywyd dynol. Yn yr un ffordd, gellir dweud bod egwyddor 'modd o gyrraedd diben' yn dangos diffyg tosturi; er enghraifft, beth am y ddysgeidiaeth grefyddol sy'n ymwneud â chynnal y gwan?

Mae'r gwahaniaeth mwyaf trawiadol rhwng Iwtilitariaeth a Christnogaeth i'w weld yn nameg Iesu am y ddafad golledig. Mae hon yn cyflwyno neges gyferbyniol, yn gwbl groes i feddwl iwtilitaraidd, sef bod yr unigolyn yr un mor bwysig â'r gymuned.

Yn gyffredinol, ceir meysydd amlwg lle mae Iwtilitariaeth yn cefnogi credoau a chymwysiadau sy'n debyg i ddysgeidiaethau ac arferion crefyddol, ond ceir meysydd amlwg hefyd lle maen nhw'n wahanol iawn.

Datblygu sgiliau AA2

Nawr mae'n bryd ystyried y wybodaeth sydd wedi'i chyflwyno hyd yma. Hefyd mae'n bwysig ystyried sut mae'r hyn rydych chi wedi'i ddysgu hyd yma'n gallu cael ei ddefnyddio ar gyfer atebion arholiad drwy ymarfer y sgiliau sy'n gysylltiedig ag AA2.

Mae Amcan Asesu 2 (AA2) yn ymwneud â 'dadansoddi' a 'gwerthuso'. Efallai fod ystyr y termau'n amlwg ond mae'n hanfodol eich bod yn gyfarwydd â sut mae sgiliau penodol yn dangos y rhain, a hefyd, sut bydd eich perfformiad ym mhob un o'r sgiliau hyn yn cael ei fesur (gweler disgrifyddion band cyffredinol Band 5 ar gyfer AA2 UG).

Yn amlwg mae ateb yn cael ei osod mewn disgrifydd band priodol, yn ôl pa mor dda yw'r ateb, gan amrywio o ragorol, da, boddhaol, sylfaenol/cyfyngedig i gyfyngedig iawn.

Rydych chi bellach yn nesáu at ddiwedd yr adran hon o'r cwrs. O hyn allan dim ond cyfarwyddiadau fydd gan y dasg, heb enghreifftiau; ond, gan ddefnyddio'r sgiliau yr ydych wedi'u datblygu wrth gwblhau'r tasgau cynharach, dylech allu cymhwyso'r hyn rydych chi wedi dysgu ei wneud a chyflawni hyn yn llwyddiannus.

▶ **Dyma eich tasg newydd:** bydd rhaid i chi ysgrifennu ymateb arall o dan amodau wedi'u hamseru i gwestiwn sy'n gofyn am werthuso defnyddioldeb Iwtilitariaeth wrth ystyried arfau niwclear fel arf ataliol. Bydd angen i chi wneud yr un peth â'ch tasg Datblygu sgiliau AA2 ddiwethaf ond gyda pheth datblygiad pellach. Y tro hwn mae pumed pwynt i'ch helpu i wella ansawdd eich atebion.

1. **Dechreuwch gyda rhestr o gynnwys dangosol. Trafodwch hon fel grŵp, efallai. Does dim rhaid i'r rhestr fod mewn unrhyw drefn. Cofiwch, gwerthuso yw hyn, felly mae angen gwahanol ddadleuon arnoch chi. Y ffordd hawsaf yw defnyddio'r penawdau 'o blaid' ac 'yn erbyn'.**

▼

2. **Datblygwch y rhestr gan ddefnyddio enghreifftiau.**

▼

3. **Nawr ystyriwch ym mha drefn yr hoffech chi esbonio'r wybodaeth.**

▼

4. **Yna ysgrifennwch eich cynllun o dan amodau wedi'u hamseru, gan gofio cymhwyso egwyddorion gwerthuso drwy wneud yn siŵr eich bod: yn nodi'r materion yn glir; yn cyflwyno safbwyntiau eraill yn gywir, gan wneud yn siŵr eich bod yn gwneud sylwadau ar y safbwyntiau rydych yn eu cyflwyno; yn dod i farn bersonol gyffredinol.**

▼

5. **Defnyddiwch y disgrifyddion band i farcio eich ateb eich hun, gan ystyried y disgrifyddion yn ofalus. Yna gofynnwch i rywun arall ddarllen eich ateb ac edrychwch i weld a allan nhw eich helpu i'w wella mewn unrhyw ffordd.**

Defnyddiwch y dechneg hon er mwyn adolygu pob un o'r meysydd pwnc rydych chi wedi'u hastudio. Cyfnewidiwch a chymharwch atebion er mwyn gwella eich ateb chi.

Sgiliau allweddol

Mae dadansoddi'n ymwneud â nodi materion sy'n cael eu codi gan y deunyddiau yn adran AA1, ynghyd â'r rhai a nodwyd yn adran AA2, ac mae'n cyflwyno safbwyntiau cyson a chlir, naill ai gan ysgolheigion neu safbwyntiau personol, yn barod i'w gwerthuso.

Mae hyn yn golygu ei fod yn nodi pethau allweddol i'w trafod a'r dadleuon sy'n cael eu cyflwyno gan eraill neu o safbwynt personol.

Mae gwerthuso'n ymwneud ag ystyried goblygiadau amrywiol y materion sy'n cael eu codi, yn seiliedig ar y dystiolaeth a gafwyd wrth ddadansoddi ac mae'n rhoi dadl fanwl eang gyda chasgliad clir.

Mae hyn yn golygu bod yr ateb yn pwyso a mesur y dadleuon amrywiol a gwahanol a gafodd eu dadansoddi drwy roi sylwadau ac ymateb unigol, gan ddod i gasgliad drwy broses rhesymu clir.

Cwestiynau ac atebion

Athroniaeth Thema 1

Maes cwestiwn AA1: *Esboniad o'r ddadl deleolegol*

Ateb cryf

Dechreuodd y ddadl deleolegol yn wreiddiol gyda Platon ac Aristotle, ac mae'n cael ei defnyddio i gwestiynu cynllun y bydysawd, yn seiliedig ar arsylwi. [1]

Roedd Aquinas yn dadlau dros ddyluniad *qua* (fel) rheoleidd-dra, ac yn credu na allai 'cyrff naturiol' weithredu mewn modd rheolaidd i gyrraedd eu diben heb rym deallus y tu ôl iddyn nhw. Datblygodd gydweddiad enwog y saeth a'r saethwr; gan nad oes gan y saeth ddeallusrwydd, mae angen grym y saethwr deallus arni, i'w symud tuag at y targed (ei diben). Dyma'r pumed o'i bum dull sef '*Llywodraethiant y Byd*', a phan oedd yn defnyddio'r cydweddiad hwn i gyfeirio'n ôl at y bydysawd, dywedodd mai Duw oedd y bod deallus y tu ôl i'r 'cyrff naturiol' a'r bydysawd. [2]

Yn dilyn Aquinas, ysgrifennodd Paley *Natural Theology* lle roedd yn dadlau dwy ochr y ddadl. Gwnaeth ei bwynt cyntaf drwy gydweddiad enwog yr oriawr; pe byddech chi'n baglu dros garreg ar rostir byddech chi'n ei hanwybyddu fel rhywbeth cyffredin, ond pe byddech chi'n dod o hyd i oriawr byddech chi'n meddwl tybed o ble y daeth a sut cafodd ei gwneud. Edrychodd Paley ar gymhlethdod a diben penodol yr oriawr a dywedodd ei bod yn rhaid bod oriadurwr deallus wedi ei dylunio. Yna edrychodd ar y bydysawd a daeth i'r casgliad fod yn rhaid bod dylunydd deallus i hwnnw hefyd am ei fod mor gymhleth; 'ac rydyn ni'n galw'r bod hwn yn Dduw'. [3]

Ail ran dadl Paley oedd dyluniad *qua* (fel) pwrpas ac i ddangos hyn, defnyddiodd y llygad dynol a'i swyddogaeth gymhleth, Deddf Mudiant Newton a hyd yn oed y pethau symlaf fel pam mae adenydd gan adar. Yna defnyddiodd yr enghreifftiau hyn i ddweud, onid yw dyluniad yn fwy tebygol na hap a damwain? [4]

Ers hynny, fel datblygiad mwy diweddar, datblygodd F. R. Tennant yr 'egwyddor anthropig', oedd yn dangos bod y byd hwn yn benodol ar gyfer ein hanghenion ni. Pe bai hyd yn oed un moleciwl yn wahanol, caos fyddai'r canlyniad, ond nid felly y mae hi. Datblygodd dri math naturiol o dystiolaeth; yn gyntaf, y gellir dadansoddi'r byd mewn modd rhesymegol. Yn ail, bod y byd anorganig yn cynnwys yr angenrheidiau sylfaenol i gynnal bywyd. Yn olaf, damcaniaeth detholiad naturiol, sef y gallwn ni symud ymlaen a datblygu. [5]

Yna, datblygodd F. R. Tennant hefyd y 'ddadl esthetig', fod Duw eisiau i ni fwynhau ein bywydau oherwydd y ffaith syml fod bodau dynol yn meddu ar y gallu i fwynhau cerddoriaeth, celf a llenyddiaeth. [6]

Sylwadau

1. Cyflwyniad syml; mae'r ateb yn tynnu sylw at darddiadau'r ddadl ond nid yw'n gwneud mwy na chyfeirio at Platon ac Aristotle.
2. Mae'r adran hon yn ymdrin yn dda iawn â Phumed Dull Aquinas, ac yn esbonio'n hyderus iawn ac yn glir sut roedd Aquinas yn gweld Duw fel dylunydd y bydysawd. Mae cydweddiad y saethwr a'r saeth yn cael ei gysylltu'n llawn â dadl Aquinas.
3. Esboniad cryno o waith Paley gan gyfeirio at ei ddadleuon '*qua*' (rheoleidd-dra a phwrpas). Mae cysylltu oriadurwr Paley â dylunydd y bydysawd yn rhan bwysig o'r ddadl hon ac mae'n gysylltiad y mae llawer o ymgeiswyr yn methu ei wneud. Mae'n bleser gweld hyn wedi'i wneud yn gywir yma.
4. Mae esbonio'r ddadl '*qua* pwrpas' yn fanwl yn dangos dealltwriaeth glir o gyfraniad Paley at y ddadl ddylunio. Mae'r cyfeiriad at Newton yn briodol hefyd.
5. Mae'r ateb yn mynd ymlaen wedyn i drafod cyfraniad Tennant at yr egwyddor anthropig. Gwneir hyn yn gywir ac mae'n dangos bod y ffeithiau allweddol wedi cael eu cyflwyno yn fanwl ac yn berthnasol.
6. Eto, mae'r ateb yn brysio drwy egwyddor esthetig Tennant. Nid yw'n sôn am gysyniadau'r dylunydd graslon.

Crynodeb

Mae'r myfyriwr yn amlwg yn deall y pwnc ac mae wedi ysgrifennu traethawd sy'n dangos hyn. Mae rhai rhannau wedi'u hesbonio'n dda ond nid oes cydbwysedd yma bob amser. Byddai esboniad gwell o egwyddor esthetig Tennant wedi caniatáu rhoi marciau ychwanegol i'r ateb a chodi safon yr ateb yn gyffredinol.

Maes cwestiwn AA2: *Y ddadl deleolegol*

Ateb gwan i asesiad o'r gosodiad, 'Mae tystiolaeth wyddonol yn cefnogi'r ddadl deleolegol yn gryf.'

Byddai'r rhan fwyaf o athronwyr yn anghytuno â hyn oherwydd bod llawer o wyddonwyr yn credu yn y glec fawr yn ogystal â damcaniaeth esblygiad. Mae Richard Dawkins yn athronydd fyddai'n anghytuno â'r gosodiad hwn gan ei fod wedi dilyn Charles Darwin a gafodd y syniad o ddetholiad naturiol. Mae Dawkins yn meddwl ei bod yn anwyddonol credu mewn Duw sy'n dylunio. [1]

Dadleuodd David Hume yn erbyn y ddadl deleolegol gan ei fod yn credu nad oes gan bobl brofiad o'r bydysawd yn cael ei ddylunio ac felly ni allwn ni gredu'r ddadl deleolegol. Rhai gwendidau yw damcaniaeth y bwced sy'n gollwng, sef does dim ots faint o fwcedi sydd gennych chi, os oes twll ym mhob un ni fyddan nhw'n cario dŵr. [2]

Mae pwyntiau cryf i'r ddadl hefyd, er enghraifft ei bod yn esboniad rhesymegol, mae'n rhan o'r achos cronnus ac mae'n *a posteriori*. I gloi, mae llawer o gryfderau a hefyd llawer o wendidau ond mae'r ddau yn cael eu hategu gan safbwyntiau gyda rhesymau/tystiolaeth i'w cefnogi. [3]

Sylwadau

1. Cyflwynir yma ymdrech gyfyngedig i ddangos sut mae gwyddonwyr wedi anghytuno â'r ddadl ddylunio. Fodd bynnag, mae'r enwau a'r syniadau yn gywir er nad yw'r syniadau hyn yn cael eu datblygu.
2. Mae dadl Hume a'r ddadl bwced sy'n gollwng yn cael eu cyflwyno, eto mewn modd cyfyngedig. Mae gwir angen datblygu'r syniadau hyn i'r ateb gael marc uwch ar gyfer AA2.
3. Mae'r paragraff olaf yn ymgais i ymdrin â'r gwrthddadleuon ond yn anffodus nid yw'r pwyntiau a restrir yn mynd i'r afael mewn gwirionedd â'r cwestiwn sy'n ymwneud â thystiolaeth wyddonol. Nid oes casgliad clir yn cael ei gyflwyno yn y rhan hon o'r traethawd. Ar gyfer AA2 mae'n hanfodol fod casgliad yn cael ei gynnig bob tro.

Crynodeb

Mae'r myfyriwr wedi gwneud ymgais gyfyngedig i ymateb i'r ddadl, ond heb gasgliad ac yn cyflwyno ychydig iawn o dystiolaeth i gefnogi ei safbwyntiau.

Athroniaeth Thema 2

Maes cwestiwn AA1: *Esboniad o ddadl ontolegol Descartes*

Ateb gwan

Roedd Descartes yn byw yn Ffrainc yn yr 17eg ganrif ac roedd yn enwog am ei ymadrodd 'Rwy'n meddwl felly rwy'n bodoli'. [1] Roedd yn dadlau dros fodolaeth Duw gan ddefnyddio dadl oedd yn debyg i un Anselm. Duw oedd y peth mwyaf y gellid ei ddychmygu. [2] Roedd bodolaeth yn rhan o berffeithrwydd, felly gan fod Duw yn berffaith, mae'n rhaid ei fod yn bodoli. [3] Cymharodd y ddadl hon â thriongl a thair ongl. [4] Mae'r ddadl yn ddiddwythol ac felly mae'n brawf fod Duw yn bodoli. [5] Beirniadodd Kant y ddadl ar y sail nad yw bodolaeth yn draethiad go iawn, a chafodd wared ar y triongl yn llwyr. Rwy'n meddwl bod hwn yn bwynt da iawn a bod Descartes wedi cael ei ddangos i fod yn anghywir. [6]

Sylwadau

1. Mae angen i'r deunydd am Descartes fod yn berthnasol i ffocws y cwestiwn. Mae manylion bywgraffyddol am athronwyr yn amherthnasol fel arfer ac yn gwastraffu amser. Am bob munud sy'n cael ei dreulio yn ysgrifennu rhywbeth amherthnasol, mae munud yn cael ei wastraffu yn hytrach nag ysgrifennu rhywbeth perthnasol.
2. Y diffiniad anghywir. Mae myfyrwyr yn aml yn cymysgu rhwng dadleuon Anselm a Descartes. Mae angen esbonio'r diffiniad cywir.
3. Mae angen cyflwyno'r ddadl yn ffurfiol gyda rhagosodiad a chasgliad. Mae angen ei hesbonio hefyd.
4. Mae angen esbonio'r darlun a chysylltu'n ôl i ddadl ontolegol Descartes.
5. Dim ond os yw'n ddadl gadarn a dilys y mae'n brawf. Nid yw enwi'r math o ddadl yn dangos ei gwerth fel gwirionedd.
6. Mae hon yn her a hefyd yn werthusol, a dim ond esbonio'r ddadl mae'r cwestiwn yn gofyn amdano (AA1). Ni fyddai unrhyw farciau'n cael eu rhoi am unrhyw werthuso beirniadol (AA2) yn y cwestiwn hwn.

Crynodeb

Mae'r ateb yn gyfyngedig iawn. Nid yn unig mae'n fyr ond mae'n cynnwys pethau anghywir ac nid yw bob amser yn canolbwyntio ar yr amcan asesu cywir.

Maes cwestiwn AA2: *Y ddadl ontolegol*

Ateb cryf i asesiad o'r honiad nad yw'r ddadl ontolegol yn brawf dilys o fodolaeth Duw.

Mewn ymateb i'r cwestiwn a yw'r ddadl ontolegol yn brawf o fodolaeth Duw neu beidio, mae angen i ni edrych ar y cryfderau a'r gwendidau. [1]

I ddechrau, sefydlwyd bod y ddadl yn un resymegol a diddwythol. Ar ôl i'r rhagosodiad gael ei dderbyn, mae'n anodd dadlau yn ei erbyn. At hynny, mae wedi sefyll prawf amser – mae rhai athronwyr yn dal i dderbyn fersiwn datblygedig ohoni, fel Norman Malcolm. Yn olaf, yn athronyddol, mae wedi gwneud dadl dros fodolaeth Duw yn gredadwy yn ôl Plantinga, ac felly i lawer mae hyn yn golygu ei bod yn ddigon difrifol i'w hystyried fel prawf o fodolaeth Duw. [2]

Fodd bynnag, dangosodd Kant y gellir gwrthod y ddadl gyfan. Mae'n amlwg fod gwahaniaeth rhwng profi bod rhywbeth yn wir yn ddamcaniaethol a phrofi ei fod yn wir mewn realiti. Roedd Kant yn derbyn darlun Descartes o'r triongl mewn egwyddor ond, mewn realiti, ei ymateb oedd nad yw hyn yn golygu ei fod yn bodoli ac fe'i gwrthododd. 3

Problem arall yw ei bod yn ymdrin â chysyniadau ac yna'n symud yn sydyn i 'realiti', fel consuriwr yn sydyn yn tynnu cwningen allan o het; mae'n amlwg fod y gwningen wedi dod o'r het ond rydych chi'n gwybod bod rhywbeth o'i le a bod rhyw dwyll yma. 4

Wrth ystyried y syniad o brawf dilys rhaid i ni fod yn glir am yr hyn rydyn ni'n ei olygu wrth brawf. Mae'r ddadl yn ddiddwythol ac felly dylai o anghenraid fod yn wir ac y tu hwnt i bob amheuaeth. Fodd bynnag, rydyn ni wedi gweld bod rhai athronwyr wedi gallu beirniadu a gwrthod y 'gwirioneddau' neu'r 'profion' hyn. Mae'n ymddangos i mi fod gwahaniaeth rhwng derbyn bod rhywbeth yn wir ac yn brawf ar un lefel (yn rhesymegol, yn gysyniadol, mewn egwyddor), ond yna mae derbyn bod hyn yn cysylltu â realiti yn fater hollol wahanol. Dyma'r maes lle mae gwir drafodaeth ymhlith athronwyr am y ddadl ontolegol, a chredaf fod Plantinga yn gywir pan ddywedodd y gall llwyddiannau'r ddadl gael eu canfod yn y ffaith ei bod yn sefydlu 'nid gwirionedd theistiaeth, ond ei derbynioldeb rhesymegol'. Dyma lle mae gan y ddadl ontolegol werth ac ni ddylid tanbrisio nag iselhau hyn. 5

Mae'r ddadl ontolegol yn faes diddorol o athroniaeth, ond efallai fod yr ateb i'w gwerth yn cael ei adlewyrchu orau gan y ffaith iddi gael ei llunio o gyd-destun ffydd. Mae Anselm yn amlwg yn gweithredu o safbwynt crediniwr. Oherwydd hyn gellid dadlau bod y rhagosodiad yn awgrymog, neu fel arall – o gymryd safbwynt mwy amheus – gellid dweud bod y ddadl gyfan yn annilys oherwydd ei thuedd amlwg. Byddai rhai'n mynd mor bell â dweud bod angen ffydd arnoch cyn i'r ddadl ddechrau. Ond eto, a oes unrhyw ddadl sy'n cael ei chyflwyno byth nad oes ganddi ei buddiannau neu ei hamcanion cudd ei hun? Os yw hyn yn wir, a allwn ni byth sefydlu unrhyw fath o 'brawf' mewn perthynas â Duw? 6

Sylwadau

1. Er bod y cyflwyniad yn fyr a does dim rhaid cael cyflwyniad bob tro, mae'n cyfeirio'r arholwr at yr ateb sy'n dilyn ac yn cysylltu â'r ail a'r trydydd paragraff.
2. Crynodeb da o'r cryfderau mewn arddull werthusol, yn cyferbynnu â pharagraff 3.
3. Mae'r gwendidau'n cael eu hesbonio'n dda.
4. Mae hyn yn werthusiad da, yn defnyddio cydweddiad i geisio rhoi'r teimlad o sut mae'n ymddangos bod y ddadl ontolegol yn gweithio ac yn 'teimlo'. Mae'n dilyn yn naturiol o baragraff 3.
5. Paragraff gwerthusol rhagorol sy'n defnyddio esboniad cywir o natur prawf diddwythol ac yna'n nodi'r gwahaniaeth rhwng cysyniad a realiti empirig . Defnydd da o'r dyfyniad gan Plantinga i wneud y pwynt fod 'prawf' a 'derbynioldeb rhesymegol' yn ddau beth gwahanol.
6. Casgliad rhagorol gyda rhai sylwadau personol sy'n amlwg yn cysylltu â'r gwerthusiad cyfan. Mae rhai cwestiynau diddorol yn cael eu codi. Ymateb aeddfed iawn.

Crynodeb

Yn gyffredinol mae hwn yn ymateb aeddfed iawn ac yn un fyddai'n addas ar gyfer Safon Uwch. Gall y rheini sy'n astudio ar gyfer UG ddysgu o hwn, yn ogystal â'r rheini sy'n astudio ar gyfer Safon Uwch. Gyda mwy o bwyslais ar AA2 yn y Safon Uwch, dyma'r math o ddyfnder sydd ei angen mewn ateb.

Athroniaeth Thema 3

Maes cwestiwn AA1: *Esboniad o broblem drygioni*

Ateb cryf

Mae 'problem drygioni' yn broblem a gyflwynir gan anghredinwyr i'r rhai sy'n credu yn 'Nuw Theistiaeth Glasurol', sy'n holi pam mae drygioni'n bodoli os ydyn nhw'n credu bod eu Duw yn meddu ar y rhinweddau sydd ganddo (hollalluogrwydd – yn gallu gwneud popeth, hollraslonrwydd – yn caru popeth, a hollwybodaeth – yn gwybod popeth). 1

Wrth drafod drygioni, mae'n rhaid i ni ddiffinio ei ystyr i ddechrau ac yma rydw i'n mynd i ddiffinio drygioni fel unrhyw beth sy'n achosi dioddefaint. Mae'n rhaid i ni hefyd wahaniaethu rhwng drygioni naturiol a drygioni moesol. Mae 'drygioni naturiol' yn ddrygioni y tu allan i'n hewyllys rydd a'n rheolaeth, er enghraifft Corwynt Katrina neu ddaeargryn Lisbon. Mae 'drygioni moesol' yn ddrygioni mae unigolyn neu grŵp yn ei ddewis drwy arfer eu hewyllys rydd, er enghraifft yr Holocost neu herwgipio Madeleine McCann. 2

Mae'r triawd anghyson yn edrych ar bob agwedd. Mae'r triongl yn cynnwys tri gosodiad neu gynnig: hollraslonrwydd, hollalluogrwydd a drygioni. Dim ond dau o'r rhain all byth fod yn wir, yn ôl Epicurus, wedi'i ddatblygu gan Hume. 3

Os ydyn ni'n cymryd drygioni i ffwrdd, cawn ein gadael â'r ffaith fod Duw yn hollraslon ac yn hollwybodus. Oherwydd y byd sydd o'n cwmpas, mae'n amlwg fod drygioni yn bodoli, er byddai rhai'n dadlau mai dim ond camargraff a mater o bersbectif yw drygioni ac nad yw Duw yn ystyried yn ddrygioni yr hyn rydyn ni'n ei weld fel drygioni. Mae anghredinwyr yn dadlau, pe bai Duw yn hollraslon a hollalluog, ni fyddai ei greadigaeth yn dioddef, hyd yn oed yn sgil 'drygioni dros dro'. 4

Felly naill ai, mae Duw yn hollraslon ond nid yw'n hollalluog ac mae drygioni yn bodoli. Mae hyn yn golygu ei fod yn dymuno cael gwared ar y drygioni a'r dioddefaint rydyn ni'n eu hwynebu ond nid oes ganddo'r grym i wneud hynny. Mae hon yn broblem i gredinwyr gan ei bod yn gwrth-ddweud eu syniad nhw am beth yw Duw. Neu, mae Duw yn hollalluog ond nid yw'n hollraslon ac mae drygioni yn bodoli. Byddai hyn yn golygu, er bod gan Dduw y gallu i gael gwared ar ddrygioni, nid yw'n dewis gwneud hyn oherwydd nad yw'n poeni digon neu, yn waeth byth, efallai ei fod yn mwynhau ein gweld ni'n dioddef. Unwaith eto mae'r un broblem o wrth-ddweud yn codi. [5]

Fel casglodd Epicurus, 'Naill ai mae Duw'n dymuno dileu drygioni, ac nid yw'n gallu; neu mae'n gallu, ond nid yw'n dymuno. Os yw'n dymuno, ond nid yw'n gallu, mae'n analluog. Os yw'n gallu, ond nid yw'n dymuno, mae'n ddrwg.' [6]

Mae anghredinwyr hefyd yn codi'r ddadl am faint o ddioddefaint sydd ei angen; pam na fu farw dwy filiwn o bobl yn yr Holocost yn hytrach na chwe miliwn? Mae'r ffaith fod cynifer o bobl wedi marw yn ddychrynllyd ac mae'r dioddefaint anferth hwn fel pe bai'n mynd yn erbyn yr hyn mae credinwyr yn ei feddwl am Dduw. Maen nhw'n dadlau hefyd, pam dylai anifeiliaid ddioddef camdriniaeth? Ni allan nhw ddysgu a datblygu; felly, nid oes ystyr i'w dioddefaint. Os, fel mae rhai crefyddau (e.e. Cristnogaeth) yn ei ddysgu, does dim eneidiau gan anifeiliaid, sut gall dioddefaint 'greu eneidiau' neu fod yn ddefnyddiol? Yn yr un modd, gan nad yw anifeiliaid yn hanu o Adda ac Efa, pam dylen nhw ddioddef fel mae pobl yn ei wneud? Nid yw'n gwneud synnwyr. Problem arall yw bod y rhai diniwed yn ddioddef, fel y plant sy'n newynu yn y byd sy'n datblygu. Dydyn nhw ddim yn gwella eu heneidiau, maen nhw'n marw yn araf ac yn boenus ac ni ellir cyfiawnhau hyn. Hyd yn oed os rhywbeth dros dro yw drygioni, nid yw'n cyd-fynd â Duw cariadus na fyddai eisiau i'r rhai diniwed yn ei greadigaeth ddioddef. [7]

Fel dywedodd Hume, 'Mae difrifoldeb y dioddefaint yn ormod.' [8]

Sylwadau

1. Cyflwyniad da sy'n crynhoi pam mae problem drygioni – mae diffinio nodweddion Duw Theistiaeth Glasurol yn dangos dealltwriaeth glir.
2. Mae'r ateb yn datblygu wedyn drwy ddiffinio drygioni a'r mathau o ddrygioni, gydag enghreifftiau. Mae sefydlu ffiniau pam mae dadl yn y lle cyntaf yn dangos dealltwriaeth dda o'r pwnc ac yn caniatáu i brif ran y ddadl gael ei datblygu ar sail diffiniadau y cytunwyd arnyn nhw.
3. Mae cyfeirio at y triawd anghyson yn bwysig mewn unrhyw draethawd o'r math hwn. Fodd bynnag, gellid bod wedi gwneud mwy yma i ddatblygu sut daeth y triawd anghyson i fod ac esbonio natur dyfais athronyddol o'r fath.
4. Mae'r esboniad am gamargraff/problem persbectif drygioni yn addas ac yn glir. Mae'r ateb yn parhau â'i esboniad drwy ddangos sut mae hyn yn gyfiawnhad annigonol wrth geisio datrys problem drygioni.
5. Mae hyn yn dangos dadansoddiad medrus iawn o gael gwared ar nodweddion hollalluogrwydd/hollraslonrwydd, ac eto yn dangos pam mae pob un o'r 'atebion' hyn yn annigonol yn y pen draw. Mae hyn eto yn dangos tystiolaeth o ddealltwriaeth dda. Cyflwynir y ffeithiau a'r syniadau allweddol am y triawd anghyson yn gywir.
6. Mae defnyddio dilema Epicurus i danlinellu'r pwynt sy'n cael ei wneud gan y triawd anghyson yn ddefnydd deallus o safbwynt athronydd i gefnogi rhesymu'r traethawd.
7. Mae'r ateb yma yn ymdrin â'r problemau arbennig a godir gan ddioddefaint anifeiliaid, dioddefaint anferth a dioddefaint y diniwed. Mae'r enghreifftiau i gyd yn briodol ac yno i egluro'r pwynt sy'n cael ei wneud.
8. Eto, mae defnyddio safbwynt athronydd i danlinellu'r pwyntiau sy'n cael eu gwneud yn y paragraffau blaenorol yn dangos nid yn unig ddealltwriaeth glir ond hefyd y gallu i drefnu'r deunydd mewn ffordd glir a chydlynol.

Crynodeb

Mae'r myfyriwr wedi cynhyrchu ateb eithaf llawn i'r cwestiwn a osodwyd yn yr amser oedd ar gael. Mae'r wybodaeth yn berthnasol, ac er nad yw'r wybodaeth bob amser yn cael ei chyflwyno'n drwyadl, mae'r modd y cyflwynir y deunydd yn sicr yn ddigonol i gael lefel uchel o ymateb.

Maes cwestiwn AA2: *Problem drygioni*

Ateb gwan i asesiad o'r gosodiad, 'Nid yw atebion crefyddol i broblem drygioni yn llwyddo i berswadio neb.'

Nid yw atebion crefyddol i broblem drygioni bob amser yn argyhoeddi. Byddai llawer o bobl yn cwestiynu pam byddai Duw, hyd yn oed os oes Duw o gwbl, yn gadael i ddioddefaint fod mor eithafol a ddim yn ei atal. Er enghraifft, dioddefaint anferth fel yr hyn a wnaeth y Natsïaid i'r Iddewon yn yr Holocost yw un o'r mathau mwyaf o ddrygioni sydd wedi digwydd. Pam byddai Duw hollraslon yn gadael i filiynau o bobl farw? [1]

Dioddefaint y diniwed fel y plant a'r teuluoedd yn Affrica, sy'n brwydro i oroesi yn eu bywydau pob dydd. Oni fyddai Duw hollalluog eisiau defnyddio ei rym i roi gwell ansawdd bywyd iddyn nhw? Hefyd mae anifeiliaid yn dioddef oherwydd bod ganddyn nhw lai o awdurdod ac maen nhw'n llai o ran maint na phobl, a yw hyn yn deg? [2]

Mae atebion crefyddol fel theodiciaethau Irenaeus ac Awstin yn ddadleuon perswadiol i brofi bodolaeth Duw ym mhroblem drygioni. Ein dewis ni fel bodau dynol yw anufuddhau i'n Duw a wnaeth fyd sy'n rhydd rhag beiau. A dyma pam dyluniodd ef y nefoedd ac uffern, er mwyn i'r da a'r drwg fynd yno. Hefyd, nid yw drygioni yn sylwedd ac felly ni ellir honni mai Duw a'i creodd. [3]

Yn fy marn i, dydw i ddim yn meddwl bod atebion crefyddol yn berswadiol. Rwy'n teimlo bod llawer gormod o wallau yn y ddadl dros broblem drygioni, ac os Duw wnaeth greu'r byd a phopeth sydd ynddo, yna rwy'n teimlo ei bod yn anghywir dweud nad Duw y dylunydd a ddyluniodd hefyd y drygioni mae'n rhaid i ni ei wynebu. Mae'r brif feirniadaeth yn erbyn Duw Theistiaeth Glasurol, gan ei bod yn ymddangos yn amhosibl dweud y gall ef neu unrhyw Dduw arall fod yn hollwybodus, cariadus a galluog, os yw drygioni'n dal i fodoli yn y bydysawd. [4]

Sylwadau

1. Mae'r cyflwyniad yn dechrau'n dda ond yna mae'n defnyddio dim ond gwybodaeth sy'n AA1 ei natur. Collwyd cyfle i wneud hyn yn fwy gwerthusol, ac mewn cyflwyniad i werthusiad, mae'n bwysig manteisio ar gyfle o'r fath.
2. Eto, yn debyg i [1], mae'r ateb yn ailddatgan gwybodaeth sydd eisoes wedi cael ei defnyddio yn AA1. Hyd yma nid yw'r cwestiwn a osodwyd wedi cael ei ateb.
3. Mae'n brysio dros theodiciaethau Awstin ac Irenaeus ac yn rhoi dadansoddiad arwynebol o'r hyn maen nhw'n ei ddweud. Mae hyn yn gyfyngedig a byddai angen ymhelaethu arno'n sylweddol i gyfrannu'n ddigonol at y gwerthusiad.
4. Mae'r paragraff cloi (mae bob amser yn hanfodol cael un mewn ymateb AA2) yn cynnig safbwynt personol, wedi'i seilio ar dystiolaeth, ond mae'n gyfyng ei gwmpas. Mae sôn eto am y triawd anghyson ond, yn gyffredinol, mae'r rhesymu yn syml ac elfennol.

Crynodeb

Mae'r ateb hwn yn dangos mai dim ond yn rhannol mae'r ymgeisydd wedi deall y problemau, ac mae'r dadansoddiad yn gyfyngedig. Rhoddir bron dim tystiolaeth i gefnogi'r rhesymu ac felly ni fyddai'r ymateb hwn yn cael marc uchel.

Athroniaeth Thema 4

Maes cwestiwn AA1: *Profiad crefyddol: esboniad o gyfriniaeth*

Ateb gwan

Mae cyfriniaeth yn brofiad o'r dwyfol. Gwnaeth Bauderschmidt ei disgrifio fel 'cyflwr gwahanol o ymwybyddiaeth' sy'n arwain at 'uniad â'r dwyfol'. Ni all profiadau cyfriniol gael eu mesur yn ffisegol ac felly mae llawer yn gofyn a ydyn nhw'n ddilys. [1]

I ddechrau, mae'r athronydd William James, sy'n amlinellu pedair nodwedd o brofiad cyfriniol, yn dangos sut mae rhai'n cwestiynu a ydyn nhw'n ddilys. Nodwedd gyntaf James yw anhraetholdeb. Ystyr hyn yw na all y derbynnydd esbonio beth sydd wedi digwydd iddo. Dywedodd y Rabbi cyfriniol Israel Tov 'nad oedd yn gallu dilysu' ei brofiad. Mae pobl yn amau'n syth a yw profiadau cyfriniol yn ddilys oherwydd sut gall rhywbeth na allwch chi ei ddisgrifio fod yn real? Yn yr un modd mae rhai'n awgrymu, os yw Duw yn hollalluog, yn gallu gwneud popeth, yna pam nad yw'n gallu dangos ei hun i bawb ac nid i'r dethol rai yn unig? [2]

Yn ail, mae rhai pobl yn gofyn a all profiadau cyfriniol fod yn ddilys oherwydd gallan nhw fod yn dwyllodrus. Nododd y seicolegwyr Carl Jung a Sigmund Freud sut mae'r delweddau crefyddol hyn yn gallu bod yn ddim mwy nag atgofion wedi'u deffro drwy ein bywydau. Mae hyn yn gadael y cwestiwn, a ydyn nhw'n ddilys? Yn yr un modd mae 'gwyrth yr haul', pan wnaeth miloedd o bobl yn Fatima, Portiwgal, ddweud iddyn nhw weld Duw wrth edrych ar yr haul, wedi cael ei hesbonio gan wyddonwyr, sef bod edrych ar yr haul am amser hir yn gallu arwain at weld rhithiau. Gall hyn fwrw amheuaeth ar ddilysrwydd. Yn olaf, mae'r ysgolhaig Walter Stace yn credu bod rhai pobl yn gallu cael profiadau cyfriniol allblygol lle mae'r dwyfol yn cael ei drosgynnu'n gorfforol. Enghraifft o hyn yw grŵp neo-garismataidd Cristnogaeth efengylaidd *Toronto Blessing* yn 1994. Mae eu nodweddion yn cynnwys chwerthin yn orffwyll ac wylo'n afreolus. Maen nhw'n dweud mai amlygiad corfforol yr Ysbryd Glân yw hyn. Eto i gyd, mae nifer yn credu bod y bobl hyn wedi meddwi'n gyfrinachol ac yn pwysleisio'r profiadau hyn er mwyn sioe. Mae hyn hefyd yn bwrw amheuaeth ar y dilysrwydd. [3]

I gloi, mae'n ymddangos bod yna esboniadau eraill o brofiadau cyfriniol a dyna pam mae rhai pobl yn cwestiynu a ydyn nhw'n ddilys. [4]

Sylwadau

1. Cyflwyniad da, clir a phendant i'r pwnc gyda dyfyniad ysgolheigaidd i gefnogi'r cyflwyniad. Mae hyn yn arfer da ac yn gosod sylfaen ar gyfer gweddill yr ymateb.
2. Mae'n ddefnyddiol cynnwys cyfeiriad at William James a'r Rabbi Israel Tov i gefnogi'r safbwyntiau fod natur cyfriniaeth yn ei gwneud yn anodd ei dilysu.
3. Yna rhoddir nifer o enghreifftiau perthnasol yn rhan nesaf yr ymateb. Mae'r rhain yn hynod o berthnasol er bod angen i'r ateb esbonio'n union sut maen nhw'n herio dilysrwydd. Mae ysgrifennu'r frawddeg 'Mae hyn yn bwrw amheuaeth ar y dilysrwydd' yn dangos dealltwriaeth rannol yn unig. Collwyd cyfle i wneud argraff ar yr arholwr gyda gwybodaeth o'r pwnc.
4. Mae'r 'casgliad' yn ddiangen ar gyfer AA1; dim ond yn AA2 mae angen casgliadau.

Crynodeb

Mae'r ateb yn cyflwyno gwybodaeth sydd fwy neu lai yn fanwl gywir. Mae'n amlwg yn dangos dealltwriaeth o'r pwnc ond yma mae'n sylfaenol yn unig ac weithiau'n dameidiog. Byddai angen helaethu ar yr esboniadau i wella'r marc cyffredinol.

Maes cwestiwn AA2: *Profiad crefyddol: cyfriniaeth*

Ateb cryf i asesiad o'r gosodiad, 'Ni ddylai profiad cyfriniol gael ei ddibrisio gan her dilysrwydd.'

Mae rhai Cristnogion a chyfrinwyr yn dadlau yn erbyn y syniad y dylai 'dilysrwydd' ddibrisio gwerth profiad, yn sicr. Er enghraifft, roedd F. C. Happold, un o brif amddiffynwyr cyfriniaeth, yn honni bod 'cyfriniaeth yn bodoli mewn cylch profiad sy'n hollol wahanol i wyddoniaeth'. Awgrymodd drwy hynny na ddylai tystiolaeth wyddonol yn erbyn bodolaeth profiadau cyfriniol dilys dynnu oddi ar y teimlad o ddilysrwydd crefyddol y gallai'r derbynnydd ei briodoli i'r profiad. 1

Mae rhai, fodd bynnag, wedi dadlau yn erbyn y farn hon o werth cyfriniaeth, fel A. F. King. Maen nhw wedi tybosod, os ystyrir bod unrhyw brofiad yn ddilys yn seiliedig dim ond ar y ffaith fod y derbynnydd wedi mynd drwyddo yn ei feddwl ei hun mewn 'cylch meddwl' anwyddonol, yna byddai'n rhaid i safbwyntiau pobl â salwch meddwl a defnyddwyr cyffuriau rhithiol ddechrau cael eu cymryd o ddifrif hefyd ochr yn ochr â'r rhai sy'n amddiffyn cyfriniaeth. Wedi'r cyfan, mae pobl fel hyn hefyd yn cael profiadau a gweledigaethau sy'n ymddangos yn real iddyn nhw er eu bod yn wyddonol amheus. Ond mae'r bobl hyn yn cael eu cloi mewn ysbytai a charchardai, yn hytrach na chael pobl yn gwrando arnyn nhw a'r Eglwys yn eu canmol am eu bod wedi cwrdd â Duw yn uniongyrchol. 2

Fodd bynnag, gall y ddadl hon gael ei gwrthod yn weddol hawdd gan y rhai sy'n amddiffyn cyfriniaeth, drwy'r syniad fod cleifion iechyd meddwl a'r rheini sy'n cael rhithweledigaethau yn aml yn cael profiadau negyddol. Un o'r rhesymau pam yr ystyrir bod ymweliadau cyfriniol yn werthfawr yw oherwydd dydyn nhw ddim yn afresymol, ond maen nhw'n cynyddu llesiant y derbynnydd ac yn cyfleu gwybodaeth ysbrydol ddefnyddiol ('natur noëtig' James). Yn wir, mae William James yn amddiffyn cyfriniaeth ymhellach yn erbyn y ddadl flaenorol. Mae'n dweud mai byrhoedledd profiad o'r fath – ei allu i aros gyda'r derbynnydd a newid ei fywyd er gwaethaf ei natur wibiol – yw'r briodwedd sy'n profi ei fod yn werthfawr. Dyma sy'n ei wneud yn wahanol i'r rhithweledigaethau a brofir gan gleifion iechyd meddwl, sydd fel arfer yn eu hanghofio. 3

Sylwadau

1 Mae defnyddio enwau ysgolheigion yn ychwanegu at ddadl agoriadol yr ateb. Gan gefnogi'r honiad dan sylw, mae'r ateb yn cynnig dadansoddiad a sylwadau beirniadol priodol.

2 Mae'r paragraff nesaf yn cynnwys ymateb uniongyrchol i ddadl gyntaf yr ateb ac, eto, yn defnyddio tystiolaeth ysgolheigion i hybu'r pwynt sy'n cael ei wneud.

3 Mae'r paragraff olaf yn gwrth-ddweud yr wrthddadl ac yn cynnig ymagwedd fwy cydymdeimladol at y mater. Mae'r brawddegau olaf yn awgrymu casgliad ond nid yw hwn yn cysylltu'n uniongyrchol â'r cwestiwn gwreiddiol. Mae'n aml yn arfer da cyfeirio at y cwestiwn yn y casgliad terfynol er mwyn dangos i'r arholwr fod y mater wedi cael ei ddeall a'i ateb yn llawn.

Crynodeb

Mae'r ateb yn cynnig ymateb deallus i'r cwestiwn ond nid yw'n datblygu'r ateb yn ddigonol. Nid yw'r casgliad sy'n cael ei awgrymu yn uniongyrchol berthnasol i'r cwestiwn ac mae hyn yn gwanhau'r gwerthusiad yn gyffredinol. Oherwydd hyn, mae'r ateb yn eithaf cryf ond er mwyn cael marc uwch roedd angen i'r ateb ychwanegu at ddadleuon gyda deunydd ychwanegol a rhoi casgliad clir a phendant.

Moeseg Thema 1

Damcaniaeth feta-foesegol

Maes cwestiwn AA1: *Damcaniaeth Gorchymyn Dwyfol*

Ateb gwan

Mae dilynwyr damcaniaeth Gorchymyn Dwyfol yn derbyn bod safon gyffredinol ar gyfer moesoldeb ond bod y safon yn rhan o Dduw. Maen nhw'n credu mai Duw sy'n penderfynu beth sy'n dda a beth sy'n ddrwg. 1

Dadleuodd Robert Adams fod moesoldeb wedi'i seilio yng nghymeriad Duw, sy'n berffaith dda. O ganlyniad mae ei orchmynion yn dda hefyd ac felly Duw sy'n gwybod beth sydd orau i ni. 2

Os yw'r hyn y mae Duw yn ei feddwl ac yn ei wneud yn dda drwy ddiffiniad, beth bynnag ydyw, yna a yw'n gwneud synnwyr i addoli Duw oherwydd ei ddaioni? 3

Os yw Duw yn gorchymyn pethau oherwydd eu bod yn dda, yna nid yw Duw wir yn rheoli ac ni all fod yn greawdwr. Gall hyn olygu nad yw Duw yno mewn gwirionedd. 4

Sylwadau

1 Mae rhan gyntaf y paragraff yn dechrau'n dda ond wedyn byddai'r gair 'gwrthrychol' yn well na'r gair 'cyffredinol'. Mae angen cysylltu'r ail bwynt â'r syniad o Dduw yn ewyllysio neu'n gorchymyn rhywbeth i fod yn dda.

2 Nid dyma'r esboniad gorau o ddatblygiad Robert Adams. Dylid gwneud yn glir ei fod yn ddatblygiad o ddamcaniaeth Gorchymyn Dwyfol ac esbonio pam.

3 Mae hwn yn gwestiwn da ond mae angen mwy o ymhelaethu a'i gysylltu â dilema Euthyphro. Mewn gwirionedd gellid bod wedi defnyddio hwn fel y paragraff cyntaf pe bai wedi cael ei ddatblygu ac yna ei gysylltu â damcaniaeth Gorchymyn Dwyfol. Ar hyn o bryd does dim cysylltiad.

4 Mae hyn mewn gwirionedd yn symud i ffwrdd o ffocws y cwestiwn gan nad mater o bŵer sydd dan sylw ond natur daioni a daioni Duw. Dydy'r sylwadau, 'nid yw Duw wir yn rheoli ac ni all fod yn greawdwr' a 'Gall hyn olygu nad yw Duw yno mewn gwirionedd' ddim yn cael eu hesbonio o gwbl ac felly maen nhw'n amherthnasol.

Crynodeb

Er bod y pethau sylfaenol yno, maen nhw'n sylfaenol iawn a dim ond awgrym o ddealltwriaeth o ddamcaniaeth Gorchymyn Dwyfol sydd yma.

Maes cwestiwn AA2: *Gwerthuso a yw rhinweddau yn gyson â Christnogaeth*

Ateb cryf

Mae hanes hir o addysgu am rinweddau yn y traddodiad Cristnogol, a gellir olrhain hyn yn ôl i'r Hen Destament, er enghraifft Llyfr y Pregethwr. Mae Cristnogaeth a'i dysgeidiaethau'n cael eu cysylltu fel arfer â rheolau a gorchmynion, ond yn y Bregeth ar y Mynydd, mae Iesu yn amlwg yn hyrwyddo rhinweddau mewnol penodol. Dyna pam mae rhinweddau yn gyson â Christnogaeth. [1]

Mae pob rhinwedd yn cael ei hystyried yn 'wynfydedig' ac mae iddi wobr ysbrydol gyfatebol. Mae Iesu'n bendithio drwy roi clod a chadarnhad gan gydnabod y natur rinweddol sy'n cael ei dangos. Y rhinweddau sy'n cael eu nodi gan Iesu yw: tlawd yn yr ysbryd; yn galaru; addfwyn; yn newynu a sychedu am gyfiawnder; trugaredd; pur eu calon; tangnefeddwyr; a'r rhai sy'n cael eu herlid yn achos cyfiawnder. [2]

Un enghraifft o fod yn gyson â Christnogaeth yw bod y term tlawd yn yr ysbryd yn cael ei ddehongli'n aml fel dealltwriaeth o dlodi mewn perthynas â'r person cyfan; hynny yw, corfforol, meddyliol ac ysbrydol. Er enghraifft, pobl sydd efallai â'u hawliau wedi cael eu cymryd oddi wrthyn nhw neu sydd o dan orthrwm mewn rhyw ffordd. Maen nhw'n ymwybodol o'u diffyg pwysigrwydd, eu hanobaith a'u diymadferthedd eu hunain gerbron Duw. Mae hyn yn gyson â dysgeidiaeth grefyddol. [3]

Enghraifft arall o gysondeb yw'r rheini sy'n newynu a sychedu am gyfiawnder. Mae hyn yn cael ei ddeall yn aml fel awydd am ganlyniad rhinweddol cyfiawnder mewn perthynas â theyrnas Dduw. Mae'n aml yn cael ei ddeall fel disgrifio'r rhinwedd o chwilio am gyfiawnder mewn ystyr personol, ysbrydol, cymdeithasol a byd-eang. Gellir ei gymhwyso at weithredoedd yr Eglwys drwy'r byd yn ymladd yn erbyn tlodi ac anghyfiawnder. [4]

Yn olaf, mae'r rheini sy'n dangos rhinwedd trugaredd yn sicr yn gyson â Christnogaeth. Drwy ostyngeiddrwydd ac ymwybyddiaeth o drugaredd Duw, mae Cristnogion yn cael eu hannog i ddangos trugaredd at eraill, nid oherwydd bod hyn yn dod â thrugaredd Duw yn wobr, ond oherwydd ei bod yn natur rinweddol ynddi'i hun, er enghraifft rhoi arian i'r tlawd neu drwy faddau. [5]

Bu'r rhinweddau yn destun cryn dipyn o drafodaeth ymhlith ysgolheigion. Er enghraifft, mae rhai'n gweld tebygrwydd ag Eseia 61:1–3 oherwydd y cyfeiriadau at ryddid o dlodi, datgan gobaith i'r cyfiawn, torcalon, a chysur i'r rhai sy'n galaru. Mae ysgolheigion eraill yn credu eu bod yn disgrifio'r nodweddion sy'n groes i'r rheini yn Llyfr y Diarhebion 6:16–19 sy'n manylu ar y pechodau. Yn gyffredinol, mae'n amlwg fod gan y rhinweddau sail yn y grefydd Gristnogol, does dim dwywaith am hyn. Fodd bynnag, y gwir gwestiwn yw pa mor bwysig ydyn nhw mewn perthynas â'r rheolau a'r dysgeidiaethau mewn Cristnogaeth? Ydyn nhw'n bwysicach? Ydyn nhw'n cydweithio â rheolau crefydd neu a oes blaenoriaeth wrth eu cymhwyso at broblemau moesol? Dyma'r drafodaeth wirioneddol i Gristnogion. [6]

Sylwadau

1 Cyflwyniad da sy'n amlinellu cysylltiad Cristnogaeth â rhinweddau a hefyd yn dangos sut gall y gwerthusiad ddatblygu. Mae'n unochrog, ond ddim yn llwyr, fel mae'r paragraff olaf yn ei ddangos.

2 Crynodeb da o'r Gwynfydau.

3 Mae'r ateb yn dewis rhinwedd benodol ac yn esbonio pam a sut mae'n gyson â Christnogaeth.

4 Mae'r ateb yn dewis rhinwedd arall ac unwaith eto yn esbonio pam a sut mae'n gyson â Christnogaeth.

5 Dewisir rhinwedd derfynol ac mae'r ateb eto'n esbonio pam a sut mae'n gyson â Christnogaeth. Sylwer mai dim ond tair rhinwedd sy'n cael eu dewis ond mae dyfnder yr ateb yn caniatáu hyn. Hefyd mae'n cysylltu pob un yn glir â'r gwerthusiad, yn hytrach na bod yn ateb sydd ddim ond yn eu rhestru.

6 Mae'r ateb yn cysylltu'n ôl â chyfeiriadau eraill yn y Beibl drwy gyfeirio at waith ysgolheigion. Gwneir casgliad sy'n anochel yn unochrog ond mae'r ymgeisydd yn cydnabod wedyn fod anghysondebau'n gallu codi, nid wrth ystyried a yw'r rhinweddau'n Gristnogol ond wrth eu cymhwyso at broblemau moesol.

Crynodeb

Mae hwn yn ateb da iawn oherwydd bod ganddo linyn dadl clir. Mae'n cydnabod bod anghysondebau o gymharu â chymhwyso dysgeidiaethau crefyddol eraill – a gallai hyn fod wedi bod yn sail yr wrthddadl – ond mae'r ateb yn dangos sut gall ymateb fod yn fwy unochrog ond yn dal i allu perfformio'n dda.

Moeseg Thema 2

Y Ddeddf Naturiol

Maes cwestiwn AA1: *Archwilio Deddf Naturiol Aquinas*

Ateb cryf

Mae diwinyddiaeth yr Eglwys Gatholig yn dilyn y rheolau a'r canllawiau llym a osodwyd gan Ddamcaniaeth Deddf Naturiol Aquinas. Mae'r Ddeddf Naturiol yn dweud y gall pob penderfyniad moesol gael ei wneud drwy ddefnyddio'r rheswm a roddodd Duw i ni. Datblygodd Aquinas syniadau Aristotle fod gan bopeth bwrpas a alwodd yn *telos*. Roedd Aquinas, yn wahanol i Aristotle, yn credu bod y pwrpas hwn wedi'i roi gan Dduw. Ein *telos* yw cyrraedd cyfeillach â Duw drwy'r penderfyniadau rydyn ni'n eu gwneud gan ddefnyddio ein gallu i resymu. Mae unrhyw weithred nad yw'n dod â chaswistiaeth nac yn cyflawni ei phwrpas terfynol yn anghywir. Dadl sylfaenol Aquinas oedd y gallwn ni, drwy reswm, adnabod ffyrdd o ymddwyn sy'n wir i bob bod dynol heb eithriad. Maen nhw'n weithredoedd da oherwydd eu bod yn ein harwain tuag at y prif bwrpas neu nod dynol. Yr un fwyaf sylfaenol sy'n sail iddyn nhw i gyd yw 'gweithredu mewn ffordd fydd yn gwneud daioni ac osgoi drygioni'. [1]

Penderfynodd Aquinas fod gan y Ddeddf Naturiol bum gofyniad cynradd ar gyfer gweithredu – addoli Duw, cynnal eich hunan a chynnal y diniwed, byw mewn cymdeithas drefnus, dysgu, parhau'r ddynoliaeth drwy atgenhedlu ac amddiffyn y diamddiffyn. Esboniodd wedyn y gofynion eilaidd sy'n dangos y gofynion cynradd ar waith. Er enghraifft, er mwyn byw mewn cymdeithas drefnus, mae angen y gofyniad eilaidd 'na ladd'. Mae llawer o Gatholigion yn dal i dderbyn y defnydd o'r Ddeddf Naturiol oherwydd ei bod yn rhoi set glir o reolau iddyn nhw ar gyfer byw eu bywydau. Gellir gweld damcaniaeth Aquinas ar waith wrth i ni edrych ar yr Eglwys Gatholig a materion moesegol. Er enghraifft, mae'r Eglwys Gatholig yn cynnal y gofyniad 'cymdeithas drefnus' drwy gadw ymagwedd absoliwtaidd at faterion fel erthyliad ac ewthanasia a fyddai'n torri'r gofyniad hwn. Mae gofynion cynradd Aquinas yn cael eu cefnogi gan y Beibl hefyd. Er enghraifft yn llyfr Genesis mae'n dweud mai un o'n prif bwrpasau yw atgenhedlu. [2]

Gwahaniaethodd Aquinas rhwng bwriad gweithred a'r weithred ei hun. I'r rheini sy'n gwylio, efallai fod gweithred benodol yn dda yn eu barn nhw. Ond, pe bai'r gwylwyr yn gwybod y gwir gymhelliant neu fwriad, yna efallai bydd yn ymddangos yn dra gwahanol. Yn yr un modd nid yw'n dderbyniol gwneud gweithred ddrwg yn fwriadol hyd yn oed os cael canlyniadau da yw'r nod. Mae llawer o Gatholigion gweithredol yn dal i dderbyn ei syniadau ac yn credu y bydd gwneud y weithred gywir am y rhesymau cywir yn gwella rhywun ac yn galluogi pobl i ddod yn nes at Dduw. [3]

Un ffordd o ddatblygu rhesymu cywir yw drwy feithrin rhai rhinweddau arbennig. Nododd Aquinas dair rhinwedd ddiwinyddol (sy'n cael eu ddatguddio yn y Beibl) a dyma'r tair rhinwedd ddatguddiedig; cyfeiriodd atyn nhw fel 'erthyglau ffydd'. Y tair yw ffydd, gobaith a chariad. I Aquinas dyma'r rhinweddau mwyaf ardderchog sy'n diffinio ac yn cyfeirio pob rhinwedd arall. Gan eu bod yn absoliwt ac yn fwyaf ardderchog maen nhw'n berffaith. Er na allwn eu cyrraedd *yn llwyr* yn y byd hwn, gan eu bod ymhell y tu hwnt i allu bod dynol, dylid anelu atyn nhw. Roedd Aquinas hefyd yn annog datblygu'r prif rinweddau, fel cryfder neu wroldeb mewnol a chymedroldeb (popeth yn gymedrol). I Aquinas, y rhain oedd y prif fframwaith i ymddygiad moesol a fyddai'n helpu bodau dynol i fod yn debycach i Dduw wrth eu cymhwyso. Mae ysgolheigion fel Peter Vardy yn cytuno bod y syniad o wella'r hunan a'r enaid yn apelio'n fawr at gredinwyr crefyddol sy'n ceisio dod yn nes at Dduw. [4]

Roedd Aquinas yn credu mai prif bwrpas rhyw oedd atgenhedlu, fel mae'n dweud yn y gofynion cynradd. Mae unrhyw weithgaredd rhywiol sy'n rhwystro'r achos terfynol hwn, fel rhyw cyfunrywiol, yn anghywir felly. Dyma'r rheswm pam mae llawer o Gatholigion o'r farn nad yw rhyw cyfunrywiol yn dderbyniol oherwydd nad yw'n arwain at gyflawni *telos* rhyw, h.y. atgenhedlu. [5]

Sylwadau

1. Er bod yr ateb yn defnyddio cyd-destun yr Eglwys Gatholig, mae'n esbonio'r rheswm dros hyn yn glir ac yn cysylltu'r enghraifft hon â'r Ddeddf Naturiol. Mae wedi dewis gwybodaeth gywir a thrylwyr yn ofalus. Mae geirfa arbenigol yn cael ei defnyddio'n gywir hefyd.
2. Mae'r ateb wedi cysylltu'r gofynion cynradd ac eilaidd yn glir yma, nid yn unig â'i gilydd ond hefyd â dysgeidiaeth yr Eglwys Gatholig ac â thystiolaeth o'r Beibl.
3. Mae'r ateb wedi diffinio gweithredoedd mewnol ac allanol yn glir yma ac mae'n esbonio pam mae'r cysyniadau hyn yn bwysig i gredinwyr crefyddol.
4. Yn ychwanegol at hyn, mae'r ateb wedi nodi'r rhinweddau datguddiedig a'r prif rinweddau a'u cysylltiad â datblygiad personol bod dynol. Mae'r ateb wedi cefnogi'r pwynt sy'n cael ei wneud gyda barn ysgolhaig.
5. Yma mae'r ateb wedi dangos yn glir pam byddai Catholigion yn cefnogi barn y Ddeddf Naturiol am weithredoedd cyfunrywiol.

Crynodeb

Mae hwn yn grynodeb cynhwysfawr iawn sy'n ymdrin â phob un o agweddau allweddol damcaniaeth Deddf Naturiol Aquinas gan ddefnyddio rhai enghreifftiau da. Mae'r ateb hefyd wedi dangos dealltwriaeth drylwyr o'r materion sy'n cael eu codi gan y Ddeddf Naturiol wrth eu cymhwyso.

Maes cwestiwn AA2: *Gwerthuso a yw'r Ddeddf Naturiol yn effeithiol wrth ymdrin â materion moesegol neu beidio*

Ateb gwan

Byddai rhai yn dadlau yn erbyn y gosodiad hwn oherwydd sut gallwn ni fod yn siŵr fod *telos* neu bwrpas gwrthrych neu weithred benodol, yn ôl diffiniad y Ddeddf Naturiol, yn gywir? Er enghraifft, mae'r Ddeddf Naturiol yn dweud mai prif bwrpas rhyw yw atgenhedlu, ond beth os pleser yw ei brif bwrpas? 1

Hefyd, mae'r Ddeddf Naturiol yn seiliedig ar y gred fod Duw wedi creu'r byd a phopeth sydd ynddo i bwrpas, ond byddai llawer o bobl yn herio'r syniad hwn. Ni fyddai gan atheist unrhyw reswm i ddilyn y ddamcaniaeth hon gan nad yw atheistiaid yn credu yn Nuw. 2

Roedd Aquinas yn credu bod gan y ddynoliaeth gyfan yr un natur gyffredinol, ond a oes yna'r fath beth â natur ddynol gyffredinol? Er enghraifft, mae Esgimos yn credu ei bod yn dderbyniol gadael i berthnasau oedrannus farw yn yr oerfel i'w stopio rhag bod yn faich ar eu teulu. 3

Sylwadau

1 Er bod y pwynt a wneir yma yn ddilys, gallai fod wedi'i esbonio'n gliriach. Pam mae cysyniad *telos* mor bwysig yn y Ddeddf Naturiol? Cynlluniodd Duw bopeth gyda phwrpas ac felly mae cyflawni'r diben a fwriadwyd iddo yn dda. Gallai'r ateb fod wedi sôn am un ffordd nad yw'n effeithiol, er enghraifft perthnasoedd cyfunrywiol. Cyfle wedi'i golli.

2 Pwynt dilys sy'n cael ei gefnogi'n rhannol gan resymu.

3 Mae angen i'r ymgeisydd esbonio pam mae Aquinas yn credu bod yna 'natur ddynol gyffredinol'. Gallai fod wedi cyflwyno'r syniad o resymu anghywir a daioni gwirioneddol ac ymddangosiadol, ond yn hytrach mae'n canolbwyntio ar feirniadaeth heb esbonio'r syniad yn llawn gyntaf. Mae enghraifft yr Esgimos yn berthnasol ac yn dda ond mae'n colli ei heffaith heb drafodaeth briodol.

Crynodeb

Er bod yr ateb yn dangos rhywfaint o ddealltwriaeth o'r prif faterion yma, mae'r dadansoddiad neu'r sylwadau yn gyfyngedig ac mae unrhyw bwyntiau sydd wedi'u gwneud heb gael eu datblygu o gwbl. Mae'r dadleuon a roddir wedi'u cefnogi'n rhannol yn unig ac maen nhw'n brin o werthusiad neu ddadansoddiad dyfnach. Hefyd does dim dadl sy'n cefnogi'r safbwynt 'cytuno' na chasgliad.

Moeseg Thema 3
Moeseg Sefyllfa

Maes cwestiwn AA1: *Archwilio rhesymau Fletcher dros wrthod y ddau eithaf o ddeddfolaeth ac antinomiaeth*

Ateb gwan

Roedd Fletcher yn credu mewn *agape*, sy'n golygu y dylech chi garu pawb ac na ddylech chi ddilyn rheolau yn unig oni bai fod y rheolau yn gariadus. Mae deddfolaeth yn dilyn rheolau heb gariad ac felly gwrthodwyd hyn gan Fletcher gan y dylai rheolau fod yn gariadus. 1

Roedd antinomiaid yn bobl oedd yn dweud y gallech chi wneud beth bynnag a fynnech a gwrthryfela yn erbyn rheolau. Ni fydden nhw'n caru pobl eraill, dim ond eu hunain. Dyma pam penderfynodd Fletcher eu gwrthod oherwydd doedden nhw ddim yn dilyn y rheolau. 2

I Fletcher, roedd *agape* yn ffordd ganol rhwng y ddau eithaf. Mae Cristnogaeth yn dilyn deddfolaeth a dyna pam gwnaeth ef ei gwrthod a daeth yn atheist. Gwnaeth llawer o bobl ei ddilyn. 3

Sylwadau

1 Nid yw hyn yn ddisgrifiad cywir o *agape*. Mae diffyg dyfnder dealltwriaeth yma ac mae'n or-syml. Mae hefyd yn camddeall sut mae Moeseg Sefyllfa yn ystyried rheolau.

2 Mae hyn yn rhannol gywir ond heb ei esbonio'n dda o gwbl.

3 Nid deddfolaeth Cristnogaeth oedd y rheswm fod Fletcher wedi colli ei ffydd, ond mae'r rhan gyntaf yn gywir er nad yw wedi'i datblygu ddigon.

Crynodeb

Mae'r ateb yn dangos dealltwriaeth wan iawn o resymau Fletcher, ac mae'n rhy brin o fanylion a dyfnder hyd yn oed i ystyried y byddai'n cyrraedd anghenion Safon Uwch!

Maes cwestiwn AA2: *Gwerthuso a yw Moeseg Sefyllfa yn darparu sail ddigonol ar gyfer gwneud penderfyniadau moesol*

Ateb cryf

Byddai rhai'n dadlau bod Moeseg Sefyllfa fel damcaniaeth berthynolaidd yn hyblyg ac ymarferol. Mae'n ystyried cymhlethdodau bywyd dynol ac yn helpu pobl i wneud penderfyniadau anodd, ond o safbwynt deddfolaethol, mae pob gweithred yn ymddangos yn anghywir. 1

Mae Moeseg Sefyllfa yn caniatáu rhyddid unigol i bobl i wneud penderfyniadau drostyn nhw eu hunain ac i ystyried y sefyllfa maen nhw ynddi cyn gweithredu. Byddai llawer o bobl heddiw yn dewis yr ymagwedd ddeddfolaethol ragnodol, sydd ddim yn rhoi dewis i chi ynglŷn â beth i'w wneud. Hefyd mae pobl yn gallu ystyried a yw'r diben terfynol (cariad yn yr achos hwn) yn debygol o gael ei gyflawni cyn gweithredu. Mae hwn yn gryfder mawr oherwydd mae'n golygu, fel gyda'r system gyfreithiol, bod ffactorau eraill i'w hystyried cyn dod i farn. 2

Fel damcaniaeth berthynolaidd, mae Moeseg Sefyllfa yn caniatáu i chi ddewis rhwng 'y lleiaf o ddau ddrwg', ond ni fyddai ymagwedd ddeddfolaethol yn caniatáu i chi wneud hyn. Er enghraifft, byddai ymagwedd ddeddfolaethol yn wynebu anawsterau oherwydd bod gwrthdaro egwyddorion. Mae hyn i'w weld yn glir yn yr achosion o'r effaith ddwbl yn y Ddeddf Naturiol. 3

Fodd bynnag, gallai rhai eraill ddadlau bod perthynoliaeth yn rhoi gormod o ryddid i'r unigolyn benderfynu pa gamau i'w cymryd. Gwelwyd dro ar ôl tro fod bodau dynol yn tueddu i wneud camgymeriadau neu ddod dan ddylanwad budd personol yn hytrach na chariad. Yn amlwg gallai hyn arwain at ymddygiad annheg ac anfoesol ac mae'n wendid mawr oherwydd nad yw'r rhyddid sydd gan Foeseg Sefyllfa yn sicrhau rheoli ansawdd y tu hwnt i'r unigolyn. Felly gall fod yn agored i gael ei cham-drin ar y gwaethaf neu ei chamddefnyddio i ryw raddau. 4

Hefyd, byddai llawer o gredinwyr crefyddol yn honni bod y safonau moesol yn y gymdeithas wedi dirywio ers i bobl wrthod egwyddorion crefyddol absoliwtaidd o blaid systemau mwy perthynolaidd a theleolegol. Wrth gwrs, gallech chi ddadlau nad yw hon yn feirniadaeth gref gan mai safbwynt personol am yr hyn ddylai safonau fod yw ei sail. Serch hynny, ceir y broblem na all pobl ragweld canlyniadau eu gweithredoedd yn gywir. Felly, dydyn nhw ddim yn gwybod a fydd y nod a ddymunir, sef cariad, yn cael ei gyflawni. Sut caiff hyn ei fesur? 5

Yn olaf, byddai credinwyr crefyddol yn dadlau y dylai pawb ddilyn y ddeddf ddwyfol gan mai Duw yw ffynhonnell eithaf awdurdod moesol. Dydyn nhw ddim yn gallu dibynnu ar egwyddorion wedi'u llunio gan y ddynoliaeth bechadurus.

I gloi, mae cryfderau a gwendidau wrth ystyried Moeseg Sefyllfa fel sail ddigonol ar gyfer gwneud penderfyniadau moesol. Yr hyn sy'n amlwg, fodd bynnag, yw bod gan ymagwedd ddeddfolaethol ac ymagwedd sefyllfaolaethol broblemau hefyd ac felly nid yw gwendidau Moeseg Sefyllfa yn ei gwneud yn israddol i ymagwedd ddeddfolaethol. 6

Sylwadau

1. Cyflwyniad ac esboniad da o pam mae Moeseg Sefyllfa yn cael ei hystyried yn gadarnhaol.
2. Yn cysylltu'r ddadl â chymdeithas gyfoes ynghyd ag esboniad effeithiol.
3. Mae hwn yn bwynt da, er gallai'r enghraifft o'r effaith ddwbl fod wedi cael ei datblygu'n fwy.
4. Sylwer ar y myfyrdodau personol sy'n cael eu hychwanegu wrth ymateb i bwynt wedi'i wneud. Sgìl gwerthuso da.
5. Eto mae mwy o werthuso wedi'i gynnwys mewn ymateb i'r mater dan sylw.
6. Casgliad da iawn sy'n gytbwys ac sydd hefyd â'r cryfder o'n rhybuddio, dim ond oherwydd bod gan system broblemau, nad yw'n golygu ei bod yn methu neu ei bod yn israddol i un arall. Clyfar iawn.

Crynodeb

Ymateb aeddfed iawn, yn myfyrio a gwerthuso gan ganolbwyntio'n fwy ar ystod o safbwyntiau na datblygu rhai penodol, ond mae'r gwerthuso sy'n cael ei ychwanegu a'r casgliad clyfar yn dangos ei safon.

Moeseg Thema 4

Iwtilitariaeth

Maes cwestiwn AA1: *Archwilio calcwlws hedonig Bentham*

Ateb cryf

Dywedodd Bentham yn ei lyfr *An Introduction to the Principles of Morals and Legislation* fod 'natur wedi gosod y ddynoliaeth o dan lywodraeth dau feistr goruchaf, poen a phleser.' Roedd Bentham yn credu mai nod bodau dynol yw mynd ar drywydd pleser ac osgoi poen. Ar y syniad hwn y seiliodd ef ei egwyddor 'defnyddioldeb', sef anelu at yr 'hapusrwydd mwyaf i'r nifer mwyaf o bobl'. Datblygodd y ddamcaniaeth berthynolaidd a theleolegol a elwir yn Iwtilitariaeth Gweithredoedd. Roedd yn cael ei galw'n 'Iwtilitariaeth Gweithredoedd' oherwydd ei bod yn trin pob sefyllfa yn unigryw, ac yn credu mai canlyniadau gweithred yw'r hyn sy'n gwneud ein gweithredoedd yn gywir neu'n anghywir. 1

Fodd bynnag, sylweddolodd ei bod yn anodd i unigolyn benderfynu beth fyddai'r canlyniadau hapusaf, ac felly dyfeisiodd y Calcwlws Hedonig i helpu pobl i ddarganfod hyn. Roedd y calcwlws yn cynnwys saith maen prawf fyddai'n cael eu defnyddio i benderfynu a oedd gweithred yn gywir neu'n anghywir. Y cyntaf o'r saith maen prawf yma oedd dwysedd ac mae'n cyfeirio at ba mor ddwys y bydd yr hapusrwydd. Yr ail yw hyd ac mae hyn yn golygu am ba hyd bydd yr hapusrwydd yn para. Y trydydd maen prawf yw sicrwydd, sef pa mor sicr ydych chi y bydd yr hyn rydych chi'n mynd i'w wneud yn arwain at hapusrwydd. Y pedwerydd yw agosrwydd neu bellter, sef pa mor bell y bydd eich hapusrwydd yn cyrraedd. Y pumed maen prawf yw ffrwythlondeb neu gyfoeth, sy'n golygu pa mor debygol yw hi y bydd eich gweithred wreiddiol, sy'n arwain at hapusrwydd ar y dechrau, yn arwain at fwy o hapusrwydd. Y chweched yw purdeb, sef pa mor rhydd rhag poen y mae'r weithred hon yn debygol o fod. Y seithfed maen prawf yw maint ac mae'n cyfeirio at faint o bobl fydd yn cael hapusrwydd. 2

I roi enghraifft, dychmygwch fod tŷ ar dân, ac yn gaeth y tu mewn mae gwyddonydd sy'n meddu ar y driniaeth i wella pob canser a hefyd eich tad oedrannus. Pwy rydych chi'n ei achub? Byddai Bentham yn dweud y dylech achub y gwyddonydd oherwydd bydd ei hachub hi yn dod â hapusrwydd i'r miliynau o bobl sy'n dioddef o ganser (dwysedd a maint). Byddai hefyd yn galluogi'r rhai sy'n dioddef o ganser i fyw yn hirach – byddai hyd eu hapusrwydd cyfunol yn para'n fwy na hapusrwydd eich tad oedrannus. Byddai achub y gwyddonydd yn sicr yn arwain (sicrwydd) at bleser, gan y byddai miliynau o bobl yn hapus i gael eu hachub rhag clefyd oedd yn farwol yn flaenorol. Bydd yr hapusrwydd cychwynnol o achub y gwyddonydd ac felly'r rhai sy'n dioddef o ganser yn arwain at fwy o hapusrwydd i'w ffrindiau a'u teuluoedd (ffrwythlondeb/cyfoeth). Ni fyddai'r weithred yn gwbl rydd rhag poen (purdeb) gan y bydd eich tad yn marw, ond bydd yr hapusrwydd yn bellgyrhaeddol a bydd llawer o bobl yn profi'r hapusrwydd os ydych chi'n achub y gwyddonydd (maint). [3]

Sylwadau

1. Mae'r ateb wedi dechrau'n dda drwy ddyfynnu'n gywir o lyfr Bentham. Yna mae'n disgrifio egwyddor 'defnyddioldeb' yn llwyddiannus ac yn defnyddio terminoleg allweddol fel 'hedonistaidd' a 'chanlyniadaethol' yn fanwl gywir. Gallai'r termau 'perthynolaidd' a 'theleolegol', er eu bod yn perthyn yn gywir i fath Bentham o Iwtilitariaeth, fod wedi cael eu diffinio'n gliriach yma.
2. Mae'r ateb wedi diffinio pwrpas y calcwlws hedonig yn glir ond gallai, serch hynny, fod wedi dweud pam mai calcwlws 'hedonig' yw'r term ac esbonio mai'r gair Groeg am 'bleser' yw'r term '*hedone*'. Mae'r ateb hefyd wedi gallu rhestru'r saith maen prawf sydd ynddo a diffinio pump allan o'r saith yn gywir, sy'n ddigon. Nid yw 'dwysedd' wedi'i ddisgrifio'n gywir, ac mae'n golygu pa mor gryf yw'r hapusrwydd. Yn ychwanegol at hyn, mae agosrwydd neu bellter yn golygu pa mor agos mewn amser yw'r hapusrwydd. Nid yw'r rhain yn faterion mawr yn gyffredinol ond mae'n dangos pwysigrwydd defnyddio termau technegol yn gywir.
3. Yn y paragraff hwn mae'r ateb wedi dangos dealltwriaeth glir o sut gellir cymhwyso Iwtilitariaeth Gweithredoedd at sefyllfa benodol gan ddefnyddio chwech allan o'r saith maen prawf. Mae'r ateb hefyd wedi dangos dealltwriaeth o 'ddwysedd' yma er nad oedd y diffiniad yn y paragraff blaenorol yn glir. Yr unig faen prawf sydd heb gael ei ddefnyddio yn llwyddiannus yma yw 'pellter'.

Crynodeb

Er nad yw'n berffaith, mae'r ateb o safon dda. Yn amlwg mae meysydd i'w gwella cyn gall yr ateb ddod yn agos at farciau llawn ond mae'n amlwg bydd yr ymgeisydd yn gwneud yn dda.

Maes cwestiwn AA2: *Gwerthuso a yw Iwtilitariaeth yn rhy wan i weithio yn y gymdeithas gyfoes neu beidio*

Ateb gwan

Mae gan Iwtilitariaeth fel damcaniaeth foesegol lawer o ddiffygion. Er enghraifft, pan ydych chi'n cyflawni egwyddor 'yr hapusrwydd mwyaf i'r nifer mwyaf o bobl', rydych chi'n caniatáu i leiafrif ddioddef. Hefyd mae'r egwyddor hon yn caniatáu cyfiawnhau unrhyw weithred, sy'n mynd yn erbyn dysgeidiaethau crefyddol. Byddai llawer o bobl yn dadlau bod diffyg rheolau Iwtilitariaeth Gweithredoedd yn arwain at gael caos moesol. Yn ychwanegol at hyn, mae gan lawer o bobl syniadau gwahanol am beth yw hapusrwydd. Felly sut gallwch chi ddod i benderfyniad ar y sail hon? Mae Iwtilitariaeth fel damcaniaeth ganlyniadaethol yn gofyn i ni ragweld canlyniadau, sy'n amhosibl. [1]

Ar y llaw arall, mae Iwtilitariaeth yn weddol lwyddiannus gan fod y rhan fwyaf o bobl eisiau anelu at hapusrwydd. Mae ysbytai a meddygfeydd teuluol yn gwneud penderfyniadau drwy ddefnyddio egwyddorion Iwtilitaraidd. Gallai defnyddio Iwtilitariaeth helpu i hyrwyddo ysbryd cymunedol drwy fynd ar drywydd nod cyffredin hapusrwydd. [2]

Sylwadau

1. Mae ymdrech yma i lunio dadl, ond mae'r pwyntiau a godir yn cael eu cefnogi gan resymu neu dystiolaeth yn rhannol yn unig. Er enghraifft, mae'r ddadl am ganiatáu i leiafrif ddioddef yn gywir, ond does dim tystiolaeth na rhesymu pellach i gefnogi hon neu unrhyw un arall o'r dadleuon a roddir yma.
2. Er bod mwy nag un safbwynt yn cael ei gydnabod yma, mae'r pwyntiau a godir yn dal i gael eu cefnogi gan resymu neu dystiolaeth yn rhannol yn unig. Er enghraifft, sut mae ysbytai'n gwneud penderfyniadau drwy ddefnyddio'r egwyddorion a amlinellir gan Iwtilitariaeth? Sut mae Iwtilitariaeth yn hyrwyddo ysbryd cymunedol drwy hapusrwydd?

Crynodeb

Yn gyffredinol, mae'r ateb hwn yn dangos rhywfaint o ddealltwriaeth o'r prif faterion ond mae'r dadansoddiad neu'r sylwadau yn gyfyngedig. Mae'r dadleuon a roddir yma wedi'u cefnogi'n rhannol yn unig ac maen nhw'n brin o werthusiad neu ddadansoddiad dyfnach. Mae'n amlwg nad yw'n ateb cryf ac mae llawer o feysydd i'w gwella.

Atebion i'r cwestiynau cyflym

Athroniaeth Thema 1

1.1 Tystiolaeth neu brofiad.

1.2 Duw.

1.3 i. Marmor, cerflun a'r cerflunydd

ii. Pren, pren yn llosgi, tân.

1.4 Yn y byd o synnwyr.

1.5 Mae angen cydnabod achos effeithiol cyntaf sydd ynddo'i hun heb ei achosi – yr unig beth y gall hwn fod (yn ôl Aquinas) yw Duw.

1.6 Y bydysawd a phopeth sydd ynddo.

1.7 Rhywbeth y mae'n rhaid iddo fodoli ac na all beidio â bodoli.

1.8 Bod ganddo achos i'w fodolaeth.

1.9 Rhywbeth sydd heb ddechrau na diwedd.

1.10 Eglwysi Cristnogol ffwndamentalaidd America.

1.11 Nid oedd gan bethau heb ddeallusrwydd y gallu i'w cyfeirio eu hunain tuag at ddiben – roedd angen deallusrwydd arweiniol arnyn nhw i wneud hyn.

1.12 Roedd y garreg yn wrthrych naturiol heb unrhyw bwrpas ymddangosiadol, ond roedd yr oriawr yn beiriant cymhleth gyda phwrpas penodol.

1.13 Mae'r byd yn darparu'r pethau sy'n angenrheidiol i gynnal bywyd; gall y byd gael ei ddadansoddi'n rhesymegol; arweiniodd esblygiad at ddatblygiad bywyd dynol deallus.

1.14 Roedd y dylunydd eisiau i'w greadigaeth fwynhau bodolaeth nid goroesi yn unig.

1.15 Dydy'r ffaith fod gan bopeth yn y bydysawd achos ddim yn golygu bod gan y bydysawd ei hun achos (dydy'r hyn sy'n wir am y rhannau ddim o reidrwydd yn wir am y cyfan).

1.16 Dim ond pan mae dau beth tebyg yn cael eu cymharu y mae cydweddiad yn gweithio – nid oedd hyn yn bosibl gyda'r bydysawd gan fod y bydysawd yn unigryw.

1.17 Bod bywyd ar y ddaear wedi datblygu a newid yn ôl ysgogiadau allanol yr amgylchedd.

Athroniaeth Thema 2

2.1 Mae prawf diddwythol yn defnyddio rhesymeg yn hytrach na thystiolaeth.

2.2 Er mwyn dyfnhau'r ddealltwriaeth o ffydd.

2.3 Na all rhywbeth (yn yr achos hwn, Duw) beidio â bodoli.

2.4 Cydweddiadau'r triongl a'r mynyddoedd/dyffrynnoedd.

2.5 Pe bai'n gwrth-ddweud ei hun neu'n rhesymegol wirion.

2.6 Nid oedd yn credu bod modd gwneud i bethau (yn cynnwys Duw) fodoli drwy eu diffinio.

2.7 Nid oedd bodolaeth yn draethiad diffiniol.

Athroniaeth Thema 3

3.1 Drygioni moesol a drygioni naturiol.

3.2 Unrhyw ymateb addas yn ôl diffiniadau safonol – e.e. llofruddiaeth a daeargrynfeydd.

3.3 Y Duw sy'n meddu ar nodweddion hollalluogrwydd, hollwybodaeth a hollraslonrwydd. Hefyd y Duw sy'n cael ei addoli gan y tair prif grefydd orllewinol, sef Cristnogaeth, Islam ac Iddewiaeth.

3.4 Anghysondeb Duw hollalluog a hollraslon yn caniatáu bodolaeth drygioni.

3.5 Lle dydy'r tri gosodiad, mae Duw yn hollalluog; mae Duw yn hollraslon ac mae drygioni yn bodoli, ddim yn gallu cyd-fodoli heb wrth-ddweud rhesymegol.

3.6 Hanes y Cwymp yn llyfr Genesis, pennod 3.

3.7 Diffyg neu absenoldeb rhywbeth a ddylai fod yn bresennol mewn amgylchiadau arferol.

3.8 Roedd yn caniatáu i Dduw anfon Iesu i'r byd i wneud iawn am bechod y ddynoliaeth ac i roi ffordd yn ôl i gytgord perffaith gyda Duw.

3.9 Sut gall byd perffaith fynd yn anghywir?

3.10 Mae'n gwrth-ddweud y syniad fod y ddynoliaeth wedi'i chreu yn berffaith yn wreiddiol.

3.11 Genesis 1:26 – 'Gwnawn ddyn ar ein delw, yn ôl ein llun ni.'

3.12 Caniatáu i'r ddynoliaeth dyfu yn nelw Duw drwy ddeall bod gan bob gweithred ganlyniadau – rhai cadarnhaol a rhai negyddol.

3.13 Nid yw'n ystyried dioddefaint anifeiliaid o gwbl; anferthedd dioddefaint neu ddosbarthiad annheg dioddefaint; nid yw chwaith yn annog unigolion i ddewis gwneud daioni yn y presennol os yw pawb yn y diwedd yn mynd i'r nefoedd.

Athroniaeth Thema 4

4.1 Corfforol, dychmygol a deallusol.

4.2 Bod y rheini sy'n cael troëdigaeth yn dangos hyn drwy newid y ffordd maen nhw'n byw eu bywydau – gall hyn yn aml fod yn newid sylweddol sy'n amlwg o'r tu allan neu gall fod yn newid mewnol a welir drwy gredoau a gweithredoedd y sawl a gafodd droëdigaeth yn dilyn hynny.

4.3 Ataliad y synhwyrau allanol.

4.4 Gardd sy'n cael ei dyfrhau.

4.5 Anhraetholdeb, natur noëtig, byrhoedledd a goddefoldeb.

4.6 Cyflwr o barchedig ofn dwys a brofir gan yr unigolyn neu'r grŵp.

4.7 Heriau'n ymwneud â disgrifiadau, â'r goddrych, ac â'r gwrthrych.

4.8 Efallai bydd yn golygu rhywbeth i'r unigolyn o hyd ac yn gwneud gwahaniaeth i'w fywyd ac i fywydau'r rheini y mae'n dod i gysylltiad â nhw.

Moeseg Thema 1

1.1 Natur moeseg, er enghraifft, 'pam rydyn ni'n gweithredu yn y ffordd rydyn ni?'

1.2 Cyfeiriad at berson a'i ymddygiad mewn moeseg.

1.3 Un sydd â rheolau moesol pendant nad ydynt yn gallu newid.

1.4 Teleoleg.

1.5 Hollraslonrwydd.

1.6 Dilema Euthyphro.

1.7 Cymeriad person.

1.8 Mae'n canolbwyntio ar y rhinweddau moesegol sydd wedi'u datblygu mewn person.

1.9 Cafodd ei ddefnyddio gan Aristotle i ddisgrifio'r cyflwr rhinweddol perffaith o hapusrwydd.

1.10 Yn *Nicomachean Ethics*.

1.11 Mae rhinweddau moesol yn ymwneud ag ymddygiad. Mae rhinweddau deallusol yn ymwneud â'r meddwl.

1.12 Mae cyfiawnder yn ganlyniad torfol i ymddygiad rhinweddol.

1.13 Llyfr y Pregethwr.

1.14 Mae myfiaeth seicolegol yn dangos ein bod ni bob amser yn gweithredu oherwydd hunan-les ond mae myfiaeth foesegol yn dweud y dylen ni weithredu oherwydd hunan-les.

1.15 Gweithred er budd pobl eraill.

1.16 Roedd e'n credu ein bod ni bob amser yn rhwymedig wrth ryw system o ddyletswydd.

1.17 Pan ydyn ni'n croesawu ein hunanberchenrwydd a chydnabod ein natur unigryw.

Moeseg Thema 2

2.1 Hapusrwydd, *eudaimonia*.

2.2 Roedd Duw yn cael ei weld fel ffynhonnell y Ddeddf Naturiol.

2.3 Mae'n ddeontolegol oherwydd ystyrir bod yr hyn y dylid ei wneud yn cael ei bennu gan egwyddorion sylfaenol nad ydynt wedi'u seilio ar ganlyniadau.

2.4 Mae'r ffaith fod y term caswistiaeth yn dod o'r gair Lladin '*casus*' (achos) yn awgrymu bod cyd-destun penodol a chanlyniadau 'terfynol' yn cael eu hystyried ac felly derbynnir agwedd deleolegol y Ddeddf Naturiol yn aml.

2.5 Mae caswistiaeth yn hanfodol: mae'n golygu defnyddio meddwl yn ofalus wrth gymhwyso egwyddorion cyffredinol at amgylchiadau penodol.

2.6 Mae gwahanol eiriau am gariad yn yr iaith Roeg.

2.7 Pwyll yw barn gadarn; cymedroldeb yw bod yn gymedrol neu'n gytbwys; gwroldeb yw dygnwch; a chyfiawnder yw arweiniad.

2.8 Gwahaniaethodd Aquinas rhwng y bwriad i weithredu a'r weithred ei hun.

2.9 Mae daioni gwirioneddol yn unol â'r Ddeddf Naturiol gyda bwriad, ac mae daioni ymddangosiadol yn weithred sy'n ymddangos yn dda ond sy'n arwain at ddrwg. Enghraifft o ddaioni ymddangosiadol fyddai dilyn ein dyheadau am rywbeth sy'n ymddangos yn dda ar y pryd ond nad yw'n unol â'n daioni yn gyffredinol o safbwynt y Ddeddf Naturiol, fel bwyta cymaint â phosibl oherwydd bod y bwyd yn flasus.

2.10 24 wythnos.

2.11 1967.

2.12 (1) Os yw iechyd corfforol y fenyw dan fygythiad drwy gael y baban / byddai unrhyw blant sydd ganddi'n barod yn cael eu niweidio'n feddyliol neu'n gorfforol pe bai'r fenyw yn mynd ymlaen i gael y baban. (2) Os oes risg uchel y byddai nam ar y baban.

2.13 Genedigaeth, ymwybyddiaeth, eneidio, hyfywdra, ac yn y blaen.

2.14 Mae un person yn lladd y llall yn fwriadol neu'n caniatáu marwolaeth y llall ar eu cais nhw.

2.15 1961.

Moeseg Thema 3

3.1 Y ddau eithaf o ddeddfolaeth ac antinomiaeth.

3.2 Ddim yn llwyr; roedd yn un gosodiad cryno a gafodd lawer o gyhoeddusrwydd am dueddiad mewn moeseg Gristnogol oedd wedi bod yn tyfu ers degawdau.

3.3 Defnyddio'r rheswm.

3.4 Nid rhyw 'beth' ydyw ond rhywbeth rydyn ni'n ei 'wneud'.

3.5 *Agape* yn nysgeidiaeth Iesu a gwaith Paul.

3.6 Dyma'r gair Hebraeg sydd agosaf at ei ystyr.

3.7 Pragmatiaeth, perthynoliaeth, positifiaeth a phersonolyddiaeth.

3.8 Mae'n golygu 'hunanwacaol' ac mae'n arwydd o *agape*.

3.9 Cariad.

3.10 Na, mewn cyfiawnder cymdeithasol hefyd.

3.11 Dadleuodd fod deddfau ac agweddau dynol tuag at ryw a chyfunrywioldeb, yr oedd yr Eglwys wedi dylanwadu arnyn nhw, yn hen ffasiwn, anghyson a rhagfarnllyd.

3.12 Enghraifft o anoddefgarwch ac anghyfiawnder tuag at bobl gyfunrywiol.

3.13 1967.

Moeseg Thema 4

4.1 Y diben, *telos*.

4.2 Y rheini sy'n dod â'r daioni mwyaf i'r nifer mwyaf o bobl.

4.3 Bargyfreithiwr.

4.4 Dwysedd, hyd, maint, ac yn y blaen.

4.5 Ystyrir bod Iwtilitariaeth yn ddamcaniaeth berthynolaidd gan ei bod yn golygu nad oes normau na rheolau moesol cyffredinol, a bod angen edrych ar bob sefyllfa yn annibynnol oherwydd bod pob sefyllfa'n wahanol.

4.6 Dadleuodd Mill fod pleserau uwch ac is (nid oedd pob pleser yr un peth) ac y dylai pleser gael ei fesur yn ôl yr ansawdd nid y swm yn unig.

4.7 Darllen athroniaeth.

4.8 Bwyta.

4.9 Mae'n amddiffyn pob unigolyn mewn cymdeithas.

4.10 Mae iwtilitariad rheolau cryf yn credu na ddylai unrhyw reolau sydd wedi'u ffurfio a'u sefydlu drwy gymhwyso 'egwyddor defnyddioldeb' byth gael eu torri gan eu bod nhw'n gwarantu hapusrwydd i'r gymdeithas. Mae iwtilitariad rheolau gwan yn ceisio derbyn, mewn rhai sefyllfaoedd, efallai mai'r ffordd gywir o weithredu yw torri rheol gafodd ei chreu'n wreiddiol i gyflawni egwyddor defnyddioldeb yn gyffredinol. Mae hyn oherwydd yn y sefyllfa arbennig honno, mae torri'r rheol yn fwy tebygol o gyflawni egwyddor defnyddioldeb na chadw'r rheol.

4.11 Dyraniad a bywddyraniad sy'n enghreifftiau cynnar o'r natur gynhyrchiol mewn ymchwil meddygol.

4.12 Ymagwedd at anifeiliaid sy'n cefnogi hawliau anifeiliaid i beidio â chael eu cam-drin ac i gael eu gwarchod, e.e. yr *RSPCA*.

4.13 Ymagwedd at anifeiliaid sy'n sefydlu deddfau a rheoliadau i reoli arbrofion ar anifeiliaid a sicrhau bod anifeiliaid yn cael eu trin ag urddas.

4.14 Mae Langley'n dadlau bod tystiolaeth fod modelau anifeiliaid yn perfformio'n wael mewn ymchwil meddygol.

4.15 *Understanding Animal Research (UAR)*. Mae *UAR* yn datgan ei fod yn 'cefnogi'r defnydd dyngarol o anifeiliaid mewn ymchwil meddygol ac yn credu bod ymchwil ar anifeiliaid yn rhan hanfodol o'r broses wyddonol'.

4.16 Y 'llinell anorchfygol', yn ôl Bentham, oedd mai'r gallu i ddioddef yn hytrach na'r gallu i resymu oedd yn darparu'r fframwaith a'r safon o ran sut rydyn ni'n trin anifeiliaid eraill.

4.17 Carfan bwyso o'r enw yr 'Ymgyrch dros Ddiarfogi Niwclear' sy'n dadlau yn erbyn cael arfau niwclear.

4.18 Oherwydd bod Fallon wedi dweud, 'Mae cael arf ataliol yn golygu argyhoeddi unrhyw ymosodwr posibl fod manteision ymosodiad yn cael eu trechu'n bendant gan ei ganlyniadau.' Mae'r ymagwedd ganlyniadaethol hon yn cyd-fynd ag egwyddorion iwtilitaraidd oherwydd gellir dadlau ei bod yn cefnogi egwyddor niwed.

Geirfa

Absoliwtiaeth: system Absoliwtiaeth: system foesegol sy'n credu bod safon cywir ac anghywir yn bodoli sy'n rhwymo pob bod dynol yn llwyr ac yn gyfan

Achos effeithiol: y 'trydydd parti' sy'n achosi symud o botensialedd i weithredoledd

Achos eithaf: yn ystyr yr hyn a ysgrifennodd Aquinas, hwn yw'r achos olaf yn y dilyniant na fyddai wedi digwydd heb gael yn gyntaf achosion effeithiol ac achosion rhyngol (meddyliwch am hwn fel y domino olaf ond un i syrthio yn y rhes)

Achos rhyngol: mae hwn yn cyfeirio at achos sy'n dibynnu ar rywbeth arall i'w sbarduno (cofiwch yr ail ddomino yn y rhes!)

Adroddiad Wolfenden: ymchwiliad wedi'i gychwyn gan y llywodraeth i archwilio problemau puteindra a chyfunrywioldeb, a gafodd ei gyhoeddi yn y pen draw yn 1957

***Agape*:** gair Groeg am gariad pur, diamod

***Aheb*:** gair Hebraeg am gariad sy'n ymddangos yn debyg i'r syniad o *agape*

***Akrasia*:** anymataliol, hynny yw, diffyg ymatal ac yn ddireolaeth

***Akrates*:** rhywun sy'n ddibenderfyniad ac yn cael ei oresgyn gan bethau drwg

Allgaredd: gofal anhunanol am lesiant pobl eraill

Amddifadrwydd: absenoldeb neu golled rhywbeth sy'n bresennol fel arfer (h.y. mae amddifadrwydd o iechyd yn golygu bod y person yn sâl a ddim yn iach)

Amlgarwriaethol: cael perthynas rywiol (gariadus) gyda mwy nag un unigolyn lle mae'r partneriaid i gyd yn gwybod ac yn cydsynio

Amodol: unrhyw beth sy'n dibynnu ar rywbeth arall (yn achos bod amodol – mae'n amodol ar fod arall am ei fodolaeth, e.e. mae plentyn yn amodol ar ei riant)

Amseryddol: pethau sy'n gysylltiedig ag amser

Anfeidredd gweithredol: rhywbeth sydd wir yn anfeidraidd yn ei hyd a'i led neu yn hyd a lled y gweithredoedd a berfformir – yn llythrennol does ganddo ddim dechrau na diwedd

Anfeidredd potensial: mae'r anfeidredd potensial yn rhywbeth a allai barhau, pe bai ymdrech yn cael ei gweithredu. E.e. byddai'n bosibl parhau â llinell rifau pe bydden ni'n dymuno hynny, neu gallen ni bob amser feddwl am rif mwy

Anhraethol: yr hyn na all person siarad amdano gan nad oes geiriau i ddisgrifio'r profiad

***Animal Aid*:** elusen sy'n hybu lles anifeiliaid ac sy'n dadlau yn erbyn defnyddio anifeiliaid ar gyfer ymchwil meddygol

Antinomiaeth: damcaniaeth foeseg sydd ddim yn cydnabod awdurdod rheolau allanol ond yn hybu rhyddid rhagddyn nhw, o'r gair Groeg sy'n golygu digyfraith

Anthropig: yn ymwneud â bod yn ddynol

Anthropoleg: astudiaeth o fodau dynol, eu diwylliant a'u datblygiad cymdeithasol

Apolegydd: unigolyn sy'n ysgrifennu neu'n siarad i amddiffyn achos neu gred arbennig

***A posteriori*:** gosodiad sy'n seiliedig ar arsylwi, tystiolaeth, data arbrofol neu brofiad gwirioneddol – yn gysylltiedig â rhesymu anwythol

***A priori*:** heb dystiolaeth neu brofiad neu cyn cael tystiolaeth neu brofiad

***Arete*:** gair Groeg sy'n golygu rhinwedd

Arf ataliol: rhywbeth sy'n perswadio neu sydd â'r bwriad o berswadio rhywun rhag gwneud rhywbeth

Blastocyst: grŵp o gelloedd sy'n lluosogi

Bod angenrheidiol: honiad Aquinas fod bod anamodol yn angenrheidiol er mwyn i fodau amodol fodoli. Y bod angenrheidiol hwn yw ffynhonnell pob bodolaeth i bob bod amodol arall.

Bom atomig: bom sy'n cael ei rym dinistriol drwy ollwng egni niwclear yn gyflym iawn

Breuddwydion: o ran gweledigaethau, y cyflwr anymwybodol lle y ceir gwybodaeth neu ddealltwriaeth drwy gyfres o ddelweddau neu naratif-freuddwyd, na fyddai fel arfer ar gael i'r unigolyn yn y cyflwr ymwybodol

Y byd naturiol: byd natur, sy'n cynnwys pob gwrthrych, organig ac anorganig

Byrhoedlog: profiad nad yw'n para'n hir ond eto mae ganddo oblygiadau pellgyrhaeddol a/neu sy'n para'n hir

Bywddyraniad: yr arfer o wneud llawdriniaethau ar anifeiliaid byw ar gyfer arbrofion neu ymchwil gwyddonol

Bywiogi: yn draddodiadol, pan mae'r fam yn teimlo'r plentyn yn symud y tu mewn iddi am y tro cyntaf

Canlyniadaeth: damcaniaeth foesegol sy'n seiliedig ar ystyried canlyniadau

Canlyniadaethol: dylai pobl ddod i farn foesol yn seiliedig ar ddeilliant neu ganlyniadau gweithred

Caswistiaeth: y gelfyddyd o gymhwyso egwyddorion allweddol at achos moesegol

Cenotig: o air Groeg yn golygu gwacáu neu wneud eich hun yn gwbl barod i dderbyn rhywbeth

***CND*:** y garfan bwyso, sef yr 'Ymgyrch dros Ddiarfogi Niwclear'

Compendiwm: casgliad trwyadl o ddeunydd

Corfforol: o natur faterol, ffisegol

Creu eneidiau: proses lle mae'r enaid yn datblygu tuag at berffeithrwydd ysbrydol drwy ennill y doethineb i wneud y dewisiadau moesol cywir bob tro wrth wynebu amwyseddau bywyd fel bod dynol

Y Cwymp: digwyddiadau Genesis pennod 3, lle mae Adda ac Efa yn wynebu cosb Duw am anufuddhau i'w orchymyn dwyfol i beidio â bwyta'r ffrwyth o bren gwybodaeth Da a Drwg

Cydwybod: yn draddodiadol canllaw mewnol, greddfol i'r hyn sy'n dda neu'n ddrwg; ailddehonglodd Fletcher y syniad hwn fel disgrifiad o weithredu moesegol

Cyfiawnder: prif rinwedd sy'n golygu arweiniad ar sut rydyn ni'n ymddwyn tuag at eraill

Cyfriniaeth: profiad crefyddol lle mae uniad â Duw neu'r realiti absoliwt yn cael ei geisio neu ei brofi

Cyfunrywiol: cael eich denu'n rhywiol at bobl o'r un rhyw â chi

Cymedroldeb: prif rinwedd sy'n golygu cydbwysedd a rheolaeth

***Chesed*:** gair Hebraeg sy'n disgrifio math unigryw o gariad mewn perthynas benodol

Dadl ontolegol: dadl o blaid bodolaeth Duw ar sail y cysyniad o natur bodolaeth

Dadleuon cosmolegol a theleolegol: dwy enghraifft o ddadleuon anwythol sy'n defnyddio tystiolaeth o'r bydysawd, ac o fewn y bydysawd, i geisio profi bodolaeth Duw Theistiaeth Glasurol

Daearegol: y wyddor sy'n ymwneud â sut cafodd y ddaear ei ffurfio

Daioni gwirioneddol: mae daioni gwirioneddol yn nodwedd a fydd yn helpu pobl i ddod yn nes at y natur ddynol ddelfrydol roedd Duw wedi ei chynllunio ar ein cyfer ni

Daioni ymddangosiadol: daioni ymddangosiadol yw drygioni neu bechod sy'n ein dwyn ni ymhellach i ffwrdd o'r natur ddynol ddelfrydol roedd Duw wedi ei chynllunio ar ein cyfer ni

Damcaniaeth esblygiad: damcaniaeth wyddonol, wedi ei chynnig yn wreiddiol yn y 19eg ganrif, oedd yn tybosod bod bywyd wedi datblygu o ffurfiau bywyd symlach i rai mwy cymhleth drwy broses detholiad naturiol a mwtaniad genetig

Deallusol: o ran gweledigaethau, yr hyn sy'n dod â gwybodaeth a dealltwriaeth i'r derbynnydd/derbynwyr

Deddfolaeth: ymagwedd at foeseg sy'n derbyn natur absoliwt rheolau neu egwyddorion sefydledig

Deontolegol: damcaniaeth sy'n archwilio rhwymedigaeth neu ddyletswydd

Dirfodaeth: athroniaeth sy'n cynnig bod yr unigolyn yn rhydd ac yn gyfrifol am bennu ei ddatblygiad ei hun

Distylliad: proses o dynnu allan ddeunydd allweddol, o ansawdd da

Dros ddewis: cefnogi hawliau menywod i gael erthyliadau

Dros fywyd: yn erbyn erthyliadau

Drygioni: unrhyw beth sy'n achosi poen neu ddioddefaint

Drygioni moesol: drygioni wedi'i achosi gan weithredoedd asiant ewyllys rydd

Drygioni naturiol: drygioni wedi'i achosi gan rym y tu allan i reolaeth asiantau ewyllys rydd – fel arfer cyfeirir ato fel 'natur'

Duw Theistiaeth Glasurol: y Duw sy'n cael ei gysylltu fel arfer â chrefyddau monotheistig y Gorllewin, sef Cristnogaeth, Islam ac Iddewiaeth

Dyraniad: y weithred o ddyrannu corff neu blanhigyn i astudio ei rannau mewnol

Ecstatig: teimlad ysgubol o ddedwyddwch neu heddwch

Egwyddor defnyddioldeb: mae gweithred yn gywir os yw'n hyrwyddo ac yn achosi'r swm mwyaf posibl o hapusrwydd

Egwyddor yr hapusrwydd mwyaf: cyfrifiad sy'n cael ei ddefnyddio mewn damcaniaeth iwtilitaraidd i asesu'r dull gorau o weithredu

***Eigenheit*:** hunanberchenrwydd, y syniad o feistroli'r hunan

***Einzig*:** unigrywiaeth, y rhyddid rhag pob baich sy'n gadael unigoliaeth bur

***Einzige*:** ego

Embryo: anifail yng ngham cynnar datblygiad cyn geni; mewn bodau dynol, y cam embryo yw'r tri mis cyntaf ar ôl y cenhedliad

Eneidio: y pwynt lle mae'r enaid yn mynd i mewn i'r corff

***Enkrates*:** rhywun sy'n cael ei demtio ond sy'n gryf, ac yn byw yn y cymedr

Erthyliad llawfeddygol: erthyliad drwy gyfrwng y dull sugno

Erthyliad meddygol: erthyliad drwy gyfrwng y bilsen erthylu

Esthetig: yn gysylltiedig â'r cysyniad o harddwch a'r gallu i'w werthfawrogi

***Ethos*:** gair Groeg mae Aristotle yn ei ddefnyddio am gymeriad person

Ethos cymuned: cymeriad neu ysbryd cymuned

***Eudaimonia*:** gair Groeg mae Aristotle yn ei ddefnyddio i ddiffinio diben bywyd dynol, sef hapusrwydd, ffyniant neu foddhad

Ewthanasia: yn golygu yn llythrennol marwolaeth esmwyth neu hawdd, dyma'r weithred ddadleuol ac, mewn rhai achosion, anghyfreithlon o ganiatáu i berson ag afiechyd marwol farw gydag urddas, gan osgoi poen a dioddefaint

Ewyllys rydd: y cysyniad diwinyddol ac athronyddol sy'n dweud bod gan fodau dynol y gallu i ddewis yn rhydd rhwng da a drwg

Ffactorau perthynol: dehongliadau gwahanol o'r un geiriau neu dermau, yn dibynnu ar safbwynt y gwyliwr

Ffoetws: y baban heb ei eni o ddiwedd yr wythfed wythnos ar ôl y cenhedliad (ar ôl i'r prif strwythurau ffurfio) tan yr enedigaeth

Ffydd: cred neu ymddiriedaeth gadarn yn rhywbeth neu rywun

Genedigaeth: y pwynt lle mae'r plentyn yn cael ei wahanu oddi wrth ei fam ac yn dod yn endid ar wahân

Goddefol: yn y cyd-destun hwn, lle mae'r profiad cyfriniol yn 'cael ei wneud' i'r derbynnydd. Nid yw'n cael ei symbylu gan yr unigolyn neu'r grŵp ond yn hytrach mae'n ganlyniad i ryw fath o rym neu ddylanwad allanol.

Goddrychol: damcaniaeth sy'n ddibynnol ar safbwynt personol

Gweddi: yn syml, cyfathrebu â'r dwyfol

Gweithred allanol: gweithred sy'n cael ei gweld fel un dda neu ddrwg ond sydd ddim yn cyfateb, nac yn cyd-fynd, â'r bwriad y tu ôl iddi

Gweithred fewnol: gweithred sy'n cyd-fynd â'r bwriad, p'un ai da neu ddrwg

Gweithredoledd: pan mae rhywbeth yn y cyflwr o fod wedi'i wireddu'n llawn

Gweledigaeth wynfydedig: y cyflwr o hapusrwydd perffaith drwy undod goruwchnaturiol â Duw

Gweledigaethau: y gallu i 'weld' rhywbeth y tu hwnt i brofiadau normal – e.e. gweledigaeth o angel; mae gweledigaethau o'r fath fel arfer yn cyfleu gwybodaeth neu ddirnadaeth o draddodiad crefyddol penodol

Gwroldeb: prif rinwedd sy'n golygu dygnwch corfforol, moesol neu ysbrydol a chryfder cymeriad

Gwrthrychol: damcaniaeth sy'n annibynnol ar safbwynt personol

Gwynfyd: bendith wedi ei rhoi gan Iesu am rai rhinweddau personol

Hedoniaeth: damcaniaeth foesegol sy'n diffinio'r hyn sy'n gywir o safbwynt pleser

***Hexis*:** gair Groeg mae Aristotle yn ei ddefnyddio am ffordd person o ymddwyn

Hollalluog: yn gallu gwneud popeth

Hollraslon: yn caru popeth

Hollraslonrwydd: natur Duw sy'n caru popeth

Hyfywdra: y gallu i dyfu a datblygu yn oedolyn, yn arbennig gallu'r plentyn i fodoli heb ddibynnu ar y fam

Iachawdwriaeth: y weithred o achub rhywbeth neu rywun. Yn y cyd-destun Cristnogol mae'n cyfeirio at Iesu yn achub dynoliaeth rhag drygioni a phechod.

Iwtilitariaeth: damcaniaeth foesegol sy'n honni bod gweithred yn gywir os yw'n arwain at yr hapusrwydd mwyaf i'r nifer mwyaf o bobl – mae natur foesegol gweithredoedd yn seiliedig felly ar y canlyniadau i hapusrwydd dynol

Iwtilitariaeth Gweithredoedd: math o Iwtilitariaeth sy'n cael ei chysylltu â Bentham. Mae'n trin pob sefyllfa foesol fel un unigryw ac yn cymhwyso'r calcwlws hedonig at bob 'gweithred' i weld a yw'n cyflawni 'egwyddor defnyddioldeb'. Mae unrhyw weithred yn gywir os yw'n cynhyrchu'r hapusrwydd mwyaf i'r nifer mwyaf o bobl.

Iwtilitariaeth Rheolau: safbwynt sy'n cael ei gysylltu â John Stuart Mill. Wrth ddefnyddio 'egwyddor defnyddioldeb' – yr hapusrwydd mwyaf i'r nifer mwyaf o bobl – mae iwtilitariad rheolau yn credu ei bod yn bosibl llunio rheolau cyffredinol, yn seiliedig ar brofiadau'r gorffennol, a fyddai'n helpu i gadw'r egwyddor hon.

Iwtilitariaeth Rheolau Cryf: mae iwtilitariad rheolau cryf yn credu na ddylai unrhyw reolau sydd wedi'u ffurfio a'u sefydlu drwy gymhwyso 'egwyddor defnyddioldeb' byth gael eu torri gan eu bod nhw'n gwarantu hapusrwydd i'r gymdeithas

Iwtilitariaeth Rheolau Gwan: mae iwtilitariad rheolau gwan yn ceisio derbyn, mewn rhai sefyllfaoedd, efallai mai'r ffordd gywir o weithredu yw torri rheol gafodd ei chreu'n wreiddiol i gyflawni egwyddor defnyddioldeb yn gyffredinol. Mae hyn oherwydd yn y sefyllfa arbennig honno, mae torri'r rheol yn fwy tebygol o gyflawni egwyddor defnyddioldeb na chadw'r rheol.

Llythrenolaidd: dehongli'r Beibl yn llythrennol – hynny yw, dylid cymryd bod pob gair yn wir; does dim angen dehongli

Macsimwm cynhenid: term a gysylltir yn aml yng nghyd-destun y ddadl ontolegol â'r athronydd o Loegr, Charles Dunbar Board, i gyfeirio at briodweddau angenrheidiol Duw – sef bod yn rhaid iddyn nhw i gyd feddu ar y macsimwm cynhenid hwn er mwyn i'r diffiniad o Dduw fel y bod mwyaf posibl fod yn gywir

Meta-foeseg: y dadleuon sy'n codi pan gaiff natur moeseg ei hystyried

Moeseg: daw'r gair Saesneg '*ethics*' o'r Groeg '*ethike*' sy'n golygu arfer neu ymddygiad ac sy'n perthyn yn agos i'r gair *ethos*. Mae'n astudiaeth o'r fframwaith o egwyddorion arweiniol sy'n cyfeirio gweithred.

Moeseg gymhwysol: y dadleuon sy'n codi pan gaiff materion moesegol eu hystyried

Moeseg normadol: y dadleuon sy'n codi pan gaiff damcaniaethau moesegol eu hystyried

Moeseg Sefyllfa: damcaniaeth foeseg berthynolaidd wedi'i gwneud yn enwog gan Joseph Fletcher

Moesol: term a ddefnyddir i ddisgrifio ymddygiad moesegol

Myfïaeth foesegol: y safbwynt normadol sy'n dal y dylai pob gweithred gael ei chymell gan hunan-les

Myfïaeth seicolegol: y safbwynt disgrifiadol fod pob gweithred ddynol yn cael ei chymell gan hunan-les

Naturoliaeth: yr hyn sy'n deillio o fywyd go iawn neu fyd natur

Noëtig: gwybodaeth a geir drwy brofiad cyfriniol na fyddai ar gael i'r derbynnydd fel arall drwy ffyrdd cyffredin

Pellter epistemig: pellter sy'n cael ei fesur yn nhermau gwybodaeth yn hytrach na gofod neu amser

Perffeithrwydd: absenoldeb llwyr unrhyw ddiffygion, hefyd y cyflwr eithaf o nodwedd gadarnhaol

Perthynolaidd: mae hyn yn golygu nad oes normau na rheolau moesol cyffredinol, a bod angen edrych ar bob sefyllfa yn annibynnol oherwydd bod pob sefyllfa'n wahanol

Perthynoliaeth: system foesegol sy'n credu nad oes cywir nac anghywir absoliwt

Potensial: y posibilrwydd, adeg y cenhedliad, o ddod yn berson dynol

Potensialedd: y gallu i fedru dod yn rhywbeth arall

Prawf anwythol: dadl wedi'i llunio ar dystiolaeth a/neu brofiad sy'n cyflwyno casgliad posibl yn seiliedig ar y rhain

Prawf diddwythol: prawf lle, os yw'r rhagosodiadau'n wir, mae'n rhaid bod y casgliad yn wir

Priodoledd: nodwedd ddisgrifiadol mae rhywun neu rywbeth yn meddu arni

***Proslogion*:** gwaith a ysgrifennwyd gan Anselm, oedd yn cael ei ddefnyddio fel myfyrdod, ond ynddo mae ffurf glasurol y ddadl ontolegol i'w chael

Pwyll: prif rinwedd sy'n golygu barn gadarn

***Reductio ad absurdum*:** dadl sy'n dangos bod gosodiad yn ffug neu'n wirion pe bai ei gasgliadau rhesymegol yn cael eu derbyn

Rhagfarn: anoddefgarwch a meddwl cul

Rhagosodiad: gosodiad neu gynnig a ddefnyddir i adeiladu dadl

Rheswm: y defnydd o resymeg mewn prosesau meddwl neu wrth gyflwyno dadl

Sancteiddrwydd bywyd: y gred fod bywyd yn sanctaidd neu'n gysegredig, wedi ei roi gan Dduw

***Sophron*:** rhywun sy'n byw yn y cymedr yn ddiymdrech

Sygot: cell sy'n cael ei ffurfio drwy uniad cell ryw wrywol (sberm) a chell ryw fenywol (ofwm), sy'n datblygu yn embryo yn ôl y wybodaeth sydd wedi'i chodio yn ei deunydd genetig

Synhwyraidd: gweledigaeth lle mae gwrthrychau/synau neu ffigyrau allanol yn cyfleu gwybodaeth a dealltwriaeth i'r derbynnydd

Teleolegol: damcaniaeth sy'n ymwneud â diben neu nod gweithred

***Telos*:** gall fod nifer o ystyron i'r term ond yn gyffredinol mae'n cyfeirio at y 'diben' (hynny yw y cyrchfan olaf); 'nod' neu 'bwrpas' rhywbeth – mae'r term hwn i'w weld yn aml yn athroniaeth Aristotle

Traethiad: nodwedd neu briodoledd ddiffiniol

Tröedigaeth: yn y cyd-destun crefyddol, y newid cyflwr o un ffurf ar fywyd i un arall

Trosgynnol: yr hyn sy'n gorwedd y tu hwnt i fyd pob dydd y synhwyrau corfforol

Twyllresymeg cyfansoddiad: syniad athronyddol nad yw'r hyn sy'n wir am y rhannau o reidrwydd yn wir am y cyfan (h.y. mae atomau yn ddi-liw ond nid yw hyn yn golygu bod cath, sydd wedi'i gwneud o atomau, yn ddi-liw)

Tybosod: cyflwyno, neu ddatgan, ffaith neu gred, fel arfer fel sail i ddadl neu gasgliad

Thaler: arian cyfred oedd yn cael ei ddefnyddio ym Mhrwsia yn y 18fed ganrif

***Understanding Animal Research (UAR)*:** cymdeithas gydfuddiannol (sefydliad di-elw) sy'n esbonio pam mae anifeiliaid yn cael eu defnyddio mewn ymchwil meddygol a gwyddonol

Unol: y teimlad o uniad llwyr â'r dwyfol

Y Weinyddiaeth Amddiffyn: yr adran o lywodraeth Prydain sy'n gyfrifol am weithredu'r polisi amddiffyn ar gyfer y DU

Ymwybyddiaeth: bod yn ymwybodol o'r hunan

Yn empirig: defnyddio gwybodaeth a gafwyd drwy brofiadau unrhyw un o'r pum synnwyr

Mynegai

An environmentally friendly book printed and bound in England by www.printondemand-worldwide.com

This book is made of chain-of-custody materials; FSC materials for the cover and PEFC materials for the text pages.